L'HISTOIRE SECRÈTE
DU MONDE

JONATHAN BLACK

L'HISTOIRE SECRÈTE DU MONDE

DU MONDE

Traduction de Pauline Rebelle,
en collaboration avec Laure Motet

FLOReNT MASSOT

Table des matières

Introduction

Vous êtes sur le point de lire l'histoire du monde telle qu'elle a été enseignée depuis la nuit des temps au sein des sociétés secrètes. Aujourd'hui, ces croyances peuvent paraître insensées, mais sachez qu'un très grand nombre d'hommes et de femmes qui ont *fait* l'histoire les ont adoptées.

Les historiens affirment que depuis le début de la civilisation égyptienne jusqu'à la chute de l'Empire romain, dans des villes comme Thèbes, Éleusis ou Éphèse, les temples publics possédaient des enceintes réservées aux prêtres. Les érudits les appelaient les écoles du Mystère.

Dans ces écoles, on enseignait à l'élite politique et culturelle des techniques de méditation. Après plusieurs années de préparation, Platon, Eschyle, Alexandre le Grand, César Auguste, Cicéron et d'autres étaient enfin initiés à la philosophie secrète. Les techniques utilisées variaient selon les époques : on y pratiquait la privation sensorielle, les exercices de respiration, la danse sacrée, le théâtre, la prise de drogues hallucinogènes et différentes façons de canaliser l'énergie sexuelle. Ces techniques visaient à provoquer l'altération de la conscience permettant aux initiés de percevoir le monde autrement.

Quiconque révélait à un non-initié ce qu'il avait appris dans ces lieux était exécuté. Le philosophe néoplatonicien Jamblique raconta à deux jeunes gens d'Éphèse ce qu'il avait vécu dans ces écoles. Une nuit, excités par ces rumeurs de fantômes et de pratiques magiques et d'une autre réalité, plus intense et plus flamboyante qu'abritaient ces lieux, les deux jeunes inconscients laissèrent leur curiosité avoir raison de leur prudence et, dans l'épaisseur de la nuit, ils se glissèrent de l'autre côté de l'enceinte. Le charivari qui s'ensuivit résonna dans toute la ville et, au petit matin, leurs corps furent retrouvés devant le portail du temple.

Dans ces temps-là, l'enseignement des écoles du Mystère était gardé aussi précieusement que les secrets nucléaires le sont de nos jours.

Au IIIᵉ siècle, quand la religion chrétienne prit le pouvoir au sein de l'Empire romain, ces temples furent fermés. Pour éviter qu'ils ne prolifèrent, on décréta que ces rituels étaient hérétiques et quiconque continuait à les pratiquer encourait la peine capitale. Mais, comme nous le verrons plus loin, les membres de cette nouvelle élite au pouvoir, y compris les hauts dignitaires de l'Église, commencèrent à former eux-mêmes des sociétés secrètes. En privé, ils continuèrent donc à enseigner ces secrets anciens.

Nous allons explorer dans ce livre les nombreuses preuves qui démontrent qu'une philosophie secrète, très ancienne, née dans les écoles du Mystère, a été préservée et développée pendant des siècles à travers des sociétés secrètes comme les Templiers et la Rose-Croix. Le plus souvent, elle était dissimulée au public et, si parfois on l'exposait aux regards, c'était toujours de manière à n'être comprise que des initiés.

Pour ne citer qu'un exemple, le frontispice de *L'Histoire du monde* que sir Walter Raleigh publia en 1614 est exposé à la tour de Londres. Les milliers de personnes qui passent devant l'œuvre chaque jour ne voient ni la tête de chèvre, ni les autres messages codés, dissimulés dans le dessin.

Vous êtes-vous déjà demandé pourquoi il n'existe pas dans la civilisation occidentale l'équivalent des scènes de sexe tantrique sculptées dans les murs de nombreux monuments hindous comme celui du temple de Khajurâho, au centre de l'Inde ? Vous serez surpris d'apprendre que son équivalent, la technique kabbalistique de la *karezza,* est dissimulé dans la majeure partie de l'art et de la littérature occidentale.

Nous verrons aussi comment ces enseignements secrets sur l'histoire du monde ont influencé l'administration Bush et la politique américaine en Europe centrale.

Le pape est-il forcément catholique ?

Eh bien, pas tout à fait de la façon dont vous pourriez l'entendre…

Un matin de 1939, un jeune homme de vingt et un ans marchait dans la rue quand un camion le renversa. Il plongea dans un coma pendant lequel il eut une expérience mystique qui le transforma à jamais. Quand il revint à lui, il affirma que les techniques que lui avait enseignées son mentor, le maître rosicrucien moderne Mieczyslaw Kotlarczyk, étaient destinées à lui permettre d'accueillir ce type d'événement.

Bien qu'il ne s'attendît pas à le vivre de cette manière.

À la suite de cette expérience mystique, le jeune homme entra au séminaire, devint l'évêque de Cracovie et plus tard, le pape Jean Paul II.

De nos jours, apprendre qu'un des chefs de l'Église catholique a été initié au royaume de l'esprit par les enseignements d'une société secrète n'est peut-être pas aussi déplacé qu'autrefois, car la science est devenue l'agent du contrôle social et a pris le pouvoir sur la religion. Aujourd'hui, c'est la science qui décide ce que nous devons croire et ce qui dépasse les limites de l'acceptable.

Pendant l'ère chrétienne, comme dans des temps plus reculés, la mort était la sanction qui attendait quiconque s'intéressait de trop près à la philosophie secrète. Dans notre ère post-chrétienne, la philosophie secrète est encore entourée d'appréhension, mais ce qu'on redoute, c'est la « mort sociale », pas la pendaison. Croire aux doctrines fondamentales de cette philosophie, comme le fait que des êtres éthérés peuvent nous parler, ou que le cours de l'histoire est matériellement influencé par des cabales secrètes, est considéré au mieux comme une idiotie, au pire comme un signe de folie.

Dans les sociétés secrètes, on forçait les candidats à tomber au fond d'un puits, à se soumettre à une épreuve de l'eau, à se glisser par une toute petite porte afin de rencontrer des animaux anthropomorphes avec lesquels il fallait engager des discussions absurdes… Ça ne vous rappelle rien ? Lewis Carroll est l'un des nombreux auteurs pour enfants, comme les frères Grimm, Antoine de Saint-Exupéry, Clive S. Lewis et les créateurs du *Magicien d'Oz* et de *Mary Poppins*, qui croyait à l'histoire et à la philosophie secrètes. En mêlant savamment la compréhension littérale qu'ont les enfants et un joyeux chaos, ces écrivains ont cherché à ébranler la vision matérialiste de la vie et le sens commun. Ils voulaient apprendre aux enfants à penser à l'envers, à regarder le monde la tête en bas et à se libérer des pensées arrêtées et bien établies.

Rabelais et Jonathan Swift font également partie de cette famille. Leur œuvre possède cette particularité déconcertante de ne pas faire grand cas du surnaturel : il y est raconté le plus simplement du monde et les objets imaginaires y sont aussi anodins que ceux qui peuplent notre quotidien. Ces auteurs iconoclastes, satiriques et sceptiques ébranlent les certitudes de leurs lecteurs et cherchent à les éloigner de leur comportement *terre à terre*. La philosophie ésotérique n'est explicite ni dans *Gargantua,* ni dans *Pantagruel,* ni dans *Les Voyages de Gulliver,* mais il suffit d'être attentif pour qu'elle se manifeste.

En voyageant au fil de cette histoire, vous allez découvrir qu'un nombre impressionnant de personnages célèbres ont cultivé la philosophie secrète et fait l'expérience d'états mystiques comme ceux qu'on enseigne dans les sociétés secrètes. Certes, on peut objecter que, vivant à une époque où même les plus cultivés ne bénéficiaient pas de toutes les informations qu'apporte la science moderne, il est tout à fait normal que Charlemagne, Dante, Jeanne d'Arc, Shakespeare, Cervantès, Léonard de Vinci, Michel-Ange, Milton, Bach, Mozart, Goethe, Beethoven et Napoléon aient adhéré à des croyances aujourd'hui désuètes. Certes, mais à une période plus récente alors ? Qu'en est-il de ceux, nombreux, qui ont nourri les mêmes croyances et qui n'étaient pas de simples fous, ni des mystiques solitaires, ni des auteurs fantasques, mais bien les fondateurs des méthodes scientifiques modernes : les humanistes, les rationalistes, les libérateurs, les laïques et les démolisseurs de superstition, les sceptiques et autres moqueurs. Est-il possible que ceux-là mêmes qui ont contribué le plus activement à former la pensée matérialiste et scientifique d'aujourd'hui aient secrètement cru en autre chose ? Newton, Kepler, Voltaire, Paine, Washington, Franklin, Tolstoï, Dostoïevski, Edison, Wilde, Gandhi, Duchamp : est-il possible qu'ils aient été initiés à cette tradition secrète, qu'ils aient appris à croire au pouvoir de l'esprit sur la matière et qu'ils aient su communiquer avec les esprits ?

Les biographies récentes de certains de ces personnages ne mentionnent presque pas, si ce n'est pas du tout, les preuves que ces derniers cultivaient ces idées. Le climat intellectuel contemporain fait que, quand on évoque ce sujet, ce n'est que pour mieux le dénigrer, prétendre que ce n'était qu'un hobby, une absurdité passagère, une idée amusante avec laquelle ces personnalités ont pu s'amuser ou dont elles se sont servies, comme de métaphores créatives ; mais il n'est pas question de prendre cet intérêt au sérieux.

Cependant, comme nous le verrons plus loin, Newton était un alchimiste : il pratiquait son art à l'âge adulte et celui-ci lui tenait à cœur au point qu'il le considérait comme son travail le plus important. Voltaire prenait part à des cérémonies de magie au moment même où il dominait la vie intellectuelle européenne. Washington invoqua le grand esprit dans le ciel lorsqu'il fonda la ville qui porte son nom. Et quand Napoléon disait qu'il était guidé par sa bonne étoile, ce n'était pas simplement une façon de parler ; il parlait de l'esprit qui lui montrait la route et le rendait invulnérable et magnifique.

Ce livre voudrait, entre autres, démontrer que loin d'être des lubies passagères ou des excentricités d'irresponsables, accidentelles ou sans pertinence, ces idées étranges étaient au cœur de la philosophie de personnes qui ont *fait* l'histoire et, ce qui est encore plus intéressant, c'est qu'elles servaient le même objectif. Si l'on rapproche la vie de ces personnes remarquables, on s'aperçoit qu'à chaque grand virage de l'histoire, l'influence de l'ancienne philosophie secrète est toujours là, comme une luciole dans le noir.

Depuis l'époque de Zarathoustra, dans la statuaire et l'iconographie anciennes, la connaissance de la doctrine secrète des écoles du Mystère était signifiée par un rouleau de parchemin. Nous verrons que cette tradition a perduré et qu'aujourd'hui, les statues des grandes villes du monde rappellent l'étendue de cette influence. Nul besoin d'aller à Rennes-le-Château, à Roslin ou dans les contrées reculées du Tibet pour découvrir les signes de cette pratique secrète.

Au moment de tourner la dernière page de ce livre, le lecteur se sera peut-être rendu compte que tout, autour de nous, a subi l'influence de ces cultes, que ce soit nos monuments et nos églises, l'art et les livres, la musique, les films, le folklore, les fêtes folkloriques, les histoires qu'on raconte à nos enfants et même les noms des jours de la semaine.

Le Pendule de Foucault et le *Da Vinci Code* [1] sont deux romans qui ont vulgarisé l'idée qu'il y avait une conspiration des sociétés secrètes pour prendre le contrôle du cours de l'histoire. Ces romans sont centrés sur des personnages qui, apprenant des choses intrigantes sur la philosophie secrète, décident de retrouver sa trace et finissent par se laisser prendre au jeu.

Cependant, des savants émérites comme Frances Yates, de l'institut Warburg ou Harold Bloom, Sterling Professor en humanités à l'université Yale ou encore Marsha Keith Suchard, auteur du livre révolutionnaire *Why Mrs Blake cried : Swedenborg, Blake and the Sexual*

---

[1] Respectivement d'Umberto Eco et Dan Brown (ndlt)

À GAUCHE *Statue d'un homme d'État romain.*
À DROITE *Statue de George Washington par sir Francis Chantrey. Gravure de 1861.*

Basis of Spiritual Vision, qui ont fait de longues recherches et ont écrit des choses très importantes dans ce domaine, ont une approche du sujet *très prudente*. Si jamais ils avaient été initiés par des hommes masqués, emmenés dans d'autres dimensions et qu'on leur avait montré le pouvoir de l'esprit sur la matière, ils ne le diraient *jamais*.

Les enseignements les plus confidentiels des sociétés secrètes sont transmis oralement. Ce qui est écrit l'est de manière délibérément hermétique, rendant le texte incompréhensible pour les non-initiés. Si cela nous tente, nous pouvons *essayer* de comprendre la doctrine secrète en lisant le très long et très obscur livre d'Helena Blavatsky, ou les douze volumes de l'allégorie de Georges Ivanovitch Gurdjieff, *De tout et du tout : récit de Belzébuth à son petit-fils*, ou encore en s'immergeant dans les quelque six cents volumes des livres et conférences de Rudolf Steiner. On peut également *essayer* de décoder les grands textes alchimiques du Moyen Âge ou les textes ésotériques des grands initiés comme Paracelse, Jakob Böhme ou Emanuel Swedenborg mais, si on y arrive, c'est qu'on est déjà un initié. Ces textes sont écrits pour eux seuls et leur prose dissimule autant qu'elle révèle.

Cela faisait environ vingt ans que je cherchais un livre capable de me guider de manière claire et concise dans les méandres de la doctrine secrète et je suis arrivé à la conclusion qu'un tel livre n'existait pas. J'ai donc décidé de l'écrire moi-même.

On trouve des livres publiés à compte d'auteur, ou des sites Internet qui essayent d'aborder le sujet. Mais, comme tout chineur en quête spirituelle, j'ai développé un flair pour le « vrai » et il me suffit de deux clicks sur ces sites ou de feuilleter quelques pages de certains de ces livres pour m'apercevoir qu'ils ne possèdent ni l'intelligence, ni la volonté de guider, ni la profondeur philosophique et qu'ils offrent très peu d'information valable.

Cet ouvrage est l'aboutissement de vingt années de recherches. Mes principales sources proviennent de livres comme *Mysterium magnum*, un commentaire sur la Genèse du philosophe mystique rosicrucien Jakob Böhme, ainsi que des ouvrages de ses collègues également rose-croix, Robert Fludd, Paracelse et Thomas Vaughan. Je me suis aussi servi des commentaires de leurs œuvres par Rudolf Steiner et d'autres. J'ai préféré les référencer tous à la fin de l'ouvrage, afin de ne pas alourdir le corps du texte et de le rendre plus clair.

Mais ce qui m'a le plus aidé, c'est la rencontre avec un membre de plusieurs sociétés secrètes ; une personne qui, au moins dans l'une de ces sociétés, a été initiée au plus haut grade.

Je travaillais depuis des années comme éditeur dans une des plus grandes maisons d'édition de Londres, publiant des livres sur des sujets plus ou moins commerciaux, assez divers, et je m'intéressais également à l'ésotérisme ; j'ai donc eu la chance de rencontrer nombre d'auteurs importants dans ce domaine. Un jour, un homme est entré dans mon bureau : il était évident que c'était un être à part. Il me proposa de rééditer toute une série de vieux classiques ésotériques – des livres d'alchimie et autres textes du genre – pour lesquels il voulait écrire de nouvelles introductions. Nous sommes rapidement devenus amis et nous avons passé beaucoup de temps ensemble. Je pouvais lui poser des questions sur n'importe quel sujet et il me répondait ce qu'il savait, des choses extraordinaires. Rétrospectivement, je crois qu'il était en train de m'éduquer afin de m'initier.

J'ai souvent essayé de le persuader de tout écrire, de rédiger une théorie ésotérique du tout, mais il a toujours refusé en disant que s'il le faisait, « des hommes vêtus de manteaux blancs viendraient [le] chercher ». Mais je crois surtout que pour lui, dévoiler ces secrets, c'était rompre un vœu solennel et terrifiant.

Je crois bien que j'ai écrit le livre que j'aurais voulu qu'il écrive, basé en partie sur les textes rosicruciens qu'il m'a aidé à comprendre. Il m'a aussi guidé vers les sources ésotériques d'autres cultures : ce livre est donc traversé par les courants kabbalistes, hermétiques et néoplatoniciens, qui parcourent la culture occidentale, mais il reflète également la pensée soufie et des idées venant de l'ésotérisme hindou et bouddhiste, ainsi que des parcelles de culture celte.

Je ne cherche pas à mettre l'accent sur les similarités qui existent entre ces différentes pensées, ni à déterminer les innombrables façons dont ces innombrables courants se sont confondus, se différenciant et se réunissant à nouveau à travers les âges. Je m'attacherai plutôt à suggérer, en soulignant les similarités qui apparaissent malgré ces différences, que ces courants portent en eux une vision unifiée du cosmos qui contient une dimension cachée et une compréhension de la vie obéissant à des lois mystérieuses et paradoxales.

Les différentes traditions s'éclairent les unes les autres : il est merveilleux de constater que les expériences d'un ermite sur le mont Sinaï au IIe siècle, ou celles d'un mystique au Moyen Âge ressemblent à celles d'un Indien swami du XXe siècle. Mais, comme les enseignements ésotériques sont plus dissimulés en Occident, j'utiliserai souvent des exemples orientaux pour expliquer l'histoire secrète de l'Ouest.

Je ne vais pas non plus aborder les conflits qui peuvent exister entre les différentes traditions : l'indienne met l'accent sur la réincarnation alors que la tradition soufie en parle très peu. À des fins narratives, j'ai choisi de n'inclure dans mon récit qu'un petit nombre de réincarnations des grands personnages historiques.

J'ai également décidé, très subjectivement, quelles écoles de pensée et quelles sociétés secrètes s'apparentaient à la tradition. Ainsi la Kabbale, l'hermétisme, le soufisme, les Templiers, les rose-croix, la franc-maçonnerie ésotérique, le martinisme, la théosophie de

Mme Blavatsky et l'anthroposophie figurent dans cet ouvrage, mais la scientologie, la Science chrétienne de Mary Baker-Eddy et un grand nombre de pensées modernes n'y sont pas.

Cela ne veut pas dire que ce livre cherche à esquiver la controverse, mais je trouve que les tentatives d'identification d'une « philosophie perpétuelle » n'ont engendré que des platitudes du type : « nous sommes tous semblables sous notre peau », ou « l'amour se suffit à lui-même », etc., avec lesquelles il est difficile de ne pas être d'accord. À ceux qui sont à la recherche de révélations de ce genre, je présente d'ores et déjà toutes mes excuses : les enseignements dont je vais parler et qui sont tout à fait banals dans les écoles du Mystère et les sociétés secrètes du monde entier vont offenser beaucoup de gens et sauter au visage du sens commun.

Mon mentor m'annonça un jour que j'étais prêt à être initié et qu'il voulait me présenter certaines personnes. J'avais attendu ce moment avec une impatience réelle, mais à ma plus grande surprise, je déclinai son offre !

La peur a sans doute compté dans mon refus : je savais que les rites d'initiation comprenaient des épreuves d'altération de conscience et même ce qu'on appelle des « expériences de la mort ».

Je refusai aussi car je ne voulais pas qu'on me donne toute cette connaissance d'un coup, je voulais pouvoir m'amuser à chercher encore et encore.

Et, surtout, il n'était pas question de faire un vœu qui puisse m'empêcher d'écrire.

Trois têtes de chat

CETTE HISTOIRE DU MONDE est structurée comme suit.

Les quatre premiers chapitres portent sur ce qui s'est passé « au commencement », tel qu'enseigné dans les sociétés secrètes, y compris ce que signifient l'expulsion du Paradis et la Chute, dans les enseignements secrets.

Ces chapitres sont également destinés à donner un aperçu de la vision du monde, tel que le conçoivent les sociétés secrètes. Comme une paire de lunettes conceptuelles qui permettent aux lecteurs de mieux apprécier ce qui suit.

Dans les sept chapitres suivants, les personnages mythiques ou légendaires seront envisagés comme des personnages historiques. C'est ici qu'on parle de l'histoire avant que toute trace écrite ne la consigne pour la postérité, telle qu'elle était enseignée dans les écoles du Mystère et telle qu'elle est encore transmise dans les sociétés secrètes.

Le huitième chapitre fait une transition vers ce qui est conventionnellement considéré comme l'histoire, mais le récit contient encore des monstres et des bêtes extraordinaires, des miracles, des prophéties et des personnages historiques qui conspiraient avec des êtres désincarnés pour diriger le cours des événements.

J'espère que le lecteur acceptera avec plaisir les idées que je lui présenterai, ainsi que la révélation de l'identité des personnes qui ont entretenu ces idées. J'espère également que ces découvertes étranges auront une résonance et que beaucoup de lecteurs penseront… Ah, oui, ça explique pourquoi les noms des jours de la semaine sont dans cet ordre… Mais, c'est pour ça que les images de poissons, du porteur d'eau et de la chèvre à queue de serpent sont attribuées à des constellations qui ne leur ressemblent pas vraiment… Voilà ce qu'on fête réellement à Halloween !… C'est ce qui explique que, étrangement, les Templiers confessaient vénérer le Diable… Je comprends mieux pourquoi Christophe Colomb a décidé d'entreprendre ce voyage tellement périlleux… Voilà pourquoi un obélisque égyptien a été érigé dans Central Park, à New York, à la fin du XIXᵉ siècle… Ça explique qu'on ait embaumé Lénine…

Ce que je voudrais dire à travers ce livre, c'est que nous pouvons comprendre les faits les plus élémentaires de l'histoire d'une manière radicalement différente de celle qui nous a été apprise de manière conventionnelle. Pour étayer mes dires, il me faudrait les trente-deux kilomètres de livres de sciences occultes et d'ésotérisme qui sont, paraît-il, enfermés dans la bibliothèque du Vatican. Cependant, je vais essayer de démontrer dans ce volume unique, que ce point de vue alternatif, *vu de l'autre côté du miroir*, tenace et convaincant, a sa propre logique et présente l'avantage d'éclairer certaines des expériences humaines inexpliquées du point de vue conventionnel. Je ferai également référence à des spécialistes en la matière dont le travail fait autorité et qui permettront au lecteur passionné de poursuivre ses recherches au-delà de cet ouvrage.

Quelques-uns de ces savants ont travaillé dans la tradition ésotérique. D'autres sont des experts dans leur discipline – sciences, histoire, anthropologie, critique littéraire –, des intellectuels dont les conclusions me semblent confirmer le point de vue ésotérique du monde. Pourtant, je ne sais pas si leur propre philosophie de vie a une dimension spirituelle ou ésotérique.

Mais surtout – et j'insiste sur ce point –, j'aimerais que vous envisagiez cette lecture d'une manière inédite, que vous la preniez comme un exercice de l'imaginaire.

Je voudrais que le lecteur essaye de se représenter ce que cela peut faire de croire exactement l'opposé de ce que notre éducation nous a invités à croire, cela demande une sorte d'altération de notre état de conscience et c'est exactement ce qu'il faut : au cœur de tous les enseignements ésotériques du monde, il est dit qu'une forme d'intelligence supérieure peut être atteinte dans un état de conscience altéré. La culture occidentale, en particulier, a toujours mis l'accent sur l'importance de cultiver l'imagination en pratiquant la visualisation. Quand on permet à notre imaginaire de se libérer, les images travaillent pour nous.

Bien sûr, ce livre peut être lu comme une compilation de croyances absurdes, comme une fantasmagorie épique, ou une cacophonie d'expériences irrationnelles ; mais j'espère qu'en reposant cet ouvrage, certains lecteurs éprouveront une sorte de sentiment d'harmonie et qu'ils pourront même apprécier ce léger vent de contre-courant philosophique suggérant que tout cela est peut-être vrai.

Évidemment, toute théorie valable cherchant à expliquer pourquoi le monde est tel qu'il est, doit aussi pouvoir prévoir ce qui va arriver. Le dernier chapitre de ce livre révèle ce qui devrait satisfaire cette curiosité, en admettant toujours que le grand projet cosmique des sociétés secrètes soit fiable.

D'après leurs prédictions, le nouveau grand élan vers l'évolution naîtra en Russie. La civilisation européenne va s'effondrer, mais la flamme de la vraie spiritualité brûlera toujours en Amérique.

J'ai ajouté des illustrations à la fois étranges et troublantes qui, je l'espère, stimuleront l'imaginaire ; certaines n'ont jamais été vues en dehors des sociétés secrètes.

Vous y trouverez également des images familières de l'histoire mondiale et les plus grandes icônes de notre culture – le Sphinx, l'arche de Noé, le cheval de Troie, la *Joconde* ainsi que Hamlet et son crâne – car d'après les sociétés secrètes, chacune d'entre elles a une signification étrange et surprenante.

Pour finir, vous trouverez aussi les illustrations d'artistes contemporains européens, tels que Ernst, Klee et Duchamp, ainsi que d'Américains excentriques comme David Lynch. Leur travail est également ancré dans la philosophie secrète.

Essayez de vous laisser aller et d'approcher ce livre avec une certaine liberté d'esprit et vous verrez que les histoires les plus familières revêtiront une tout autre signification.

D'ailleurs, il suffit qu'*une seule chose* soit vraie dans ce que vous allez lire pour que tout ce qui vous a toujours été enseigné par vos professeurs soit remis en question.

Je suis sûr que cette perspective ne vous effraie pas.

Comme l'a dit l'un des fidèles de la philosophie secrète dans une phrase restée célèbre :

Vous devez être fou, sinon vous ne seriez pas là.

1

Au commencement

Dieu observe son reflet • *L'univers miroir*

En ces temps-là, le temps n'existait pas.

Le temps n'est que la mesure du changement de position des objets dans l'espace et, comme tout scientifique, mystique ou fou le sait parfaitement, *au commencement, il n'y avait pas d'objets dans l'espace.*

Une année est la mesure du mouvement de la Terre autour du Soleil, et une journée, la révolution de la Terre sur son axe. Puisque, comme le disent les auteurs de la Bible, ni la Terre ni le Soleil n'existaient au commencement, personne n'a jamais pu vouloir dire que tout fut créé en *sept jours*, du moins pas dans le sens qu'on donne communément au mot *jour*.

Malgré cette absence de matière, d'espace et de temps, quelque chose a bien dû se passer initialement, quelque chose qui a mis en route un processus : *quelque chose a dû arriver avant qu'il y ait quoi que ce soit.*

Puisqu'à ce moment-là il n'y avait *rien*, on peut dire sans prendre de risque que cet événement premier était assez différent des évènements qui sont habituellement expliqués par les lois de la physique.

Peut-on envisager que cet événement fut, par certains aspects, plus *mental* que *physique* ?

Au premier abord, l'idée que des « événements mentaux » puissent générer des manifestations physiques risque de contrarier notre sens commun, mais à vrai dire, nous en faisons l'expérience tout le temps. Prenons l'exemple de ce qui se passe quand je suis traversé par une idée comme « je n'ai qu'à lever le bras et toucher sa joue » : une impulsion crée une synapse dans mon cerveau, un courant électrique qui parcourt un nerf de mon bras et lui permet de bouger et caresser la joue de la jeune femme qui me plaît.

Un événement aussi banal peut-il nous apprendre quelque chose sur l'origine du cosmos ?

Au commencement, cette impulsion a bien dû provenir de quelque part, mais d'où ? Quand nous étions enfants et que nous jouions aux chimistes, n'avons-nous pas été fascinés en voyant des cristaux se précipiter au fond de l'éprouvette, comme si une pulsion mystérieuse faisait changer de dimension la solution initiale ?

Dans cette histoire, nous allons voir que de tout temps, nombreux sont les brillants individus qui ont pensé que la naissance de l'univers, la mystérieuse transformation de la non-matière en matière n'a pas d'autre explication. Ils ont envisagé un monde né de l'expulsion de la matière d'une dimension inconnue, arrivant dans celle que nous connaissons, et ils ont conçu cette autre dimension comme étant l'esprit de Dieu.

Puisque nous en sommes encore au début et avant que vous ne perdiez votre temps à lire cette histoire, je ferais mieux de vous avouer que je vais déployer tout un arsenal d'arguments pour vous convaincre de quelque chose qui peut paraître acceptable à un mystique ou un fou, mais certainement pas à un scientifique. Mais alors, pas du tout.

Pour beaucoup de penseurs modernes, des universitaires comme Richard Dawkins, le professeur de la compréhension publique de la science à Oxford et d'autres matérialistes militants qui règnent sur la vision de la science dans le monde et la régulent, « l'esprit de Dieu » est une idée aussi ridicule que la représentation d'un vieil homme à barbe blanche qui vivrait au-dessus des nuages. C'est, disent-ils, la même erreur que font les enfants et les tribus primitives qui pensent que Dieu leur ressemble. C'est un anthropomorphisme fallacieux, l'illusion anthropomorphique. En admettant que Dieu existe, pourquoi diable devrait-Il nous ressembler ? Pourquoi *Son* esprit serait-il comme le nôtre ?

C'est vrai. Il n'y a aucune raison… à moins que ce soit dans l'autre sens. À moins que la seule raison pour que l'esprit de Dieu soit semblable au nôtre, c'est que notre esprit ait été conçu pour être semblable au sien, c'est-à-dire si Dieu avait fait notre esprit à *Son* image. Dans ce livre, tout est comme ça, car dans cette histoire tout est à l'envers.

Ici tout est dans l'autre sens et sens dessus dessous. Dans les pages qui vont suivre, je vais vous exhorter à penser précisément *a contrario*

Alice entre dans « l'univers-à-l'envers »

de la manière de raisonner que dictent les gardiens du consensus. Je vais vous allécher avec des idées interdites et vous inviter à goûter à des philosophies que les intellectuels émérites de notre époque considèrent comme hérétiques, stupides ou folles.

Mais je vous rassure tout de suite, je ne vais pas vous entraîner dans une querelle d'universitaires, je ne vais pas essayer de vous persuader à force d'arguments philosophiques que ces idées interdites sont légitimes. Vous trouverez nombre d'arguments pour ou contre ces idées dans des dizaines d'ouvrages auxquels je fais référence dans les notes. En revanche, je vais vous demander d'élargir votre *imaginaire*, de l'étendre, de vous efforcer de vous représenter le monde et son histoire autrement, de changer de point de vue, d'envisager quelque chose de très différent de ce que l'on vous a enseigné…

Une certaine élite intellectuelle est horrifiée par ces idées et conseille fermement de ne pas s'en approcher. Cette élite a délibérément tenté d'en effacer tout souvenir, toute trace, car elle pense que si on se laisse contaminer, même très légèrement, on court le risque de se retrouver dans un état de conscience atavique et primitive, une sorte de bouillie mentale dont l'humanité a mis des millénaires à sortir.

Mais que s'est-il passé avant le temps ? Quel a été l'événement mental premier ? Dans cette histoire, Dieu a regardé Son reflet. Il s'est vu dans un miroir imaginaire et il y a vu le futur. Il a imaginé des êtres semblables à Lui-même. Il a imaginé des êtres libres et créatifs, capables d'aimer si intelligemment et de penser avec tellement d'amour qu'ils pourraient se transformer profondément et transformer leurs semblables. Il a rêvé des êtres qui pourraient dilater leur esprit et embrasser la totalité du cosmos et discerner les secrets de son fonctionnement le plus subtil.

Se mettre à la place de Dieu voudrait dire se mettre face à un miroir et désirer que l'image que nous voyons s'y réfléchir s'anime pour vivre indépendamment de nous. Comme nous le verrons dans les chapitres suivants, dans cette histoire *à travers le miroir* enseignée par les sociétés secrètes, c'est exactement cela que Dieu a fait : son image réfléchie – les humains – a graduellement, par étapes et sur une très longue période, formé et acquis une vie indépendante, nourrie par Lui, guidée et motivée par Lui.

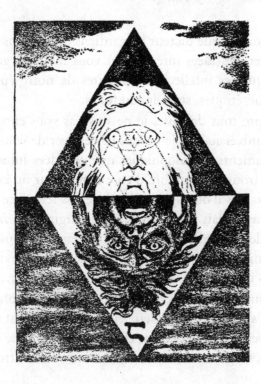

Représentation kabbalistique du XIXe siècle : Dieu et sa réflexion.

LHOOQ, *manifeste dada de Marcel Duchamp, reproduit dans le livre* Surréalisme et peinture *d'André Breton. L'idée que le monde physique répond à nos peurs et à nos désirs profonds est difficile et peut-être assez troublante, mais nous y reviendrons souvent afin de la comprendre. En 1933, André Breton, un initié à la philosophie des sociétés secrètes, dit une chose merveilleuse qui a éclairé l'art et la sculpture depuis – et surtout dans le cas des ready-made de Duchamp : « Toute épave à portée de nos mains devrait être considérée comme un précipité de notre désir. »*

Les scientifiques contemporains vous diront que quand on est désespéré, il ne sert à rien d'invoquer les cieux, même le plus sincèrement possible, car on ne trouve aucun secours dans l'azur : les étoiles sont indifférentes à ce qui nous arrive. Le travail de l'homme consiste à grandir, mûrir et apprendre à accepter cette indifférence.

L'univers que décrit ce livre est tout autre : il a été créé *avec l'homme à l'esprit*. Ici, l'univers est anthropocentrique, chacune de ses particules est tendue vers l'humanité. Pendant des millénaires, cet univers nous a nourris, bercés et il a aidé cette chose exceptionnelle qu'est la conscience humaine à évoluer ; il a même guidé chacun de nous, individuellement, à travers les moments importants de notre vie. Quand vous vous adressez à l'univers, il se tourne vers vous avec sympathie. Quand vous vous trouvez à la croisée des chemins, à un moment crucial de votre vie, l'univers tout entier retient son souffle pour voir quelle voie vous allez emprunter.

Il arrive que les scientifiques parlent des mystères et des merveilles de l'univers, de l'interconnexion de toutes les particules grâce à la loi de la gravité, ils évoquent parfois des aspects incroyables de la vie, comme le fait que chacun d'entre nous contienne les millions d'atomes qui étaient autrefois dans le corps de Jules César. Il leur arrive même de dire que nous sommes de la poussière d'étoiles, mais dans le simple but d'affirmer que les atomes qui nous constituent proviennent de l'hydrogène d'étoiles qui ont explosé bien avant la formation du système solaire. Quelle que soit leur rhétorique sur ces mystères et ces merveilles, leur univers à eux est une force aveugle.

Dans l'univers scientifique, la matière a précédé l'esprit. L'esprit est un accident de la matière, il n'est pas essentiel, il lui est étranger : un scientifique a même été jusqu'à l'appeler « la maladie de la matière ».

Mais dans le monde que décrit cet ouvrage, cet univers où l'esprit précède la matière, le lien entre l'esprit et la matière est bien plus intime, c'est un lien vivant et dynamique. Dans cet univers, à un certain degré, tout est vivant et conscient, tout répond avec intelligence et sensibilité à nos besoins les plus profonds et les plus subtils.

Dans cet univers de l'esprit précédant la matière, non seulement la matière a émergé de l'esprit de Dieu, mais *elle a été créée de manière à rendre possible l'existence de l'esprit humain*. L'esprit de l'homme est toujours l'objectif de l'univers, qui le nourrit et répond à ses besoins. La matière est mue par l'esprit humain, peut-être pas au même niveau, mais de la même manière qu'elle est mue par l'esprit de Dieu.

En 1935, le physicien autrichien Erwin Schrödinger présenta sa première grande expérience théorique : « le chat de Schrödinger ». Cette expérience décrivait comment les événements changent lorsqu'ils sont observés : en réalité, il n'avait fait qu'appliquer les enseignements des sociétés secrètes au monde subatomique.

Dans notre enfance, certains d'entre nous se sont peut-être déjà posé la question suivante : est-ce qu'un arbre qui tombe dans une forêt lointaine, où personne ne se trouve pour l'entendre, fait du bruit ? On peut légitimement se demander si un son que personne n'entend peut vraiment être considéré comme un son. Dans les sociétés secrètes, on enseigne que ce genre de spéculation est vrai. D'après eux, si un arbre tombe dans une forêt, même lointaine, c'est toujours pour que quelqu'un quelque part, en soit affecté. Il ne se passe rien dans le cosmos qui ne soit en interaction avec l'esprit humain.

Dans l'expérience de Schrödinger, le chat était enfermé dans une boîte avec une matière radioactive qui avait 50 % de chances de le tuer. Les deux probabilités, qu'il soit mort ou vivant, restaient en suspens jusqu'à ce que l'on ouvre la boîte pour voir ce qu'il y avait à l'intérieur : la mort ou la survie du chat ne survenaient qu'à ce moment-là.

En le regardant, nous pouvions tuer ou sauver le chat.

Les sociétés secrètes ont toujours dit que notre monde fonctionnait de la même manière.

Dans l'univers des sociétés secrètes, une pièce lancée en l'air dans un laboratoire a 50 % de chances de tomber sur pile et 50 % sur face, d'après la loi de la probabilité. Cependant, cette loi ne fonctionne qu'en laboratoire. En d'autres termes, la loi de la probabilité ne fonctionne que si toute objectivité humaine en est délibérément exclue. Quand nous ne sommes pas dans un laboratoire et que *le bonheur ou l'épanouissement de l'homme dépendent d'un lancer de dés, la loi de la probabilité est modifiée. D'autres lois plus profondes entrent en jeu.*

Aujourd'hui, dire que notre état émotionnel affecte notre corps ne nous semble pas une aberration et nous savons aussi que, sur le long terme, des états émotionnels profonds peuvent nous guérir ou nous rendre malades : ce sont les effets psychosomatiques.

Mais dans l'univers que décrit ce livre, notre état émotionnel affecte également l'état de ce qui est *en dehors de notre corps*. Dans cet univers psychosomatique, le comportement des objets dans l'espace est directement affecté par nos états mentaux, sans que nous ayons besoin d'agir sur eux. Nous pouvons bouger la matière par la façon dont nous la regardons.

Dans *Chroniques*, volume I, les mémoires publiés récemment par Bob Dylan, il décrit ce qu'il faut pour qu'une personne puisse changer l'époque dans laquelle elle vit : « Pour ça, il faudrait avoir pouvoir et autorité sur les esprits. Je l'ai fait une fois, et une fois suffit. » Il écrit que de tels individus sont « … capables de voir les choses dans leur vérité vraie – et pas de simples métaphores, mais de les voir réellement, de percer le métal jusqu'à le faire fondre, de les révéler pour ce qu'elles sont. Avec la rage des mots et une haine brutale. »

Il insiste sur le fait qu'il ne s'agit pas d'une métaphore. Il évoque très clairement une connaissance très ancienne et très puissante préservée par les sociétés secrètes, connaissance dans laquelle ont baigné les grands artistes, écrivains et penseurs qui ont façonné notre culture. Au cœur de cette connaissance, réside la croyance suivante : la source vitale de notre vie mentale est aussi la source du monde physique. En effet, dans l'univers des sociétés secrètes, *toute la chimie est psycho-chimie* et la façon dont la matière de l'univers répond à la psyché humaine est inscrite dans des lois plus profondes, plus puissantes que les lois de la science matérialiste.

Il faut comprendre que quand on parle de « lois », il ne s'agit pas d'accidents semblant répondre à la loi des séries ou bien des périodes de « veine » que les joueurs connaissent bien. Quand les sociétés secrètes parlent de lois, elles parlent aussi bien des lois qui sont profondément tissées dans chacune de nos vies individuelles que des grands schémas composites qui ont façonné l'histoire du monde à travers leur enchaînement providentiel. La théorie de ce livre est que l'histoire a une structure plus profonde et que nous interprétons mieux les événements que nous expliquons habituellement en termes de désastres politiques, économiques ou naturels, quand on le fait d'après un schéma spirituel.

DANS CETTE PENSÉE À L'ENVERS, DU SENS DESSUS DESSOUS et du « cul par-dessus tête » qui est celle des sociétés secrètes, l'esprit a précédé la matière et tout ce qui pourra vous paraître bizarre ou inconcevable dans les pages qui vont suivre provient de cette croyance. Nous n'avons quasiment aucune preuve pour appuyer nos dires, mais ce choix a des implications colossales sur notre compréhension du monde et sur son fonctionnement. Si nous acceptons que la matière était là au commencement, il faudra expliquer comment cet assemblage chimique, véritable fruit du hasard, a créé la conscience, ce qui est assez ardu. D'autre part, si nous pensons que la matière est un précipité de conscience cosmique, nous aurons tout autant de mal à l'expliquer et à le démontrer.

Depuis les prêtres des temples égyptiens jusqu'aux sociétés secrètes d'aujourd'hui, de Pythagore à Rudolf Steiner, le grand initié autrichien qui vécut entre la fin du XIXe et le début du XXe siècle, ce modèle a toujours été conçu comme une série de pensées émanant de l'esprit cosmique. Au commencement était le pur esprit : puis ces émanations sont devenues protomatière, de l'énergie qui est devenue de plus en plus dense et s'est transformée en une matière éthérée, plus fine que du gaz, totalement dépourvue de particules. Puis ces émanations se sont changées en gaz, puis en liquide et, pour finir, en solide.

Kevin Warwick est professeur de cybernétique à l'université de Reading. Il est l'une des éminences mondiales en matière d'intelligence artificielle. Il travaille en concurrence amicale avec ses contemporains du MIT[1] aux États-Unis et il a créé des robots capables d'interagir avec leur environnement, d'apprendre et d'ajuster leur comportement en fonction de ce dernier. Ces robots ont un niveau d'intelligence analogue à celui des abeilles. Il affirme que, dans cinq ans, ils auront atteint l'intelligence des chats et que, dans dix ans, ils seront au moins aussi intelligents que les humains. Il est aussi en train de mettre au point une nouvelle génération qu'il imagine être capable de dessiner et de manufacturer d'autres robots moins performants, qui en produiront à leur tour d'autres moins performants.

D'après les cosmologues d'autrefois et les sociétés secrètes, les émanations de l'Esprit cosmique doivent être comprises de la même manière : comme une hiérarchie descendante, depuis les principes les plus généraux, les plus puissants et omniprésents jusqu'aux plus particuliers. Et chaque niveau crée et dirige celui qui lui est inférieur.

D'une certaine manière, ces émanations ont toujours été considérées comme personnifiées et donc intelligentes.

Quand j'ai assisté à la présentation des découvertes de Kevin Warwick devant ses collègues au Royal Institute en 2001, il a été critiqué car il avait affirmé que ses robots étaient intelligents et par conséquent, conscients. Ce qui est indéniable, c'est que les cerveaux de ces robots se développent d'une manière presque organique. Ils ont presque une personnalité, ils interagissent avec d'autres robots

---

[1] Massachussetts Institute of Technology (ndlt)

Une gravure d'alchimiste provenant du Muntus Liber [ou Livre muet alchimique], publié anonymement en 1677. En alchimie, la rosée du matin est le symbole du précipité de l'Esprit cosmique dans le royaume de la matière. La Kabbale raconte que la rosée divine tombe de la tête poilue de l'Ancien et apporte une nouvelle vie. Plus particulièrement, la rosée est le symbole des forces spirituelles qui travaillent sur la conscience pendant la nuit. C'est pourquoi avoir mauvaise conscience peut nous faire passer une nuit agitée. Ici, on voit des initiés en train de récolter la rosée – ce qui signifie, recueillir le fruit, à leur réveil, des exercices spirituels qu'ils ont faits au coucher.

et font des choix bien plus pointus de ce pourquoi ils ont été programmés. Kevin a alors objecté que si ses robots n'avaient pas la conscience d'un humain, il en était de même pour les chiens : les chiens ont une conscience de chiens, et ses robots, a-t-il déclaré, ont une conscience de robots. Mais par certains aspects, comme par exemple traiter d'importantes données mathématiques à une grande vitesse, les robots ont une conscience bien supérieure à la nôtre.

Nous pourrions envisager la conscience des émanations de l'Esprit cosmique de la même manière. Il faut savoir que les maîtres spirituels tibétains ont la capacité de former des pensées appelées des *tulpas* par une concentration extrême et par la visualisation. Une fois nés, ces *tulpas*, appelons-les des Êtres de Pensée, acquièrent une vie propre et obéissent à leur maître. De même, on retrouve dans les écrits de Paracelse, le mage suisse du seizième siècle, ce qu'il appelait un « aquastor », un être formé par le seul pouvoir de l'imagination qui avait une vie propre et qui, dans certaines circonstances, pouvait devenir visible ou même tangible.

Au plus bas de la hiérarchie, d'après l'ancienne doctrine secrète de toutes les cultures, ces émanations, ces Êtres de Pensée de l'Esprit cosmique, sont si étroitement entremêlées qu'elles peuvent former de la matière solide.

Aujourd'hui, si l'on cherchait à nommer cet étrange phénomène, on pencherait du côté de la physique quantique. Néanmoins, pour les sociétés secrètes, l'entrecroisement des forces invisibles qui créent l'apparence du monde matériel a toujours été considéré comme un réseau de lumière et de couleur qui, d'après le vocabulaire alchimique, s'appelle la Matrice.

LE PLUS GRAND SCIENTIFIQUE SE DEMANDE : LA VIE N'EST-ELLE QU'UN RÊVE ?

Voilà la une du *Sunday Times* en février 2005.

Sir Martin Rees, l'astronome britannique de Sa Majesté, disait : « Les ordinateurs sont passés, en quelques décennies, de la capacité de simuler des schémas très simples à la possibilité de créer des mondes avec pléthore de détails. Si cette tendance se poursuit, on peut imaginer des cerveaux électroniques capables de simuler des mondes aussi compliqués que celui dans lequel nous pensons vivre. Cela soulève la question philosophique suivante : vivons-nous nous-mêmes dans une simulation et se pourrait-il que ce que nous pensons être l'univers soit simplement un genre de voûte céleste, et non la réalité ? En fait, nous pourrions être une création à l'intérieur de cette simulation. »

Plus largement, les scientifiques du monde entier sont de plus en plus fascinés par le degré de précision qui a été nécessaire à notre évolution. Et cela les fait se demander ce qui est vraiment vrai.

À ces récents développements scientifiques viennent s'ajouter des romans et des films récents. Ensemble, ils ont contribué à nous habituer à l'idée que ce que nous prenons communément pour la réalité pourrait être, en fait, une « réalité virtuelle ». Philip K. Dick, qui fut peut-être le premier écrivain à avoir semé ces idées dans la culture populaire, était pétri de connaissance initiatique pour ce qui est des dimensions et des états parallèles. Son roman, *Do Androids Dream of Electric Sheep ?*[2] devint *Blade Runner*. Dans la même veine, il existe d'autres films comme *Minority Report*[3], lui aussi tiré d'un roman de Dick, *Total Recall, The Truman Show* et *Eternal Sunshine of the Spotless Mind*[3]. Mais le plus grand reste *The Matrix*[4]. Dans *Matrix,* des méchants cachés derrière des lunettes noires règnent sur le monde virtuel que nous appelons la réalité afin de nous contrôler, pour servir leurs infâmes intérêts. Une partie de cette histoire reflète avec exactitude les enseignements des écoles du Mystère et des sociétés secrètes : même si tous les êtres qui vivent derrière le voile des illusions font partie des hiérarchies des émanations de l'esprit de Dieu, certains ont une éthique douteuse.

Ce sont les mêmes êtres que les anciens appelaient leurs dieux, leurs esprits ou leurs démons.

LE FAIT QUE CERTAINS GRANDS SCIENTIFIQUES CONTEMPORAINS veuillent bien reconsidérer les réponses qui existent dans cette tradition très ancienne est un signe encourageant. Bien que la sensibilité moderne fasse preuve de peu de patience envers la métaphysique, ou envers ce qui semble être un fatras d'abstractions très sophistiquées pour esprits tordus, n'importe quel historien des idées honnête et impartial

---

[2] *Les androïdes rêvent-ils de moutons électriques ?* (ndlt)

[3] Films de Steven Spielberg, Paul Verhoeven, Peter Weir et Michel Gondry (ndlt)

[4] Film des frères Andy et Larry Wachowski (ndlt)

conviendra que la cosmologie d'autrefois était une machine philosophique magnifique. En considérant ses emboîtements, l'évolution de ses dimensions, les collisions, les entrelacements et transformations de grands systèmes, par son échelle, sa complexité et son pouvoir d'explication incroyable, elle rivalise avec la science moderne.

On ne peut pas se contenter de dire que la physique a remplacé la métaphysique en la rendant redondante. Il existe une différence clé entre ces disciplines : elles *disent* des choses distinctes. La science moderne explique ce qui est, alors que la philosophie ancienne, que nous allons explorer ici, raconte pourquoi notre expérience de l'univers est telle qu'elle est. Pour la science, le grand miracle qu'il faut expliquer, c'est l'univers physique. Pour la philosophie ésotérique, c'est la conscience humaine.

Bien sûr, les scientifiques sont fascinés par l'extraordinaire série d'équilibres entre les différents facteurs qui a été nécessaire pour rendre la vie sur terre possible. Mais ils ne parlent qu'en termes d'équilibre entre le froid et le chaud, l'humidité et la sécheresse, la distance parfaite de la Terre au Soleil (pas plus, pas moins) ou le degré d'évolution particulier du Soleil (ni plus chaud ni plus froid). Ils disent qu'à un niveau plus fondamental, pour que la matière adhère, la gravité et les champs électromagnétiques doivent être chacun d'une puissance particulière (ni plus forts ni plus faibles) et ainsi de suite.

Du point de vue de la philosophie ésotérique, nous voyons bien qu'une longue série de combinaisons, tout aussi extraordinaires, a été nécessaire pour faire de notre conscience subjective ce qu'elle est ou, si l'on veut, pour donner à notre expérience vitale cette structure.

Mais cela va plus loin.

Quand on parle d'équilibre, ça ne veut pas simplement dire être équilibré comme quand on parle des émotions, c'est-à-dire de santé mentale ; on parle de quelque chose de bien plus fondamental, d'essentiel.

Par exemple, de quoi avons-nous besoin pour tisser le récit, la collection d'histoires qui définit le sens profond de notre identité ? La réponse est, bien sûr, la mémoire. Ce n'est qu'en me souvenant de ce que j'ai fait hier que je peux me définir comme la personne qui a fait ces choses-là. Ce qui est important, c'est que c'est d'un *certain degré* de mémoire dont il est question, ni plus ni moins. Le romancier italien Italo Calvino, un des nombreux écrivains modernes à avoir suivi l'ancienne philosophie mystique, le dit très clairement : « La mémoire ne compte vraiment – pour les individus, la collectivité, la civilisation – que si elle garde tout ensemble l'empreinte du passé et le projet du futur, si elle permet de faire sans oublier ce qu'on voulait faire, de devenir sans cesser d'être, d'être sans cesser de devenir. »

D'autres équilibres sont nécessaires pour nous permettre de penser librement, pour border notre identité de pensées. Nous devons pouvoir percevoir le monde extérieur à travers nos sens, mais il est tout aussi important de ne pas être submergé de sensations qui finiraient par envahir la totalité de notre esprit. Car on ne pourrait ni réfléchir, ni imaginer. Cet équilibre-ci est tout aussi extraordinaire que, par exemple, le fait que notre planète ne soit ni trop près ni trop loin du Soleil.

Nous avons également la capacité de déplacer notre conscience dans notre vie intérieure, comme un curseur sur un écran d'ordinateur. Grâce à cela, nous sommes libres de choisir nos pensées. S'il n'existait pas ce parfait équilibre entre l'attachement et le détachement de nos pulsions, aussi bien que de nos perceptions extérieures, vous n'auriez pas à ce moment même le choix de détourner votre attention de cette page, ni la liberté de penser à autre chose.

De fait, et c'est crucial, si les conditions fondamentales de la conscience humaine n'étaient pas caractérisées par cette série d'équilibres très subtils, nous ne pourrions pas exercer notre liberté de penser, ni notre libre arbitre.

Les expériences humaines les plus essentielles, ce que le psychologue américain Abraham Maslow appelle les « expériences paroxystiques », requièrent des équilibres encore plus subtils. Il nous arrive de devoir prendre des décisions à des moments cruciaux de notre vie ; l'expérience humaine commune, si ce n'est universelle, a démontré que si nous essayons de comprendre quel chemin nous devons emprunter, en nous servant de toute notre intelligence, que si nous y travaillons de tout notre cœur et si nous sommes capables de patience et d'humilité, nous pouvons tout à fait discerner ce qu'il convient de faire. Et après avoir pris la bonne décision, il nous faudra probablement beaucoup de volonté pour la mettre en pratique et nous aurons besoin de toute notre obstination pour réussir. C'est le cœur de l'expérience humaine.

Que la structure de notre conscience rende possible cette liberté, cette opportunité de choisir les bonnes solutions, de grandir et de devenir bon ou même héroïque, n'était pas une évolution qui allait de soi. À moins que vous ne croyiez à la Providence et que vous pensiez que *cela devait* arriver.

La conscience humaine est donc une sorte de miracle. Aujourd'hui, nous avons tendance à la considérer comme banale, mais les anciens étaient sidérés par la merveille de son fonctionnement. Comme nous allons le voir, autrefois les intellectuels de premier plan traquaient les changements subtils dans la conscience humaine avec autant de diligence que les scientifiques modernes traquent les modifications de notre environnement physique. *Leurs récits historiques, pétris d'événements mythiques et surnaturels, témoignent de la façon dont la conscience humaine a évolué.*

La science moderne essaye d'imposer sa vision pour le moins étroite et réductrice. Elle essaye de nous convaincre que certains éléments de l'expérience humaine, même ceux qui se répètent à travers les âges, ne sont pas réels : le pouvoir obscur de la prière, les prémonitions, la sensation d'être observé, les preuves de télépathie, les expériences de décorporation, les coïncidences et bien d'autres choses qu'elle choisit de balayer et de cacher sous le tapis.

Mais le plus important, c'est que dans sa vision réductrice, la science nie à l'expérience universelle de l'homme, un sens à la vie. Certains scientifiques prétendent même que cette question n'a aucun intérêt.

Tout au long de cette histoire, nous allons croiser la plupart des grands cerveaux de l'humanité, tous initiés à la philosophie ésotérique. Il n'est sûrement pas insensé de dire que toute personne intelligente veut en savoir davantage à un moment ou à un autre de sa vie.

Il est naturel pour l'homme de se demander si la vie a un sens et la philosophie ésotérique possède la pensée la plus riche, la plus profonde et la plus dense à ce sujet. Il est donc crucial, avant de nous embarquer dans ce récit, que nous fassions encore une distinction philosophique avec la pensée scientifique moderne.

PARFOIS LES CHOSES VONT MAL ET LA VIE semble ne pas avoir de sens alors qu'à d'autres moments, c'est exactement l'inverse. Quand par exemple, elle prend ce qui ressemble à un mauvais virage : nous échouons à un examen, nous perdons notre travail ou bien une histoire d'amour se termine ; nous nous rendons compte par la suite que grâce à ces événements négatifs, nous avons enfin trouvé notre vraie voie ou notre grand amour. Il arrive ainsi que quelqu'un décide de ne pas prendre un avion qui finit par s'écraser. Quand cela se produit, nous avons la sensation que « là-haut », on nous protège ou que nos pas ont été guidés. Il nous arrive d'avoir un sens aigu de la fragilité de la vie, nous réalisons que les choses auraient pu se passer différemment, si ce n'est ce coup de vent imperceptible, presque surnaturel, qui nous a fait changer de direction.

Une explication bien plus terre à terre, émanant de notre part « scientifique », nous permet de relier la coïncidence à un faisceau d'événements qui l'ont engendrée et de l'appeler « hasard » mais au fond, nous suspectons que la coïncidence n'est pas du tout une question de hasard. Les coïncidences nous font parfois confusément avoir la preuve, tout à fait insaisissable, que derrière l'apparence d'incohérence de l'expérience quotidienne, un schéma absolu révèle son sens caché.

Parfois nous découvrons que, quand tout semble perdu, le bonheur apparaît ou qu'à l'intérieur de la haine se cache le germe de l'amour. Pour des raisons que nous examinerons plus tard, de nos jours, la question du bonheur est étroitement liée à celle de l'amour physique : c'est souvent le fait de tomber amoureux qui nous fait dire « cela DEVAIT arriver ».

RÉCEMMENT, ON A BEAUCOUP DIT QUE D'ÉMINENTS SCIENTIFIQUES prétendaient que la science était sur le point de trouver une explication – un sens – à tout : la vie et l'univers. Cela à cause de la « théorie des cordes », une théorie expérimentale qui englobe toutes les forces de la nature et qui, pour résumer, combine la loi de la gravité avec la physique quantique. Nous serons donc capables de relier les lois qui gouvernent les objets observables avec des phénomènes du monde subatomique. Quand cette théorie sera formulée, nous comprendrons tout ce qu'il y a à comprendre sur la structure, l'origine et le futur du cosmos. Nous aurons répertorié tout ce qui existe car, paraît-il, il n'y a rien d'autre.

Avant de pouvoir pénétrer les secrets des initiés et commencer à comprendre leurs étranges croyances sur l'histoire, il est important de se mettre d'accord sur la différence entre « le sens » tel qu'on l'entend quand on parle de sens de la vie et « le sens » tel que les scientifiques le comprennent.

Un jeune homme prend rendez-vous avec sa fiancée mais elle lui pose un lapin. Il est blessé et en colère. Il veut comprendre ce qui lui est arrivé. Quand il la retrouve, il l'interroge et il répète sans cesse le même « POURQUOI ?

– parce que j'ai raté le bus ;

– parce que j'ai quitté mon travail en retard ;

– parce que j'ai été distraite et je n'ai pas vu l'heure ;

– parce que je suis contrariée par quelque chose.

Alors il insiste encore et encore jusqu'à ce qu'il obtienne (presque) ce qu'il cherche :

– parce que je ne veux plus te voir.

Quand on demande POURQUOI, cela peut signifier deux choses : les premières réponses évasives de la jeune fille répondent plutôt à un COMMENT, des réponses qui expliquent une séquence de causes et d'effets, d'atomes se heurtant à d'autres atomes ; ou bien le POURQUOI peut appeler la réponse que veut (presque) entendre le jeune homme, qui est une façon de comprendre l'INTENTION.

Quand on parle du sens de la vie et de l'univers, c'est la même chose, nous ne demandons pas vraiment COMMENT cela s'est produit, quelle est la séquence de causes et d'effets qui a fait que les bons éléments et les bonnes conditions étaient réunis pour former la matière, les étoiles, les planètes, la matière organique et ainsi de suite. Ce que nous voulons savoir, c'est l'INTENTION qu'il y a derrière tout cela.

Ce qui veut dire que les grandes questions, POURQUOI la vie ? POURQUOI l'univers ? – qui sont clairement philosophiques – ne peuvent trouver leur réponse chez les scientifiques ou, pour être plus exact, chez des scientifiques qui se comportent UNIQUEMENT en scientifiques. Si nous demandons « POURQUOI sommes-nous là ? », nous risquons d'être dupés par une réponse qui, comme celle de la jeune fille, est totalement valable puisque c'est une réponse grammaticalement juste à la question, mais qui laisse un brin de déception au creux du ventre, car elle n'apporte pas la réponse fondamentale que nous attendions.

Il se trouve que nous avons tous soif d'entendre une réponse au niveau de l'INTENTION.

Aussi brillants soient-ils, les scientifiques qui ne comprennent pas cette nuance sont, philosophiquement, des crétins.

Il est évident que nous pouvons donner à certaines *parties* de notre vie un sens et un objectif. Si je choisis de jouer au football, le fait de taper dans le ballon et de marquer *est* un but en soi. Mais notre vie tout entière, de notre naissance à notre mort, ne peut avoir un sens que s'il existait *au préalable* un esprit pour le lui donner.

Il en est de même pour l'univers.

De fait, quand nous entendons les scientifiques parler d'un univers « chargé de sens », « magnifique » ou « mystérieux », nous devons garder à l'esprit qu'ils peuvent être en train d'utiliser ces termes avec un certain degré de malhonnêteté intellectuelle. Un univers athée ne peut être « chargé de sens », « merveilleux » ou « mystérieux », que d'une manière secondaire et assez décevante, comme on dit d'un prestidigitateur qu'il est « magique ». Quand on considère les grandes questions sur la vie et la mort, toutes les équations scientifiques ne semblent à vrai dire qu'être une façon un peu plus difficile et compliquée de dire : « Nous ne savons pas. »

DE NOS JOURS, ON NOUS ENCOURAGE à laisser de côté les grandes questions sur la vie et la mort. Pourquoi sommes-nous là ? Quel est le sens de la vie ? On nous dit que ces questions n'ont pas de sens. Continuez à vivre, c'est tout ! C'est ainsi que nous perdons de vue à quel point il est étrange d'être *en vie*.

Ce livre a été écrit avec la croyance qu'une pensée d'une très grande valeur est menacée ; le résultat, c'est que nous sommes moins vivants que nous ne l'étions autrefois.

Ce que je suggère, c'est que si nous considérions les fondamentaux de la condition humaine d'un autre point de vue, nous risquerions de nous rendre compte que la science n'en sait pas autant qu'elle veut bien le dire et qu'elle échoue quand il s'agit d'aborder ce qu'il y a de plus fondamental dans l'expérience humaine.

Dans le chapitre suivant, nous allons nous mettre à la place des initiés d'autrefois et nous allons considérer le monde de leur point de vue. Nous allons examiner la sagesse ancienne abandonnée et nous verrons que, de cette perspective, ce que la science moderne nous encourage à prendre comme des faits véridiques tout à fait vérifiables ne sont en réalité qu'une histoire d'interprétation, à peine plus qu'un jeu d'ombre et de lumière.

Un dessin « subjectif » qui représente soit une vieille dame soit une jeune fille nue portant un chapeau à plume, tout dépend de votre prédisposition.

2

Petite promenade dans une vieille forêt

S'imaginer à la place des anciens

FERMEZ LES YEUX ET IMAGINEZ UNE TABLE, une belle table, la table sur laquelle vous rêveriez de travailler. Quelle est sa taille ? De quel bois est-elle faite ? Comment est-elle assemblée ? Est-elle huilée, vernie ou simplement poncée ? A-t-elle une particularité ? Imaginez-la aussi clairement que possible.

Maintenant regardez une vraie table.

Laquelle de ces deux tables pensez-vous le mieux connaître ?

De quoi êtes-vous le plus sûr, de ce que votre esprit vous suggère ou des objets que vos sens perçoivent ? De l'esprit ou de la matière, qu'est-ce qui est le plus vrai ?

Ce genre de questions et les débats qu'elles déclenchent se trouvent au cœur de toute philosophie.

La plupart de nos contemporains choisiraient de répondre que la matière et les objets nous offrent plus de certitudes que l'esprit et les idées. Nous avons tendance à prendre les objets pour critère de réalité, contrairement à Platon, qui appelait les idées « la vérité vraie ». Dans l'Antiquité, les productions de l'esprit étaient considérées comme des réalités éternelles et fiables, contrairement à la surface extérieure et transitoire du monde d'« en dehors ». Selon moi, il ne s'agissait pas d'un choix conscient, on n'avait pas soupesé différents arguments philosophiques pour finalement choisir un monde où l'esprit précède la matière. *On le comprenait et le ressentait de cette façon, tout simplement.*

Nos pensées sont ternes et floues comparées à nos sensations, alors que pour l'homme de l'Antiquité c'était le contraire. Les gens étaient moins en prise avec objets physiques, car ils n'étaient pas aussi définis qu'ils le sont pour nous. Si on regarde l'image d'un arbre peinte sur les murs d'un temple ancien, on s'aperçoit que l'artiste n'a pas vraiment analysé comment les branches se rattachent au tronc.

Dans ce temps-là, personne ne regardait les objets avec la même attention que nous.

L'HOMME CONTEMPORAIN A TENDANCE à sous-estimer ses pensées. Nous avons pris l'habitude intellectuelle de considérer les pensées comme une suite de mots uniquement – saupoudrés ici et là d'une pointe d'émotion, ou accompagnés de quelques images – mais, pour nous, seuls les mots ont du sens.

Quand ils se trouvent sur des sites antiques, les guides touristiques ont l'habitude de dire ce genre d'idiotie : « Regardez ce bas-relief de femmes lavant leur linge dans la rivière et d'hommes semant dans les champs, vous pouvez voir exactement la même scène aujourd'hui, à deux pas d'ici. » Il existe deux types d'histoires, l'une d'entre elles étant l'approche contemporaine, communément admise, qui suppose que l'homme, en substance, n'a pas changé. L'histoire que nous racontons ici est tout autre. Ici, la conscience change selon les époques, de génération en génération. Notez l'imprécision, la négligence presque, avec laquelle sont représentés ces arbres sur une tombe de la VIIIe dynastie. Les artistes qui ont peint ces murs étaient moins intéressés par ces objets physiques que par les dieux peints à quelques mètres, dans le sanctuaire du temple. Ce qui monopolisait leur attention et qui regorge de détails sont les objets de l'esprit. Ces images-là sont foisonnantes et précises. Ce que cela signifie, c'est que, contrairement à ce que pourrait dire notre guide, la différence entre des femmes lavant leur linge il y a 4 000 ou 5 000 ans et des femmes lavant leur linge aujourd'hui est plus importante qu'il n'y paraît.

Cependant, si nous prenons le temps de considérer attentivement cette habitude, nous nous rendons bien compte que cela contredit notre expérience quotidienne. Prenons l'exemple d'une pensée aussi banale que « je ne dois pas oublier d'appeler ma mère ce soir ». Si nous essayons d'analyser une pensée comme celle-ci, à mesure qu'elle s'insinue dans notre conscience, si nous essayons de l'immobiliser pour l'éclairer, nous verrions peut-être qu'elle comporte une association de mots qu'un psychanalyste pourrait expliciter. En nous concentrant davantage, nous pourrions également découvrir que ces associations sont enracinées dans des souvenirs, qui entraînent des émotions, ou même des envies, dans leur sillon. La culpabilité que je ressens de ne pas avoir appelé ma mère plus tôt, comme la psychanalyse nous l'a appris, trouve son origine dans un nœud complexe d'émotions qui remontent à l'enfance – désir, colère, sentiment de perte et de trahison, dépendance et désir de liberté. Quand je m'arrête sur ces sentiments, d'autres émotions surgissent : la nostalgie du temps où les choses allaient peut-être mieux, quand ma mère et moi ne faisions qu'un, et cela réactive un vieux schéma comportemental.

Nous pouvons continuer à analyser cette pensée indéfiniment et elle révélera d'autres aspects. L'observer la modifie et provoque des réactions, parfois même des réactions contradictoires. Une pensée n'est jamais immobile. Une pensée vit et ne peut être identifiée de manière définitive au moyen du langage qui, lui, est mort. C'est pour cela que Schopenhauer, un autre grand adepte de la philosophie mystique, dit à peu près que « dès qu'on essaye de mettre une pensée en mots, elle cesse d'être vraie ».

Même les pensées les plus tristes ou les plus communes possèdent une dimension cachée fulgurante.

Les sages de l'ancien temps savaient comment travailler sur ces dimensions et, en plusieurs millénaires, ils ont créé et affiné des images qui ne servaient qu'à ça. Dans les écoles du Mystère, l'histoire du monde « au commencement » s'apprend à travers une multitude de ces représentations.

Avant d'aborder leur puissant pouvoir évocateur, je voudrais demander au lecteur d'essayer d'imaginer comment, dans l'Antiquité, un homme qui désirait être initié dans une école du Mystère pouvait ressentir le monde.

Signet de Mycène représentant des prêtresses qui portent des pavots. L'expérience d'une pensée en transformation continuelle et multidimensionnelle est peut-être familière aux personnes ayant fait usage de drogues comme la marijuana ou d'hallucinogènes tels que le LSD. William Emboden, professeur de biologie à la California State University, a publié des preuves irréfutables démontrant que dans l'Égypte ancienne on se servait du lotus bleu, de l'opium et de la racine de mandragore pour induire des états de transe.

Du point de vue de la science moderne, cette manière de voir les choses est totalement illusoire, mais nous allons découvrir, au fil de ce livre, des faits qui témoignent de l'adhésion de beaucoup de grands personnages de l'histoire à cette conscience ancienne. Nous verrons comment eux-mêmes racontent que cela leur a permis de voir le monde tel qu'il était réellement et de comprendre comment il fonctionnait : il est indéniable que, par bien des aspects, leur discernement était bien plus pertinent que le nôtre.

Ils ont rapporté dans le « monde réel » des visions qui ont changé le cours de l'histoire, des idées qui n'ont pas simplement inspiré les œuvres d'art et de littérature des plus grands génies, mais qui ont également permis les plus grandes découvertes.

ESSAYONS DE NOUS GLISSER dans l'esprit de quelqu'un qui vivait il y a 2 500 ans et qui traverse une forêt pour se rendre à un bosquet ou à un temple sacrés, comme celui de Newgrange en Irlande, ou celui d'Éleusis en Grèce...

Pour cette personne, la forêt et tout ce qu'elle contient est vivante. *Tout* l'observe : des esprits invisibles murmurent dans les branches des arbres, la brise caressant sa joue est un geste divin, l'éclair est l'expression de la volonté cosmique qui peut l'inciter à accélérer le pas, ou à aller se mettre à l'abri dans une grotte.

À cette époque, quand les hommes pénétraient dans une grotte, ils avaient l'étrange sensation d'être dans leur propre crâne, coupés du monde et réfugiés dans leur propre espace mental. Quand ils montaient en haut d'une colline, ils sentaient leur conscience s'envoler dans toutes les directions et embrasser l'horizon jusqu'aux bords de l'univers dans une communion parfaite et, la nuit, le ciel était pour eux l'esprit du cosmos.

L'homme qui traversait la forêt en longeant un sentier avait l'impression aiguë de suivre sa destinée. Parmi nos contemporains, certains se demandent : « Mais comment diable me suis-je retrouvé dans cette vie qui a l'air si éloignée de ce que je suis ? » Une pensée de ce genre était inconcevable pour un homme vivant à cette époque, car chacun était conscient de la place qu'il occupait dans le cosmos.

Tout ce qui arrivait à cet homme, même la vue de grains de poussière dans un rayon de soleil, le bourdonnement d'une abeille ou le vol d'un moineau *devait* arriver. Tout lui parlait ; tout était soit une punition soit une récompense, un avertissement ou une prémonition. S'il voyait un hibou, ce n'était pas simplement la représentation d'Athéna, c'était la déesse elle-même qu'il voyait. Une partie d'Athéna, peut-être

Figure 2

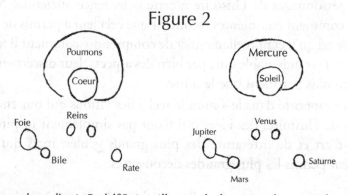

Dessin moderne d'après Rudolf Steiner illustrant la disposition des organes humains, telle qu'enseignée dans la philosophie rosicrucienne.

son doigt le mettant en garde, s'invitait dans le monde physique et par là même dans la conscience de notre homme.

Il est important de comprendre la manière très particulière qu'avaient les anciens de faire le lien entre les humains et le monde physique. Ils croyaient que tout ce qui était à l'intérieur de nous-mêmes avait une correspondance dans la nature. Littéralement. Les vers ont, par exemple, la forme de nos intestins et ils traitent la matière de la même manière. Nos poumons, qui nous permettent de bouger librement dans l'espace, ont la même forme que des oiseaux. Le monde physique est l'intérieur de l'humain rendu visible à l'extérieur. Les poumons et les oiseaux sont deux expressions différentes du même esprit cosmique.

Mais le plus significatif pour les enseignants des écoles du Mystère, c'est que, vue du ciel, la disposition des organes du corps humain reflétait le système solaire.

Pour les anciens, *toute la biologie était de l'astrobiologie.*

Aujourd'hui, nous savons parfaitement comment le soleil donne vie et puissance aux choses vivantes, tirant du sommeil la plante dans sa graine et la caressant de ses rayons pour qu'elle se dresse. Les anciens disaient aussi que la lune, au contraire, avait tendance à aplatir et à élargir les plantes. Les bulbes comme les tubercules, disait-on, en étaient très affectés.

Le plus étonnant est peut-être que la forme symétrique des plantes, leur complexité, était attribuée aux dessins que forment les planètes et les étoiles se déplaçant dans le ciel.

Comme un de ces corps célestes dont le chemin dessine un lacet, une feuille ou une fleur qui s'étire en grandissant fait de même. Saturne, par exemple, emprunte un parcours anguleux comme les aiguilles des pins : est-ce une coïncidence d'apprendre par la science moderne que les aiguilles de pin contiennent des traces importantes de plomb, métal que les anciens disaient être animé par Saturne ?

Dans cette vision ancienne, le corps humain était également affecté par les motifs que dessinent dans le ciel les étoiles et les planètes : leurs mouvements étaient inscrits dans les côtes et dans la lemniscate (en forme de huit), dans les nerfs centripètes.

La science a inventé le mot « biorythme » pour décrire la manière dont la relation entre la Terre, le Soleil et la Lune, marquée par les séquences des saisons, du jour et de la nuit, est biochimiquement gravée dans les fonctions de chaque être vivant, comme dans les cycles du sommeil. Mais, au-delà de ces rythmes assez évidents, les anciens en reconnaissaient d'autres plus complexes mathématiquement, en relation avec des événements bien plus lointains dans le cosmos, qui sont inscrits dans la vie humaine. Nous respirons à peu près 25 920 fois par jour, ce qui représente le nombre d'années dans la grande année platonique (le nombre d'années nécessaires au Soleil pour accomplir le cycle complet du zodiaque). Et le même nombre de jours constitue la durée de vie moyenne, ou « idéale » de l'être humain : soixante-douze ans. Cette affinité n'était pas que physique, elle s'étendait à la conscience.

Revenons à notre homme traversant la forêt. Lorsqu'il voyait des oiseaux volant à l'unisson, il lui semblait que tous ne faisaient qu'un et qu'ils étaient mus par une seule et même pensée ; il le croyait vraiment. Si, pris brusquement de peur, les animaux de la forêt partaient tous en même temps, c'était à cause de Pan[1]. Notre homme était sûr que c'était exactement ce qui était en train d'arriver, car il était lui-même habité par des esprits qui pensaient *à travers* lui et à travers d'autres personnes, *en même temps*. Il savait que, quand il arriverait à son école du Mystère et que son maître spirituel l'initierait, ainsi que ses compagnons, à de nouvelles idées étonnantes, ils seraient tous traversés par la même pensée, comme si le maître leur avait montré un objet physique. En réalité, il se sentait plus proche des gens quand il partageait leur pensée qu'en étant simplement à côté d'eux.

Nous, hommes et femmes modernes, avons tendance à nous conduire comme si nous étions *propriétaires* de nos pensées. Nous voulons qu'on reconnaisse que *nous* les avons eues *tout seuls* et nous pensons que notre espace mental est inviolable, qu'aucune autre conscience ne peut y pénétrer.

Cependant, on s'aperçoit aisément que ces certitudes ne résistent pas à la réalité. Si nous sommes un tant soit peu honnêtes, nous arriverons facilement à admettre que nous ne créons pas toujours nos pensées par nous-mêmes. Il n'y a pas que les génies comme Newton, Kepler, Léonard de Vinci, Edison ou Tesla qui racontent que leur inspiration leur est apparue comme un rêve ou même réellement

---

[1] Personnage de la mythologie grecque, Pan est le dieu de la totalité, de la Nature tout entière (ndlt)

en rêve. C'est le cas pour chacun d'entre nous : nos pensées quotidiennes *viennent à nous*, naturellement. En langage courant, nous disons : « Il m'apparaît que… », « Il me vient à l'esprit que… » Si vous avez de la chance, vous trouverez un mot d'esprit qui fera se tordre de rire tous vos convives et bien sûr, vous serez heureux de jouir de ce moment de gloire. Mais la vérité toute nue, c'est que ce mot d'esprit s'est sûrement envolé de vos lèvres, avant même que vous n'ayez eu le temps d'en prendre conscience.

La réalité, c'est que nos pensées arrivent de quelque part et s'introduisent dans ce que nous croyons être *notre* espace mental. Les anciens comprenaient ce « quelque part » comme un quelqu'un, et ce quelqu'un était un dieu, un esprit, ou un ange.

Un individu n'est pas toujours porté par le même dieu, le même esprit ou le même ange.

Si aujourd'hui nous aimons nous considérer comme des êtres ayant une conscience individuelle à l'intérieur de notre cerveau, autrefois les humains pensaient qu'ils avaient *plusieurs consciences en dehors de leur tête*.

Nous avons vu précédemment que les dieux, les anges et les esprits étaient considérés comme des émanations du grand esprit cosmique, ou comme des Êtres de pensée.

Maintenant, essayez d'imaginer que ces Êtres de pensée s'exprimaient à travers les gens. Si aujourd'hui nous considérons que les *gens pensent*, autrefois ils auraient dit que les *pensées « gentaient »* !

Comme nous le verrons plus tard, les dieux, les anges et les esprits peuvent modifier la destinée d'une nation tout entière, souvent à travers un individu. Nous parlerons, par exemple, d'Alexandre le Grand ou de Napoléon, qui furent les véhicules d'un grand esprit qui leur permit, pendant un certain temps, d'accomplir remarquablement leur destinée : personne ne pouvait s'opposer à eux et ils réussissaient tout ce qu'ils entreprenaient. Jusqu'à ce que le grand esprit ne les lâche et que, tout à coup, tout commence à dérailler.

On rencontre cela également chez les artistes qui, à un moment de leur vie, deviennent les véhicules de l'expression d'un dieu ou d'un esprit. Ils ont l'air d'avoir trouvé *la* voie. Ils créent chef-d'œuvre sur chef-d'œuvre, transforment la conscience de toute une génération, parfois même la vision de toute une culture. Mais quand l'esprit le quitte, l'artiste ne crée plus jamais avec le même génie.

De la même manière qu'un esprit s'insinue dans un individu pour créer une œuvre d'art, le même esprit peut être présent quand l'œuvre est regardée ou écoutée par d'autres. « Quand Bach joue de l'orgue, même Dieu vient à la messe ! », a déclaré un contemporain du grand compositeur.

Encore aujourd'hui, beaucoup de chrétiens pensent que Dieu est présent dans le pain et le vin à l'apogée de la messe, pendant l'eucharistie ; c'est un sentiment assez indéfinissable, que des siècles de débats théologiques n'ont pu expliquer. Quand on lit les liturgies conservées depuis l'Égypte ancienne, notamment *The Book of the Opening of the Mouth*[2], ou quand on parcourt les chroniques du temple de Vesta à Rome, qui racontent les « épiphanies », ou apparitions des dieux, il apparaît clairement qu'en ces temps-là, leur présence était toujours attendue à l'apogée d'une cérémonie religieuse et d'une manière bien plus imposante que dans les services chrétiens d'aujourd'hui : la présence des dieux inspirait un effroi mêlé d'admiration.

Quand l'homme de la forêt avait une pensée, il se disait qu'il avait été caressé par l'aile d'un ange ou la robe d'un dieu. Il sentait une présence, même s'il ne pouvait pas toujours la percevoir directement ou la détailler. Mais une fois dans l'enceinte sacrée, il ne percevait plus simplement l'aile ou les vagues de lumière et d'énergie de la robe. Il voyait l'ange ou le dieu en personne, en pleine lumière et il croyait vraiment que c'était un être venant du royaume des esprits.

Aujourd'hui l'illumination est perçue comme une expérience intérieure, alors que les anciens la vivaient comme une manifestation extérieure qui les transperçait.

Notre homme s'attendait à ce que les Êtres de pensée qu'il voyait soient visibles pour d'autres. C'est ce que nous appelons aujourd'hui les hallucinations collectives.

De nos jours, nous ne sommes pas prêts pour ce genre d'expérience ; nous ne savons pas comment rencontrer un esprit, nous ne savons même pas *qui* ils sont. Quand nous essayons d'avoir une expérience spirituelle authentique, il semble que nous soyons rarement sûrs de ce que nous ressentons.

---

[2] Livre sur la liturgie des offrandes funéraires, de Wallis Budge (ndlt)

Autrefois, ces expériences étaient tellement fortes que personne n'aurait pensé nier l'existence du monde des esprits : cela aurait été tout aussi difficile pour les gens de cette époque de ne pas les reconnaître que pour nous de ne pas croire à la table sur laquelle nous dînons, ou au livre que nous tenons en main.

Aujourd'hui, la rareté de ces expériences les rend peu crédibles. D'ailleurs, l'Église nous dit bien que la foi est admirable parce qu'elle est difficile. Il semble que pour croire, moins nous avons de preuves, mieux c'est. Cet enseignement aurait paru absurde aux hommes et aux femmes d'autrefois.

SI VOUS CROYEZ À UN UNIVERS OÙ L'ESPRIT PRÉCÈDE LA MATIÈRE, si vous croyez, comme les anciens, que les idées sont plus vraies que les objets, alors les hallucinations collectives sont bien plus faciles à accepter que si vous croyez à un univers où la matière précède l'esprit car, dans ce cas-là, elles sont presque impossibles à expliquer.

Dans cette histoire, les esprits et les dieux contrôlent le monde matériel et y exercent leur pouvoir. Nous verrons aussi comment, parfois ils s'y invitent inopportunément, comme quand, par exemple, tout un groupe est possédé par des pulsions d'une sauvagerie sexuelle incontrôlable. Ce genre d'événement fait que le commerce avec les esprits a toujours été considéré comme très dangereux. Dans l'Antiquité, la communion avec le royaume des dieux et des esprits était réservée aux écoles du Mystère.

ROBERT TEMPLE, QUI OCCUPE ACTUELLEMENT les fonctions de *visiting professor* de lettres, d'histoire et de philosophie des sciences à l'université de Louisville aux États-Unis et *de visiting professor* d'histoire et de philosophie des sciences à l'université de Tsinghua à Beijing, a démontré que les cultures égyptienne et chinoise, entre autres, avaient, par bien des aspects, une compréhension de l'univers très en avance sur la nôtre. Il a par exemple découvert que les Égyptiens, loin d'être des arriérés en astronomie, savaient que Sirius était un système à trois étoiles ; ce que la science moderne a « découvert » en 1995 quand, à l'aide de puissants télescopes, des astronomes français ont pu détecter la « naine rouge », qu'ils ont appelée Sirius C. Les Égyptiens n'étaient donc ni ignorants ni puérils, malgré ce que l'on peut croire.

Une croyance stupide dont nous aimons affubler les anciens est qu'ils vénéraient le soleil et le considéraient comme un être sensible.

Bas-relief romain du Ier siècle. Un candidat est conduit à une cérémonie d'initiation.

Robert Temple a fait d'importantes recherches sur les écrits d'Aristote, Strabon et d'autres philosophes et historiens anciens, qui démontrent que le soleil était perçu comme une sorte de lentille à travers laquelle l'influence spirituelle rayonnait pour pénétrer le monde terrestre. D'autres dieux rayonnaient à travers d'autres astres et, en changeant de position, le rayonnement des astres célestes influait différemment sur le monde et façonnait l'histoire.

Retrouvons encore notre homme : nous savons à présent qu'il sent que l'esprit derrière le soleil, la lune et les autres planètes et étoiles, a une influence sur certaines parties de son corps et de son esprit. Ses membres bougent, fluides comme Mercure, l'esprit de Mars déchaîne des rivières de fer fondu dans le sang bouillonnant de ses veines et l'état de ses reins est affecté par Vénus. La science moderne commence à peine à comprendre le lien entre les reins et la sexualité : au début du XXe siècle, on a découvert le rôle que jouaient des reins dans le stockage de la testostérone.

Dans les années 1980, le pharmacien suisse Weleda commençait une série d'expériences qui démontraient que le mouvement des planètes provoque des changements chimiques, visibles à l'œil nu, sur des solutions de sel de métaux, même quand ces influences sont si subtiles qu'elles ne sont pas mesurables par des appareils connus à ce jour.

Ce qui est encore plus remarquable, c'est que ces altérations surviennent quand la solution de sel de métal est observée *en relation avec le mouvement de la planète à laquelle le métal en question a traditionnellement été associé.* Les sels de cuivre contenus dans les reins sont affectés par Vénus, le cuivre étant le métal qui est traditionnellement associé à cette planète. La science moderne pourrait être sur le point de confirmer ce que les anciens savaient : il est parfaitement juste de dire que Vénus est la planète du désir.

Les écoles du Mystère enseignaient aussi que, non seulement notre tête renfermait une conscience, mais notre cœur également. Cette « conscience du cœur » émane du Soleil et entre dans notre espace mental par cet organe. Autrement dit, le cœur est le portail à travers lequel le dieu Soleil entre dans nos vies, comme la « conscience de nos reins » rayonne en nous par Vénus et se répand dans notre esprit et notre corps par le portail de nos reins. Les interactions entre ces différentes zones de conscience nous rendent tour à tour aimant, en colère, mélancolique, anxieux, courageux, attentif ou autre, formant un tout unique qui est l'expérience humaine.

Par cette influence sur notre être, les dieux des planètes nous préparent aux grandes expériences et aux grandes épreuves que le cosmos veut nous voir traverser. Les structures profondes de nos vies sont décrites par les mouvements des astres.

Je suis mû par le désir grâce à Vénus mais, quand Saturne revient, je suis mis à rude épreuve.

DANS CE CHAPITRE, NOUS AVONS COMMENCÉ à faire travailler notre imagination comme on le fait dans les enseignements ésotériques. Dans le prochain, nous passerons la porte des écoles du Mystère, où nous sera conté le commencement de l'histoire du cosmos.

3

Le jardin d'Éden

Le code de la Genèse • L'arrivée du Seigneur noir •
Les gens des fleurs

SCIENCE ET RELIGION S'ACCORDENT pour dire qu'au commencement, le cosmos passa du néant à la matière. Mais la science fournit peu d'explications sur cette mystérieuse transition et, globalement, elle est hautement spéculative. De plus, les scientifiques n'arrivent pas à se mettre d'accord pour dire si la matière a été créée en une seule fois, ou si le processus perdure.

En revanche, ce qui est surprenant, c'est que les prêtres de l'Antiquité étaient unanimes. Leurs enseignements secrets sont dissimulés dans les textes sacrés des grandes religions.

Nous allons maintenant décrypter l'histoire secrète de la création racontée dans la Genèse et voir que certains des passages qui nous sont les plus familiers renferment des univers extraordinaires, dessinant des espaces infinis pour notre imaginaire.

Nous verrons aussi comment cette histoire ressemble à celle d'autres religions.

AU COMMENCEMENT, UNE MATIÈRE IMPALPABLE, plus subtile que la lumière, fut précipitée du vide et devint un gaz exceptionnellement fin. Si un œil humain avait pu l'observer, l'aube de l'histoire aurait ressemblé à une immense brume cosmique.

Ce gaz, ou brume, était la Mère de la Vie et portait en elle tout ce qui était nécessaire à sa création. Au cours de notre histoire, la Déesse Mère, comme on l'appellera également, se métamorphosera et prendra d'autres noms mais, au commencement, « la terre était informe et vide ».

Mais voici le premier obstacle que rencontre la vie au cours de cette histoire, la Bible continue ainsi : « et il y avait des ténèbres sur la face de l'abîme ». D'après des commentateurs de la Bible travaillant dans la tradition ésotérique, c'est une manière de dire que la Déesse Mère fut attaquée par un vent sec et brûlant qui menaçait tout le potentiel de vie.

Encore une fois, si l'homme avait pu en être témoin, il aurait peut-être vu une première brume, légère, émanant doucement de l'esprit de Dieu, se faire balayer par une deuxième émanation.

Cela déchaîna une violente tempête, un de ces phénomènes rares et spectaculaires qu'observent parfois les astronomes – comme la mort d'une grande étoile peut-être – sauf qu'« au commencement », cette tempête a dû être d'une ampleur tout à fait considérable et se répercuter dans l'univers tout entier.

C'est ce qui serait apparu dans le monde physique si nous avions pu le voir, mais puisque nous ne pouvons que l'imaginer, on peut penser que ce grand nuage et cette violente tempête sont peut-être là pour dissimuler deux gigantesques fantômes.

AVANT D'ESSAYER DE DONNER UN SENS À CETTE HISTOIRE ANCIENNE du cosmos, ou de comprendre pourquoi tant d'esprits brillants ont bien voulu y croire, il est important de tenter de la considérer telle qu'elle aurait été présentée autrefois : comme une série d'images pour nourrir l'imaginaire. Laissons ces visions nous imprégner comme les prêtres voulaient qu'elles imprègnent l'imaginaire des candidats à l'initiation.

Il y a quelques années, j'ai rencontré une figure légendaire de la pègre de Londres, un homme qui avait aidé un type du nom de Frank Michell, dit « the Mad Axeman », à s'évader d'une prison psychiatrique et qui, d'après les rumeurs, était lui-même devenu un peu fou. Il tua « the Mad Axeman » à l'arrière d'une camionnette à l'aide d'un fusil à canon scié, puis se vautra dans son sang en riant. Son souvenir le plus fort, celui qu'il trouvait le plus horrible, était un de ses souvenirs les plus anciens. C'était une rixe à laquelle il avait assisté alors qu'il n'avait que deux ou trois ans.

Sa grand-mère s'était battue à mains nues sur le pavé, devant chez elle, dans une allée de maisons victoriennes de l'East End de Londres. Il se souvenait des becs de gaz se reflétant sur le pavé, de la salive qui giclait, de sa grand-mère qui avait l'air gigantesque et qui avançait lourdement et calmement mais qui dégageait une force incroyable. Il se souvenait aussi de la peau de ses avant-bras massifs, irritée par les lessives qu'elle faisait pour le nourrir, de ses immenses bras qui frappaient une autre femme sans répit, même quand la pauvre victime se retrouva au sol, incapable de se défendre.

Lorsque nous regardons ces deux forces primitives combattre au commencement de tous les temps, nous devrions essayer d'imaginer quelque chose de similaire. La Déesse Mère, qu'on dépeint souvent comme une figure nourricière, aimante et donneuse de vie, ronde, confortable et douce, avait également un aspect terrifiant. Elle était guerrière quand il le fallait. Les anciens Phrygiens la reconnaissaient dans Cybèle, une déesse sans merci qui se déplaçait sur un char tiré par des lions, entraînant ses dévots dans un délire sauvage tel qu'ils finissaient par se castrer eux-mêmes.

Son rival était encore plus terrifiant : grand et noueux, sa peau était écaillée et blanche et ses yeux, rouges et brillants. Le Seigneur noir fondait sur la Déesse Mère armé d'une faux, ce qui fournit un indice sur son identité au cas où nous ne l'aurions pas encore reconnu.

Car si la première émanation de l'esprit de Dieu se métamorphosa en Déesse Mère, la seconde s'exprima à travers le dieu de la planète Saturne.

Saturne traçait les limites du système solaire. Il incarnait le principe même de limitation. Ce qu'il introduisit dans la création, c'est la possibilité pour des *objets individuels* d'exister, donc le passage de la substance à la forme. Autrement dit, c'est grâce à Saturne qu'il y a dans l'univers une loi de l'identité qui permet à quelque chose de ne pas être confondu avec autre chose. C'est Saturne qui veut qu'un objet occupe un certain espace à un certain moment, espace qu'aucun autre objet ne peut occuper, et qui fait que cet objet ne peut être à deux endroits ou plus en même temps. Dans la mythologie égyptienne, Saturne était incarné par Ptah, qui pétrit le monde sur son tour de potier et, dans beaucoup de mythologies, Saturne est appelé le *rex mundi*, roi du monde ou « prince de ce monde », à cause du contrôle qu'il exerce sur notre vie matérielle.

Si une identité individuelle peut exister dans le temps, elle peut aussi *cesser d'exister*. C'est pourquoi Saturne est le dieu de la destruction, il mange ses propres enfants. Il est parfois représenté comme le Temps et parfois comme la Mort elle-même. C'est à cause de Saturne que chaque chose vivante contient le germe de sa propre fin et c'est aussi lui qui fait que ce qui nous nourrit est également ce qui nous détruit. La mort est partout dans le cosmos, dans le bleu d'un ciel étincelant, dans un brin d'herbe, dans les pulsations de la fontanelle d'un bébé et dans l'étincelle qui brille dans les yeux d'un amant. C'est Saturne qui rend nos vies difficiles, qui fait que les lames sont à double tranchant et que les couronnes ont des épines. Quand nous ne supportons plus nos vies, que nous sommes blessés et que nous implorons les étoiles, c'est que Saturne nous pousse vers nos limites.

Ça aurait pu être pire. Le potentiel de vie du cosmos aurait pu ne jamais voir le jour. Le cosmos aurait pu rester un endroit où la matière morte aurait dérivé éternellement.

Nous verrons que Saturne est revenu à plusieurs reprises à travers l'histoire, sous différentes formes, afin de poursuivre son but : momifier l'humanité et lui extirper la vie. À la fin de ce livre, nous verrons que son intervention la plus décisive, prédite depuis longtemps par les sociétés secrètes, devrait survenir dans un avenir relativement proche.

Dans la Genèse, la tentative du Malin d'anéantir les plans de Dieu dès leur naissance, ce premier acte de rébellion d'un Être de pensée contre l'Esprit dont il émane, est traité en une seule et courte phrase mais, comme nous l'avons déjà dit, la Bible ne considère pas le temps à l'échelle à laquelle il est perçu aujourd'hui. La tyrannie de Saturne envers la Terre Mère, ses tentatives assassines visant à éliminer tout potentiel de vie du cosmos se sont poursuivies pendant de longues périodes, inconcevables pour l'esprit humain.

Au cours de cette bataille primitive, Saturne a fini par être battu et, même s'il n'a pas été détruit, il a été maîtrisé et relégué dans sa propre sphère. La Genèse nous le dit par cette phrase : « Dieu dit : "Que la lumière soit !" Et la lumière fut. » La lumière a repoussé les ténèbres qui planaient sur les eaux.

Comment ? Il y a deux versions de la création dans la Bible. La deuxième, au début de l'évangile selon saint Jean est, à bien des égards, plus complète et peut nous aider à déchiffrer la Genèse.

Mais, avant de poursuivre, nous devons aborder un sujet sensible. Nous avons d'ores et déjà commencé à interpréter la Genèse sous l'angle de la Déesse Terre et de Saturne. Quiconque ayant été élevé dans une des grandes religions monothéistes éprouvera quelque résistance, mais cela est normal. Sommes-nous sûrs que cette vision polythéiste des dieux, des étoiles et des planètes n'est caractéristique que des religions primitives comme celle de l'ancienne Égypte, des Grecs ou des Romains ?

Je conseille amicalement aux chrétiens les plus conventionnels de refermer ce livre immédiatement.

LES ÉGLISES CONTEMPORAINES REVENDIQUENT UN MONOTHÉISME RADICAL et extrême, sans doute dû à la prédominance de la science qui laisse si peu de place à Dieu. Chez les chrétiens nourris de science, Dieu est devenu une immanence indifférenciée et indétectable de l'univers et la spiritualité n'est rien d'autre que le sentiment vague et confus de ne faire qu'un avec cette immanence.

Mais le christianisme prend racine dans des religions très anciennes qui étaient toutes polythéistes et tournées vers l'astronomie. Les croyances des premiers chrétiens le reflètent clairement : pour eux, la spiritualité signifiait commercer avec les esprits.

Les églises chrétiennes, depuis la cathédrale de Chartres jusqu'à la basilique Saint-Pierre de Rome, en passant par de petites églises et chapelles autour du monde, ont été construites sur d'anciens puits ou grottes sacrés, d'anciens temples ou écoles du Mystère. Tout au long de l'histoire, ces endroits ont été considérés comme des portails pour les esprits, des failles dans le tissu du continuum espace-temps.

La science de l'astro-archéologie a démontré que ces portails étaient alignés sur des phénomènes astrologiques et servaient à canaliser l'influx provenant des esprits aux moments opportuns. À Karnak, en Égypte, le jour du solstice d'hiver, le fin rayon de soleil de l'aube entrait par les portails du temple, traversait cinq cents mètres de cours intérieures, de halls et de passages, jusqu'à pénétrer dans l'obscurité du Saint des Saints.

Certains chrétiens seront surpris d'apprendre que cette tradition a perduré. Toutes les églises chrétiennes sont astronomiquement alignées : le jour du saint patron auxquelles elles sont dédiées, elles sont en général parfaitement en face du lever du soleil. Les grandes cathédrales, comme Notre-Dame à Paris, ou la Sagrada Familia à Barcelone, sont recouvertes de symboles astronomiques et astrologiques.

Les hommes d'Église modernes condamnent l'astrologie un peu rapidement alors que, par exemple, nul ne peut nier que les grandes fêtes chrétiennes correspondent à des événements astronomiques :

Chapelle chrétienne des Sept Dormants d'Éphèse, construite sur un dolmen près de Plouaret, France.

Un panneau de la cathédrale Notre-Dame, à Paris, orné de magnifiques symboles astronomiques.

Pâques est célébré le premier dimanche suivant la pleine lune pendant ou juste après l'équinoxe d'hiver ; quant à Noël, on le fête le premier jour après le solstice d'hiver, au moment où le soleil commence à rallonger sa course.

Si nous parcourons les textes bibliques, nous nous apercevons que la lecture contemporaine radicalement monothéiste des Écritures contredit les croyances de ceux qui les ont rédigées. La Bible se réfère à de nombreux esprits, y compris aux dieux des tribus rivales, aux anges et aux archanges, autant qu'aux diables, aux démons, à Satan et à Lucifer.

Toutes les religions croient que l'esprit a précédé la matière. Toutes comprennent la création comme une série d'émanations, qui sont universellement visualisées en une hiérarchie d'êtres spirituels : soit des dieux, soit des anges. La hiérarchie des anges, des archanges, ainsi que d'autres êtres, a toujours fait partie de la doctrine de l'Église, saint Paul y fait allusion avant qu'elle ne soit élucidée par son élève saint Dionysos, codifiée par saint Thomas d'Aquin et représentée avec grand talent dans l'art de Jan Van Eyck et l'écriture de Dante.

Ces doctrines sont souvent ignorées ou méprisées par le christianisme moderne, mais ce que les dirigeants de l'Église ont surtout voulu supprimer, ce qui est encore réservé aux enseignements ésotériques, c'est que *les différents ordres d'anges doivent être rapprochés des dieux des étoiles et des planètes.*

Même si la grande congrégation chrétienne n'en a pas conscience, les spécialistes modernes de la Bible s'accordent pour dire qu'elle contient de nombreux passages qui devraient être compris comme des références à des divinités astronomiques. Dans le Psaume 19, il est dit : « C'est là qu'il a dressé une tente pour le soleil. Et le soleil, semblable à un époux qui sort de sa chambre, S'élance dans la carrière avec la joie d'un héros ; Il se lève à une extrémité des cieux, Et achève sa course à l'autre extrémité. » L'étude de ce passage en parallèle avec certains textes de cultures proches montre que ce psaume parle du mariage du Soleil et de Vénus.

Ce genre de passage pourrait être ignoré, compte tenu de la portée théologique globale de la Bible. On pourrait même le suspecter d'être un ajout d'une autre culture mais, dès que l'on revient au texte original, qu'on corrige des siècles de traductions erronées qui en ont obscurci le sens, on s'aperçoit que les passages les plus importants

GAUCHE : *Les quatre chérubins dans le rêve d'Ézéchiel. Tableau de Raphaël.*

À DROITE : *La combinaison des chérubins, le tétramorphe, dans la mythologie indienne.*

de la Bible peuvent être interprétés comme décrivant les déités des planètes et des étoiles.

Les quatre chérubins sont les symboles les plus puissants de la Bible. Ils apparaissent dans les passages-clés des livres d'Ézéchiel, d'Isaïe, et de Jérémie, ainsi que dans les Révélations. Ils sont très présents dans l'iconographie hébraïque et chrétienne et prééminents dans l'art et l'architecture sacrés. Ils sont symbolisés par le bœuf, le lion, l'aigle et l'ange. Dans l'enseignement ésotérique, ces quatre chérubins sont les grands êtres spirituels derrière quatre des douze constellations qui forment le zodiaque. Leur identité ésotérique se trouve dans l'imagerie qui leur est associée : bœuf = Taureau ; lion = Lion ; aigle = Scorpion et ange = Verseau.

Ce quadruple schéma symbolique des constellations se répète dans toutes les grandes religions du monde. Mais l'exemple le plus marquant et le plus important de polythéisme dans la religion chrétienne se trouve dans l'histoire de la création telle qu'elle est racontée dans la Genèse et l'évangile selon saint Jean.

Le verset 1, 1 de la Genèse est habituellement traduit par « Au commencement, Dieu créa les cieux et la terre », mais n'importe quel spécialiste de la Bible admet facilement que le mot « Elohim », traduit par « Dieu » est en fait *pluriel.*

Ce qui transforme ce passage en « Au commencement, les dieux créèrent les cieux et la terre ». C'est une anomalie assez intrigante que les gens d'Église n'appartenant pas à la tradition ésotérique ont tendance à vouloir ignorer. Mais, pour les initiés, il est évident qu'on parle ici des déités astronomiques.

Comme je l'ai suggéré, nous pouvons découvrir leur identité en comparant le passage de la Genèse au passage équivalent dans l'évangile selon saint Jean : « Au commencement était le Verbe, la Parole de Dieu, et le Verbe était auprès de Dieu, et le Verbe était Dieu. [...] Par lui, tout s'est fait, [...]. La lumière brille dans les ténèbres, et les ténèbres ne l'ont pas arrêtée. »

Ce parallèle est utile car Jean n'a pas inventé la phrase (le Verbe), il se référait à une tradition déjà ancienne en son temps et que ses lecteurs étaient censés comprendre. 400 ans plus tôt, le philosophe grec Héraclite avait écrit le même « *Logos* [i.e. le Verbe] qu'avant l'apparition de la terre ». Ce qui est important, c'est que d'après l'ancienne tradition, le Verbe qui brillait dans les ténèbres dans l'évangile de Jean et, comme nous l'avons vu, les dieux qui dirent : « que la lumière

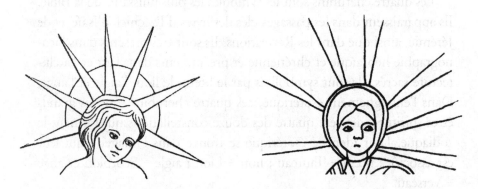

Représentation d'Apollon provenant d'une sculpture romaine. Dans l'Antiquité, le dieu Soleil était toujours représenté avec sept rayons émanant de lui, rayons qui symbolisaient les sept esprits formant le Soleil. Dans le Livre des morts *d'Égypte, on les appelle les sept esprits de Râ et, dans l'ancienne tradition juive, les sept pouvoirs de la lumière. C'est exactement la même imagerie qui est utilisée pour dépeindre le Christ dans l'art primitif chrétien, comme ici sur une mosaïque du IIIe siècle se trouvant au Vatican.*

soit » dans la Genèse sont les sept grands esprits qui émanent du Soleil et travaillent ensemble, formant la grande influence spirituelle. *Aussi bien l'Ancien que le Nouveau Testament font donc allusion au rôle du dieu Soleil dans la création, comme il était généralement compris dans les religions de l'Antiquité.*

LE DEUXIÈME ACTE DE CETTE HISTOIRE de la création commence lorsque le dieu Soleil vient sauver la Terre Mère des assauts de Saturne.

Habituellement, le Soleil est représenté comme un beau jeune homme à la crinière éblouissante, conduisant un chariot et jouant de la musique. Il a plusieurs noms : Krishna en Inde ou Apollon en Grèce. Il apparaît dans toute sa splendeur au cœur de la tempête et repousse les ténèbres de Saturne, qui devient un dragon géant ou un serpent et entoure le cosmos.

Le Soleil réchauffe alors la Terre Mère et lui redonne vie en émettant un rugissement triomphal qui résonne au-delà des limites du cosmos. Ce vacarme fait vibrer et danser la matière cosmique, formant des motifs. Dans les cercles d'élite des groupes ésotériques, on appelle cela « la danse des substances ». Ensuite, la matière se coagule en d'étranges formes.

Nous assistons à la naissance du monde par le chant du Soleil.

Le Soleil Lion est une image très habituelle dans l'art ancien. Partout où il apparaît, il fait référence à ce stade précoce de la narration où l'esprit a précédé la matière. Une merveilleuse version de cette histoire du Soleil Lion a été racontée dans les années 1950, c'est une préquelle de *Le Lion, la sorcière blanche et l'armoire magique*, appelée *Le Neveu du magicien*. Ce que les critiques littéraires non initiés n'ont pas vu, c'est que l'œuvre de Clive Staples Lewis est profondément enracinée dans les connaissances rosicruciennes. Dans son histoire, le Soleil Lion s'appelle Aslan :

« Au cœur des ténèbres, il se passait enfin quelque chose. Une voix s'éleva, une voix très lointaine dont Digory avait du mal à identifier la source. Tantôt elle semblait monter de tous les côtés en même temps, tantôt il avait l'impression qu'elle jaillissait de la terre à leurs pieds. Les notes les plus basses étaient assez profondes pour être le chant de la terre. Il n'y avait pas de paroles. On distinguait à peine une mélodie. C'était, au-delà de toute comparaison possible, le son le plus pur qu'il eût jamais entendu, d'une telle beauté qu'il était à peine supportable [...] Le ciel à l'est passa du blanc au rose puis du rose au doré. La Voix se fit de plus en plus intense, jusqu'au moment où l'atmosphère tout entière se mit à frémir. […] Le lion allait et venait sur cette terre vide en poursuivant un nouveau chant, plus doux et plus rythmé que celui qui avait permis de convoquer le soleil et les étoiles. À mesure qu'il se déplaçait au rythme de cette mélodie délicate et flottante, la vallée se recouvrait d'une herbe verdoyante qui jaillissait sous ses pas comme l'eau vive et s'étendait sur les flancs des coteaux comme une onde. L'herbe grimpait au pied des montagnes, couvrant ce nouveau monde d'un manteau de douceur de plus en plus étendu. »

Par la victoire du dieu Soleil, les enseignants des écoles du Mystère voulaient signifier la transition capitale d'un cosmos purement minéral à un cosmos bourgeonnant de vie végétale.

D'après l'ancienne tradition du Mystère, aux premiers stades de la vie végétale, des germes uniques flottaient, réunis en d'immenses structures semblables à des filets qui emplissaient tout l'univers. Dans les commentaires sur les Veda, cette étape de la création est appelée « le filet d'Indra », un réseau infini de fils lumineux et vivants, qui se rejoignent et s'entrecroisent sans fin, se tissent pour se dissoudre ensuite, comme des vagues de lumière.

Au cours du temps, certains fils sont restés tissés ensemble de manière durable et les tiges lumineuses se sont ramifiées. Pour comprendre à quoi cela pouvait ressembler, il faudrait se souvenir de l'impression qu'on avait quand, enfants, on visitait une grande serre, comme celle que la jeune fille qui inspira *Alice au pays des merveilles*, Alice Liddell, aimait visiter dans les jardins botaniques royaux de Kew, à Londres : on était pris au milieu de grandes vrilles végétales étendues dans une brume humide, lumineuse et verte.

Si l'on avait pu s'asseoir sur une de ces branches infinies et que soudain cette branche se soit mise à bouger, on aurait eu la même impression qu'un de ces héros de conte de fées assis sur une pierre qui se révèle être la main d'un géant. Et c'était ce qui aurait pu arriver, car cet immense être végétal au cœur du cosmos, dont les membres doux et lumineux s'étendaient dans toutes les directions, était Adam.

C'était le Paradis.

Et comme dans le cosmos il n'y avait pas d'élément animal, Adam était dénué de désirs et n'éprouvait ni envies, ni frustrations : ses besoins étaient satisfaits avant même qu'ils ne se manifestent. Il baignait dans

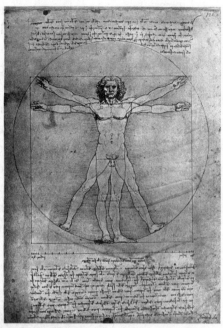

À GAUCHE, *tirée d'un manuscrit du XIIIᵉ siècle. Adam s'étendant jusqu'aux limites du cosmos.*
À DROITE. *Une comparaison avec le célèbre dessin de Léonard de Vinci révèle une strate de sa signification souvent ignorée. Adam occupait littéralement tout le cosmos.*

un printemps perpétuel. La nature lui fournissait continuellement de la nourriture en abondance, sous la forme d'une sève laiteuse similaire à celle qu'on trouve dans les pissenlits. Les statues de la Déesse Mère aux nombreuses mamelles témoignent aujourd'hui encore de cet état de satiété bienheureuse.

Le temps passait et les formes végétales devenaient plus complexes, plus proches des plantes d'aujourd'hui. Et si nous avions eu la chance de voir cela de nos yeux, nous aurions été éblouis par une myriade de fleurs palpitantes et scintillantes.

Nous avons suggéré que l'histoire secrète de la création était l'étrange miroir de l'histoire telle qu'elle est comprise par la science. Nous venons de voir que, comme le dit la science, un âge végétal primitif a succédé à un âge purement minéral, pour se complexifier ensuite. Mais il existe une différence cruciale que je me dois de souligner. Dans l'histoire secrète, non seulement il est dit que l'évolution vers l'humain est passée par un stade végétal, mais également que ce dernier *reste un élément essentiel dans l'être humain d'aujourd'hui.*

Si nous retirions le système nerveux sympathique du corps humain et qu'il tenait debout tout seul, nous verrions un arbre. Comme le dit magnifiquement l'un des plus grands homéopathes britanniques : « Le système nerveux sympathique est le cadeau du monde végétal au corps humain. »

La pensée ésotérique a toujours été intéressée par les énergies subtiles qui circulent dans cette partie végétale du corps humain et aussi par les « fleurs » de cet arbre, les chakras qui, comme nous le verrons plus loin, opèrent comme des organes de perception. Le grand centre de cette composante végétale du corps humain et qui se nourrit des vagues de lumière et de chaleur du soleil est le chakra du plexus solaire – appelé « solaire » car il a été formé à l'époque dominée par le Soleil.

Idole du Soleil germanique. Gravure de 1596. Jean Baptist Van Helmont, un grand alchimiste et scientifique dont nous parlerons plus tard, appelait l'estomac « le siège de l'esprit ».

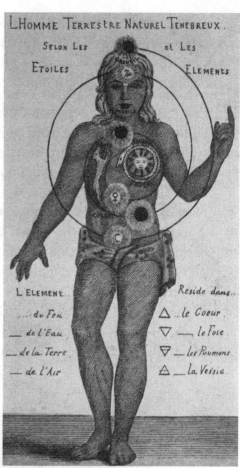

*Illustration hindoue des sept principaux
chakras à comparer avec une illustration
de Johann Gichtel accompagnant
les commentaires sur les chakras
du mystique du XVIIᵉ siècle Jakob Böhme.*

La conscience de cet élément végétal dans le corps humain est restée très vive chez les Chinois et les Japonais. Dans la médecine chinoise, le flux énergétique de cette force de vie végétale appelée *chi* anime le corps, et la maladie apparaît quand le délicat réseau d'énergies se bloque. Ce flux est indétectable par la science matérialiste moderne ; il semble opérer dans un espace insaisissable, entre l'esprit humain et la chair du corps animal, mais cela n'empêche pas cette médecine d'être extrêmement efficace, comme l'attestent plusieurs générations de patients.

D'autre part, les Chinois et les Japonais font grand cas du rôle joué par le plexus solaire dans la pratique spirituelle. Si vous observez une statue du Bouddha, vous verrez qu'il est tourné vers l'intérieur de lui-même et que son centre de méditation, son centre de gravité mental et spirituel, est son ventre. C'est parce qu'il s'est retiré du mental rigide et mortel de son cerveau et qu'il a plongé dans son centre, appelé aussi le *hara*, qui est relié à *toute* vie. Son but est le suivant : acquérir une conscience plus aiguë de sa condition de vivant, de l'harmonie qui le lie à tout ce qui vit.

LES CHAKRAS ONT ÉTÉ RENDUS POPULAIRES EN OCCIDENT grâce à l'influence de la pensée ésotérique orientale, mais ils font également partie de la tradition occidentale et sont présents aussi bien dans la pensée égyptienne qu'hébraïque. Et la chrétienté non seulement détient une tradition occulte des dieux, des planètes et des étoiles, mais elle recèle aussi un savoir secret des chakras.

Les organes du corps végétal sont des nœuds alignés de haut en bas du torse et ils ont un certain nombre de pétales : le chakra du plexus solaire a, par exemple, dix pétales et le chakra du troisième œil en a deux.

Les sept chakras principaux – situés respectivement au sommet du crâne, au-dessus de la racine du nez, sous le larynx, près du sternum au niveau du cœur, entre le nombril et le bas du sternum, entre le

La forme en amande qui entoure cette représentation de Jésus, appelée la vesica piscis *provient d'un hiéroglyphe égyptien nommé Ru qui symbolise le portail de la naissance et aussi le troisième œil, ou chakra frontal. Ce que les maçons qui ont gravé ce bas-relief dans une église d'Alpirsbach en Allemagne voulaient dire, c'est qu'on peut communiquer directement avec les grands êtres spirituels en activant le troisième œil. Il est assez surprenant de remarquer que l'architecture et l'art chrétiens de par le monde représentent très souvent le troisième œil, à l'insu de la majorité des chrétiens.*

nombril et le pubis, entre l'anus et les organes génitaux – figurent dans les écrits du XVIIᵉ siècle de Jakob Böhme. Comme nous le verrons plus tard, les saints catholiques, comme Thérèse d'Avila, les appelaient « les yeux de l'âme ».

En étudiant plus attentivement la Bible, on y trouve également beaucoup de références codées aux chakras. Les « cornes » avec lesquelles Moïse est traditionnellement représenté ont été justifiées par les chrétiens conformistes comme étant le résultat d'une incompréhension due à une traduction erronée, mais dans la tradition ésotérique ces cornes représentent les deux pétales du chakra du troisième œil.

Le bâton fleuri d'Aaron fait référence à l'activation des chakras, à l'ouverture des fleurs subtiles alignées sur l'arbre subtil. Dans le dernier chapitre, nous verrons comment dans les Révélations, le récit de l'ouverture des sept sceaux est une façon de parler de l'activation des sept chakras et de prédire les grandes visions du monde spirituel qui en résulteront.

Le troisième œil représenté par un uræus (ou cobra égyptien) sur un bas-relief égyptien.

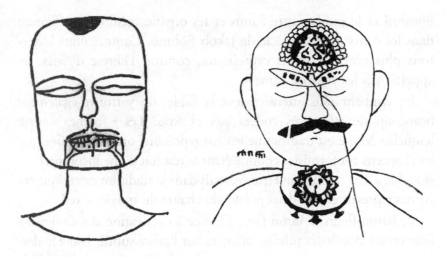

Des hommes méditant sur la glande pinéale, tirés d'un dessin de Paul Klee et d'une représentation indienne.

LA GLANDE PINÉALE EST UNE GLANDE petite et grise, de la taille d'une amande, qui se situe dans le cerveau, à l'endroit où la moelle épinière vient se rattacher à l'encéphale. Dans la philosophie ésotérique, quand nous avons une intuition, la glande pinéale vibre et quand on pratique une discipline spirituelle qui nous permet de prolonger cette vibration, cela peut ouvrir le troisième œil, situé entre les sourcils.

L'anatomie moderne n'a « découvert » la glande pinéale qu'en 1866, quand deux monographies ont été publiées simultanément par H.W. de Graaf et E. Baldwin Spencer. Plus tard, on a découvert que cette glande était plus grande chez les enfants et qu'à la puberté, quand se produit la cristallisation de plusieurs parties du corps – c'est-à-dire quand notre imagination s'amenuise –, la glande pinéale commence à se calcifier et rapetisse. Les scientifiques savent maintenant que la mélatonine est une hormone produite par la glande pinéale, surtout la nuit. Elle est essentielle au rythme du sommeil et du réveil et à la préservation du système immunitaire.

Si la science l'a découverte relativement tard, les anciens connaissaient la glande pinéale et pensaient connaître sa fonction. Ils savaient aussi en tirer parti pour atteindre certains états. Les Égyptiens la dépeignaient comme le serpent uræus et dans la littérature indienne, elle est décrite comme le troisième œil de l'éveil ou l'œil de Shiva. Elle était représentée par la baguette surmontée d'une pomme de pin des disciples de Dionysos et un anatomiste du IVe siècle avant Jésus-Christ l'a décrite comme le « sphincter qui régule le flux des pensées ».

Les anciens voyaient la glande pinéale comme un organe qui permettait la perception des mondes supérieurs, une fenêtre ouverte sur les merveilles éblouissantes des hiérarchies spirituelles. Cette fenêtre pouvait s'ouvrir systématiquement, par la méditation et d'autres pratiques secrètes qui provoquaient des visions. Des recherches récentes à l'université de Toronto ont montré que lorsque l'on médite sur la glande pinéale en utilisant des méthodes recommandées par des yogis indiens, on libère de la mélatonine, ce qui nous permet de rêver et, en surdose, peut provoquer des hallucinations.

REVENONS AU RÉCIT DE LA CRÉATION et aux grandes images allégoriques dissimulées dans la Genèse. Nous avons vu que qu'au commencement, le corps d'Adam était informe et cotonneux et sa peau était presque aussi délicate que la surface d'une mare avant qu'elle ne commence à durcir. Comme l'écrit le grand mystique chrétien et philosophe rose-croix Jakob Böhme, dans *Mysterium magnum,* son commentaire de la Genèse, « ce qui, avec le temps, devait devenir de l'os, durcit et devint une substance proche de la cire ». Par la chaleur du soleil, ses membres verts commencèrent également à rosir.

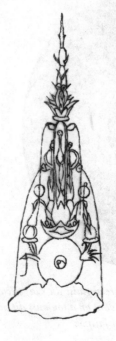

Des artistes comme Pieter Bruegel, Herri met de Bles et, ici, Jérôme Bosch, ont souvent dépeint des créatures protohumaines roses, aux os cireux. À ce jour, les critiques d'art n'ont toujours pas découvert la provenance de ce qui avait inspiré ces images.

En se solidifiant, Adam commença également à se diviser en deux, ce qui revient à dire qu'il était hermaphrodite qui se reproduisait de manière asexuée. Les spécialistes de la Bible admettent (quand on insiste) que le verset 1, 27 de la Genèse, habituellement traduit par « Il créa l'homme et la femme » devrait se dire « Ils [i.e. Elohim] le [singulier] créèrent homme et femme ».

Ce fut donc par cette manière de se reproduire, végétale, qu'Ève naquit du corps d'Adam, pétrie dans ce cartilage cireux qui faisait office d'os.

La progéniture d'Adam et Ève se reproduisit asexuellement elle aussi, à l'aide de sons, d'une manière analogue à l'action créatrice du Verbe. Cet épisode de l'histoire est lié à une croyance franc-maçonnique, le « Verbe qui a été perdu », croyance qui veut que, dans un futur lointain, on redécouvrira ce Verbe et qu'il sera alors possible de féconder en utilisant simplement le son de la voix humaine.

Adam, Ève et leur progéniture ne sont pas morts : ils se sont contentés de s'endormir de temps à autre pour pouvoir se reposer. Mais

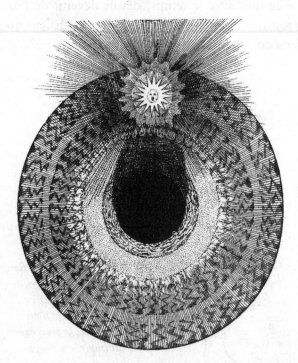

La séparation du Soleil et de la Terre dans une gravure anglaise du XVIIe siècle, qui illustre les écrits de Robert Fludd, éminent érudit rose-croix dont on a toujours dit qu'il avait fait partie de la commission qui a traduit la Bible du roi Jacques.

cet état végétatif du jardin d'Éden ne pouvait durer éternellement. Sinon, l'humanité n'aurait jamais dépassé l'état végétal.

Il a toujours été entendu que le dieu Soleil se séparerait de la Terre… pour un moment.

BIEN ÉVIDEMMENT, AUCUN OBJET de cette période où dieux et proto-humains étaient des végétaux n'a survécu. Néanmoins il en existe une trace fiable.

Hérodote, l'écrivain grec du Vᵉ siècle avant Jésus-Christ, est souvent appelé le père de l'histoire car il a été le premier à essayer de faire des recherches dans le but de rédiger une narration cohérente et objective de l'histoire.

En 485 avant Jésus-Christ, Hérodote visita Memphis, en Égypte. Sous d'immenses voûtes souterraines, on lui montra des rangées de statues d'anciens rois, remontant jusqu'à des temps très lointains. Il marchait en compagnie de prêtres le long de ces interminables rangées quand il tomba sur trois cent quarante-cinq sculptures colossales en bois, sculptures d'êtres ayant régné avant Ménès, leur premier roi humain. Ces êtres, lui dirent les prêtres, « sont nés les uns des autres », c'est-à-dire sans avoir besoin d'un partenaire sexuel, mais grâce à la parthénogenèse, qui est un moyen de reproduction similaire à celui des plantes. Chacune de ces sculptures, qui portaient toutes des noms inscrits sur des tablettes, ainsi que des dates et une histoire, était la preuve d'un âge perdu de la vie végétale de l'espèce humaine.

Des hommes mandragores sur une gravure du XIXᵉ siècle. La mandragore a toujours joué un rôle important dans la tradition ésotérique, car sa forme est souvent interprétée comme celle d'un végétal qui lutte pour devenir humain. Les colosses qu'a vus Hérodote ressemblaient-ils à cela ?

4

Lucifer, la lumière du monde

La pomme du désir • Une guerre au Paradis •
Le secret des jours de la semaine

DANS LES ÉCOLES DU MYSTÈRE, on jouait l'histoire de la création en une pièce en trois actes.

Le premier acte mettait en scène l'épisode de Saturne persécutant la Terre Mère. On l'appelait l'âge de Saturne.

Le deuxième traitait de la naissance du Soleil et de la protection qu'il apporta à la Terre Mère. Cette période paradisiaque des hommes fleurs était appelée l'âge du Soleil.

Pendant cette représentation de la création, le candidat à l'initiation se trouvait entraîné dans un spectacle à effets spéciaux, mais il prenait également part à une séance rituelle. Dans un état second, probablement drogué, il était incapable de prendre du recul avec les événements auxquels il assistait. Il voyageait parmi les esprits, guidé par des prêtres dans un parcours presque chamanique. Le théâtre, tel que nous le connaissons aujourd'hui, sortit un jour des écoles du Mystère grecques pour devenir une représentation publique. Mais les initiés de la première heure n'avaient jamais rien vu de semblable.

Venons-en au sujet de ce chapitre, le troisième acte.

Rappelons-nous l'événement capital de la fin du chapitre précédent : le Soleil et la Terre se séparent. À partir de ce moment-là, les rayons bienfaisants du Soleil ne l'éclairent plus de l'intérieur : ils apportent la vie en projetant leur lumière depuis le ciel.

Le résultat est que la Terre refroidit, se densifie, elle devient moins gazeuse et plus liquide, elle rétrécit et sa surface aqueuse est recouverte par Adam et Ève et leur progéniture végétale et scintillante.

Tout à coup, à l'apogée du troisième acte, le candidat à l'initiation assistant à cette pièce recevait une bouffée de soufre et parfois était même ébloui par une décharge de lumière emplissant cette scène pastorale où faisait irruption une horrible figure à cornes, luisante et livide. L'image qu'on lui présentait était celle d'un serpent d'une longueur infinie et d'une beauté perverse qui s'introduisait dans le cosmos. « Tu étais en Éden, au jardin de Dieu. Toutes sortes de pierres précieuses formaient ton manteau : sardoine, topaze, diamant, chrysolite, onyx, jaspe, saphir, escarboucle, émeraude, or. »

Le candidat à l'initiation regardait ce serpent avec horreur pendant que ce dernier s'enroulait autour du tronc végétal d'Adam. Il comprenait qu'il assistait à une série d'événements par lesquels la vie évoluait douloureusement vers une nouvelle étape. Car l'histoire *du serpent s'enroulant autour de l'arbre est l'image la plus évidente de la transition de la vie végétale à la vie animale.*

Depuis le XVIIIe siècle, lorsque la vision de la matière précédant l'esprit a pris le dessus sur l'ancienne vision de l'esprit précédant la matière, l'Église a essayé de réconcilier la narration de la création dans la Genèse avec les découvertes scientifiques. C'est une entreprise vouée à l'échec car elle repose sur une lecture moderne et anachronique de ce texte.

La Genèse ne considère pas l'évolution comme le font les scientifiques modernes, qui rassemblent les pièces d'un puzzle géologique, anthropologique et archéologique et tentent à tout prix de les apprécier objectivement. L'histoire de la Genèse est un récit *subjectif* de la façon dont l'humanité a évolué. Cela veut dire que *l'histoire du serpent s'enroulant autour de l'arbre est une image de la formation de la colonne vertébrale et du système nerveux central animal, telle qu'elle a été retenue dans l'inconscient collectif de l'humanité.*

Nous verrons souvent que la narration ésotérique n'est pas forcément en contradiction avec la science. Comme nous l'avons déjà souligné, il s'agit souvent des mêmes faits, mais considérés d'un point de vue très différent.

DANS LE CHAPITRE PRÉCÉDENT, NOUS AVONS VU QUE LA MATIÈRE avait, dans un certain sens, préparé le terrain pour permettre la naissance du monde végétal. Maintenant, le végétal forme un nid, un lit de semences dans lequel la graine de la vie animale n'avait plus qu'à tomber.

C'est le début d'un épisode capital de cette histoire, appelé la Chute.

Lors de l'initiation, le candidat allait vivre les bouleversements et les dangers inhérents à cet épisode. Brusquement, comme si la terre l'y avait propulsé, il tombait dans un trou noir qui se révélait être une fosse à serpents. Dans la tradition ésotérique, il est dit que la fosse qui se trouve sous la grande pyramide de Gizeh au Caire, appelée la chambre souterraine et qui a l'air inachevée, remplissait cette fonction. À Baia, en Italie, il existe un réseau de grottes, certaines creusées par l'homme et d'autres naturelles, que les Romains croyaient être le passage vers les Enfers. Des fouilles récentes viennent de révéler un endroit où une trappe projetait le candidat à l'initiation dans la fosse aux serpents qui se trouvait en dessous.

Notre candidat revivait la manière dont Lucifer et ses légions avaient envahi la terre, l'affligeant d'une colonie de serpents luisants. Il faisait l'expérience intime de la façon dont la planète, d'après l'histoire secrète, avait commencé à fourmiller de vie animale primitive.

À GAUCHE *Adam, Ève et le serpent par Massolino ;*
À DROITE *gravure Renaissance de l'arbre du jardin d'Éden, en squelette, de Jacob Rueff.*

On lui montrait aussi comment le désir tourmentait la terre, la faisant se soulever, et il voyait que les traces de ce tourment étaient visibles dans la formation des roches.

Mais pourquoi donc la transition entre vie végétale et animale devait-elle être caractérisée par tant d'affliction ? Dans la Genèse, le récit de cette catastrophe insiste sur l'aspect tourmenté, dans une des phrases les plus grandiloquentes de l'Ancien Testament « À la femme, il dit : Je multiplierai les peines de tes grossesses, dans la peine tu enfanteras des fils. [...] À l'homme, il dit : [...] maudit soit le sol à cause de toi ! À force de peines tu en tireras subsistance tous les jours de ta vie. Il produira pour toi épines et chardons et tu mangeras l'herbe des champs. » Il semble que le résultat de cette Chute soit que les humains doivent souffrir, lutter et mourir. Mais pourquoi ?

Ce langage ancien recèle plus de vérités que la science ne veut bien l'admettre. Les plantes se reproduisent de la façon suivante : une partie de la plante se détache, tombe et devient une nouvelle plante. On peut dire que cette nouvelle plante est la continuation de l'ancienne qui, d'une certaine manière, ne meurt pas. Mais *l'évolution de la vie animale, et son moyen de reproduction caractéristique qui est sexuel, implique également la mort.* Et dès que furent ressentis la faim et le désir, on commença à éprouver également l'insatisfaction, la frustration, le chagrin et la peur.

QUI DONC TENTE ÈVE ? QUI EST LE SERPENT qui enflamme le monde de désir ? Nous pensons tous avoir la réponse à cette question, mais il se trouve qu'elle est naïve. Car ceux qui ont en charge notre développement spirituel nous ont entretenu à un stade infantile de compréhension.

Dans le chapitre précédent, nous avons appris comment l'Église a dissimulé ses racines remontant à l'astronomie, que le début de la Genèse contient des histoires de ces mêmes dieux des planètes qui étaient ceux des religions « primitives », le dieu Saturne, la déesse Terre et le dieu Soleil. Plus nous avançons dans le récit de la Genèse, plus nous nous rendons compte que ce camouflage des racines astronomiques et le monothéisme radical de l'Église moderne nous empêchent de voir ce que ce texte ancien essaye de nous montrer.

La plupart d'entre nous imaginent que la chrétienté n'admet l'existence que d'un diable – *le* Diable – ce qui revient à dire que Satan et Lucifer sont la même entité.

Loki, dieu de la mythologie norvégienne, l'équivalent de Lucifer, est habituellement dépeint comme beau et fougueux, mais aussi comme diabolique, à l'esprit vif et rusé. Illustration du XIXe siècle de R. Savage.

Mais en fait, il suffit de regarder les textes avec un œil neuf pour s'apercevoir que les auteurs de la Bible voulaient dire tout à fait autre chose. C'est également un fait que les érudits acceptent, mais qui n'a pas fait son chemin jusque dans les congrégations.

Nous savons maintenant que Satan, le Seigneur noir, l'agent du matérialisme, est identifié au dieu de la planète Saturne dans la mythologie grecque et romaine. Qu'en est-il de Lucifer, le serpent qui enflamme l'humanité grâce au désir animal ? Doit-on l'identifier à Saturne également ou à une autre planète ?

Une abondante littérature savante, qui compare les textes bibliques à d'autres textes anciens et contemporains de cultures proches, démontre que les deux principaux représentants du mal dans la Bible, Satan et Lucifer, ne sont pas la même entité. Nous n'avons heureusement pas besoin de nous immerger dans une quantité d'études, car il existe une affirmation suffisamment claire dans la Bible elle-même : Isaïe 14, 12 « Comment es-tu tombé du ciel, ô Lucifer (« étoile du matin » dans la Bible classique), fils de l'aurore ? »

Bien évidemment, l'étoile de l'aurore est Vénus. *La Bible identifie donc Lucifer à la planète Vénus.*

À première vue, il semble insensé de rapprocher Vénus, la déesse romaine – Aphrodite pour les Grecs – avec Lucifer dans la tradition judéo-chrétienne. Vénus/Aphrodite est femelle et semble privilégier la vie. Mais en réalité, ces deux-là ont de nombreux points communs.

Lucifer, tout comme Vénus/Aphrodite, est rattaché au désir animal et à la sexualité.

La pomme est un fruit associé aux deux. Lucifer tente Ève avec la pomme et Pâris donne une pomme à Aphrodite, ce qui précipite le rapt d'Hélène et la grande guerre qui s'ensuit. La pomme est le fruit de Vénus car, si l'on coupe ce fruit en travers, les pépins du fruit forment une étoile à cinq branches, semblable au chemin que parcourt la planète en quarante années.

Lucifer et Vénus sont également des figures ambiguës. Lucifer est malfaisant, mais c'est un mal nécessaire. Sans son intervention, la protohumanité n'aurait pas dépassé le stade végétal. C'est grâce à son

La corrélation entre Vénus et Lucifer est visible aussi dans la mythologie amérindienne, où celui-ci apparaît sous les traits de Quetzalcóatl, dieu serpent à plumes et à cornes.

Le serpent, qui était parfois représenté entourant la déesse, était appelé « le ministre de la déesse » par les Grecs.

intervention dans l'histoire que nous sommes des êtres animés : nous bougeons et nous sommes également mus par le désir. Un animal a conscience d'être une entité distincte, ce qui n'est pas le cas des plantes. *Dire qu'Adam et Ève « surent qu'ils étaient nus » signifie qu'ils prirent conscience de leur corps.*

L'Antiquité nous a légué de très belles représentations de Vénus, mais il en existait également d'effrayantes. Derrière cette image d'une beauté incomparable se cachait une femme serpent terrifiante.

AFIN D'ALLER AU BOUT DE CETTE AMBIGUÏTÉ et de mieux comprendre le prochain grand événement de l'histoire secrète du monde, nous allons maintenant nous tourner vers une ancienne version allemande des personnages de Vénus et Lucifer, apparue dans la poésie moyenâgeuse avant de s'inscrire dans le canon de la littérature mondiale, quand Wolfram von Eschenbach l'a adaptée dans son *Parzifal*.

> Vois, Lucifer, c'est à toi qu'elle appartint !
> Tous les vénérables et savants maîtres qui existent au monde
> Savent bien que mes chants sont véridiques.
> L'ange saint Michel vit la colère de Dieu […]
> Il arracha la couronne de la tête de
> Lucifer, si bien qu'une pierre s'en détacha :
> Cette pierre fut depuis confiée sur terre à Parzifal.

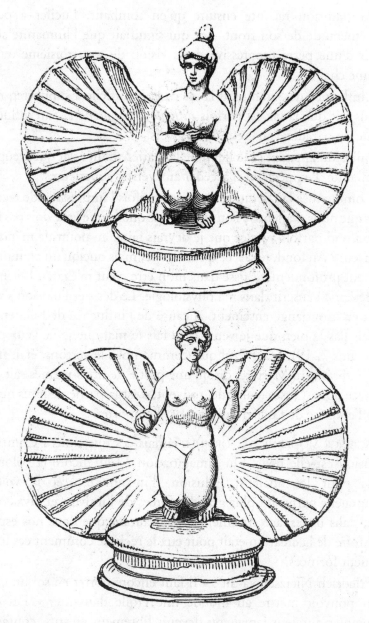

Ces deux petites statues grecques montrent bien que les Grecs se réjouissaient des plaisirs de la chair et la joie qu'ils tiraient du monde matériel. Dans les histoires grecques de la création, la naissance de Vénus survient grâce à la rébellion de Saturne qui prend sa faucille et coupe les testicules d'Uranus, le dieu du Ciel, le castrant. Comme le sperme d'Uranus se précipite dans la mer, la belle déesse Vénus apparaît, totalement formée, et rejoint la rive en flottant sur un coquillage. Les anciens pensaient que les coquillages étaient des précipités de l'eau, tout comme la matière est un précipité de l'esprit, les coquillages symbolisant ainsi l'esprit cosmique, aussi bien ici que, par exemple, dans l'iconographie de Saint-Jacques-de-Compostelle.

La tradition raconte ensuite qu'en tombant, Lucifer a perdu une émeraude de son front – ce qui signifiait que l'humanité souffrirait d'une perte progressive de la vision de son troisième œil, le sixième chakra.

L'influence de Satan rend la vie parfois difficile à supporter, mais Vénus fait que la vie est parfois *difficile à comprendre*. Son influence ajoute du paradoxe au cœur de l'univers.

L'illusion apparaît : Lucifer dote la matière d'un éclat qui aveuglera l'humanité, l'empêchant d'accéder aux vérités supérieures.

Comment se fait-il que nous avons parfois l'impression de reculer, alors que nous avançons ? Pourquoi est-ce que ce que je ne dois pas faire se confond parfois avec ce que je devrais faire, au point de m'induire en erreur ? Au fond, je sais ce qui est juste, mais quelqu'un en moi, un élément profondément tissé dans mon être, veut m'égarer. L'élément luciférien est inscrit dans ma physiologie. Le désir et l'illusion s'associent en moi dangereusement. À cause de l'influence de Lucifer, « je ne fais pas le bien que je veux, et je fais le mal que je ne veux pas » (Romains 7, 19). Saint Paul qui, comme nous le verrons, était initié à la tradition du Mystère, dit qu'une partie de nous-mêmes sait toujours ce qui est juste mais que, souvent, c'est la partie de nous qui est sous l'emprise de Lucifer qui finit par l'emporter.

LA SCIENCE MODERNE NE FORMULE jamais ces questions : Comment l'illusion est-elle née ? Ou l'imagination ? Ou encore la volonté ? Mais pour les anciens, l'illusion, l'imagination et la volonté comptaient parmi les plus grandes forces de l'univers et vivaient au loin, dans un espace tridimensionnel, autant que dans nos esprits. L'histoire de la création était pour eux le récit de comment ces forces s'étaient formées.

Friedrich Nietzsche a dit : « Il faut encore porter en soi un chaos pour pouvoir mettre au monde une étoile dansante. » Les êtres humains n'auraient jamais pu devenir librement créatifs, courageux ou aimants, s'ils n'avaient pu commettre des erreurs, voir les choses autrement qu'elles ne le sont, ou croire qu'elles sont différentes de ce qu'elles sont. Grâce à Lucifer, nous ne nous rendons pas toujours à l'évidence de ce qui est. Nous pouvons croire ce que nous *voulons* croire. La vie d'un ami peut nous apparaître comme un échec total, ou comme une réussite éblouissante, tout dépend de la façon dont nous *choisissons* de la regarder : avec bienveillance ou malveillance.

Et quand nous sommes consumés par le feu, le soufre primitif, il est difficile de faire le choix de la bienveillance.

Quand, au commencement, la déesse Terre était attaquée par le dieu Saturne, le jeune Soleil vint la défendre et, au terme d'une féroce bataille céleste, il défit le Seigneur noir. Le candidat à l'initiation à qui l'on présentait l'histoire secrète du monde avait déjà assisté à cette grande bataille et il allait maintenant être le témoin de celle où l'ennemi était le grand serpent qui s'était glissé dans le Paradis pour le corrompre.

Quel nouveau champion allait prendre les armes, cette fois-ci ?

Comme nous l'avons fait pour Satan et Lucifer – que l'Église confond afin de mieux dissimuler ses origines astronomiques –, nous allons maintenant lever le voile sur une autre confusion qui a été créée délibérément.

Dans les premiers chapitres de la Genèse, le mot qui est habituellement traduit par « Dieu » est « Elohim » dans l'original. Plus tard, la Genèse cesse de faire référence à « Elohim » et le mot que l'on traduit par « Dieu » est « Jéhovah ». Les spécialistes de la Bible, qui ne travaillent pas dans la tradition ésotérique, ont tendance à expliquer, ce qu'ils considèrent être deux noms différents désignant le même Dieu, comme étant le résultat de deux courants littéraires – l'un favorisant Elohim, l'autre Jéhovah – apparus à deux époques différentes, mais réunis plus tard dans le même texte par un rédacteur.

Cependant, les érudits travaillant dans la tradition ont une explication beaucoup plus simple. Elohim et Jéhovah ne sont pas deux noms différents désignant une même entité, mais bien *deux entités différentes*. Comme nous l'avons vu, Elohim est le nom qui a été donné aux Sept Esprits qui travaillent ensemble, identifiés au dieu Soleil, alors que Jéhovah apparaît lorsque l'un de ces esprits se sépare des six autres pour défendre la Terre des attaques de Vénus.

Pour découvrir l'identité astronomique de Jéhovah, nous devons nous tourner vers l'iconographie de sa rivale, Vénus, et nous souvenir que, pour les anciens, l'histoire des origines du cosmos traitait aussi bien de l'expérience humaine, de la façon dont l'être humain avait acquis sa structure particulière, que de la façon dont l'univers physique avait été assemblé. En d'autres termes, il s'agissait autant des principes de la nature humaine, que des lois du monde naturel.

Un être humain est ainsi fait que son pouvoir de résister à ses désirs, qui l'empêche de devenir une simple bête, provient de sa capacité à penser et à réfléchir. Vénus était souvent dépeinte face à un miroir, mais ce n'était pas par vanité, comme on le croit aujourd'hui. Le miroir était le symbole du pouvoir de la réflexion, qui modifiait le désir.

Le dieu de la réflexion était celui du grand réflecteur du ciel : la Lune. Dans toutes les anciennes cultures, la Lune ne régulait pas simplement la fertilité, elle avait également un pouvoir sur la pensée.

Les prêtres initiés croyaient que pour créer les conditions nécessaires à l'éclosion de la pensée humaine, le cosmos avait dû se mettre en place d'une certaine manière. Pour que la réflexion humaine soit possible, il fallait que le Soleil et la Lune se mettent à l'endroit qui permettrait à la Lune de refléter la lumière du Soleil sur la Terre.

Ces prêtres pensaient également que cette disposition dans le ciel devait se reproduire à une échelle plus petite dans la tête d'un être humain. La glande pinéale représentait le Soleil et la glande qui pouvait modifier ou réfléchir les visions que la glande pinéale recevait du monde des esprits était la glande pituitaire.

Cette croyance a beau sembler totalement folle, c'était le quotidien dans lequel vivaient les anciens. Ils guettaient le moindre signe de

Peinte à l'arrière d'un miroir grec du Ier siècle av. J.-C., l'histoire de Séléné, déesse de la Lune et d'un beau jeune homme appelé Endymion. Dans cette histoire, Séléné tombe amoureuse d'Endymion et lui jette un sort qui le plonge dans un sommeil perpétuel. Voici une illustration explicite de la Lune affectant la glande pinéale, en forme de baguette de Dionysos.

changement dans leur conscience et ils l'imputaient aux changements de positions du Soleil et de la Lune. Les lecteurs sont invités à vérifier par eux-mêmes si leurs rêves ne sont pas plus clairs quand la Lune est pleine.

Si l'on observe une huître pendant tout un mois, on voit qu'elle croit et décroît avec la lune. La science moderne a confirmé que la glande pituitaire fait de même.

LE DIEU DE LA LUNE EST DEVENU Jéhovah pour les Hébreux et Allah pour les musulmans, *le grand Dieu du « tu-ne-feras-point »*.

À l'apogée du grand drame cosmique de la création, au moment où la Terre risquait de devenir un Enfer, une nouvelle force vint se mesurer à Lucifer. Tout comme les sept Elohim ont réussi à retenir Saturne/Satan, maintenant l'un d'eux s'affranchit pour devenir le dieu de la Lune et pour contenir l'influence de Vénus/Lucifer.

La grande bataille cosmique contre Vénus est restée gravée dans la mémoire de toutes les cultures du monde : en Inde, par exemple, on relate la bataille de Krishna avec le serpent démon Kaliya ; en Grèce, on conte la bataille d'Apollon et du Python et l'histoire de Persée dont un des attributs est un bouclier miroir, et qui vint à bout du dragon à l'appétit sexuel vorace qui menaçait Andromède.

Il est intéressant de noter que le Jéhovah de l'Ancien Testament est jaloux et coléreux, comme un dieu de la Guerre. Dans la tradition

Représentation de Jéhovah en dieu de la Guerre, au Moyen Âge.

hébraïque, les forces de Jéhovah sont menées par l'archange Michel. Comme le dit le livre des Révélations : « Et il y eut guerre dans le ciel. Michel et ses anges combattirent contre le dragon. Et le dragon et ses anges combattirent […]. Et il fut précipité, le grand dragon, le serpent ancien… celui qui séduit toute la terre, il fut précipité sur la terre et ses anges furent précipités avec lui. »

NOUS AVONS VU QUE, DANS LE TROISIÈME ACTE du récit de la création, le dieu de la Lune remporta une grande victoire.

C'est ainsi que commença l'ère de la Lune. *Les trois premières époques du cosmos, les ères minérale, végétale et animale, sont commémo-*

Persée, le porteur du bouclier-lune.

*Nous voyons ici un dieu Soleil se battant contre un serpent
ou un dragon, dans un tableau de Raphaël.*

*rées dans les mots anglais de Saturn-day, Sun-day et Moon-day, les trois
premiers jours de la semaine*[1]. C'est pour cette seule et unique raison
que les jours de la semaine évoqués ci-dessus ont été nommés de la
sorte et dans cet ordre précis.

---

[1] « Saturn-day », ou « jour de Saturne », évoque « Saturday », samedi en
français ; « Sun-day », ou « jour du soleil », signifie dimanche en français ;
« Moon-day », ou « jour de la lune », évoque « Monday », lundi en français
(ndlt)

5

Les dieux qui aimaient les femmes

*Les Nephilim • L'assemblage génétique de l'être humain •
Les dieux poissons • L'authentique histoire de l'origine
des espèces*

NOUS ALLONS ABORDER l'un des épisodes les plus sombres et honteux
de l'histoire du monde, que les sociétés secrètes elles-mêmes préfèrent
parfois recouvrir d'un voile.

Bérose, prêtre de Babylone au temps d'Alexandre le Grand, fut
l'un des premiers historiens. Au regard des traces qu'il nous a laissées,
il est clair que, comme son prédécesseur Hérodote, il avait étudié
les listes de rois inscrites sur les murs des temples et plongé dans les
archives secrètes des prêtres.

Les quelques fragments de son travail qui ont survécu contiennent
des enseignements sur l'histoire des origines de la terre et du ciel,
ainsi que sur celle des hermaphrodites, les humains présexuels qui se
reproduisaient par parthénogenèse.

Bérose écrivit que la Terre avait été habitée par cette espèce primitive jusqu'à ce qu'un monstre apparaisse, un animal appelé Oannès
qui sortit de l'eau « … Tout son corps était celui d'un poisson, mais
sous sa tête de poisson surgissait une tête humaine, et des pieds semblables à ceux d'humains étaient sortis de sa queue de poisson. Il
avait aussi une voix d'homme. On en a préservé jusqu'à aujourd'hui
une représentation… »

« Cette bête passa de nombreux jours parmi les hommes, mais il
ne prenait pas de nourriture. Il enseigna aux hommes l'écriture, les
sciences et toutes les sortes d'arts. Il leur apprit comment fonder des
villes, construire des temples, introduire les lois et mesurer la terre, et
encore à semer et cueillir les fruits, et d'une manière générale tout ce
qui faisait la vie civilisée, il le donna aux humains. »

« Lorsque le soleil se couchait, l'animal aussi, Oannès retournait dans la mer, et passait la nuit dans ses profondeurs, car il était lui-même amphibie… »

« Par la suite, d'autres bêtes semblables à lui sont apparues… »

On trouve d'autres histoires de dieux poissons, apparus brusquement et devenus les enseignants du genre humain, dans les histoires indiennes qui parlent de Matsya, le premier avatar de Vishnu, ainsi que dans les histoires des anciens Phéniciens, qui vénéraient Dagon et apprirent à l'humanité l'art de l'irrigation, ou encore dans les mythes des anciens dieux poissons de la tribu Dogon en Afrique occidentale. Nous savons même, grâce à Plutarque, que les

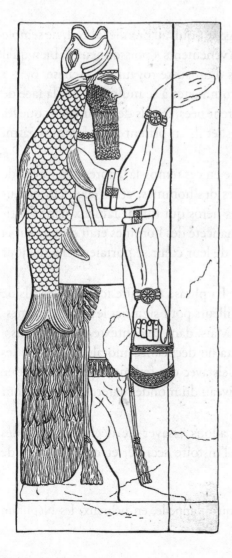

Oannès : gravure du XIXe siècle inspirée des murs remparts de Ninive ; l'original se trouve aujourd'hui au British Museum.

premières représentations de Zeus étaient celles d'un homme à la queue de poisson, image qui survécut dans la mythologie grecque en se déplaçant sur la représentation de son frère Poséidon.

Certains auteurs modernes, étrangers à la tradition ésotérique, ont vu dans cette imagerie de poisson la preuve d'une invasion extraterrestre dans l'Antiquité ; il a même été suggéré que l'espèce humaine avait été conçue par ces derniers. Cela démontre à quel point la tradition ésotérique peut être mal interprétée, quand on veut lui imposer une lecture matérialiste.

Si notre candidat à l'initiation avait été initié à un niveau supérieur, on lui aurait enseigné la vérité à ce sujet. Elle ressemble plus ou moins à ce qui va suivre…

DANS LA GENÈSE, IL EXISTE UN PASSAGE qui, au premier abord, ne semble pas faire référence aux mêmes événements « poissonneux », bien qu'il évoque l'invasion d'êtres venus d'un autre royaume : Genèse, 6, 1-5 « Lorsque les hommes eurent commencé à se multiplier sur la face de la terre, et que des filles leur furent nées, les fils de Dieu virent que les filles des hommes étaient belles, et ils en prirent pour femmes parmi toutes celles qu'ils choisirent.

Les géants étaient sur la terre en ces temps-là [1], après que les fils de Dieu furent venus vers les filles des hommes, et qu'elles leur eurent donné des enfants : ce sont ces héros qui furent fameux dans l'antiquité. L'Éternel vit que la méchanceté des hommes était grande sur la terre, et que toutes les pensées de leur cœur se portaient chaque jour vers le mal. »

Que penser de ce passage ? La phrase traduite ici par « les fils de Dieu » est une phrase utilisée ailleurs pour signifier les anges, les messagers qui viennent des cieux. Mais, dans ce contexte, « sont venus » semble sous-entendre une certaine déchéance morale. Dire que les anges ont eu des rapports sexuels avec des femmes signifierait-il que ces anges se sont *rabaissés* au niveau du monde matériel et qu'ils l'ont peut-être un peu trop aimé ?

Comme je le disais, nous allons essayer de déchiffrer l'un des épisodes les plus sombres de l'histoire secrète, et ces cinq vers de

---

[1] Les géants, les anges déchus, qu'on appelle, en hébreux, les Néphilim (ndlt)

la Genèse pourraient rester totalement hermétiques, si cet épisode n'avait pas été traité plus largement dans l'ancienne tradition hébraïque, en particulier dans *Le Livre d'Énoch*.

Ce livre disparut de la littérature non ésotérique approximativement vers 300-400 après Jésus-Christ, mais la franc-maçonnerie a continué à transmettre la notion de son existence, son contenu et son enseignement. En 1773, l'explorateur écossais James Bruce finit par retrouver des lambeaux de copies de ce livre dans des monastères éthiopiens et, grâce à cela, les anciennes traditions franc-maçonniques furent reconnues.

Le Livre d'Énoch n'a jamais fait partie des Écritures chrétiennes telles qu'elles ont été compilées au IVe siècle, néanmoins il était suffisamment estimé par les écrivains du Nouveau Testament pour qu'ils le citent, considérant de toute évidence qu'il faisait autorité et qu'il avait un statut de texte sacré. La valeur de ce livre a été d'ailleurs admise par le fait que Jésus-Christ lui-même ait reconnu les notions qu'il contenait : celles d'un royaume à venir et du jugement dernier. Et il semble bien que la phrase prononcée lors de sa Transfiguration, « Celui-ci est mon fils, mon élu, écoutez-le », montre que Jésus-Christ est l'Élu annoncé par *Le Livre d'Énoch*.

Voici ce que dit ce texte sur les anges qui aimèrent des femmes.

Énoch 7, 1-2 et 7, 9-11 : « Quand les enfants des hommes se furent multipliés dans ces jours, il arriva que des filles leur naquirent élégantes et belles. Et lorsque les anges, les enfants des cieux, les eurent vues, ils en devinrent amoureux ; et ils se dirent les uns aux autres : choisissons-nous des femmes de la race des hommes, et ayons des enfants avec elles. [...] Et ils se choisirent chacun une femme, et ils s'en approchèrent, et ils cohabitèrent avec elles ; et ils leur enseignèrent la sorcellerie, les enchantements [...]. Et ces femmes conçurent et elles enfantèrent [...]. »

Plus tard, Énoch fait le tour du Paradis, rencontre les anges rebelles ou vigilants, qui lui demandent d'intercéder en leur faveur auprès de Dieu. Mais quand Énoch tente de le faire, Dieu les répudie et renvoie Énoch : « Va, dis aux vigilants du ciel qui t'ont envoyé pour me prier pour eux : Vous deviez prier pour les hommes, et non pas les hommes pour vous ! » (15, 1)

L'histoire des anges rebelles est racontée à nouveau, avec les mots de Dieu et des détails supplémentaires.

Énoch 15, 1-4 : « Pourquoi avez-vous abandonné les saintes hauteurs du ciel, votre demeure éternelle, pour aller vous souiller avec des femmes ? Pourquoi vous êtes-vous épris des filles des hommes ; en avez-vous fait vos épouses ; avez-vous pratiqué avec elles les œuvres des enfants de la terre, et donné naissance à une race impie ? Vous qui étiez des esprits célestes, en possession de la sainteté, de la vie éternelle, vous vous êtes souillés avec des femmes ; vous avez travaillé aux œuvres de la chair, vous avez engendré dans le sang, vous avez agi comme ceux qui ne sont que de sang et de chair. Eux, ils ont été créés pour mourir. » Énoch 16, 2-5 : « Quant aux vigilants, qui t'ont envoyé pour m'implorer pour eux, Dis-leur, à ces intelligences célestes : Vous avez eu le ciel pour demeure ; mais les secrets d'en haut ne vous ont pas été révélés ; cependant vous avez connu un secret d'iniquité, Et vous l'avez dévoilé aux femmes dans les mouvements de votre cœur, et par là vous avez multiplié le mal sur la surface de la terre. Dis-leur donc : Jamais vous n'obtiendrez grâce, ni jamais vous ne recevrez la paix ! »

Dans l'épître de Jude 6, 6, il décrit les vigilants, comme ayant « abandonné leur propre demeure ». Un écrivain chrétien du IIIe siècle, Commodien, écrit : « Les femmes qui les séduisirent étaient d'une telle lubricité que, dès lors qu'ils étaient charmés, les anges n'avaient plus le désir de retourner au Paradis[2]. »

Mais derrière ces quelques indices étranges se cachent une série de personnages qui nous sont tout à fait familiers.

Quand Jude écrit que les vigilants n'auraient pas respecté la saison qu'il leur était dévolue, il semble, d'une certaine manière, les considérer comme les gardiens du temps. Mais le dernier indice révélateur qui donnerait l'identité de ces « anges déchus » se trouve dans leur nombre : sept, selon l'une des versions du *Livre d'Énoch*.

Dans toutes les traditions, le chiffre sept est celui des grands dieux du système solaire. Nous voyons encore une fois que le récit biblique a dissimulé dans ses histoires les mêmes dieux planétaires que la Grèce ou Rome.

Les anges qui furent attirés par les femmes n'étaient autres que les dieux de l'Olympe.

---

[2] La traduction du latin n'étant pas disponible en français, cette traduction est de nous (ndlt)

92

Nous avons découvert que la Bible a dissimulé dans son récit de la création le rôle majeur joué par Saturne, la Terre, le Soleil, Vénus et la Lune. Nous avons suivi cette histoire du matériel au végétal, jusqu'aux premiers frémissements de la vie animale. L'ère qui s'ensuivit fut marquée par l'arrivée des dieux du système solaire : Jupiter, ou Zeus pour les Grecs, devint le roi de tous les dieux. À cette époque, Mars et Mercure allaient aussi faire leur apparition.

La Terre Mère cacha le bébé Jupiter sur l'île de Crète, dans une grotte souterraine car Saturne, le père de l'enfant, le menaçait. Isolé des autres dieux, le petit se nourrit du lait de la nymphe chèvre et du miel des abeilles sacrées.

La Terre Mère le cachait car elle craignait que Saturne et les Titans, ses fils et filles aînées, ne le détruisent. Elle savait que la naissance de Jupiter sonnait le glas du règne de Saturne et que la transition d'un âge à un autre est toujours douloureuse. Car l'ordre ancien veut toujours perdurer au-delà du temps qui lui est imparti.

Les Titans étaient les hommes de main de Saturne : ils étaient des mangeurs de conscience ; ils voulaient dévorer la vie nouvelle ; ils voulaient créer un « univers de mort » comme l'appela Milton, qui connaissait l'histoire secrète sur le bout des doigts.

Les Titans devaient rester à jamais les ennemis de Jupiter. Ils n'arrivèrent pas à le tuer quand il était enfant, mais ils ne cessèrent de l'attaquer, lui livrant de terribles batailles, jusqu'à ce qu'ils soient vaincus par Jupiter qui les enferma sous terre. Ces grandes forces matérialistes s'unirent à la structure même de la Terre de sorte que, quand les volcans se réveillaient et menaçaient d'entrer en éruption, les anciens entendaient leur mécontentement.

Jupiter régna alors sur le mont Olympe un temps, sans que son pouvoir soit remis en question : il était le roi des dieux et le dieu d'un âge nouveau. Il secouait ses boucles majestueuses et la terre tremblait. Il était le seul qui avait la force de faire tomber la foudre.

Dans son chef-d'œuvre, *Les Noces de Cadmos et Harmonie*, le grand savant et écrivain Italien Roberto Calasso, qui a beaucoup contribué à populariser les connaissances ésotériques que renferment les mythes, a trouvé une formule pour résumer ce qui se passa à cette époque : « L'Olympe est une révolte de la légèreté contre la précision de la loi, qui s'appelait alors *pondus et mensura*, « poids et mesure ». Ce qui revient à dire que les dieux de l'Olympe – Jupiter, Apollon,

Mars, Mercure, Diane, Athéna et les autres – se sont révoltés face aux limitations imposées par Saturne. Les Olympiens fendaient l'espace, exécutaient des tours de magie et déroutaient d'horribles monstres. Ce fut une ère splendide et prodigieuse : elle a fouetté l'imaginaire et fait naître les œuvres d'art, de littérature et de sculpture parmi les plus inspirées de l'histoire.

Mais c'était également un âge trouble, d'une moralité plus qu'ambiguë. La foudre de Jupiter frappait dans une forte odeur de testostérone, dans la puanteur sauvage de la passion animale et le feu impitoyable de sa férocité.

Jupiter viola Callisto, qui devint un ours. Il viola Io et la transforma en vache. Il punit Lycaon de son cannibalisme en le condamnant à devenir un loup. La passion d'Apollon pour Hyacinthe transforma la jeune fille en fleur et le viol de Daphné la fit se muer en buisson de laurier.

De toute évidence, tous ces mythes parlent de la prolifération de la vie naturelle, de l'occupation de chaque mètre carré de notre

Telamones en train de porter la Terre dans une gravure du XIXᵉ siècle, représentant des découvertes de cette époque, à Pompéi. Les Telamones étaient des Titans, qui furent forcés de devenir une partie de la structure de la Terre. Ils engendrèrent des démons de la terre, ou gobelins. Jusqu'au XIXᵉ siècle, ils étaient encore craints dans certaines régions rurales du sud de l'Europe. Ces créatures aux yeux rouges et à la peau d'écailles ressemblant à des ongles morts étaient connues pour persécuter l'esprit des morts.

planète par une variété infinie de plantes et d'animaux et de la bio-diversité, qui est sa grande vertu. Zeus n'est pas moral au sens où Moïse l'aurait entendu, mais lui et ses amis de l'Olympe ont mené à bien l'œuvre de fécondité galvanisante et infiniment créatrice du monde biologique.

MAIS QU'EN EST-IL DES DIEUX POISSONS ? Qu'ont-ils à voir avec tout cela ?

Nous avons vu que de nombreuses mythologies de différentes cultures parlent de ces dieux et nous avons abordé l'idée que même Jupiter, dans sa représentation la plus ancienne, était l'un d'entre eux. Nous avons également dit que les mythes de Jupiter et des autres dieux de l'Olympe représentent le récit de la prolifération des formes animales. Si l'on réunit ces deux hypothèses, cela pose une question étonnante : est-il possible que ces mythes anciens aient anticipé l'une des hypothèses de la science moderne qui dit que *la vie animale qui a un jour évolué vers l'humanité, vivait, à ses débuts, dans l'eau ?*

Si cela s'avérait vrai, cette révélation serait stupéfiante.

LA DÉCOUVERTE DE DARWIN SUR L'ÉVOLUTION DES ESPÈCES est l'une des plus importantes de l'histoire, à ranger à côté de celles de Galilée, de Newton et d'Einstein. Mais est-il possible que les prêtres des écoles du Mystère aient eu connaissance du principe de l'évolution des milliers d'années auparavant ? Nous allons maintenant chercher les preuves de cette affirmation, qui à première vue peut paraître absurde, et qui sont inscrites dans le ciel au vu et au su de tous.

Nous allons déchiffrer le code du cosmos. Nous avons vu que les épisodes les plus anciens de l'histoire doivent être compris comme la narration de la création du système solaire.

L'un après l'autre, Saturne, le Soleil, Vénus, la Lune et Jupiter ont travaillé ensemble pour créer les conditions qui rendraient l'évolution de la vie sur Terre possible. Cet enchaînement d'événements nous a conduits jusqu'à l'aube de la vie et de la conscience animales, ainsi qu'au début de la prolifération des différentes espèces.

Pour comprendre le développement de ces espèces animales, nous devons encore nous tourner vers l'astronomie et nous pencher plus particulièrement sur les constellations du zodiaque.

POUR LES ANCIENS, LES FORCES DE LA NATURE dormaient pendant l'hiver et s'éveillaient au printemps pour exercer à nouveau leur influence. La constellation dans laquelle le Soleil naissait en cette saison était donc fondamentale pour eux. Le Soleil vivifiait cette constellation, lui donnait de l'énergie et augmentait son pouvoir, pouvoir qui sculptait le monde et façonnait l'histoire.

À cause d'un phénomène d'oscillation de l'axe de la Terre, le Soleil semble descendre lentement dans le firmament. Pendant une période de 2 160 ans, le Soleil se lève dans la même constellation puis il passe à la suivante. En ce moment, nous sommes dans l'ère des Poissons et nous attendons, comme chacun le sait, d'entrer dans l'ère du Verseau. Comme les constellations se suivent, ainsi que les ères, les variations symphoniques de la musique des sphères signalent un nouveau mouvement. Le cycle des puissances et des énergies traversant le cosmos change de plan.

Pour nous, les constellations du zodiaque se succèdent selon les mois de l'année : le Bélier est suivi par le Taureau, qui est suivi par les Gémeaux, et ainsi de suite. Mais, dans le cycle plus large, mesuré par la position de ces constellations à l'équinoxe de printemps, ces dernières se déplacent à « l'envers » : le Taureau *succède* aux Gémeaux, le Bélier *succède* au Taureau, et ainsi de suite.

On appelle ce phénomène la précession. Les savants ne s'accordent pas pour dire *quand* les anciens s'en sont rendu compte. Le premier grand livre sur le sujet s'intitule *Hamlet's Mill* écrit par Giorgio De Santillana, professeur d'histoire et de philosophie des sciences au MIT, et Herta von Dechend, professeur de science à l'université de Francfort, et publié en 1969. Cet ouvrage, d'une érudition impressionnante, permit la redécouverte de la dimension astronomique des mythes, longtemps oubliée en dehors des sociétés secrètes. La thèse des deux auteurs était qu'une des histoires centrales à toutes les mythologies et œuvres littéraires, d'*Œdipe roi* à *Hamlet*, l'histoire du fils dépossédé qui défait son oncle pour récupérer le trône de son père, est la description d'un événement astronomique : une époque de précession succédant à une autre.

Hamlet's Mill démontre que la précession est codée dans un archétype particulier, mais pas comment la succession de constellations dominantes nous permet d'organiser les différents niveaux de mythes dans leur véritable ordre chronologique.

Observons maintenant ces événements en tenant compte de la réalité historique que la tradition ésotérique voit dissimulée derrière les mythes de Jupiter et des autres dieux.

En racontant l'histoire telle qu'elle est narrée dans les mythes, en particulier dans les mythes des dieux de l'Olympe, nous avons bien évidemment tendance à nous représenter ces êtres comme des êtres humains modernes du point de vue anatomique. Nous devons cependant ne pas perdre de vue le fait que ces mythes racontent comment l'imagination pouvait les concevoir car, si nous en avions été les témoins, si tout cela avait existé, il est évident que tout nous aurait paru très différent.

Car *ce que ces images représentent, c'est le début et le développement de formes de vie primitive.*

Si l'ère de la vie aquatique primitive a été marquée par la domination de la planète Jupiter, en termes de précession des constellations, la suivante a été marquée par celle des Poissons. Quand le soleil se leva dans cette constellation, une nouvelle forme émergeant de la substance semi-liquide de la surface de la terre se forma : un embryon de poisson, un peu comme une méduse d'aujourd'hui.

Les anciens se représentaient cet élan de l'évolution comme un dieu : si la forme de vie qui évoluerait un jour vers la vie humaine s'était incarnée dans cette forme primitive de poisson, c'était parce qu'un dieu avait lui-même pris cette forme et que c'est sous cet aspect qu'il avait amené la vie sur terre.

En Égypte, l'événement miraculeux qu'est la naissance de la vie animale fut représenté par la naissance d'Horus et son image la plus ancienne, comme pour Jupiter, était celle d'un être mi-homme mi-poisson.

Nous voyons donc encore une fois que les Grecs et les Égyptiens, comme les Grecs et les Hébreux, adoraient le même dieu, sous des apparences culturelles différentes.

Puis vint la première ère du Verseau, l'ère de l'évolution des amphibiens, des créatures flottantes géantes ressemblant aux dauphins d'aujourd'hui, mais avec des membres palmés et des têtes en forme de lanterne. Cette lanterne était la glande pinéale, protubérance encore présente chez certains reptiles comme le tuatara ou le sphénodon, sorte de lézard de Nouvelle-Zélande.

La tête de la Méduse sur une pierre grecque. La nuit était vivante car les corps célestes étaient perçus comme le corps des esprits ou des dieux. Les anciens pensaient qu'ils pouvaient communiquer avec ces êtres et qu'ils sentaient leur influence. Ce n'est pas un hasard si l'étoile Algol, associée avec la tête de la Gorgone Méduse dans la tradition grecque, était perçue comme une influence négative dans TOUTES les cultures de l'Antiquité. Les astrologues hébraïques la nommèrent d'après l'esprit noir, le démon femelle Lilith et, avant cela, les juifs du désert l'avaient appelée la Tête de Satan, alors que les Chinois lui donnèrent un nom signifiant « cadavres empilés ». Différentes cultures faisaient en effet des expériences similaires en regardant certaines zones de la voûte céleste.

La « lanterne d'Osiris » est une ancienne trace de cette protubérance végétale dans la forme animale.

Cette « lanterne » était le principal organe de perception de ces créatures protohumaines. Elle était sensible à la chaleur et au froid émanant des autres êtres, de près comme de loin, et permettait de ressentir leur nature profonde comme celle des plantes, dont ils pouvaient juger de la comestibilité ou de la valeur curative, comme savent le faire certains animaux de nos jours. Et, les lois de la croissance naturelle n'étant pas encore tout à fait fixées, ils pouvaient parler aux plantes, comme certains sorciers ; il est écrit dans les anciennes sagas juives qu'ils ordonnaient de « porter des fruits aux arbres et que les épis de blé poussent aussi haut que les cèdres du Liban ». Nous devons essayer de nous représenter les échanges verbaux de ces protohumains comme des bramements de cerfs.

Par la suite, les hommes à la tête de lanterne furent idéalisés sous l'aspect de licornes. La déesse Terre les guidait toujours avec clairvoyance et les lois morales et naturelles se confondaient. Cette vérité historique est magnifiquement représentée sur une tapisserie conservée au musée de Cluny à Paris, où l'on voit une licorne poser sa tête sur les genoux d'une vierge.

Dans notre mémoire collective, la licorne est une créature persécutée. Les humains ont beau chercher refuge dans le giron de la Terre Mère, le monde est devenu dangereux. Nous avons vu que le désir existait indépendamment de l'humanité et c'était encore le cas à cette époque. Séparés des formes protohumaines, ces désirs débridés étaient les dragons de la mythologie, qui terrorisaient le reste de la création.

La surface marécageuse de la terre commença à se solidifier, à sécher, et l'étape suivante du développement humain débuta. C'était le début de l'ère du Capricorne, quand les êtres développèrent des membres leur permettant de ramper sur la terre et de s'adonner à leurs désirs bourgeonnants.

D'après la sagesse ancienne, c'est l'arrivée de Mars qui entraîna l'évolution vers le développement des animaux à sang chaud. Mars fit son apparition à la période de transition entre les amphibiens de la famille des lézards de l'ère du Capricorne et les animaux terrestres à quatre pattes de l'ère du Sagittaire.

Le fer de Mars produisit du sang rouge et mit en place les conditions qui rendirent possible l'égoïsme – et pas seulement dans une saine proportion qui aurait contribué à l'instinct de survie. En s'asséchant et en se densifiant, la Terre rétrécit et il en résulta que tout être ne pouvait vivre qu'aux dépens d'un autre. C'est un aspect inhérent à la condition humaine, de ne pouvoir vivre ou ni même simplement bouger sans blesser ou tuer un autre être vivant. À cause de Mars, la cruauté de la nature humaine s'exprime, y trouve même du plaisir : elle peut exulter en soumettant un autre être humain ou se sentir euphorique lorsqu'elle domine les autres et qu'elle peut exercer sa volonté sans retenue.

Les protohumains devenaient, dans leur ensemble, des créatures terrestres totales et il leur fallut créer une nouvelle manière de communiquer. Le thorax évolua sous l'influence de Mercure. Ce dernier façonna également des membres plus minces et plus forts pour que les humains puissent marcher les uns vers les autres et travailler ensemble. Il était également le messager et le scribe des dieux, connu sous le nom d'Hermès en Grèce, et de Thot chez les Égyptiens.

C'était également le dieu de la ruse et du vol.

DANS CE CHAPITRE, NOUS VENONS DE FAIRE UN COMMENTAIRE de la Genèse, qui prend en compte des traditions parallèles comme celle de l'Égypte ou de la Grèce. Cette façon d'interpréter ou de déchiffrer la Bible était pratiquée par les néoplatoniciens et les kabbalistes de la première heure, elle fut élucidée par des groupes comme les rose-croix. On trouve, par exemple, la majorité de l'histoire que nous venons de conter dans les écrits du XVIIe siècle de Robert Fludd (qui a beaucoup influencé le *Paradis perdu* de Milton), et, plus tard, dans les commentaires déjà cités sur la Genèse de Jakob Böhme, *Mysterium magnum*. Celui qui a élucidé ces commentaires et reformulé cette sagesse rosicrucienne fut le savant autrichien et initié moderne Rudolf Steiner, dont la Société anthroposophique clame, à juste titre, être la plus pure survivance du courant rose-croix.

Néanmoins, ce qui est troublant, et c'est un fait reconnu même en dehors de la tradition ésotérique, c'est que les anciennes civilisations de par le monde proposaient les mêmes images pour désigner les constellations du zodiaque. Cela est d'autant plus frappant que la disposition des étoiles dans le ciel les suggère très mal.

Les anciens voyaient dans cette séquence d'enchaînement des constellations, l'histoire de l'évolution de l'humanité et du monde, telle qu'elle était collectivement comprise et remémorée. Car, pour eux, *l'histoire du monde était écrite dans les étoiles*.

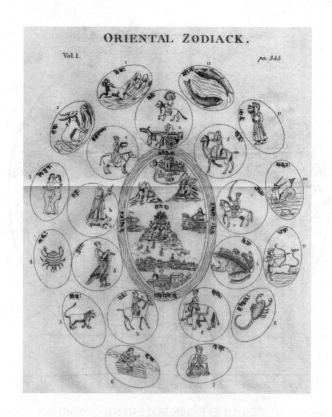

Zodiaques égyptien, indien et grec, montrant une incroyable similitude dans leur imagerie.

PAR CONSÉQUENT, CE QUI EST GÉNÉRALEMENT CONSIDÉRÉ comme une idée moderne attribuée à d'anciennes superstitions est en fait une très vieille idée. Cette compréhension de l'évolution ordonnée des espèces prit son origine des milliers d'années avant que Darwin ne s'embarque sur le *HMS Beagle*.

Cette histoire secrète était inscrite dans le zodiaque, narrée par des initiés tels que Jakob Böhme et Robert Fludd et préservée jusqu'à notre époque par des groupes ésotériques, mais toujours de façon à ce que les non-initiés aient du mal à la comprendre.

Au XIXe siècle, les premières traductions des textes sacrés hindouistes apparurent en Occident et une grande partie des enseignements ésotériques, qui avaient été jalousement gardés et contrôlés jusque-là, commencèrent à devenir publics. La fascination qu'exerçaient ces idées renouvela également l'intérêt pour la Kabbale et d'autres traditions occidentales, déclenchant un engouement pour la spiritualité. Certains des grands intellectuels de cette époque voulurent essayer d'appliquer la méthodologie scientifique aux phénomènes spirituels et spiritualistes. En 1874, Charles Darwin assista à des séances de spiritisme avec le romancier George Eliot. Le rival de Darwin, Alfred

Russel Wallace, prit part à des expériences spirituelles, croyant que les phénomènes auxquels il assistait pouvaient être mesurés et vérifiés, tout comme d'autres sciences le faisaient pour d'autres types de phénomènes. Comme nous le verrons plus tard, beaucoup d'intellectuels de premier plan, y compris des scientifiques, croyaient qu'il y avait quelque chose de vrai dans la philosophie ésotérique et qu'un jour la science et le surnaturel se rejoindraient.

Friedrich Max Müller était un jeune savant allemand que la Compagnie des Indes de l'Est avait embauché dans les années 1840 pour traduire le Rigveda, avant de le récompenser par une chaire à Oxford. Sa traduction des livres sacrés de l'Inde comportait cinquante volumes et rendit, pour la première fois, les doctrines ésotériques orientales largement accessibles à tous. Müller était également un grand ami de Darwin, avec qui il correspondait régulièrement. *L'Origine des espèces* fut publiée en 1859.

DANS L'HISTOIRE SECRÈTE, L'ÉVOLUTION des espèces ne connut pas la progression régulière que lui attribue la science. Il y eut des virages et des impasses, des faux départs et même des tentatives de sabotage, qui eurent une implication importante sur la façon dont nous concevons notre propre physiologie et notre construction mentale.

Par ailleurs, les serpents, les araignées, les cafards et autres parasites furent formés sous l'influence maligne de la face cachée de la Lune.

D'après la doctrine secrète, les animaux évoluèrent dans les formes qui nous sont familières, influencés par les étoiles et les planètes : les lions par la constellation du Lion, les taureaux par la constellation du Taureau, entre autres.

Le plan cosmique était le suivant : ils allaient graduellement être absorbés par la forme humaine qui devait être l'apogée de la création. À mesure que, guidés par les dieux, les humains s'approchaient de leur anatomie telle que nous la connaissons, ils prirent des formes à moitié humaines et à moitié animales, représentées par les Sumériens, les Perses, les Égyptiens et les Babyloniens, jusqu'à ce qu'ils acquièrent une forme parfaite, représentée par les civilisations grecques et romaines. C'est le cas, par exemple, de la déesse de la planète Vénus, qui fut Hathor à la tête de vache, et de la planète Mercure, qui s'incarna dans Anubis à la tête de chien, sur les murs des temples égyptiens. D'après la tradition secrète, ces mêmes dieux, ces mêmes êtres vivants, furent représentés dans la Grèce classique sous une forme plus évoluée.

Les textes de l'Antiquité décrivant cette ère mettent également l'accent sur les géants. L'auteur du *Livre d'Énoch*, dans la tradition hébraïque, et Platon, dans la tradition grecque, s'accordent à dire qu'à cette époque antédiluvienne, des géants existaient. En réalité, on parle de ces géants antédiluviens dans les traditions du monde entier : aussi bien en Inde, avec les danavas et les daityas, qu'en Chine avec les miaotse. Dans un *Dialogue entre Midas le Phrygien et Silène*, dont certains fragments ont survécu depuis Alexandre le Grand, Silène dit que « les hommes grandissaient le double de la taille du plus grand homme de notre temps et vivaient deux fois plus longtemps ». Dans la tradition secrète, les statues géantes de Bamiyan, en Afghanistan, détruites en 2001, n'étaient pas trois bouddhas, mais trois statues de taille réelle de géants mesurant respectivement 53, 36 et 9 mètres. Le drapé, qui les faisait ressembler à des bouddhas, était fait de plâtre et aurait été rajouté plus tard sur la pierre. Au XIXᵉ siècle, il a été dit que les autochtones croyaient que ces statues représentaient des miaotse, les géants chinois. Les célèbres statues de l'île de Pâques seraient elles aussi des statues de taille réelle de géants de l'histoire.

Il y avait aussi une « cour des miracles » : les unijambistes, les hommes chauves-souris, les hommes insectes et les hommes avec une queue. Manéthon, historien égyptien du IIIᵉ siècle avant Jésus-Christ, évoqua la progéniture des vigilants ; il écrivit : « ils […] amenèrent des êtres humains ailés, certains même avec quatre ailes et deux visages, des êtres humains avec un corps et deux têtes, d'autres avaient des cuisses de chèvre et des cornes sur la tête, d'autres des pieds de cheval à l'arrière et d'homme à l'avant ; il y en avait aussi dont on disait qu'ils étaient des taureaux à tête d'homme ou des chiens à quatre têtes dont les queues de poisson émergeaient de leur dos […] et d'autres monstres ressemblaient à des dragons. »

Cette période qui fut narrée dans tous les grands mythes trouve un écho dans la littérature de John R .R. Tolkien et son *Seigneur des anneaux* ou dans les livres de *Narnia* de Clive S. Lewis. Cette littérature fantastique fait ressurgir la mémoire collective de cette époque, quand les humains vivaient sur terre avec des géants, des dragons, des

sirènes, des centaures, des licornes, des faunes et autres satyres. Des légions de nains, des sylphides, des nymphes, des dryades et d'autres êtres moins spirituels servaient les dieux, et les hommes vivaient avec eux, se battaient à leurs côtés et, parfois, ils en tombaient amoureux.

DANS L'HISTOIRE SECRÈTE DU MONDE, LES DERNIÈRES CRÉATURES à s'incarner avant les humains furent les singes. Ils apparurent parce que l'esprit humain voulut s'incarner trop vite, avant que l'anatomie humaine ne soit complète.

Dans l'histoire secrète, on ne dit donc pas que l'homme descend du singe, mais plutôt que *le singe représente une dégénérescence de l'humanité.*

Bien évidemment, aucune de ces créatures fantastiques ne laissa de trace fossile ; mais alors pourquoi les grands personnages de l'histoire, qui furent initiés, y crurent-ils ?

Pourquoi donc une personne intelligente devrait-elle seulement envisager de considérer cette hypothèse ?

6

Le Roi vert assassiné

Isis et Osiris • La caverne du crâne • Le Palladium

Durant la période décrite dans les mythes de l'Olympe, les dieux vivaient parmi les humains. Cependant, l'histoire du dernier dieu vivant sur terre est racontée plus longuement dans la tradition égyptienne que dans la grecque. Pour les Égyptiens, il ne faisait aucun doute que leur dieu le plus important avait autrefois vécu parmi eux, qu'il les avait guidés dans les batailles et qu'il les avait gouvernés avec sagesse.

Hérodote décrit une visite au sanctuaire d'Osiris : « Il y a dans la pièce de terre[1] de grands obélisques de pierre ; et, près de ces obélisques, on voit un lac dont les bords sont revêtus de pierre. Ce lac est rond […]. La nuit, on représente sur ce lac les accidents arrivés à celui que je n'ai pas cru devoir nommer. Les Égyptiens les appellent des mystères. Quoique j'en aie une très grande connaissance, je me garderai bien de les révéler […]. »

Heureusement, nous pouvons satisfaire notre curiosité en lisant l'histoire d'Osiris telle qu'elle a été racontée par un quasi-contemporain d'Hérodote, Plutarque, un initié de l'oracle de Delphes. Je me suis servi ici du récit de Plutarque comme d'une base, faisant intervenir d'autres sources pour le compléter…

Imaginons que le monde était en guerre, ravagé par des monstres rugissants et des animaux féroces. Osiris était un grand chasseur, un « maître des bêtes » que la tradition grecque a appelé Orion le Chasseur, et les Norvégiens Herne le Chasseur ; il était également un grand guerrier : il nettoyait la terre de ses prédateurs et anéantissait les armées d'envahisseurs.

---

[1] La cour (ndlt)

Mais la cause de sa chute ne fut pas un combat avec des monstres ni une blessure mortelle sur le champ de bataille : c'est un ennemi intérieur qui eut raison de lui.

En revenant d'une campagne militaire, Osiris fut accueilli par une foule en liesse, un peuple qui l'adorait. Le règne d'Osiris, même s'il était la cible d'attaques extérieures incessantes, serait considéré plus tard comme un âge d'or, comme une période de bonheur domestique et civil. Son nom est en rapport avec l'insémination, « ourien » voulant dire semence. Ce que nous appelons aujourd'hui la ceinture d'Orion est donc un euphémisme. Autrefois, il s'agissait d'un pénis qui se dressait à mesure que la nouvelle année progressait. Tout cela nous donne un avant-goût du fort courant sexuel qui traverse l'histoire qui va suivre.

Osiris accepta l'invitation à dîner de son frère Seth, qui voulait célébrer la victoire.

Certains dirent qu'Osiris avait couché avec la très belle Nephtys, la femme à la peau noire de Seth et sœur de sa propre femme, Isis. Est-ce pour cela que Seth voulut tuer son frère ? Peut-être n'avait-il pas besoin de motivation extérieure : l'indice de son animosité, Seth la porte dans son nom : il était l'envoyé de Satan.

Après le souper, Seth proposa un jeu : il avait fait confectionner un très beau coffre ressemblant à un cercueil, en cèdre, incrusté d'or, d'argent, d'ivoire et de lapis-lazuli et quiconque rentrerait parfaitement dedans aurait le droit de l'emmener chez lui.

Chaque invité l'essaya, mais tous étaient soit trop gros, soit trop maigres, trop grands ou trop petits ; quand finalement Osiris put s'y allonger : « C'est parfait ! dit-il, ça me va comme la peau dans laquelle je suis né ! »

Mais sa joie s'évanouit lorsque Seth referma le couvercle sur lui, le cloua et colmata chacune des fissures avec du plomb fondu – le métal de Satan. Ensuite, accompagné de sa cour, il l'emporta sur les rives du Nil et le jeta à l'eau.

Osiris était immortel et Seth savait qu'il n'arriverait pas à le tuer, mais il croyait pouvoir s'en débarrasser à jamais.

Le coffre flotta sur le fleuve, pendant des jours et des nuits, échouant enfin sur la rive de ce que nous appelons aujourd'hui la Syrie. Un jeune tamaris qui poussait là enveloppa le coffre de ses branches et poussa tout autour de lui, le protégeant tendrement dans son tronc.

Cet arbre devint célèbre pour sa splendeur et le roi de Syrie le fit couper et sculpter en un pilier qu'il érigea au milieu de son palais.

Pendant ce temps, Isis, séparée de son mari et dépossédée de son trône, coupa ses cheveux, se noircit le visage avec des cendres et erra sur la face de la terre, pleurant et cherchant son bien-aimé. Puis elle accepta un travail de servante à la cour d'un roi étranger. (Les lecteurs apprécieront comment cette histoire, récit sacré des temples d'Égypte, est parvenue jusqu'à nous par le conte de *Cendrillon*.)

Mais Isis n'abandonna jamais l'espoir de retrouver son homme. Un jour, ses pouvoirs magiques lui firent « voir » Osiris dans le coffre, enfermé dans le tronc qui servait de pilier dans ce même palais où elle travaillait, le palais du roi syrien. Isis révéla son identité de reine et persuada le roi de couper le pilier et de la laisser emporter le coffre.

Elle partit en bateau et débarqua sur l'île de Chemmis, dans le delta du Nil. Là, elle s'apprêtait à user de ses pouvoirs pour ramener son mari à la vie.

Mais Seth avait également des pouvoirs : lui et ses cohortes diaboliques chassaient la nuit au clair de lune, quand il « vit » Isis bercer Osiris. Il attendit qu'elle se fût endormie et il fondit sur le couple d'amants.

Bien déterminé à réussir son coup, Seth attaqua Osiris sauvagement et le brisa en quatorze morceaux qu'il éparpilla sur toute la terre.

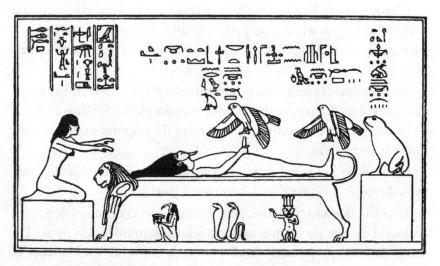

Bas-relief du temple de Philae.

À nouveau veuve, Isis se remit en route. (Les lecteurs francs-maçons s'apercevront peut-être qu'ils se font appeler les « fils de la veuve », et c'est le signe de leur participation à la quête d'Isis.)

Isis portait sept voiles pour se dissimuler aux regards des sous-fifres de Seth et se fit aider par Nephtys qui elle aussi aimait Osiris et se transforma en chien pour l'aider à retrouver et à déterrer les morceaux du corps du roi. Elles retrouvèrent chaque morceau, sauf son pénis qui avait été mangé par un poisson du Nil.

Quand elles furent arrivées dans l'île d'Abydos, au sud de l'Égypte, Nephtys et Isis bandèrent toutes les parties du corps ensemble, à l'aide d'un long morceau de lin.

Ce fut la première momie.

Pour finir, Isis fabriqua un pénis en or et le lui attacha. Elle ne réussit pas à le ramener entièrement à la vie, mais elle put le réanimer sexuellement en voltigeant, agitant ses ailes de faucon au-dessus de lui et, le touchant délicatement, elle enveloppa son pénis en formant un oiseau jusqu'à ce qu'il éjacule. C'est ainsi qu'Osiris la féconda et qu'elle conçut Horus, le nouveau maître de l'univers.

Horus grandit pour venger la mort de son père et tuer son oncle Seth, alors qu'Osiris vécut dans les Enfers, dont il était le roi, le Seigneur de la Mort. C'est sous cet aspect qu'il a le plus souvent été représenté par les Égyptiens, le visage vert, lourdement enveloppé et apparemment immobile, mais il émane de lui un pouvoir symbolisé par ses atours royaux et la crosse et le fléau qu'il tient à la main.

Isis allaitant son fils Horus. Pour les idéalistes qui croient à un monde de l'esprit précédant la matière et que l'univers a aidé et chéri l'humanité pour l'aider à évoluer, l'image de la déesse mère et de son fils est, encore plus que la croix, leur icône majeure.

Mais que cela peut-il bien vouloir dire ? Comment décoder cette histoire ?

Au premier abord, elle semble représenter le processus de succession d'une constellation à une autre : Horus dépose Seth et prend sa place.

À un autre niveau, le plus évident peut-être, il s'agit du mythe de la fertilité et du cycle annuel des saisons. L'apparition de l'étoile Sirius à l'horizon, après être restée cachée pendant des mois, signifiait pour les Égyptiens qu'Osiris allait bientôt réapparaître et que l'inondation du Nil était proche. Les mythes sur le dieu roi ressuscité existaient dans le monde entier, depuis Tammuz et Mardouk jusqu'aux histoires du Roi pêcheur et celles de Perceval et du roi Arthur. Elles suivent le même schéma : le roi est grièvement blessé aux organes génitaux et pendant qu'il souffre, la terre est aride. Puis, au printemps, un subterfuge le fait se lever à nouveau, aussi bien sexuellement que de manière à réveiller le monde tout entier.

C'est pour cela qu'Osiris devint le dieu des récoltes, de l'été et de la fertilité en Égypte. L'apparition annuelle tant attendue, à l'est, d'Orion et de sa femme Isis, que l'on connaît sous le nom de Sirius, l'étoile la plus brillante de la voûte céleste, annonçait l'inondation du Nil et faisait renaître le monde végétal et, de fait, les mondes animal et humain. Il s'agissait réellement d'une question de vie ou de mort. Les Égyptiens confectionnaient des petites momies avec un sac de lin rempli de maïs, semblables à des poupées. Quand elles étaient arrosées par l'eau du Nil, le maïs bourgeonnait, preuve de la renaissance du grand dieu.

Je suis la plante de la vie, dit d'ailleurs Osiris dans les textes des pyramides.

Je ne m'étendrai pas sur cet aspect d'Osiris, la signification des mythes qui parlent de fertilité est devenue de plus en plus claire depuis une centaine d'années, grâce à la publication du *Rameau d'or*[2] de sir James Frazer.

Le problème, c'est que cette compréhension se fait au détriment de tout le reste.

Le peuple égyptien qui se réunissait dans les cours extérieures des temples comprenait l'histoire d'Osiris de ce point de vue, mais

---

[2] *The Golden Bough* (ndlt)

il existait un autre niveau d'interprétation, que seuls les prêtres du sanctuaire lui donnaient : il s'agissait du rite noir, dont Hérodote affirmait connaître le secret.

Ce secret était un secret *historique*.

Pour en pénétrer le sens, nous devons maintenant nous pencher sur une drôle d'histoire, similaire, qui existe dans les mythes grecs. Plutarque nous dit que dans l'Antiquité, Osiris, le dernier dieu roi à avoir régné sur terre, était assimilé à Dionysos, dernier dieu de l'Olympe. Les sources divergent sur la parenté de ce dieu. Certains disent que son père était Hermès, d'autres Zeus. Mais tous affirment que la mère de ce petit dieu était la Terre Mère et que, comme pour Zeus (Jupiter), elle cacha son enfant dans une grotte.

Dionysos, comme Zeus, représente l'évolution d'une nouvelle forme de conscience et, là aussi, les Titans en voulaient à sa vie. Encore une fois, ces derniers apparaissent comme les dévoreurs de conscience.

Ils se peignirent le visage en blanc avec du gypse pour dissimuler leur identité – ils avaient la peau noire de leur père le dieu corbeau – et pour ne pas effrayer Dionysos et le faire sortir de son berceau caché dans une niche au fond de la grotte. Puis ils lui tombèrent dessus et le déchiquetèrent. Ils lancèrent alors les morceaux dans un chaudron de lait bouillant, puis arrachèrent la peau de ses os avec leurs dents.

Pendant ce temps, Athéna, qui s'était glissée subrepticement dans la grotte, réussit à dérober le cœur de l'enfant chèvre avant qu'il ne soit mangé. Elle le donna à Zeus, qui s'ouvrit la cuisse, y déposa le cœur et la recousit. Après un certain temps, de la même manière qu'Athéna était sortie entière de la tête de Zeus, Dionysos sortit parfaitement formé de la cuisse du dieu de l'Olympe.

AFIN DE COMPRENDRE LA RÉALITÉ HISTORIQUE dissimulée dans ce récit mystérieux, et le parallèle avec celle d'Osiris, il ne faut pas oublier que dans ce récit de l'univers, la matière a été précipitée de l'Esprit cosmique sur une très longue période et qu'elle a pris petit à petit l'aspect solide que nous lui connaissons aujourd'hui. Il faut également se souvenir que, malgré notre tendance à voir les grandes figures mythiques – dieux et humains – dotées d'une anatomie proche de la nôtre, il ne s'agit en fait que d'une licence de notre imagination.

En ces temps-là, le monde avait un aspect très différent. C'est le monde que décrit le poète initié Ovide dans les *Métamorphoses*, quand les formes anatomiques des humains et des animaux n'étaient pas encore aussi déterminées qu'elles le sont aujourd'hui : un monde de géants, d'hybrides et de monstres. Les humains les plus avancés avaient les deux yeux que nous avons maintenant, mais la lanterne d'Osiris formait encore une saillie au milieu de leur front, là où l'os du crâne n'avait pas encore durci.

Progressivement, la matière devint plus dense et, ce qu'il faut bien comprendre, c'est que même si elle était un précipité de l'Esprit, elle lui était étrangère. Plus la matière durcissait, plus elle devenait un obstacle à la fluidité du flux cosmique. Et graduellement, à mesure que la matière se densifiait, se rapprochant des objets tels que nous les connaissons, deux mondes se formèrent : le spirituel et le matériel. L'un visible avec la lanterne d'Osiris, l'autre avec les yeux.

L'histoire d'Osiris/Dionysos est l'étape suivante, peut-être la plus décisive, de ce processus : les différentes parties de l'Esprit cosmique, de la conscience universelle, se morcelèrent pour être absorbées par des corps individuels. La voûte osseuse du crâne se solidifia et enferma la lanterne d'Osiris, filtrant ainsi le grand Esprit cosmique d'en haut.

D'après l'ancienne sagesse, tant qu'il n'y avait pas de barrière avec les esprits, les dieux et les anges qui voltigeaient au-dessus d'eux, les humains étaient empêchés de concevoir une pensée libre et individuelle ou une volonté propre, signes distinctifs de la conscience humaine. Si nous n'avions pas été coupés du monde des esprits et du grand Esprit cosmique, si notre machinerie corporelle ne les avait pas écartés, nos esprits seraient complètement éblouis et submergés.

À partir de ce moment-là, les humains eurent un espace à eux, pour penser.

L'image archétypale de cette idée de la condition humaine est l'allégorie de la caverne de Platon. Des prisonniers sont enchaînés dans une caverne face à un mur, sans pouvoir se retourner. Les événements qui se passent à l'entrée de la grotte se reflètent en ombres sur le mur du fond, et les prisonniers prennent ces ombres pour la réalité.

Cela est une démonstration du courant philosophique que les universitaires appellent l'idéalisme, qui dit que l'Esprit cosmique et la pensée, ou les Êtres de pensée qui en émanent (idées), sont une forme supérieure de réalité. Les objets physiques, eux, ne sont que des ombres ou reflets de cette réalité.

Nous sommes aujourd'hui très loin du temps où les gens croyaient à l'idéalisme et il est donc très difficile pour nous de le considérer comme une philosophie de vie plutôt qu'une vieille théorie poussiéreuse. Mais ceux qui y croyaient vivaient le monde d'une manière idéaliste et comprenaient aussi cette philosophie comme un processus historique.

Étonnamment, les philosophes ont tendance à ne pas voir le sens littéral de cette allégorie. La caverne est ici la voûte osseuse du crâne, un endroit sombre et recouvert de chair.

Platon était un initié et il était sûrement tout à fait conscient du délicat mécanisme d'ombres et de lumières qui animait l'esprit enfermé dans un crâne, et de la physiologie et psychologie occultes de la doctrine secrète.

La caractéristique première de l'être humain, son plus grand accomplissement, ainsi que celui du cosmos, est sa capacité à penser. Le cerveau est le plus complexe, le plus subtil, le plus mystérieux et le plus miraculeux des objets connus dans l'univers.

D'après la doctrine secrète, *le cosmos a créé le cerveau humain afin de pouvoir réfléchir à lui-même.*

Si nous voulons comprendre ce qui se passe ici, il est vital de sortir de la pensée matérialiste et de regarder par l'autre bout de la lorgnette. Si on est idéaliste, on croit que l'univers a été créé par l'Esprit pour les esprits.

Plus particulièrement, que l'Esprit cosmique a créé l'univers matériel pour que l'esprit humain acquière sa forme.

L'histoire idéaliste de la création raconte ce processus. Les grands événements de cette histoire que nous avons racontés jusqu'ici sont la mise en place du Soleil, de la Lune, des planètes et des étoiles et *notre conscience a sa forme actuelle, précisément parce que ces corps célestes sont alignés au-dessus de nous de cette manière.*

La Lune reflétant la lumière du Soleil sur la Terre reproduit ce qui se passe dans le microcosme d'un crâne humain, dont la matière s'est suffisamment densifiée pour que l'esprit humain soit « fermé ». Nous atteignons ici le point où l'anatomie et la conscience humaine ont la forme que nous connaissons aujourd'hui. Les conditions de base pour que les hommes puissent réfléchir, c'est-à-dire penser, étaient en place.

Cependant, nous avons un dernier point à considérer.

DANS L'HISTOIRE SECRÈTE, IL EXISTE ÉGALEMENT une dimension spécifiquement *sexuelle* à ce développement.

Les prêtres du Mystère pensaient que quand la lanterne d'Osiris se résorba sous le couvercle osseux du crâne pour prendre la place de la glande pinéale que nous connaissons aujourd'hui, elle provoqua l'apparition d'un pénis de chair. D'après l'ancienne sagesse, le pénis est la dernière partie du corps humain à avoir pris sa forme, ce qui explique pourquoi les artistes des sociétés secrètes, comme Michel-Ange ou Signorelli, frère initié de Léonard de Vinci, peignaient souvent les sexes des hommes de la mythologie, sous l'aspect d'une plante.

Ce grand virage de l'histoire fit que les hommes ne pouvaient plus se reproduire par la parthénogenèse comme auparavant. L'humanité s'abandonna entièrement à la sexualité animale.

Et c'est ce qui fit émerger une troisième et terrible dimension.

Les os humains étaient en train de se matérialiser et de durcir. Le crâne devint à moitié vivant et à moitié mort.

C'est pour cela qu'un des axiomes de la doctrine secrète dit que *le début de la mort fut la naissance de la pensée.*

Les Compagnons de Pan, *par Luca Signorelli. Cette gravure est une des seules traces d'un tableau détruit pendant la Seconde Guerre mondiale.*

D'après la doctrine secrète, il existe une opposition fondamentale entre la vie et la pensée. Chez les humains, les processus vitaux tels que la digestion, la respiration et la croissance par exemple, sont, en grande partie, inconscients. La dimension consciente, pensante, n'est rendue possible que par un refoulement partiel de ces processus vitaux. L'organisme humain « vole » les forces qui sont utilisées chez les animaux pour la croissance et la structuration biologique, et les canalise pour créer les conditions nécessaires à la pensée. Il est dit que c'est pour cela que les humains sont, comparativement aux autres, des animaux maladifs.

La pensée humaine est un processus mortel, qui restreint la croissance et la longévité.

Quand les protohumains étaient des créatures végétales, ils ne faisaient pas l'expérience de la mort. Lorsqu'ils commencèrent à avoir des caractéristiques humaines, ils eurent un avant-goût de la mort. C'était une expérience proche d'un sommeil rempli de rêves, ils se « réveillaient » ensuite à nouveau au monde matériel. Ce sommeil, même quand il était très profond, ne leur apportait plus le repos dont ils avaient désormais besoin. À mesure que les os humains et la croûte terrestre se solidifiaient, les hommes bougeaient avec plus de difficulté, douloureusement. L'appel de la mort se fit de plus en plus fort, jusqu'à en devenir presque insupportable.

Le sommeil se fit de plus en plus profond, jusqu'à ressembler à la mort, jusqu'à *devenir* la mort.

Les humains avaient fini par être pris dans le cycle cruel de la vie, de la mort et de la renaissance, dans lequel les créatures doivent mourir pour permettre à la nouvelle génération de vivre. Ils vivaient désormais dans un endroit où les pères devaient s'éteindre pour laisser la place à leurs enfants et où les rois devaient périr pour qu'un jeune plus vigoureux puisse leur succéder.

Des chercheurs ont réussi à faire concorder des textes avec les bas-reliefs du site de Karnak, près du Caire, célèbre pour ses pyramides à degrés, afin de comprendre ce qui se passait durant les rituels Heb-Sed (ou fête-Sed, jubilé royal célébré après 30 ans de règne d'un pharaon). Lors d'une cérémonie de l'école du Mystère, le jeune pharaon faisait l'expérience de la mort et de la renaissance dans une chambre souterraine, avant d'être régénéré et de réapparaître en public dans une cour où il devait passer plusieurs épreuves de force et de virilité, dont une course avec un taureau, pour prouver qu'il était, comme il le criait : « Libre de courir de par la terre. » S'il ne réussissait pas ces épreuves, il subissait la même mort sanglante que le taureau.

Le témoignage suivant, qui raconte le sacrifice d'un dieu taureau en Inde, est celui d'un voyageur britannique du XIXᵉ siècle ayant assisté à la scène : « Quand on porte le coup fatal qui sépare la tête de l'animal de son corps, on se met à jouer des cymbales, des tam-tams, la corne retentit et toute l'assemblée s'étale du sang sur le corps, se roule dedans, en criant et en dansant comme des démons, accompagnant leurs danses de gestes et d'allusions obscènes. » Hérodote dut être le témoin de quelque chose de très similaire, s'il a été autorisé à assister au rite noir égyptien. À l'apogée de la cérémonie d'initiation, notre candidat (du chapitre 4) devait lui aussi être témoin de quelque chose de similaire : la mort d'un grand dieu.

LA CONDITION HUMAINE CHANGEAIT à différents niveaux. Dans l'histoire secrète du monde, nous étions à une époque charnière où la matière

En Europe du Nord, le dieu qui fut pris dans les cycles naturels était dépeint comme l'Homme vert. C'est un dieu vêtu de feuilles, féroce comme la nature, mais également sa victime. Du haut de nombreuses églises chrétiennes, Osiris regarde l'assemblée des fidèles.

précipitée de l'esprit avait tellement durci que le crâne humain avait enfin acquis une forme très semblable à celle d'aujourd'hui. Mais le troisième œil était toujours actif, il n'était pas encore devenu un vestige. *La perception du monde matériel était aussi vive que celle du monde spirituel.*

Si un être humain était entré dans une salle du trône et avait regardé celui qu'il avait en face de lui, il aurait vu un être qui lui ressemblait, un autre être humain ; les hommes n'avaient plus accès au monde des esprits de manière illimitée, mais si cet homme avait eu le droit de regarder le roi avec son troisième œil, c'est un dieu qu'il aurait vu assis face à lui.

On trouve le plus grand récit de la perte de ce double moyen de perception dans le texte sacré indien, la *Bhagavad-Gita*. Un conducteur de char appelé Arjuna est assailli de doutes la veille de la bataille. Alors Krishna, le roi qu'il doit conduire dans la mêlée, lui permet de le regarder à travers son « œil de vision » et de le voir dans sa forme divine et suprême. Lorsqu'il voit que les yeux de Krishna sont le soleil et la lune, que son roi remplit le ciel et la terre de son éclat rayonnant comme mille soleils, qu'il est vénéré par tous les dieux et qu'il porte en lui toutes les merveilles du cosmos, Arjuna tremble de peur et de surprise. Alors Krishna, pour le rassurer, rapetisse, reprend sa forme humaine et lui montre son visage le plus doux.

Osiris aurait pu faire vivre ce genre d'expérience à quiconque serait entré dans la salle du trône de Thèbes. Jakob Böhme décrivit le monde de la pierre sculptée, du bois travaillé, des habits royaux et de la chair et du sang, comme le « monde du dehors ». C'était un terme peu flatteur, car il savait que le monde intérieur, accessible au troisième œil, était le monde réel et que les adorateurs d'Osiris, qui se trouvaient désormais dans ce monde de sang, de douleur et baignant dans la mort, était celui auquel, à présent, ils se raccrochaient.

LE MYTHE D'OSIRIS A DONC différentes significations, mais il est avant tout un mythe sur la conscience.

Il nous informe que nous allons tous mourir, de manière à revenir, mais pour mieux renaître. La clé de cette histoire est qu'Osiris renaît non pas dans une vie ordinaire, mais dans un état de conscience supérieur. « Je ne me décomposerai pas », dit-il dans le *Livre des morts*. « Je ne pourrirai pas, je ne me putréfierai pas, je ne serai pas mangé par les vers, j'aurai mon être, je vivrai, je vivrai. » Nous rencontrons encore une fois cette idée de renaissance, qui peut sembler étrangement similaire à celle des chrétiens. Osiris découvre ici qu'il a ce que les chrétiens appellent « la vie éternelle ».

Dans l'histoire d'Osiris, nous avons vu comment les forces du sexe, de la mort et de la pensée se sont, plus que jamais, entremêlées, afin de créer cette chose unique qu'est la conscience humaine. Les sages de l'Antiquité avaient compris que la sexualité et la mort étaient nécessaires à la pensée ; comme ils comprenaient que ces forces avaient été mêlées à travers un processus historique, ils savaient aussi que la pensée pouvait manipuler les forces du sexe et de la mort afin d'atteindre des états de conscience supérieurs. Depuis ce temps-là, ces techniques ont été les secrets les mieux gardés des écoles du Mystère et des sociétés secrètes.

Nous évoquerons en détail ces techniques, plus loin dans l'ouvrage. C'est un sujet délicat car notre compréhension de la sexualité a tendance à être très matérialiste.

Il nous est, par exemple, difficile de regarder des peintures ou sculptures de phallus en érection comme celles qui ornent les temples hindous ou égyptiens et d'imaginer comment il fallait les comprendre à l'époque ; car dans le monde moderne, la spiritualité est le plus souvent séparée du sexe.

Dans ces temps-là, le sperme était l'expression de la volonté cosmique, le pouvoir reproducteur occulte de toute chose, le principe qui ordonne toute vie. Chaque particule de sperme était censée porter une partie de la *prima materia*[3] à partir de laquelle chaque chose était faite, une particule qui pouvait exploser sous l'effet d'une chaleur incroyable et créer un tout nouveau macrocosme. Les adolescents de notre ère peuvent trouver une sorte d'écho à ce sentiment ancien, lorsque les premiers émois sexuels provoquent chez eux des sentiments d'une force nouvelle, ce désir douloureux d'une intensité brûlante, d'embrasser le monde entier.

Mais le désir est toujours menacé d'avilissement. Dans notre imagination, nous *possédons* ce que nous désirons. Le désir rend plus fort. Pour paraphraser Jean-Paul Sartre, quand nous désirons quelqu'un, nous le « réifions ». Nous voulons le plier à notre volonté : c'est l'influence de l'esprit d'opposition.

Dans la vision de l'esprit précédant la matière, l'avilissement de l'autre par le seul regard que nous jetons sur lui est un principe réel : la façon dont vous regardez quelqu'un modifie sa constitution physiologique et chimique.

---

[3] « ... la base de l'opus est la *materia prima* qui est l'un des plus fameux mystères de l'alchimie. C'est à peine étonnant puisqu'elle représente la substance inconnue qui porte la projection du contenu psychique autonome. Une telle substance ne pouvait naturellement pas être spécifique, parce que la projection émane de l'individu et est, par conséquent, différente dans chaque cas. C'est pourquoi il n'est pas exact d'affirmer que les alchimistes n'ont jamais dit ce qu'était la *prima materia* ; au contraire, ils n'ont donné que trop d'indications et se sont contredits sans cesse » *Psychologie et alchimie*, de Carl Gustav Jung (ndlt).

Mélancolie I, *d'Albrecht Dürer et,* page 118, La Posture de la mort *d'Austin Osman Spare. Dans les sociétés secrètes, on enseigne aussi bien des techniques pour contrôler les forces sexuelles, afin d'atteindre des états de conscience supérieurs, que des manières de canaliser les forces de la mort, forces qui entretiennent entre elles des liens privilégiés. Osman Spare développa une pratique qui impliquait de fermer la bouche, les narines, les oreilles et les yeux. En Inde, certains adeptes, y compris Bhagavan Sri Ramana et Thakur Haranath, ont atteint de longs états de transe, semblables à la mort, qui les ont amenés jusqu'à être préparés pour leur enterrement, puis à renaître dans une nouvelle forme de conscience, supérieure.*

La science moderne nous a appris à concevoir le désir sexuel comme quelque chose d'impersonnel, qui ne dépend pas de nous, comme l'expression de la volonté de survie de l'espèce. Les anciens considéraient également le désir sexuel comme l'expression d'une volonté dépassant celle de l'individu. Ils pensaient qu'aux moments cruciaux de notre vie, la sexualité nous assujettissait : ils savaient qu'elle décidait *par qui* l'on naissait autant que de *vers qui* on était attiré.

Quand un homme de l'Antiquité voyait la femme qu'il désirait, il pouvait être submergé par un désir effrayant, incontrôlable. Il savait que le restant de sa vie serait façonné par la réponse qu'elle lui ferait et que les racines de son désir étaient très profondes, leur origine étant bien plus ancienne que la durée de sa vie présente. Il savait que le désir qui le poussait vers cette femme n'était pas seulement biologique, comme on le dirait aujourd'hui, mais qu'il avait une dimension spirituelle et sacrée. La planète de l'amour les avait réunis, mais les autres grands dieux du ciel avaient également préparé cette expérience depuis des millénaires et à travers plusieurs incarnations.

Aujourd'hui, nous savons que quand nous regardons une étoile lointaine, nous voyons quelque chose qui s'est produit il y a très longtemps, à cause du temps qu'il a fallu à la lumière de l'étoile pour atteindre la Terre. Quand les anciens examinaient leur propre volonté, ils voyaient aussi quelque chose qui s'était formé bien avant leur naissance ; ils savaient que, quand ils s'unissaient à un autre être humain dans l'acte sexuel, la trajectoire de toutes les constellations y était pour quelque chose. Ils comprenaient aussi que la *façon* dont ils faisaient l'amour aurait une répercussion sur le cosmos pendant des millénaires.

Quand nous faisons l'amour, nous interagissons avec de grandes forces cosmiques et si nous choisissons de le faire *consciemment*, nous pouvons prendre part à cet acte magique. C'était de cet élément-là que parlait Rilke quand il écrivit que deux personnes s'unissant dans la nuit convoquent le futur.

IL EXISTE ENCORE UN AUTRE ASPECT DE L'HISTOIRE d'Osiris, qui est comme une ombre jetée sur une histoire déjà très sombre. Nous avons vu qu'Isis avait une sœur, Nephtys, et nous avons fait allusion au fait qu'Osiris aurait vécu avec elle une expérience sexuelle impudente, déplacée, provoquant peut-être une sorte de chute de l'état de grâce. Mais, plus tard, Nephtys a usé de ses pouvoirs magiques pour aider Isis à rechercher les morceaux du corps d'Osiris, puis à les rassembler pour embaumer le cadavre.

Nephtys représente donc une sorte de sagesse occulte, sombre, qui a péché mais qui est capable de rédemption.

Dans la mythologie chrétienne, la même figure, la même impulsion spirituelle, réapparaît sous les traits de Marie Madeleine. Nous avons suivi l'histoire de la Chute. Nous avons vu que la Chute n'était pas la chute d'esprits humains dans un monde matériel préexistant – c'est une erreur très répandue de l'imaginer ainsi – mais bien une Chute dans laquelle les corps humains devinrent plus denses à mesure que le monde matériel le devenait aussi.

Nous vivons dans un monde déchu : il existe autant d'esprits qui nous ont aidés à grandir et à évoluer, que d'esprits qui travaillent à notre perte, ainsi qu'à la destruction de l'essence même de notre monde. Dans la mythologie chrétienne et dans la doctrine secrète de l'Église, la Terre a souffert et a été punie d'avoir chuté en laissant son propre esprit se faire empoisonner dans le monde souterrain, aux tréfonds d'elle-même.

Souvent appelée Sophie, surtout dans la tradition chrétienne, la sagesse est atteinte quand on traverse les endroits les plus sombres et les plus diaboliques de la terre, mais également de nous-mêmes. C'est à cause de Nephtys, à cause de Sophie, que nous avons besoin de toucher le fond, de faire l'expérience du pire, de combattre nos démons, de tester les limites de notre intellect et de notre folie.

Dans l'Antiquité, Plutarque nous dit qu'Isis était associée à Athéna, la déesse grecque de la sagesse. Athéna avait une demi-sœur, Pallas, une jeune fille à la peau noire qu'elle aimait plus que tout. Insouciantes, elles jouaient dans les plaines d'Anatolie, courant, se battant et imitant les combats d'épées. Mais un jour, distraite, Athéna glissa et blessa Pallas à mort.

À partir de ce jour, elle se fit appeler Pallas Athéna, pour revendiquer sa part sombre, comme Nephtys qui, dans un certain sens, représentait la part d'ombre d'Isis. Elle sculpta également une statue en bois noir pour la commémorer.

Dans l'Antiquité, cette statue, appelée le Palladium, sculptée par la main de la déesse et lavée par ses larmes, était vénérée comme un objet au pouvoir transformateur. Quand le peuple d'Anatolie l'avait dans sa capitale, Troie était la plus grande cité au monde. Les Grecs enviaient la connaissance des Troyens et quand, triomphants, ils emportèrent la statue, leur civilisation devint la plus influente. Plus tard, elle fut enterrée sous Rome, alors au faîte de sa gloire, jusqu'à ce que l'empereur Constantin ne l'emporte à Constantinople, qui devint le centre spirituel du monde. Aujourd'hui, on dit qu'elle est cachée quelque part en Europe de l'Est : c'est pourquoi de nos jours, les grands pouvoirs, les pouvoirs francs-maçons, cherchent à prendre le contrôle de cette région.

Le culte de Nephtys, avec ses équivalents grec et chrétien, forme un des courants les plus puissants des sciences occultes. De grandes forces comme celles-ci façonnent encore l'histoire du monde d'aujourd'hui.

7

L'âge des demi-dieux et des héros

Les anciens • Les Amazones • Énoch • Hercule, Thésée et Jason

PENDANT QU'HÉRODOTE RÉFLÉCHISSAIT en regardant les étranges statues de bois des rois qui avaient régné avant l'espèce humaine, les prêtres égyptiens lui expliquaient que personne ne pouvait comprendre cette histoire sans connaître celle des « trois dynasties ».

S'il avait été un initié, Hérodote aurait compris que les trois dynasties étaient : d'abord, la plus ancienne génération de dieux créateurs : Saturne, Rhéa et Uranus ; ensuite, la deuxième : Zeus, ses frères et sœurs et leurs enfants, comme Apollon et Athéna ; et, enfin, la génération des demi-dieux et des héros. C'est de cette dernière dont nous allons parler dans ce chapitre.

À MESURE QUE LA MATIÈRE SE DENSIFIAIT, la présence des dieux se fit de moins en moins sentir – l'esprit et la matière étant antagonistes, plus un dieu était grand et ineffable, plus il était incapable de se plier aux étroites exigences physiques de la terre. Des dieux comme Zeus ou Pallas Athéna semblaient être présents ou n'intervenir que dans les moments de crise.

Dans les écoles du Mystère, on enseignait qu'un changement déterminant s'était opéré autour de 13 000 avant Jésus-Christ. C'est à partir de ce moment-là que les dieux les plus puissants éprouvèrent des difficultés à descendre plus bas que la Lune. Leurs passages sur Terre se firent rares et fugaces. On disait que lors de ces visites, ils laissaient derrière eux une plante étrange et surnaturelle : le gui, qui ne pouvait pousser sur terre mais qui, croyait-on, poussait naturellement sur la Lune.

Comme les grands dieux n'étaient pas là pour les éloigner les enfants de Saturne, les crabes emprisonnés dans les grottes souterraines, ils commencèrent à sortir au grand jour, infestant la

Médaillon montrant Isis sur la Lune. Dans L'Âne d'or, *écrit par Apulée, Isis est décrite en ces termes : « La déesse tenait dans ses mains différents attributs. Dans sa droite était un sistre d'airain, dont la lame étroite et courbée en forme de baudrier était traversée de trois petites baguettes, qui, touchées d'un même coup, rendaient un tintement aigu. De sa main gauche pendait un vase d'or en forme de gondole, dont l'anse, à la partie saillante, était surmontée d'un aspic à la tête droite, au cou démesurément gonflé. »*

surface de la Terre et s'attaquant aux humains. Les monstres marins surgirent également des eaux pour emporter les membres des tribus qui s'aventuraient trop près du rivage, et les géants se mirent à emmener le bétail et à se nourrir parfois également de chair humaine.

On assista à de grandes guerres entre des armées d'hommes et des créatures archaïques. La confrontation entre les Lapithes (une tribu du néolithique, tailleurs de silex) et les Centaures est représentée sur les frises du Parthénon. Les Centaures avaient été invités au mariage du roi des Lapithes mais, surexcités par la peau blanche et imberbe de leurs femmes, ils enlevèrent la mariée et la violèrent, ainsi que ses demoiselles d'honneur et les pages. Dans la bataille qui s'ensuivit, un roi lapithe trouva la mort, ce qui déclencha une querelle qui se prolongea pendant des générations.

Les os s'épaississaient et le monde animal commençait à sentir son poids. La création était fatiguée et les animaux, qui devaient se battre pour survivre, devenaient de plus en plus vicieux. L'humanité continuait sa chute et la nature en fit de même : elle se déchaîna et devint sauvage. Les lions et les loups commencèrent à attaquer les hommes ; les plantes se parèrent d'épines pour blesser et rendre la cueillette difficile, et les espèces vénéneuses, comme l'aconit, se développèrent.

La frise du Parthénon rappelle également la bataille contre les Amazones, une race de femmes guerrières, qui furent les premières à monter des chevaux lors de batailles. Afin d'avoir le droit de se marier, une Amazone devait tuer un homme. Parée d'armures, de fourrures

Dessin d'Henry Fuseli, artiste suisse du XIXᵉ siècle, représentant un démon que l'on appelle parfois un incube. Les démons lunaires habitent le « côté sombre de la Lune » où ils jouent un rôle légitime dans l'ordre spirituel du cosmos, aidant à faire disparaître la corruption des esprits humains après leur mort. Néanmoins, s'ils entrent dans le royaume terrestre, ils se transforment en nains malveillants. De la taille d'enfants de six ou sept ans, avec de gros yeux envoûtants, ces démons émettent parfois des hurlements stridents pouvant figer d'effroi les humains. Plus puissants quand la Lune décroît, ces démons peuvent expliquer les rencontres de notre époque moderne avec des « extraterrestres », êtres qui n'apparaissent sous aucune forme dans la cosmologie ésotérique.

La bataille entre les Lapithes et les Centaures sur la frise du Parthénon.

et de boucliers en demi-lune, leur cavalerie décimait des rangs entiers d'hommes à pied. Ces guerrières étaient impressionnantes et représentaient un nouveau comportement humain car, de la possibilité de la mort naissait l'idée de tuer, l'idée du meurtre. Coupez-nous et nous saignerons. Coupez-nous plus fort, à maintes reprises, et nous mourrons [1]. Certains humains commencèrent à y prendre plaisir. *Le Livre d'Énoch* raconte comment la terre fut recouverte d'armées en guerre : « la chair humaine elle-même était devenue perverse ».

Leur crâne s'étant refermé et leurs organes de perception spirituelle, réduits, les humains étaient désormais non seulement séparés des dieux, mais aussi les uns des autres. Les relations humaines s'obscurcissaient. Une partie de notre conscience pouvait se sentir séparée de l'autre partie. « Suis-je le gardien de mon frère ? » se demanda Caïn, qui représente l'évolution de cette nouvelle forme de conscience. Cette question n'aurait pas eu de sens pour Adam et Ève, qui étaient comme les branches d'un même arbre.

S'il n'était pas filtré par notre crâne, le monde des esprits nous envahirait et, de la même manière, si nous étions capables d'une empathie absolue, nous ressentirions la douleur de tout le monde comme la nôtre : la souffrance des autres nous écraserait totalement. L'expérience individuelle exige un certain degré d'isolement : sans cela, nous ne pourrions éprouver la brûlure qui consumait l'esprit de Caïn et le faisait avancer. Mais bien évidemment, cela comportait certains inconvénients.

L'histoire montre que les humains ont horreur de ceux qui n'ont pas la même forme de conscience qu'eux : ils les tolèrent difficilement, ils ont même souvent besoin de les éradiquer de la surface de la terre. Il suffit de se souvenir du traitement réservé aux Aztèques par les Européens, du génocide des Aborigènes australiens et de la tentative des nazis d'éliminer les Tziganes en Europe et nous verrons plus tard que depuis Moïse, les juifs ont souvent été à l'origine de nouvelles formes de conscience.

Les humains étaient maintenant libres de faire des erreurs, de choisir le mal et de l'aimer. Ils ne recevaient plus leur nourriture

---

[1] Référence à un célèbre monologue de Shakespeare dans *Le Marchand de Venise*, acte III, scène 1 : Shylock s'exclame : « Si vous nous piquez, ne saignons-nous pas ? » (ndlt)

spirituelle des mamelles généreuses de la Terre Mère. La loi naturelle et la loi morale étaient désormais distinctes.

À des niveaux différents, le monde devint plus froid, plus dur et plus dangereux. Les gens se battaient pour survivre et se trouvaient parfois aux limites de ce qu'ils pouvaient endurer. Ils découvrirent que le danger de mort les guettait sans arrêt et qu'ils n'avaient pas le choix : ils devaient de toutes les façons avancer et risquer ce qu'ils avaient de plus cher, leur vie, car en restant immobiles, ils la perdraient aussi. Ils découvrirent le point de non-retour, qu'il fallait affronter, quoi qu'il arrive.

Ils comprirent aussi des choses déplaisantes sur eux-mêmes : ils avaient été brutalisés par ce monde nouveau et avaient développé une épaisse carapace d'habitudes. Pour briser cette carapace et retrouver leur partie sensible, le meilleur d'eux-mêmes, qui les ferait à nouveau se sentir vivants, ils devaient souffrir et saigner et rares étaient ceux qui le supportaient.

Le monde était devenu plus sombre : endroit paradoxal où les extrêmes se rejoignent et où il est douloureux d'être un humain. Un monde qui réclamait des héros.

LE PLUS GRAND ET LE PLUS TERRIFIANT des monstres qu'avait engendré Saturne apparut en dernier. Typhon émergea de la mer et s'envola vers l'Olympe en crachant du feu et en masquant le soleil de ses ailes. Il avait une tête d'âne et quand il sortit des eaux et que les dieux regardèrent en dessous de sa taille, ils s'aperçurent qu'il n'y avait rien, si ce n'est un nœud grouillant de milliers de serpents. Zeus essaya de le neutraliser en lui lançant des éclairs, mais Typhon les évita et fondit sur lui. Le roi des dieux prit alors la faux en silex que Chronos avait utilisée pour castrer Uranus, mais les membres serpentins du monstre s'enroulèrent autour des bras et des jambes de Zeus, l'immobilisèrent et lui arrachèrent la faux. Ensuite, le tenant toujours fermement, Typhon lui coupa tous les tendons un à un. Zeus est immortel, il ne peut être tué, mais dépourvu de ses tendons, il était totalement sans défense.

Typhon emmena les tendons dans une grotte, où il se mit à l'abri pour récupérer de ses propres blessures. Apollon et Pan surgirent alors de l'ombre et échafaudèrent un plan. Ils allèrent trouver Cadmos, le héros tueur de dragons qui arpentait la Terre à la recherche de sa sœur, Europe, séquestrée par Zeus qui s'était changé en bœuf blanc afin de l'emmener. Apollon et Pan promirent à Cadmos qu'il n'aurait plus à la chercher, s'il acceptait de les aider.

Pan lui donna sa flûte et, déguisé en berger, le héros alla en jouer pour Typhon. Le monstre, qui n'avait jamais entendu de musique, fut transporté par cet étrange son. Cadmos lui dit que cette musique était sans comparaison avec celle qu'il pouvait jouer sur une lyre, mais que les cordes de la sienne étaient malheureusement cassées. Typhon lui donna alors les tendons de Zeus et Cadmos lui dit qu'il devait aller dans sa bergerie pour les fixer sur sa lyre, et il s'en alla. C'est comme cela que Zeus récupéra ses tendons, qu'il put surprendre le monstre, le vaincre et l'ensevelir sous le mont Etna.

Ce qui est important ici, c'est que le roi des dieux fut sauvé par un héros. Les dieux avaient désormais *besoin* des humains.

LES MYTHES DES HÉROS GRECS, Cadmos, Hercule, Thésée et Jason, sont parmi les histoires les plus célèbres de l'humanité. On pourrait croire qu'ils sont absents du récit biblique mais, d'après l'ancienne tradition des sociétés secrètes, Cadmos doit être identifié à Énoch, le premier être humain de la tradition hébraïque à qui les dieux demandèrent de l'aide.

Dans l'Ancien Testament, on ne peut lire que quelques mots énigmatiques à propos d'Énoch, dans la Genèse 5, 21-24 : « Hénoc, âgé de soixante-cinq ans, engendra Metuschélah. Hénoc, après la naissance de Metuschélah, marcha avec Dieu trois cents ans ; et il engendra des fils et des filles. Tous les jours d'Hénoc furent de trois cent soixante-cinq ans. Hénoc marcha avec Dieu ; puis il ne fut plus, parce que Dieu le prit. »

Ce texte ne dit pas grand-chose mais, comme nous l'avons vu, on évoque souvent Énoch dans la littérature hébraïque, y compris dans certains livres qui sont largement cités dans le Nouveau Testament. Dans l'un d'entre eux, le *Livre des Jubilés*, Énoch est décrit en train de *découvrir* les écrits des Vigilants. Mais la traduction est maladroite : ce que veut dire ce livre, c'est qu'Énoch a découvert, autrement dit qu'il a inventé, le langage.

La tradition hébraïque le présente comme un drôle de personnage. Énoch avait le visage si lumineux qu'il mettait mal à l'aise quiconque le regardait ; de toute évidence, toute sa personne mettait mal à l'aise. En cela, il pourrait rappeler le Jésus des Évangiles, qui captivait de vastes foules, mais qui avait besoin de se retirer dans la solitude, pour se retrouver avec les grands êtres spirituels qui se montraient à lui.

Dans la solitude, Énoch communiquait avec les dieux et les anges, avec une clairvoyance que l'humanité était en train de perdre.

Au début, il passait un jour avec la foule, dispensant ses enseignements, et puis trois jours seul. Il diminua ensuite la fréquence des rencontres avec ses disciples à un jour par semaine, puis à un jour par mois et, finalement, à un jour par an. Les foules attendaient son retour avec impatience mais, quand il revenait, la clarté qui émanait de son visage était si incommodante que les gens détournaient le regard.

Que faisait donc Énoch pendant ses retraites solitaires ? Nous allons voir que les grands virages de l'histoire sont initiés par deux façons de penser : d'abord, quand les grands penseurs comme Socrate, Jésus-Christ ou Dante font naître une nouvelle idée, qui n'a jamais été entendue ; ensuite, quand les pensées sont inscrites de manière indélébile afin de préserver une ancienne sagesse, sur le point d'être perdue à jamais.

La génération de Jared, le père d'Énoch, avait été la dernière à pouvoir voir de manière ininterrompue les différentes vagues ou générations de dieux, d'anges et d'esprits, émanant de l'esprit de Dieu. Ce qu'Énoch voulait préserver dans le premier langage et les premiers monuments en pierre, les anciens cercles de pierres (ou cromlechs), c'était cette vision des hiérarchies d'êtres spirituels. Énoch est l'une des grandes figures de l'histoire secrète du monde, car il a laissé un témoignage de ce que nous appellerions aujourd'hui l'écosystème du monde spirituel. C'est pour cela qu'il est non seulement le Cadmos de la culture grecque, mais aussi Idris dans l'arabe et Hermès Trismégiste dans la tradition ésotérique égyptienne. Il savait que, si la pensée affaiblit la santé, le langage affaiblit la mémoire. Il prévoyait aussi une catastrophe qui détruirait tout ce que l'homme avait fait, sauf ce qu'il avait dans la tête et les monuments de pierre les plus solides.

Il commémora les hiérarchies célestes non seulement dans les pierres, mais dans le langage lui-même. Car, d'après la doctrine secrète, *le langage naquit en nommant les corps célestes.*

De même, l'art le plus ancien, comme celui qu'on a retrouvé dans les grottes de Lascaux en France ou d'Altamira en Espagne, est vraisemblablement une représentation de ces corps célestes, les pensées du grand esprit cosmique, pénétrant chaque chose dans le cosmos. Le langage et l'art permettaient désormais aux humains de s'approprier les pensées cosmiques.

Énoch se retira de plus en plus loin dans la montagne, dans une terre inhospitalière au climat tempétueux. Ceux qui pouvaient le suivre étaient de moins en moins nombreux. Il dit : « Là encore, mes yeux contemplèrent les secrets de la foudre et du tonnerre, les secrets des vents, comment ils se divisent quand ils soufflent sur la terre ; les secrets des vents, de la rosée et des nuées. Je vis le lieu de leur origine, l'endroit d'où ils s'échappent, pour aller se rassasier de la poussière de la terre. Là je vis les réceptacles d'où sortent les vents en se séparant ; les trésors de la grêle, les trésors de la neige, les trésors des nuages, et cette même nuée qui, avant la création du monde, planait sur la surface de la terre. Je vis également les trésors de la lune, où ses phases prenaient naissance ; leur commencement, leur glorieux retour ; comme l'une est plus brillante que l'autre ; leur progrès éclatant, leur cours invariable, leur amitié entre elles, leur docilité, et leur obéissance qui les porte sur les pas du soleil, d'après l'ordre du Seigneur des esprits. »

Le *Livre d'Énoch* raconte que dans cette dernière vision extatique, il a visité le ciel, les différentes sphères du Paradis et qu'il y a vu les différents ordres d'anges qui y vivent, ainsi que toute l'histoire du cosmos.

Pour finir, Énoch s'adressa au dernier groupe d'hommes, éreintés, qui avait été capable de le suivre dans la montagne. Pendant qu'il parlait, ils virent un grand cheval descendre des cieux dans un tourbillon. Énoch enfourcha le cheval et disparut dans les cieux.

LA MANIÈRE DONT EST RACONTÉE L'ASCENSION d'Énoch nous apprend qu'il ne mourut pas comme un être humain car il n'en était pas vraiment un. Comme les autres demi-dieux ou héros de la tradition grecque, Énoch/Cadmos était un ange dans un corps d'homme.

Les histoires d'Hercule, de Thésée et de Jason sont trop connues pour qu'il faille les raconter ici, mais certains de leurs aspects revêtent une signification particulière dans l'histoire secrète.

L'histoire de l'homme dieu Hercule nous montre à quel point l'humanité est tombée dans la matière. Hercule avait envie de profiter des plaisirs terrestres, de sa vie matérielle – boire, festoyer et se bagarrer –, mais il était sans arrêt interrompu par le devoir spirituel qu'il avait à accomplir. Ce personnage maladroit, incompétent et parfois ridicule, était écartelé entre deux forces cosmiques.

Les dieux s'étant éloignés, Ovide nous montre également comment Éros commença à semer la discorde. Hercule était tourmenté par le désir autant que par les esprits qui voulaient le contrôler.

Si aujourd'hui nous tombons amoureux d'une belle personne, il y a de grandes chances pour que nous interprétions sa beauté comme un signe de grande sagesse spirituelle. Quand nous regardons de beaux yeux nous pouvons même espérer y trouver le secret de la vie. L'histoire de l'amour d'Hercule pour Déjanire, celle d'Ariane pour Thésée ou celle de Jason pour Médée, nous montre que les rapports spirituels entre les gens commençaient à s'embrumer. Il était désormais possible de plonger dans les yeux d'une beauté et d'être déçu par ce qu'on pouvait y voir. Le désir sexuel était devenu sournois.

Néanmoins, le risque d'être aveuglé n'était rien à côté de *l'amour de l'aveuglement.*

Le meilleur et le pire, ce que je dois faire et ce que je ne dois pas faire, tout cela se ressemble. Au fond, je saurais sûrement les distinguer, mais un esprit pervers me fait faire le mauvais choix. La grande beauté est toujours accompagnée de grandes perturbations psychiques.

Durant ses douze travaux, Hercule traverse différentes épreuves : chacune est mise en place par les esprits successifs qui gouvernent les constellations. Ces épreuves, tous les humains les traversent, comme Hercule, le plus souvent sans le savoir. La vie d'Hercule illustre donc la douleur d'être un être humain, il est tous les hommes, piégé dans le cycle de la douleur.

Notre sensibilité moderne nous incite à penser que si une histoire est allégorique, les événements qu'elle décrit ont peu de chances d'être réels. Les écrivains modernes veulent vider les histoires de leur sens afin de les rendre plus naturalistes.

Pour les anciens qui croyaient que chaque chose qui arrivait sur Terre était guidée par le mouvement des étoiles et des planètes, plus le récit mettait en valeur ces schémas « poétiques », plus le texte semblait vrai et réaliste.

De fait, il peut être tentant de voir dans les voyages d'Hercule, de Thésée et d'Orphée dans le monde souterrain, une simple métaphore. Il est vrai qu'à un certain niveau, leurs aventures racontent comment l'humanité a commencé à s'accommoder de la réalité de la mort. Mais en entendant les récits des aventures souterraines de Thésée, d'Hercule et d'autres héros, nous ne devons pas les concevoir uniquement comme des voyages intérieurs, des images mentales, telles que nous les comprenons aujourd'hui. Quand ils se battaient contre des monstres et des démons, ils se confrontaient à des puissances qui les envahissaient, qui corrompaient leur chair et le sombre labyrinthe de leur cerveau humain. Mais ils se battaient également contre de vrais monstres, de chair et de sang.

EN COMPARANT L'HISTOIRE DE THÉSÉE et du Minotaure avec le mythe bien plus ancien de Persée et de la Gorgone Méduse, nous constatons qu'au temps de Thésée la métamorphose était sur la fin. Dans l'histoire de Persée, chaque épisode parle de pouvoirs surnaturels ou de transformations magiques. Le Minotaure, lui, semble être l'un des rares survivants d'une espèce en voie d'extinction, d'une époque révolue.

LA DERNIÈRE AVENTURE QUE LES DEMI-DIEUX et les héros vécurent ensemble doit également être comprise comme un épisode de l'Histoire. À cette époque, on menait des guerres pour voler la connaissance secrète, le « Saint des Saints », des tribus rivales : la quête de Jason pour la Toison d'or en est un exemple.

Isaac Newton révéla certaines des connaissances de sa confrérie lorsqu'il démontra que la quête de la Toison d'or, comme les travaux d'Hercule, parle de la progression du Soleil dans les signes du zodiaque. Ce qu'il ne dit pas, alors qu'il devait sûrement le savoir, c'est que cette Toison d'or représente l'esprit animal purifié par une catharsis, ce qui explique qu'elle brille comme de l'or.

Le serpent qui veut empêcher Jason de s'emparer de la Toison d'or s'enroule autour de l'arbre. Il est un descendant du reptile luciférien de l'arbre du jardin d'Éden, qui a déjà introduit la corruption dans la physiologie humaine.

Mais, si Jason parvient à lui arracher la Toison d'or, il acquerra de grands pouvoirs. Il pourra demander à son esprit de quitter son corps et communiquer librement avec les dieux et les anges, comme auparavant. Il pourra contrôler son corps, influencer l'esprit des autres par la télépathie et même transformer la matière.

Ce qui signifie que le texte d'Apollonius sur la quête de Jason devrait être lu autant comme un manuel d'initiation que comme un récit historique. Nous verrons plus tard que les alchimistes du Moyen Âge et Newton lui-même se sont servis de ces connaissances.

SI NOUS OBSERVIONS CETTE PÉRIODE avec les yeux de la science, nous ne verrions aucun des grands événements qui ont été décrits dans ce chapitre : ni héros, ni monstres sortant de la mer, ni déités fantomatiques comme Zeus, ni magie noire provoquant la chute d'un empire. Nous ne verrions que du vent et de la pluie s'abattant sur un paysage désolé, où la seule trace d'humanité se résumerait à quelques petits hameaux primitifs et des outils en pierre.

Mais peut-être la science ne nous montre-t-elle que ce qui se passe en surface. Peut-être des choses plus importantes se passaient-elles de manière souterraine. L'histoire secrète préserve la mémoire des grandes expériences subjectives qui ont transformé la psyché humaine durant cette période. Alors, réalité scientifique ou réalité ésotérique contenue dans les mythes anciens ? Laquelle reflète le mieux la réalité ? Laquelle nous renseigne le plus précisément sur ce que signifiait être humain à cette époque ?

Se peut-il qu'il y ait dans les événements que nous vivons aujourd'hui, des niveaux de réalité ignorés par la conscience scientifique contemporaine empreinte de bon sens, conscience qui nous habite lorsque nous naviguons entre les embouteillages, les supermarchés et les e-mails ?

Les travaux d'Hercule. Le philosophe néoplatonicien Porphyre déchiffra ces douze travaux, pour révéler les signes du zodiaque qu'ils cachaient. D'après la pensée moderne, si une narration est allégorique, tout porte à croire que ce n'est pas un récit historique fiable. Mais si l'on croit, comme les anciens, que tous les événements terrestres sont gouvernés par les mouvements des corps célestes, l'opposé est vrai. Les récits historiques reflètent obligatoirement les événements astronomiques, comme le passage du Soleil dans une constellation. Hercule est ici représenté sur un sarcophage, traversant la constellation du Lion, représentée par le lion de Némée, du Scorpion, représentée par l'Hydre, et de la Balance, représentée par le sanglier d'Érymanthe – en domptant le sanglier sauvage, Hercule rééquilibre l'esprit animal grâce à une certaine intelligence.

8

Le Sphinx et le « temps verrouillé »

Orphée • Dédale, le premier scientifique • Job •
Résoudre l'énigme du Sphinx

QUAND JASON S'EMBARQUA SUR L'*ARGO*[1], pour ce qui fut le dernier exploit qu'accomplirent les demi-dieux et les héros, il était accompagné de nombreux grands personnages de l'époque, comme Hercule ou Thésée. Mais, parmi ces « malabars » s'en trouvait un qui avait des pouvoirs très différents. C'était un personnage de transition : son ambition était de vivre dans la période qui succéderait à la disparition des demi-dieux et des héros, lorsque les humains auraient à se débrouiller seuls.

Orphée venait du nord, d'où il avait rapporté un don pour la musique, art dans lequel il excellait, ce qui lui permettait de charmer non seulement les humains et les animaux, mais aussi de faire bouger les arbres et les rochers.

Lors de ce voyage avec Jason, ce fut lui qui secourut les héros lorsque leur seule force brute ne suffit plus à vaincre l'adversité. Grâce à son chant et aux accords de sa lyre, il envoûta les immenses roches qui menaçaient d'écraser l'*Argo* et endormit le dragon qui surveillait la Toison d'or.

À son retour, il tomba amoureux d'Eurydice. Le jour de leurs noces, elle fut mordue à la cheville par un serpent et elle mourut. Aveuglé par la douleur, Orphée descendit aux Enfers : ne pouvant accepter ce nouvel ordre où la mort succédait à la vie, il était déterminé à en ramener sa bien-aimée.

---

[1] Dans la mythologie grecque, *Argo* était le nom de la monère à bord de laquelle Jason et les Argonautes naviguèrent depuis Iolcos (Volos de nos jours) pour retrouver la Toison d'or (ndlt)

La mort était devenue terrible : elle n'était plus ce sommeil, bienvenu, qui permettait à l'esprit de récupérer, de se régénérer en vue de la prochaine incarnation. Elle représentait désormais la séparation douloureuse d'avec les êtres aimés.

Arrivé dans le monde souterrain, Orphée rencontra l'effrayant Charon, le passeur, qui refusa tout d'abord de lui faire traverser le Styx pour rejoindre la terre des morts ; il réussit néanmoins à le charmer grâce à sa lyre et séduisit également Cerbère, le chien à trois têtes qui surveillait le chemin menant aux Enfers. Orphée eut aussi raison des terribles démons qui avaient pour tâche d'extraire de l'esprit des morts la vieille luxure animale et les désirs sauvages qui s'y accrochaient encore.

Il finit par arriver là où le roi des Enfers séquestrait sa fiancée, mais celui-ci ne fut pas complètement dupe du charme d'Orphée car il consentit à la libérer, mais à une condition. Il lui tendit un petit piège : Eurydice retournerait chez les vivants si Orphée réussissait à l'y conduire sans jamais se retourner pour vérifier si elle le suivait.

Bien évidemment, au dernier moment, quand le soleil illumina enfin le visage d'Orphée, croyant probablement que le roi l'avait trompé, il se retourna. Alors il vit l'amour de sa vie lui être arraché : Eurydice fut engloutie par la terre, s'engouffra entre les roches et s'évanouit dans l'Hadès, ne laissant derrière elle qu'une volute de fumée. Lors de leurs quêtes, les autres héros tout en muscles avaient réussi en se battant loyalement, jusqu'au bout de leurs forces et de leur endurance, avec courage et ténacité. Mais les temps changeaient. Les grands initiés qui nous ont légué cette histoire ont voulu que nous comprenions qu'Orphée avait *échoué* parce qu'il avait voulu faire ce que tout bon héros aurait fait : *il voulait être sûr*.

Il se peut aussi que sa musique ait perdu de son charme, car, par la suite, il ne parvint pas à arrêter une troupe de Ménades (les femmes qui suivaient Dionysos) lorsqu'elles se jetèrent sur lui et le mirent en pièces. Sa tête fut abandonnée dans l'Hèbre qu'elle descendit en chantant le nom d'Eurydice et, à son passage, des saules pleureurs poussèrent sur les rives. Elle finit par être recueillie et installée sur un autel dans une grotte. Les gens vinrent la consulter comme un oracle.

CADMOS/ÉNOCH NOMMA LES PLANÈTES et les étoiles, mais ce fut Orphée qui les mesura et, ce faisant, il inventa les chiffres. Il y a huit notes dans une octave mais, à vrai dire, sept, car la huitième est le début de l'octave suivante. Les octaves représentent donc l'ascendance des sept sphères du système solaire qui, dans l'Antiquité, étaient les faiseuses de pensée et d'expérience. En introduisant un système de notation, Orphée créait les mathématiques. À partir de ce moment-là, les concepts pouvaient être manipulés, ce qui ouvrait la voie à la compréhension scientifique de l'univers physique.

Orphée est un personnage de transition car, d'un côté, c'est un magicien capable de mouvoir les pierres avec sa musique et, de l'autre, il est le précurseur de la science. Nous verrons plus tard que beaucoup de grands scientifiques entretenaient les mêmes ambiguïtés, y compris de nos jours. Mais l'autre grande figure transitionnelle de cette période est Dédale. (Nous savons qu'il était le contemporain d'Orphée, car il était le gardien du Minotaure que tua Thésée, un des membres de l'équipage de l'*Argo*, lors de la quête de la Toison d'or).

L'exploit le plus célèbre de Dédale est la fabrication d'ailes en cire et plumes, destinées à lui permettre, ainsi qu'à son fils Icare, de s'enfuir de Crète. Ce fut également lui qui dessina le labyrinthe et on dit qu'il inventa la scie et la voile. Il était donc, selon les critères d'aujourd'hui, inventeur, ingénieur et architecte. Il ne faisait pas usage de la magie.

La science était une innovation tout comme la magie : cette dernière était l'application de la pensée scientifique au surnaturel. C'était une période où les mutations physiques, qui paraissaient naturelles auparavant, n'avaient plus lieu, pas plus que les transformations en araignée, en cerf ou en plante de ceux qui avaient commis des offenses. À la place, nous trouvons désormais Médée, la femme de Jason, et Circé, que Médée est venue trouver pour obtenir son aide, ses conseils et sa protection magique. Circé et Médée ont dû travailler dur pour arriver à leurs fins et acquérir leurs pouvoirs surnaturels, en utilisant des potions, des incantations et des sortilèges. L'invention des mots et des chiffres a permis aux hommes de commencer à manipuler le monde naturel, mais elle leur a également donné l'idée d'essayer de manipuler le monde des esprits. Médée offrit à Jason une potion rouge sang, à vaporiser sur les paupières du dragon qui surveillait la Toison, afin de l'amadouer. Elle l'avait composée à partir de jus de crocus, de pousses de genièvre et d'incantations. Elle maîtrisait les élixirs magiques et connaissait les secrets des charmeurs de serpents.

Le monde matériel devenait de plus en plus dense et les êtres du monde des esprits en étaient de plus en plus exclus, même les esprits inférieurs de la nature – sylphides, dryades, naïades et gnomes – devenaient imperceptibles. Ils semblaient disparaître dans les rivières, les arbres et les roches, pour fuir les premières lueurs de l'aube. Cependant, ils étaient encore suffisamment accessibles car ce sont ces esprits que les magiciens, d'aujourd'hui comme de jadis, arrivaient à manipuler le plus aisément.

Certains magiciens voulurent faire plier les grands dieux à leur volonté, les faire descendre de la Lune. Les mythes du loup-garou originel, Lycaon, qui provoqua le déluge de Deucalion, l'inondation par Poséidon de la plaine de Thrace, qui obligea Athéna à déplacer sa ville sur le site actuel d'Athènes, ainsi que les terribles tempêtes qui poursuivirent Médée où qu'elle aille, sont les représentations des catastrophes naturelles qui résultèrent de la pratique de la magie noire.

À la fin de cette période, l'humanité était malade, et la nature aussi.

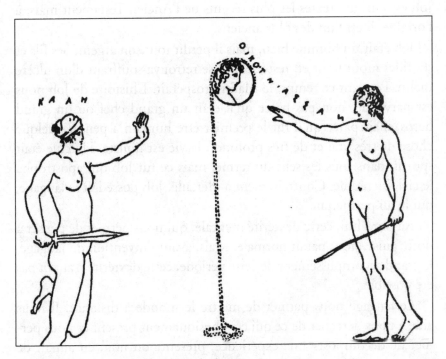

Des magiciens en train de faire descendre la Lune. Dessin grec.

SELON LES CRITÈRES DU HÉROS CONVENTIONNEL, ORPHÉE AVAIT ÉCHOUÉ. Mais son influence fut bien plus grande et plus durable que celle d'Hercule, Thésée ou Jason. La musique, qu'il avait créée, devint le baume qui guérirait l'esprit malade et tourmenté de l'humanité pendant des millénaires.

Les gens étaient non seulement isolés du monde des esprits, mais des uns des autres ; ils étaient épuisés par un environnement difficile, parfois hostile, et leur imagination était contaminée par leur envie perverse et bestiale de pratiquer la magie. Cependant, tout cela allait désormais être contrecarré par l'influence esthétique, non seulement de la musique, mais également de la littérature, de la peinture et de la sculpture. Les images de beauté, de vérité et d'amour travaillaient sur l'inconscient de l'humanité. Elles étaient plus puissantes que n'importe quel enseignement moral, abstrait et explicite.

Orphée est le fondateur mythique des mystères grecs qui allaient illuminer et inspirer la Grèce antique.

ON TROUVE SANS DOUTE L'EXPRESSION ARTISTIQUE LA PLUS PUISSANTE de la crise spirituelle de la fin de cette période dans la Bible. Dans sa forme écrite, telle qu'elle est parvenue jusqu'à nous, l'histoire de Job est l'un des textes les plus récents de l'Ancien Testament mais, à l'origine, il est l'un des plus anciens.

Job était un homme bien, mais il perdit tout son argent. Ses fils et ses filles moururent et, resté seul, il se retrouva souffrant d'un ulcère malin. Pendant ce temps, le Malin prospérait. L'histoire de Job nous est parvenue, non pas parce qu'il était un grand chef ou un grand héros, mais parce qu'il fut le premier être humain à penser quelque chose de très vrai et de très profond : la vie est injuste. Hercule était sportif, dans tous les sens du terme, mais ce fut Job qui apostropha le ciel, incrédule. Contrairement à Hercule, Job possédait le langage, qui le lui permettait.

Aujourd'hui, cette dextérité mentale, qui nous permet de penser à notre guise, nous paraît normale. Mais, avant l'invention du langage, le grand accomplissement de cette période, cette dextérité n'aurait pas été possible.

Le langage nous permet de mettre le monde à distance. Il nous aide à nous détacher de ce qui est physiquement présent et nous permet de décomposer une expérience, présente ou non, en autant de morceaux qu'il nous faut pour la manipuler. À un certain niveau, le langage nous permet de mettre en ordre l'expérience de la manière qui nous convient.

Mais un élément vient aliéner ce processus. Même si le langage apporte de nombreux avantages, il fit également du monde un endroit plus froid, plus sombre et plus dangereux. Nous avons vu plus haut que la pensée elle-même est un processus de mort. Le langage, lui aussi, nous rend maladifs, moins vivants et moins assurés lors de nos pérégrinations de par le monde.

Le langage apporta donc une nouvelle forme de conscience. Avant Job, les gens pensaient que tout ce qui leur arrivait devait leur arriver, qu'il y avait une intention divine derrière chaque chose. Ils ne contestaient rien ; ils ne pouvaient pas contester. Mais le langage permit à Job de prendre du recul. Il commença à remarquer des aberrations. La vie *est* injuste.

Dieu réprimanda Job pour son incompréhension. « Où étais-tu quand je fondais la Terre ? [...] Alors que les étoiles du matin éclataient en chants d'allégresse, Et que tous les fils de Dieu poussaient des cris de joie ? [...] As-tu pénétré jusqu'aux sources de la mer ? T'es-tu promené dans les profondeurs de l'abîme ? Les portes de la mort t'ont-elles été ouvertes ? [...] Où est le chemin qui conduit au séjour de la lumière ? Et les ténèbres, où ont-elles leur demeure ? [...] Noues-tu les liens des Pléiades, Ou détaches-tu les cordages de l'Orion ? »

Ce qui sauva Job, c'est qu'il eut ce sentiment que nous avons tous lorsque nous nous éveillons d'un beau rêve et que nous voulons le continuer, mais que nous ne le pouvons. Il prit conscience que l'étendue de l'expérience humaine était, par certains aspects, en train de diminuer. « Oh ! que ne puis-je être comme aux mois du passé, Comme aux jours où Dieu me gardait, Quand sa lampe brillait sur ma tête [...] » (Job 29, 2-3)

Bien évidemment, Job fait référence à la lanterne d'Osiris.

Le terme « apocryphe » revêt aujourd'hui une signification péjorative, mais il veut simplement dire caché – ou ésotérique. Dans le testament apocryphe de Job, il a été récompensé d'avoir pris conscience de ce qu'il ne savait pas, de ce qu'il avait perdu. Ses enfants lui sont rendus, et ses filles portent des ceintures d'or. La première ceinture permet à Job de comprendre le langage des anges, la deuxième, les secrets de la création et la troisième, la langue de chérubin.

Job, *de Blake.*

LA MUSIQUE, LES MATHÉMATIQUES ET LE LANGAGE furent inventés à l'époque des héros tout comme l'astrologie – un autre accomplissement d'Énoch. Les premiers cercles de pierres ne signalaient pas seulement la disposition des hiérarchies des dieux et des anges, mais également celle des planètes et des étoiles.

Dans l'histoire secrète, il est donc dit qu'à partir de ce moment, il fut possible de déterminer les dates des grands événements.

SUR UNE GRANDE PIERRE ENTRE LES PATTES DE LION DU SPHINX DE GIZEH, au regard tourné vers l'Est, on peut lire l'inscription suivante : « Ici est le Lieu splendide du premier temps ». Le mystérieux « premier temps », ou *zep tepi*, était une phrase que les Égyptiens utilisaient pour parler du *commencement du temps*. Dans leur mythologie, le *zep tepi* fut marqué par le recul des eaux primordiales et l'apparition du premier monticule de terre sur lequel le Phénix put se poser.[2]

Grâce à un remarquable exploit de reconstruction, en s'attardant entre les pattes du Sphinx, Robert Bauval a réussi à déterminer la date du *zep tepi*. Dans la mythologie égyptienne, le phénix arrive pour marquer l'avènement d'un nouvel âge ; il s'appelle également l'oiseau Benou et il est le symbole du cycle sothiaque de 1 460 ans (le temps qu'il fallait au calendrier Égyptien de 365 jours pour se resynchroniser avec le cycle annuel, marqué par le lever héliaque[3] de Sirius). La synchronisation de ces deux cycles, l'annuel et l'héliaque, se produisit en 11451, 10081, 7160, 4241, et 2781 avant Jésus-Christ. Bauval remarqua immédiatement que ces dates correspondaient au début des plus grands travaux de construction qui avaient été accomplis le long du Nil. De toute évidence, le commencement de ce cycle revêtait une signification importante pour les Égyptiens...

En essayant de deviner quel cycle pouvait avoir été le « premier », Bauval pencha d'abord pour l'année 10081 avant Jésus-Christ, à cause d'une tradition ésotérique qui dit que le Sphinx aurait été construit à cette époque, ou même plus tôt encore.

Ensuite, il se rendit compte qu'au début du cycle précédent, en 11451 avant Jésus-Christ, la Voie lactée – qui avait une très grande signification dans les anciennes cultures de par le monde car elle était considérée la « rivière des âmes » – s'étirait à ce moment-là

---

[2] C'est aussi le dieu du Soleil, Râ, qui est venu se poser sur le monticule : le phénix, ou héron Benou pour les Égyptiens, en est une incarnation (ndlt)

[3] En astronomie, le lever héliaque d'une étoile est le moment où elle devient visible à l'est au-dessus de l'horizon à l'aube, après une période où elle était cachée sous l'horizon ou était située juste au-dessus de l'horizon mais noyée par la luminosité du Soleil (ndlt)

juste au-dessus du Nil, l'une étant le miroir de l'autre. De plus, ce qui le frappa, c'est qu'en cette année 11451 avant Jésus-Christ, les cycles sothiaque et annuel coïncidaient avec un *troisième cycle*, la « grande année » – le cycle complet du zodiaque long qui dure 25 920 ans – ce qui prenait un sens tout à fait particulier car, à cette date, le regard tourné vers l'est du Sphinx au corps de lion aurait embrassé la naissance de l'âge du Lion. Le Sphinx incarne les quatre constellations cardinales du zodiaque, les quatre coins du cosmos – le Lion, le Taureau, le Scorpion et le Verseau – les quatre éléments qui travaillent à faire exister le monde matériel. D'après l'histoire secrète, le Sphinx est un monument qui commémore la première fois où les quatre éléments se sont réunis, quand la matière a enfin pu devenir solide.

Quand Platon écrivait dans le *Timée* que l'âme de l'univers était crucifiée sur le corps de l'univers, il ne prophétisait pas la crucifixion du Christ, comme le prétendent quelques apologistes chrétiens : il mentionnait ce moment crucial dans l'histoire du monde tel que le conçoit l'idéalisme, ce moment où la conscience fut enfin rattachée à la matière.

Le Sphinx a donc une place tout à fait unique dans l'histoire racontée par les idéalistes. Il inaugure un temps où, après des vagues successives d'émanation provenant de l'Esprit cosmique, la matière telle que nous la connaissons aujourd'hui finit par se former. C'est la raison pour laquelle le Sphinx est sans doute la plus grande icône de l'Antiquité. Les lois de la physique qui nous sont si familières s'organisèrent et, à partir de ce jour, les dates purent être clairement établies, puisque la grande horloge du cosmos avait enfin mis en place son schéma complexe d'orbites.

Si cette solidification tardive de la matière est réellement ce qui s'est passé, les méthodes de datation telles que le carbone 14, que l'on utilise le plus souvent pour établir des chronologies très anciennes, se trouvent invalidées. Au contraire des anciens, la science moderne se fonde sur l'hypothèse que les lois qui régissent la nature ont toujours été vraies en tous lieux.

LE SPHINX POSE UNE DEVINETTE À ŒDIPE : « Qui a quatre pattes le matin, deux à midi et trois le soir ? » Si Œdipe ne peut répondre, le Sphinx le tuera. Œdipe répond en évoquant les âges de l'homme. Un bébé marche à quatre pattes, il grandit et marche sur deux jambes jusqu'à ce qu'il soit vieux et s'aide d'un bâton. Mais les « âges » sont ici aussi une autre façon de parler de l'évolution de l'humanité. Le Sphinx même, par sa forme, commémore cette évolution.

Le Sphinx, vaincu par la sagacité d'Œdipe, se jette dans les abysses du haut du précipice. Sa mort montre que les dieux des éléments, ces principes qui organisent l'univers, ont été absorbés avec succès par le corps de l'homme.

Le thème central de la légende d'Œdipe est cette destinée terrible à laquelle il espère échapper – sans y parvenir. Comme prévu, il tue son père et devient l'amant de sa mère. Les lois naturelles étaient désormais fixées, mécaniques, et les humains en étaient devenus les prisonniers.

Le Sphinx marque donc aussi la fin de l'âge de la métamorphose, la fixation des formes biologiques telles que nous les connaissons aujourd'hui. Et il est un point de non-retour. Dans la Genèse, c'est un des chérubins qui empêche le retour à l'Éden. Les Égyptiens appelaient le Sphinx, constitué des quatre chérubins, « Hu », ce qui signifiait « protecteur » : ils voulaient dire par là qu'il empêchait un quelconque retour vers d'anciens modes de procréation.

On dit souvent à tort qu'en 1650, quand l'évêque Usher a calculé et daté la création de l'humanité en 4004 avant Jésus-Christ, il s'agissait là du dernier reliquat d'une ancienne superstition. En réalité, le calcul d'Usher était le produit d'une époque où le matérialisme gagnait du terrain, ainsi qu'une interprétation littérale et étroite de la Bible, qui aurait paru absurde aux anciens. Ces derniers croyaient que l'âme humaine avait existé pendant de longues et incalculables ères avant 11451 avant Jésus-Christ ; ce n'est que le *corps* humain, tel que nous le connaissons aujourd'hui, qui se matérialisa alors. Il est intéressant de noter que, d'après les calculs de Manéthon effectués au IIIe siècle avant Jésus-Christ, ce moment coïncide presque exactement avec celui où le règne des demi-dieux prit fin.

NOUS VERRONS PLUS LOIN QUE D'APRÈS la doctrine ésotérique, non seulement la matière a été précipitée de l'Esprit cosmique depuis peu, mais qu'elle n'existera que pendant un temps restreint. Elle est amenée à se dématérialiser dans 9 000 ans, quand le Soleil se lèvera à nouveau face au regard du Sphinx, dans la constellation du Lion.

Dans les enseignements des sociétés secrètes, nous vivons sur un îlot de matière, au milieu d'un vaste océan d'idées et d'imaginaire.

Le Sphinx, qui montra que les quatre éléments avaient pris place aux quatre points cardinaux. L'éminent égyptologue René A. Schwaller de Lubicz, protégé d'Henri Matisse, fut le premier à révéler au grand public que le Sphinx aurait pu être sculpté à une époque antérieure à 10 000 avant Jésus-Christ. Il souligna le fait que les murs qui entouraient le monument montraient des signes d'érosion par l'eau, qui ne pouvaient pas être survenus après cette date. Le Sphinx, d'après l'histoire secrète, commémore la première fois où les quatre éléments se sont mis en place et que la matière est enfin devenue solide. En 11451 avant Jésus-Christ, l'est, l'ouest, le nord et le sud se mirent donc en place avec les quatre éléments pour former le monde physique.

9

L'Alexandre le Grand du néolithique

*Noé et le mythe de l'Atlantide • Le Tibet • Râma et la conquête
de l'Inde • Les Yoga Sûtras de Patañjali*

Si vous avez entendu parler du mythe de l'Atlantide, vous pensez
peut-être que la seule et unique source de cette légende est Platon.

Voici les grandes lignes de son récit : les prêtres égyptiens
racontèrent à Solon, homme d'État et avocat de la génération de
l'arrière-grand-père de Platon, qu'il existait une grande île au milieu
de l'Atlantique détruite environ 9 000 ans auparavant, aux environs
de 9600 avant Jésus-Christ.

La civilisation de cette île avait été fondée par le grand dieu
Poséidon et peuplée par son union avec une très belle femme appelée
Clito. (Comme nous l'avons vu au chapitre 5, l'intervention d'un dieu
poisson est le récit codé de l'évolution, commun aux mythologies du
monde entier.)

Ce peuple ne régnait pas seulement sur l'île principale, mais également sur les autres petites îles aux alentours. La plus grande était
recouverte par une belle plaine fertile et une grande colline où vivait
Clito. Ses habitants jouissaient de la nourriture abondante qui poussait sur l'île, baignée par le cours de deux rivières provenant de deux
sources, l'une d'eau chaude et l'autre d'eau froide.

Afin que nul ne lui vole Clito, Poséidon avait fait creuser des
canaux circulaires autour de la colline.

Une civilisation sophistiquée se développa, qui savait domestiquer
des animaux sauvages, extraire les métaux du sol, construire des
temples, des palais, des champs de courses, des gymnases, des bains
publics, des bâtiments officiels, des ports et des ponts. La plupart
des murs étaient recouverts de métal – du cuivre, de l'étain et un
métal rouge qui nous est inconnu, l'orichalque. Les temples avaient
des toits en ivoire et des pinacles en argent et en or.

Les îles de l'Atlantide étaient gouvernées par dix rois, qui avaient chacun leur propre royaume ; les monarques des neuf petites îles étaient soumis à celui qui gouvernait l'île principale.

Le temple central, dédié à Poséidon, abritait des statues en or, dont une représentait le dieu debout sur un char tiré par six chevaux ailés et flanqué de centaines de Néréides chevauchant des dauphins. Des taureaux sauvages paissaient librement dans la forêt de colonnes de ce temple et, tous les cinq ou six ans, les dix rois se retrouvaient seuls, pour chasser ces bestiaux sans l'aide d'aucune arme. Ils en capturaient un, l'amenaient devant la grande colonne d'orichalque sur laquelle étaient inscrites les lois de l'Atlantide et le décapitaient.

La vie sur ces îles était idyllique, au point qu'un jour, les habitants ne la supportèrent plus et commencèrent à s'agiter : décadents et corrompus, ils étaient désormais en quête de nouveauté et de pouvoir. Zeus décida alors de les punir : il inonda les îles jusqu'à ce qu'il ne reste qu'un tout petit récif, tel un squelette flottant sur la mer immense. Pour finir, un grand tremblement de terre l'engloutit en un jour et une nuit.

CE RÉCIT DE LA DESTRUCTION de l'Atlantide paraîtrait invraisemblable si Platon avait été le seul écrivain de l'ère classique à l'avoir relaté. Aristote dit à ce sujet : « Lui qui la fit [l'Atlantide], la détruisit » et on a toujours cru que cette phrase signifiait que Platon avait tout inventé. Cependant, en creusant un peu, on s'aperçoit que la littérature classique regorge de références à l'Atlantide comme, par exemple, dans les écrits de Proclus, Diodore, Pline, Strabon, Plutarque et Posidonius. Ils ajoutent à cette histoire de nombreux éléments qui ne figurent pas dans les écrits de Platon et qui semblent provenir de sources antérieures – en admettant, bien sûr, que ces dernières ne soient pas non plus des inventions.

Proclus dit que trois cents ans après Solon, les prêtres de Saïs[1] montrèrent à Crantor[2] des colonnes recouvertes de hiéroglyphes contant l'histoire de l'Atlantide. Un quasi-contemporain de Platon,

---

[1] Saïs (en grec ancien), de nos jours Sa el-Hagar, fut la capitale du cinquième nome (circonscription administrative) de Basse-Égypte dans le delta occidental du Nil (ndlt)

[2] Philosophe académicien, natif de Soles en Cilicie, vers 306 av. J.-C. (ndlt)

connu aujourd'hui comme étant un pseudo-Aristote[3] évoque une île paradisiaque similaire dans son livre, *Des Merveilles entendues*.

L'historien grec Marcellus, lui aussi écrivain quasi contemporain de Platon, se réfère clairement à d'anciennes sources lorsqu'il écrit qu'« il y avait dans la grande mer extérieure [l'Atlantique] sept îles [...], et trois autres de grande taille, dont l'une était consacrée à Poséidon ». Cela correspond au nombre de royaumes dont parle Platon. Un historien grec du IVᵉ siècle avant Jésus-Christ, Théopompe de Chios, raconte une histoire qui était contée deux cents ans avant Platon, divulguée par Midas de Phrygie. Il est dit que « par-delà la portion bien connue du monde, l'Europe, l'Asie et la Libye sont des îles que les flots de l'Océan baignent de tous côtés : hors de l'enceinte de ce monde il n'existe qu'un seul continent, dont l'étendue est immense. Il produit de très grands animaux et des hommes d'une taille deux fois plus haute que ne sont ceux de nos climats : aussi leur vie n'est-elle pas bornée au même espace de temps que la nôtre ; ils vivent deux fois plus longtemps. » Comme nous l'avons vu plus haut, Énoch, ainsi que les mythes et légendes de nombreuses cultures à travers le monde, évoquent l'existence de géants avant le Déluge.

Pour finir, il existe le mythe grec du Déluge. L'histoire de Deucalion est bien plus ancienne que celle de Platon. Comme dans le récit de Platon et dans celui de la Bible, ce mythe insinue que le Déluge visait à détruire la plus grande partie de l'humanité car elle avait emprunté un mauvais chemin. Rudolf Steiner a fait remarquer que dans les histoires des demi-dieux et des héros comme Cadmos, Jason et Thésée, il est toujours question de voyages vers l'est. Il soutient que nous devrions les lire comme les récits des migrations qui eurent lieu à mesure que les conditions de vie sur les îles de l'Atlantide se détérioraient, avant que ne survienne la catastrophe finale.

Lorsque Platon parle de Poséidon, le premier dieu roi de l'Atlantide, cela nous rappelle ce qui a été dit dans le chapitre 5 – que Poséidon était la forme originale, moitié homme, moitié poisson, de Zeus/Jupiter. Il était aussi le dieu des mers et des océans en furie, le dieu des fleuves souterrains et des abysses volcaniques, et son

---

[3] C'est un surnom donné aux auteurs de traités de médecine ou de philosophie qui ont attribué leur travail à Aristote, ou dont le travail a plus tard été attribué, à tort, par d'autres au philosophe grec (ndlt)

rugissement était annonciateur de catastrophe climatique. Poséidon joua un rôle au début comme à la fin de l'histoire de l'Atlantide.

Dans les récits d'autres cultures anciennes, on trouve des informations qui croisent celles de Platon. Les Aztèques racontent qu'ils viennent d'« Aztlán », « la terre au milieu des eaux ». Parfois, cette terre était aussi appelée « Aztlán aux sept cavernes » et décrite comme une grande pyramide à degrés entourée de six petites pyramides. D'après les histoires traditionnelles recueillies par les envahisseurs espagnols, l'humanité aurait dû être balayée par une terrible inondation, sans la présence d'un prêtre et de sa femme, qui construisirent un bateau à partir d'un tronc creux dans lequel ils abritèrent également des animaux et des semences. Les connaissances astronomiques sophistiquées et complexes de ces peuples sud-américains ont permis à un chercheur moderne de déduire que les Aztèques estimaient que ce Déluge remontait à 11 600 avant Jésus-Christ environ.

Cela peut sembler très éloigné de la date qu'avance Platon – autour de 9600 avant Jésus-Christ –, mais l'important est que ces deux dates situent le Déluge à la fin de la période glaciaire. La géologie moderne nous dit qu'en fondant, les calottes glaciaires ont provoqué une série d'inondations provenant du nord : nous avons vu précédemment que les îles de l'Atlantide en ont, probablement, grandement souffert avant que le dernier îlot ne soit totalement submergé.

Les archéologues sous-marins découvrent aujourd'hui, dans de nombreux endroits de la planète, les restes de civilisations qui ont été englouties par des inondations dues à la fonte des glaces à la fin de la période glaciaire. En avril 2002, grâce aux histoires des pêcheurs locaux, il a été possible de localiser la ville perdue des Sept Pagodes, au large des côtes de Mahabalipuram, en Inde. Les structures découvertes, qui ressemblent à des temples, sont bien plus imposantes et complexes que les ruines habituelles, auxquelles la fin de la période glaciaire – le néolithique ou le nouvel âge de pierre – nous avait habitués. L'auteur et investigateur Graham Hancock, qui a beaucoup contribué à remettre en question nos théories sur l'histoire ancienne, dit à cette occasion : « Depuis plusieurs années, je soutiens, contre l'avis de la plupart des universitaires occidentaux, que les mythes sur le Déluge devaient être pris au sérieux. Ici, à Mahabalipuram, nous avons la preuve que les mythes ont raison et les universitaires, tort. »

J'ai vu de mes yeux des artefacts récupérés dans les fonds marins de la côte atlantique américaine – l'endroit qu'on appelle la route de Bimini – qui, d'après moi, seraient très difficiles à fabriquer avec la technologie moderne, encore moins il y a 11 000 ans, quand toute la zone se retrouva effectivement sous la mer. Du point de vue esthétique, les pierres de Scott (c'est ainsi qu'on les appelle) montrent des similarités remarquables avec les objets égyptiens. Ce n'est pas à moi de dévoiler ce secret, mais j'espère que le jour où ce livre sortira, Aaron Du Val, président du musée de la Société d'égyptologie de Miami, aura choisi de révéler au monde ce qu'il sait, preuves à l'appui.

Aucune description des événements qui auraient permis à des objets de ce genre de se retrouver sous la mer n'existe dans les mythes grecs qui nous sont parvenus et les récits bibliques sont généralement très brefs. Nous pouvons néanmoins aisément combler cette lacune en nous penchant sur les récits d'autres cultures, en particulier les histoires sumériennes et celles des cultures du Proche-Orient. Aucun chercheur ne contredit le fait que ces récits antérieurs ont servi de source aux histoires bibliques.

Des éléments familiers de la Bible, comme l'Arche ou les colombes et le rameau d'olivier, apparaissent dans les témoignages sumériens les plus anciens, dans lesquels Noé est appelé Ziusudra (ou Xisouthros). Ce personnage apparaît également dans le récit mésopotamien, où on l'appelle Atrahasis et dans une histoire babylonienne, où il porte le nom d'Utnapishtim. En réunissant ces différentes versions, on crée une version amplifiée du récit biblique qui est à peu près la suivante :

> Un jour, Noé se tenait dans une hutte de roseaux, quand il entendit une voix traverser les parois. Elle le mettait en garde contre un orage qui allait anéantir l'humanité.
> « Détruis ta hutte et construis un bateau », lui dit la voix. Noé et sa famille s'attelèrent à la construction d'un vaisseau de roseaux, qu'ils rendirent étanche en le recouvrant de goudron. Noé y mit tout ce qui poussait sur terre et tout ce qui y vivait, les oiseaux du ciel, les troupeaux et les animaux sauvages. Pendant six jours, la tempête fit rage et l'embarcation fut ballottée par les vagues. La pluie torrentielle, le vent et les inondations recouvrirent la surface de la terre. Le septième jour, en entendant le mauvais temps

> s'éloigner, Noé ouvrit une fenêtre et la lumière inonda
> son visage. Le monde était silencieux, car l'humanité
> tout entière était redevenue argile…

Le terrible Déluge qui faillit anéantir l'humanité est commémoré chaque année, par les vivants et les morts, le jour des Morts : Halloween. En Angleterre, jusqu'au XIXᵉ siècle, les villageois s'habillaient en morts, portaient des masques et faisaient des sons bourdonnant avec la bouche fermée, pour imiter le son de morts-vivants (*mum-mumming*), d'où le terme « mummers[4] ».

QUAND NOÉ ET SA FAMILLE DÉBARQUÈRENT et posèrent pied sur la terre sèche, il se produisit une chose assez étrange. « Noé commença à cultiver la terre, et planta de la vigne. Il but du vin, s'enivra, et se découvrit au milieu de sa tente. Cham, père de Canaan, vit la nudité de son père, et il le rapporta dehors à ses deux frères ». Genèse 9, 20-22.

Il est tout à fait concevable que Noé ait planté de la vigne et soit devenu fermier, car les recherches archéologiques nous apprennent que l'agriculture a vu le jour à cette période néolithique. Mais que faut-il penser de cette étrange histoire d'ivresse et de nudité ?

Pour lui donner un sens, nous devons nous tourner vers la tradition qui identifie Noé à la figure légendaire de Dionysos le Jeune, en Grèce.

Avant tout, tâchons de démêler deux histoires qui concernent deux individus portant le même nom, car Dionysos était le nom d'un dieu, mais aussi celui d'un demi-dieu, qui ont, chacun, contribué de manière très différente à l'histoire de l'humanité à deux périodes distinctes. Celui qu'il convient d'identifier à Noé est très différent de Dionysos Zagreus, Dionysos l'Ancien, dont on a raconté l'histoire du corps démembré au chapitre 6.

---

[4] *To keep mum* signifiant « ne pas souffler mot » et *mummer*, désignant un « mime » (ndlt)

Après le Déluge, Dionysos le Jeune, souvent dépeint dans un bateau, fit le voyage de l'Atlantide à l'Inde, via l'Europe. Il avait pour but d'apprendre au monde l'art de l'agriculture, des semailles, la culture du vin et l'écriture. Cette dernière avait été enseignée par Énoch et risquait de se perdre dans le chaos qu'avait provoqué le Déluge.

Dionysos et ses compagnons portaient une thyrse – un bâton en bois de cornouiller, orné de feuilles de lierre semblables à des serpents et surmonté d'une pomme de pin, ressemblant à une glande pinéale. Cela démontre qu'il enseignait également l'évolution secrète de la forme humaine : le développement de l'épine dorsale, couronnée par la glande pinéale dont nous avons parlé précédemment.

Les faunes, les satyres et tous les compagnons de Dionysos représentent les anciennes formes de vie de l'Atlantide, les derniers survivants du processus de métamorphose. L'étrange histoire de la Genèse racontant l'impudeur de Noé alors qu'il est ivre, fait également référence au tarissement de ce processus. Nous avons vu que les organes génitaux furent la dernière partie de l'anatomie humaine à prendre sa forme actuelle et les fils de Noé étaient curieux d'en apprendre davantage sur leurs origines. Étaient-ils les fils d'un humain ou d'un demi-dieu, d'un homme ou d'un ange ?

Les histoires sur cet individu, Dionysos le Jeune/Noé, sont, dans les traditions grecque et hébraïque, toutes les deux liées à la vigne et

L'arche de Noé. La légende dit que le seul animal manquant dans l'Arche était la licorne, qui par conséquent s'éteignit. Cela constitue une image évidente de la diminution du pouvoir du troisième œil. Les eaux se refermant sur l'Atlantide mirent fin à l'ère de l'Imagination. Le subconscient était formé.

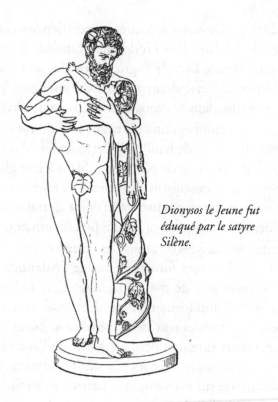

Dionysos le Jeune fut éduqué par le satyre Silène.

à l'ivresse. Nous avons déjà rencontré des disciples de Dionysos, les ménades sauvages qui déchiquetèrent Orphée à l'aide de leurs dents et de leurs ongles et qui, quand elles étaient dans un état d'ivresse délirante, étaient possédées par un dieu.

Les peuples primitifs ont toujours vécu en symbiose avec leur part végétale.

C'est grâce à cela qu'ils ont toujours compris que chaque plante a un effet différent sur la biologie, la physiologie et la conscience humaines.

Aux premiers jours de l'agriculture, dans la tradition grecque comme dans l'hébraïque, nous assistons à la représentation d'une nouvelle forme de conscience, plus sensée. Existe-t-il un symbole plus fort de l'impact de la pensée méthodique de l'homme sur la nature que des champs de blé ?

La tâche des meneurs de l'humanité était maintenant de forger une nouvelle conscience, dirigée par la pensée.

Dans l'Avesta, le texte sacré du zoroastrisme, la figure de Noé/-Dionysos se nomme Yima. Il explique aux gens comment construire un village – un « var » – un endroit délimité par des murs, sorte de forteresse « qui abrite les hommes, le bétail, les chiens, les oiseaux et les feux ». Il leur apprend qu'en arrivant à l'endroit de leur futur village, ils doivent « faire s'écouler l'eau, délimiter le terrain à l'aide de poteaux et enfin construire des maisons, également à l'aide de poteaux, avec des murs d'argile, des ouvertures et des clôtures ». Il pousse ses gens à « exploiter la terre en la labourant ». Il dit qu'il ne devait y avoir « ni répression ni bassesse, ni ennui ni violence, ni pauvreté ni échec, ni infirme, ni longues dents, ni géants, ni aucune des caractéristiques de l'esprit malin ».

Encore une fois, nous voyons poindre la peur du retour aux formes anormales, comme les géants, de l'époque précédente.

Le poète épique grec Nonnos de Panopolis décrit la migration de Dionysos en Inde et, dans l'Avesta, le même voyage est raconté comme étant « la marche de Râma sur l'Inde ». Mais la description la plus complète provient de la grande l'épopée indienne, le *Râmâyana*.

Ce qui apparaît clairement dans ces témoignages, c'est que les grandes migrations vers l'est ne se dirigeaient pas vers des territoires inhabités. Les peuples de l'Atlantide avaient presque tous disparu et les émigrants se dirigeaient vers de nouvelles terres occupées par des tribus aborigènes. On peut voir comment Dionysos réagit à ce qu'il rencontra sur ces nouvelles terres, à travers son interdiction de pratiquer le cannibalisme et les sacrifices humains. Les prêtres locaux avaient parfois d'énormes serpents ou des ptérodactyles, les rares survivants de l'époque antédiluvienne, qu'ils vénéraient comme des dieux et qu'ils nourrissaient de la chair des prisonniers. Le *Râmâyana* raconte que Râma et ses adeptes envahirent les temples munis des torches, pour en chasser les prêtres, comme les monstres. Râma apparaissait sans prévenir armé parfois de son arc bandé, mais parfois à mains nues, car il était capable de pétrifier ses ennemis grâce à son regard pâle, bleu lotus.

Râma n'avait pas de biens, c'était un nomade. Son royaume s'étendait sous les mers. Il ne menait pas la vie fastueuse d'un roi, mais campait dans la nature avec sa bien-aimée, Sitâ.

Sitâ fut un jour séquestrée par le diabolique magicien Râvana. Le *Râmâyana* raconte que le voyage de Râma s'achève par la conquête de l'Inde et la prise de Ceylan, dernier refuge de Râvana. À l'aide d'une armée de singes, c'est-à-dire d'hominidés, les descendants des

L'invasion de Ceylan par Râma, « le berger des peuples ».

esprits humains qui s'étaient incarnés trop tôt et étaient condamnés à s'éteindre, Râma bâtit un pont entre la terre ferme et Ceylan et, à la suite d'une bataille qui dura treize jours, Râma tua Râvana en le bombardant de feu.

Râma est un Alexandre le Grand du néolithique : après la conquête de l'Inde, il eut le monde à ses pieds et, lui aussi, fit un rêve…

Il marchait dans la forêt au clair de lune quand une très belle femme vint à sa rencontre. Sa peau était blanche comme la neige et elle portait une magnifique couronne. Il ne la reconnut pas immédiatement, mais elle lui dit : « Je suis Sitâ, prends cette couronne et gouverne le monde avec moi. » Elle s'agenouilla humblement et lui offrit la couronne étincelante – le royaume qui lui avait été refusé. À ce moment-là, l'ange gardien de Râma murmura à son oreille : « Si tu poses cette couronne sur ta tête, tu ne me reverras plus jamais. Et si tu serres cette femme dans tes bras, la joie qu'elle éprouvera la tuera sur-le-champ. Mais si tu refuses de l'aimer, elle vivra libre et heureuse sur terre le reste de ses jours et ton esprit invisible la gouvernera. » Quand Râma se décida, Sitâ disparut parmi les arbres. Ils ne devaient plus jamais se revoir et vécurent le restant de leurs jours loin l'un de l'autre.

Les histoires narrant la vie de Sitâ suggèrent qu'elle fut aussi heureuse que l'avait promis l'ange gardien, mais par son ambiguïté et son incertitude, cette histoire dégage quelque chose de très moderne.

Nous pouvons également y voir le paradoxe de la condition humaine : l'amour, s'il est véritable, implique un lâcher-prise.

Par sa prouesse au tir à l'arc, son beau visage, ses yeux bleus et son torse de lion, Râma est très semblable aux héros décrits dans les mythes grecs, comme Hercule, mais son histoire porte en elle quelque chose de nouveau. Quand on pousse Râma à choisir entre la vertu et le bonheur, nous ne sommes pas surpris qu'il choisisse la vertu. Mais son histoire recèle un élément de *surprise morale* : le lecteur est probablement d'accord avec Sitâ quand elle soutient qu'il est tout à fait juste que Râma accepte la couronne dont il a été privé depuis la naissance. Mais les choix surprenants de Râma – de ne pas prendre cette couronne alors qu'elle lui revient de droit et de ne pas épouser la femme qu'il aime – dilate l'imagination et excite l'intelligence, d'un point de vue moral. L'histoire de Râma nous encourage à aller au-delà des conventions, de nous imaginer dans l'esprit des autres et, au bout du compte, de penser par nous-mêmes. La pensée ésotérique a toujours cherché à ébranler et à renverser les modes de pensée conventionnels, habituels, ou mécaniques. Nous verrons plus tard comment des écrivains ou dramaturges imprégnés de pensée ésotérique, tels que Shakespeare ou Cervantès, George Eliot ou Tolstoï, ont stimulé l'imagination, ce qui est une des caractéristiques de la très grande littérature. Si l'art et la littérature apportent un sens, donnent un aperçu des schémas et des lois qui opèrent derrière la pensée conventionnelle, le grand art ésotérique, lui, les conduit au bord de la conscience.

L'histoire de Râma nous ramène également à la notion racontée dans l'histoire secrète, que le cosmos a été formé afin de créer les conditions favorables à l'épanouissement d'une pensée libre et du libre arbitre. Râma aurait pu faire respecter le bien et la justice, en gouvernant son peuple avec une main de fer mais, au lieu de cela, il le laisse *décider* seul. Râma est donc l'archétype du « roi secret », ou exilé, ou du « philosophe secret », qui influence le cours de l'histoire, non pas depuis son trône, mais en se mêlant incognito à la foule. Râma veut aider les humains à évoluer librement.

Râma est un demi-dieu, mais ne veut pas gouverner le monde. Après lui, on ne trouve plus jamais de dieux, et même de demi-dieux en chair et en os, assis sur un trône.

À LA FIN DU VOYAGE, LES ÉMIGRANTS fondèrent Shambhala, une grande forteresse spirituelle dans la région montagneuse du Tibet. Le toit du monde est le plus grand et le plus haut plateau du monde, entouré par de très hautes chaînes de montagnes. Dans certaines traditions, il est dit que les Tibétains seraient les descendants du peuple de l'Atlantide.

Certains disent que Shambhala ne peut être atteinte que par un tunnel souterrain, d'autres qu'elle existe dans une autre dimension, à laquelle on accède par un portail secret situé quelque part dans la région. Saint Augustin, qui fut le plus grand théologien chrétien après saint Paul, était, comme ce dernier, initié d'une école du Mystère. Il décrivit un endroit où vivaient Énoch et les saints, un paradis terrestre d'une telle altitude qu'il se trouva hors de portée lors du Déluge. Emanuel Swedenborg, le théologien, diplomate et inventeur suédois du XVIIIe siècle – qui fut également le plus éminent franc-maçon de son époque – écrivit que « le "Verbe perdu" doit être cherché parmi les sages du Tibet et du Tartare[5] ». Anne Catherine Emmerich, la mystique catholique allemande du XIXe siècle, narre également l'histoire d'un mont des Prophètes où vivaient Énoch, Élie et d'autres qui ne moururent pas de manière ordinaire, mais s'élevèrent dans les cieux, et où l'on pouvait encore trouver des licornes qui avaient survécu au Déluge.

Depuis la forteresse tibétaine coulaient des rivières de « vie spirituelle » qui, en se réunissant, gagnaient en force, en profondeur et en largeur et devenaient un fleuve puissant comme le Gange, qui nourrissait toute l'Inde.

DANS CETTE HISTOIRE DU MONDE ÉCRITE dans les étoiles, l'ère suivante commence lorsque le soleil se lève dans la constellation du Cancer, en 7227 avant Jésus-Christ, et qu'est fondée la première grande civilisation indienne, la plus ancienne et, spirituellement, la plus profonde des civilisations d'après le Déluge. Ses fondateurs avaient peu d'inclination pour ce nouveau monde matériel, qu'ils appelaient « mâyâ » et

---

[5] La Mongolie (ndlt)

qu'ils considéraient comme une illusion capable de cacher les réalités supérieures des mondes des esprits. Ils regardaient avec nostalgie les temps anciens, avant que ce voile de matière ne vienne se glisser entre l'humanité et les hiérarchies spirituelles.

Les bains glacés et autres formes de tortures que s'infligeaient les ascètes peuvent être compris comme un effort pour rester éveillés au monde des esprits. Ils faisaient un effort conscient, tant que le voile de matière était encore relativement translucide, pour se souvenir des particularités de ce monde et les imprégner de manière indélébile dans la conscience humaine.

Leur entreprise a été couronnée de succès et fait que l'Inde demeure encore aujourd'hui le plus grand gardien de la connaissance spirituelle au monde, en particulier pour ce qui est de la physiologie occulte. Comme me l'a récemment dit un grand initié : « En visitant l'Inde aujourd'hui, on ne peut qu'entendre l'air crépiter d'"astralité". »

Les grands maîtres de l'Occident, comme Pythagore, Apollonius de Tyane et saint Germain, sont allés en Inde pour trouver cette « astralité ». Les Évangiles contiennent d'ailleurs quelques citations et idées provenant d'anciennes sources indiennes.

Sir John Woodruffe, le spécialiste du sanscrit, qui a été le premier à traduire les textes tantriques au XIXe siècle, a écrit que même la vénérable tradition sufi s'est appuyée sur la sagesse indienne pour ses enseignements, notamment en ce qui concerne les chakras.

Depuis les années 1960, la religion indienne a offert à beaucoup d'Occidentaux une connaissance et une discipline spirituelles satisfaisantes et a fait accéder de nombreuses personnes au monde des esprits, chose que l'Église ne fait pas en Occident. Aujourd'hui encore, dans nos librairies, il est probable que la majorité des livres qui traitent du mysticisme puisent leurs sources dans la tradition orientale, non dans l'occidentale.

APRÈS QUE RÂMA EUT REFUSÉ LA COURONNE, aucune autre grande personnalité ne domina cette période. Râma est un héros d'action : il a combattu des monstres, s'est lancé dans des aventures longues et dangereuses et a fondé des villes. Mais ses successeurs, appelés aussi les Sept Sages, ou les *rishis*, cultivaient un genre d'immobilisme, d'inactivité. Ils ne construisirent aucun bâtiment en pierre ; ils vivaient dans des maisons de boue, ou dans de simples abris faits de racines et de tiges en bois et rien de ce qu'ils avaient ne perdura, excepté leurs *connaissances*.

Dans la Kabbale, il est dit à peu près ceci : tout ce que tu as vu, chaque fleur, chaque oiseau, chaque rocher, périra et retournera à la poussière, mais le fait que tu les aies vus ne périra jamais. C'est une vérité qui aurait plu aux rishis. Ils étaient assis en tailleur de manière à ce que la plante de leurs pieds regarde le ciel car ils n'avaient aucune envie de sentir la gravité, la basse attraction réductrice du monde matériel ; au contraire, ils étaient tendus vers le monde des esprits. Ils pouvaient voir les êtres spirituels à l'œuvre sur terre : aider les graines à germer au printemps, les fleurs à s'épanouir en été, les arbres à produire des fruits à l'automne et à préserver les graines en hiver. Les rishis ressentaient le flux et reflux de l'influence spirituelle comme un souffle gigantesque. L'ancienne civilisation indienne représentait l'échelon le plus bas du royaume des cieux.

Nous avons parlé précédemment de la façon dont les matéria-listes s'approprient de manière erronée des mots et des expressions comme « le sens de la vie », en jouant sur leur double signification et en les utilisant d'une manière légèrement malhonnête. Il en est de même pour « spirituel », terme souvent utilisé par ceux qui sou-haitent se présenter comme étant des personnes morales ou ayant bon cœur, ou de manière chaleureuse, mais floue, voire pseudo-mystique. En réalité, ce que ce mot veut décrire, c'est la capacité de voir, d'entendre et de communiquer avec les esprits, comme le font les mystiques indiens.

Ces maîtres arrivaient également à communiquer entre eux de façon mystérieuse : grâce à la respiration, ils savaient détecter avec quelles personnes ils auraient des affinités. Ils arrivaient à *ressentir* la vie intérieure de quelqu'un juste en respirant « dans » son air.

Ils étaient capables de verser leurs connaissances dans l'âme d'autres personnes à travers un flux d'images incessantes. Beaucoup plus tard, cette connaissance serait formulée avec des mots, transmise oralement de génération en génération, jusqu'à ce qu'elle soit écrite dans les Veda.

Leur regard pouvait éloigner les serpents, calmer les lions et les tigres. Rien ne pouvait détourner les mystiques de leur contempla-tion. Ils vagabondaient librement, ne construisaient que de frêles abris, mangeaient des fruits et buvaient le lait de leurs troupeaux. Ils ne se nourrissaient que de végétaux et ne consommaient jamais de viande, car ils disaient qu'en en mangeant, ils absorberaient l'agonie de l'animal.

Ils s'immergeaient dans la conscience végétale, dans les processus physiques du réveil, du sommeil, de la respiration, de la digestion – que nous avons déjà décrits comme étant le cadeau du royaume végétal au corps humain. En apprenant à contrôler l'*ens vegetalis*, ou corps éthérique, ils pouvaient également contrôler la respiration, le rythme de la digestion et même celui du cœur du flux de leur sang, ce qui leur permettait d'accomplir ces exploits incroyables qui font leur renommée comme, par exemple, arrêter leur cœur juste par la pensée.

Les maîtres comprenaient également comment atteindre la clair-voyance en s'immergeant dans la contemplation de leur plexus solaire. Ils savaient aussi envelopper les autres d'un halo d'amour protecteur émanant de leur chakra du cœur.

En plus des seize pétales du chakra du cœur, les maîtres percevaient 101 artères, subtiles et lumineuses, émergeant du même endroit, comme les rayons d'une roue. Trois d'entre elles, les plus grandes, se prolongeaient selon eux vers la tête : l'une d'elles arrivait jusqu'à l'œil droit et correspondait au Soleil et au futur, une autre jusqu'à l'œil gauche et correspondait à la Lune et au passé. Ils comprirent comment, par la combinaison de ces deux organes, les humains réussissent à percevoir les mouvements d'objets matériels, en relation les uns avec les autres dans l'espace, et le sentiment du temps que cela induit.

La troisième de ces artères, celle du milieu, vient du cœur et traverse le chakra couronne, sur le haut du crâne. En prenant ce chemin, la voie vers le haut est illuminée par le bas, grâce à un cœur radieux. Et c'est également par cette artère du milieu, par le chakra couronne, que l'esprit sortait du corps, au moment de la mort.

Pour les anciens, *toute* vie impliquait une pulsation, un rythme ou une respiration. Ils voyaient toutes les vies humaines comme une respiration temporaire, inspirées dans mâyâ, ou l'illusion, puis expirées à nouveau – processus qui se répétait au fil des âges. Ils voyaient de grands troupeaux, ou des vagues, être aspirés, puis expirés ensemble de la vie matérielle.

L'ancienne civilisation indienne faisait écho au monde ensoleillé, aqueux et végétal de la période précédant la séparation du Soleil et de

Le svastika néolithique, sculpté sur la pierre dans la lande de Keighley, dans le Yorkshire, en Angleterre, est un symbole du lotus tournant à deux pétales et, plus haut – le même emblème – sur une broche celtique, trouvée en Suède, représentant le soleil. Le Rigveda dit « Méditons sur cette gloire adorable du Soleil, afin qu'il dirige nos pensées. »

la Terre. C'était aussi une période de « mangeurs de lotus » qui devait prendre fin pour que le progrès puisse continuer.

Nous avons vu que les grands esprits de hiérarchies supérieures ne pouvaient plus apparaître dans des corps physiques, comme auparavant en Atlantide. Ils pouvaient encore apparaître de manière semi-matérielle, comme sous la forme de spectres ou de fantômes, mais cela aussi arrivait de moins en moins souvent. À la fin de cette période, les gens ne pouvaient les *voir* de leurs yeux qu'une ou deux fois dans leur vie. Les dieux se retiraient et les gens devaient trouver le moyen de les suivre.

C'est ainsi que le yoga vit le jour.

Au stade le plus élevé de méditation, une montée d'énergie provenant de la base de la colonne vertébrale voyage à travers l'artère centrale, via le cœur, jusqu'à la tête. Parfois, cette énergie était comparée à un serpent qui montait jusqu'au crâne et mordait un point juste derrière la racine du nez. Cette morsure libérait un flux lumineux de courants extatiques, semblable à sept cent mille lueurs d'éclairs, qui résonnaient comme des millions d'abeilles. Les maîtres se retrouvaient dans une autre dimension qui, au début, ressemblait à un puissant océan formé de gigantesques vagues de lumière et d'énergie entremêlées – l'expérience mystique préliminaire dans toutes les traditions. Au fur et à mesure qu'ils s'accoutumaient au monde spirituel, ces forces apparemment impersonnelles commencèrent à leur apparaître sous la forme d'habits des dieux ; puis, les visages des dieux eux-mêmes finirent par apparaître dans la lumière : ces mêmes visages des dieux des planètes et des étoiles qui nous sont maintenant familiers depuis quelques chapitres.

Un des livres les plus courts au monde, mais aussi l'un des plus puissants, s'appelle les *Yoga Sûtras de Patañjali*. Il fut rédigé dans sa forme définitive en 400 avant Jésus-Christ, mais il trouve sa source dans les enseignements des rishis.

Patañjali dit au lecteur de se concentrer sur la force de l'éléphant et, par là même, d'atteindre cette force. Il dit qu'il est possible de connaître les vies antérieures en se concentrant sur le passé. Il serait un peu naïf de penser que vous ou moi pourrions accomplir ce genre d'exploit comme ça, sans préparation. Ce sont des choses, qu'aujourd'hui comme autrefois, seuls les grands initiés très avancés arrivent à réaliser. En ce qui nous concerne, il nous faudra attendre les prochaines incarnations pour y parvenir.

Les rishis enseignaient que l'évolution du cosmos tout entier est le but de l'existence et que le corps humain porte en lui les graines de cette transformation.

En 5067 avant Jésus-Christ, au moment où le Soleil entrait dans l'ère des Gémeaux, les dieux poussaient le cosmos vers le prochain stade de l'évolution de l'humanité. Plus tôt, c'est l'inondation de l'Atlantide qui avait poussé l'humanité à évoluer vers l'est, en Inde ; désormais, cette évolution s'orientait vers l'ouest, phénomène qui perdure aujourd'hui encore.

10

La voie du magicien

Le combat de Zarathoustra contre les forces de l'ombre •
Vie et mort de Krishna le berger • L'aube de l'âge des ténèbres

EN 5067 AVANT JÉSUS-CHRIST, DANS LA RÉGION qu'on appelle aujourd'hui l'Iran, on prédit la naissance d'un nouveau grand chef. Imaginons que sa mère vivait dans une petite communauté agricole comparable à celles qui ont été découvertes sur le site de Çatal Höyük[1].

Au cœur d'un hiver particulièrement rude, la lèpre ravageait la communauté et les mauvaises langues accusèrent la jeune femme de sorcellerie : ce serait elle qui aurait provoqué les tempêtes et la maladie.

Au cinquième mois de sa grossesse, elle fit un cauchemar : elle vit un immense nuage d'où sortaient des dragons, des loups et des serpents, qui essayaient d'extirper l'enfant de son corps. Mais, alors que les monstres approchaient, l'enfant encore blotti dans son ventre prononça des mots réconfortants et, lorsque sa voix s'évanouit, elle vit une pyramide de lumière descendre du ciel. Il en sortit un garçon qui tenait une houlette dans la main gauche, un rouleau de parchemin dans la droite et ses yeux brûlaient d'un feu intérieur : son nom était Zarathoustra.

Les avis divergent sur la date de l'apparition de Zarathoustra. Certains écrivains de l'Antiquité le situent autour de 5000 avant Jésus-Christ, alors que d'autres, comme Plutarque, prétendent qu'il vivait en 600 avant Jésus-Christ. Mais c'est parce que, tout comme il y avait deux Dionysos, il y avait deux Zarathoustra.

---

[1] L'agglomération de Çatal Höyük située dans la plaine de Konya, en Anatolie centrale, sur les bords de la rivière Çaramba, est l'un des plus grands sites du néolithique du Proche-Orient. Il fut fondé vers 7000 av. J.-C. et devint un centre important seulement entre 6500 et 5700 av. J.-C. (ndlt)

Zarathoustra avec un rouleau de parchemin à la main, d'après une peinture murale du temple de Mithra, à Dura Europos, en Syrie. Porter un rouleau de parchemin dans la main droite veut toujours dire que le sujet est un adepte de la philosophie secrète. Regardez autour de vous, dans les rues de Londres, Rome, Paris Washington, ou n'importe quelle grande ville du monde, et vous serez surpris par le nombre de statues qui représentent les grands de ce monde avec un rouleau de parchemin à la main.

La naissance du premier Zarathoustra déchaîna des torrents de haine. Le roi était sous l'emprise de sorciers qui le persuadèrent que ce garçon devait mourir. Il se rendit dans la maison de la mère où il trouva l'enfant seul dans son berceau. Alors qu'il levait la main pour le poignarder, celle-ci se paralysa, mystérieusement. Plus tard, il envoya l'un de ses serviteurs enlever l'enfant. Il l'abandonna dans une forêt infestée par des loups, dans l'espoir qu'ils le dévorent ; mais ce que les bêtes virent dans les yeux de l'enfant les terrifia tant qu'elles s'enfuirent. Zarathoustra grandit et devint le jeune garçon du rêve de sa mère.

Les forces du mal savaient très bien que leur plus grand ennemi était arrivé sur terre, elles attendaient simplement le bon moment pour l'éliminer.

L'ère des Gémeaux fut celle de la division : on ne pouvait plus vivre tranquillement dans le paradis de l'époque indienne, qui avait été la réplique de l'époque bénie d'avant la séparation du Soleil et de la Terre. Cette nouvelle ère perse, elle, rejouait la période enfiévrée où les dragons de Lucifer avaient contaminé la vie sur terre. Menées par

Ahriman (le Satan de la tradition zoroastrienne), les forces du mal se réorganisaient. Le cosmos était envahi par des hordes de démons qui assombrissaient les cieux et se plaçaient, de force, entre les humains et les esprits des hiérarchies les plus élevées. Si l'époque indienne avait été celle où la physiologie secrète de l'humanité s'était imprimée dans la mémoire humaine, l'ère perse fut celle où l'on aborda la connaissance de la démonologie.

Zarathoustra classifia les armées de démons contre lesquelles il menait ses propres disciples : c'est sur cette classification que se basent les sociétés secrètes d'aujourd'hui.

Lors de ce virage décisif de l'histoire, les gens commencèrent à ne plus se sentir en sécurité, à un niveau qu'aujourd'hui, nous qualifierions d'existentiel : ils n'étaient plus sûrs de vivre dans un cosmos bienveillant où tout finirait par s'arranger. Ils commençaient à ressentir

Peinture étrusque représentant un asura perse. Le nom asura *signifie, littéralement, non-dieu ; a étant un privatif et* sura *le terme persan pour désigner un dieu ou un ange. Les démons de toutes les cultures sont souvent représentés en train de ronger les viscères. Cela provient de la compréhension primordiale que la conscience et la mémoire ne sont pas seulement logées dans le cerveau, mais dans tout le corps. Les choses que nous avons faites et que nous préférerions ne pas affronter – des expériences douloureuses et indigestes – sont mémorisées dans les viscères.*

une certaine peur, qu'Émile Durkheim appelle l'anomie – la peur d'un chaos destructeur tapi aux frontières de la vie, qui peut nous attaquer dans le noir si nous nous éloignons de notre campement, ou qui nous enveloppe dans l'obscurité lorsque nous dormons, et qui peut aussi nous attendre au-delà de la mort.

LORSQUE NOUS DORMONS, NOUS PERDONS NOTRE conscience animale. Dans les enseignements des sociétés secrètes, la conscience animale – ou esprit – est représentée en train de flotter au-dessus de notre corps durant le sommeil. Cela a deux conséquences importantes. D'abord, sans l'élément animal, notre corps revient au stade végétatif : n'étant plus minées par les agitations de la conscience animale ni par les effets épuisants de la pensée, les fonctions vitales se trouvent renouvelées et nous nous réveillons reposés.

Ensuite, détaché des perceptions sensorielles du corps, l'esprit entre dans un état de conscience alternatif et fait l'expérience du monde des esprits sublunaires. Dans nos rêves, nous percevons le monde des esprits où des anges, des démons et les esprits des morts nous approchent.

C'est, en tout cas, ce que vivaient les humains au temps des rishis. À l'époque de Zarathoustra, la nature humaine était empêtrée dans la matière et tellement corrompue que ses rêves étaient devenus chaotiques et difficiles à interpréter : ils étaient devenus fantasques et incohérents. Néanmoins, on pouvait encore y rencontrer des esprits encourageants, les fragments de vies antérieures et même les souvenirs d'épisodes de l'histoire.

Dans le sommeil profond, le troisième œil pouvait s'ouvrir et s'insinuer dans le monde des esprits, mais au réveil tout s'évanouissait dans l'oubli.

APRÈS DES ANNÉES D'EXIL, LE JEUNE ZARATHOUSTRA ressentit le besoin de retourner en Iran. Arrivé à la frontière, il eut une vision : un esprit gigantesque et brillant vint à sa rencontre et lui dit de le suivre.

Zarathoustra faisait quatre-vingt-dix pas là où le géant n'en faisait que neuf en survolant le sol pierreux. L'esprit l'emmena dans une clairière dissimulée derrière des rochers et des arbres. Là, six autres esprits semblables flottaient en cercle au-dessus du sol. Ce groupe lumineux se retourna pour saluer Zarathoustra et l'invita à quitter son corps physique pour un moment, afin de les rejoindre.

Bas-relief en marbre du IIe siècle av. J.-C. Mithra, l'archange du Soleil – saint Michel dans la tradition hébraïque – est ici en train de tuer le taureau cosmique de la création matérielle. Le blé de la vie végétale sort de l'épine dorsale du taureau et de son sang, le vin de la vie animale. Notez que Mithra porte le bonnet phrygien, qui refit surface dans l'histoire exotérique lorsqu'il fut porté par les initiés des sociétés secrètes qui menèrent la Révolution française. Le martiniste français Joseph de Maistre raconta les cérémonies d'initiation mithraïque en s'inspirant de plusieurs sources. On creusait un trou dans lequel se tenait le candidat. Une grille en métal était placée au-dessus du trou, sur laquelle on sacrifiait un taureau. Le candidat était aspergé du sang de l'animal, qui coulait à flots à travers la grille. À un autre moment de la cérémonie, il devait s'allonger dans une tombe comme s'il était mort, puis l'initiateur l'attrapait par la main droite et le ramenait à une « nouvelle vie ». Il existait sept degrés d'initiation : Corbeau, Nymphus, qui signifie « époux », Soldat, Lion, Persan, Émissaire du Soleil et Père.

Nous avons déjà rencontré ces esprits lumineux, ce sont les esprits du Soleil, appelés les Elohim dans la Genèse. Ils préparaient désormais Zarathoustra pour sa mission.

D'abord, lui dirent-ils, il devait passer à travers le feu sans se brûler.

Puis, ils versèrent du plomb fondu (le métal d'Ahriman) sur sa poitrine : Zarathoustra souffrit en silence. Il retira alors le plomb de son torse et le leur rendit calmement.

Ensuite, ils lui ouvrirent l'abdomen et lui montrèrent les secrets de ses organes internes avant de le refermer.

Zarathoustra retourna à la cour et prêcha ce que les grands esprits lui avaient enseigné. Il dit au roi que les esprits du Soleil, qui avaient créé le monde, travaillaient à sa transformation et qu'un jour la Terre deviendrait un immense corps de lumière.

Le roi avait changé, mais, comme ses prédécesseurs, il était sous l'emprise de ministres malveillants : il ne voulut pas entendre la bonne nouvelle et laissa ses ministres jeter le jeune homme en prison.

Zarathoustra réussit à s'en échapper, ainsi qu'à éviter plusieurs tentatives de meurtre. Il se battit nombre de fois contre les forces du mal et utilisa ses pouvoirs magiques contre les sorciers. Il devint, par la suite, l'archétype du magicien, portant un grand chapeau, une cape d'étoiles et un aigle sur l'épaule. Zarathoustra était un personnage déconcertant et dangereux, prêt à combattre le feu par le feu.

Il réunissait ses disciples dans des grottes retirées, cachées dans la forêt et là, dans ces cavernes souterraines, il les initiait. Il voulait leur donner les pouvoirs surnaturels nécessaires pour se battre pour la bonne cause. Nous connaissons cette ancienne école du Mystère, car elle a survécu pendant 5 000 ans dans les grottes persanes avant de refaire surface avec le mithraïsme, un culte initiatique populaire parmi les soldats romains, et ensuite avec le manichéisme, une religion du Mystère plus récente qui a compté saint Augustin parmi ses adeptes.

Zarathoustra préparait ses disciples à affronter les démons d'Ahriman, ou Asuras, à travers des épreuves initiatiques terrifiantes. Celui qui craint la mort, disait-il, est déjà mort.

Ménippe, le philosophe grec du IIIe siècle avant Jésus-Christ, qui avait été initié par les successeurs mithraïques de Zarathoustra, raconte qu'après une période de jeûne, de mortifications et d'exercices mentaux pratiqués dans la solitude, le candidat était forcé à nager et à traverser le feu et la glace. On l'enfermait ensuite dans une fosse aux serpents puis on lui entaillait le torse à l'aide d'une épée pour faire couler le sang.

En faisant l'expérience des limites de la peur, l'initié était préparé au pire qui pouvait lui arriver, au cours de sa vie et *après la mort.*

Paracelse a dit : « Il faut qu'il y ait le bien et le mal pour que l'un manifeste l'autre, pour que se montre par l'un ce qui est celé dans l'autre. » Réunion d'une société secrète contemporaine dans les bois du West Sussex, en Angleterre. On dit souvent que toutes les sociétés secrètes commercent avec les esprits du mal. Cependant, les grandes sociétés secrètes de l'histoire, comme les rose-croix et les francs-maçons, reconnaissent la part d'ombre seulement pour pouvoir la combattre.

Une partie importante de cette préparation consistait à pousser le candidat à faire l'expérience consciente de la séparation de la partie animale, avec ses parties végétale et matérielle, comme lors du sommeil. Il fallait également faire l'expérience de la séparation des parties animale et végétale, telle qu'elle survient après la mort. En d'autres termes, l'initiation incluait ce qu'on appelle parfois aujourd'hui « faire l'expérience de la mort ».

En quittant son corps, le candidat savait, sans plus aucun doute possible, que la mort n'est pas une fin.

Les personnes qui apprennent à rêver *consciemment*, c'est-à-dire avec la possibilité de penser et d'exercer une volonté que nous n'exerçons d'habitude que dans la vie éveillée, peuvent tout à fait développer des pouvoirs que les critères d'aujourd'hui définiraient comme « surnaturels ». Si on parvient à rêver consciemment, on est sur le bon chemin pour réussir à se mouvoir dans le monde des esprits à sa guise, à communiquer avec les morts et autres êtres désincarnés. On peut

peut-être apprendre des choses sur le futur qui ne seraient pas accessibles autrement, ou voyager dans d'autres parties de l'univers matériel, et voir des choses, même en n'étant pas physiquement présent. C'est ce qu'on appelle un voyage astral. Un grand initié du XVIe siècle, Paracelse, qui, comme nous le verrons, peut prétendre au titre de père de la médecine expérimentale moderne et de l'homéopathie, disait qu'il pouvait *rendre visite à d'autres personnes dans leurs rêves.*

Nous verrons également de nombreuses grandes découvertes scientifiques ont été révélées à des initiés lorsqu'ils étaient dans cet état de conscience altérée.

Influencer l'esprit par des moyens surnaturels est un autre des cadeaux que l'initiation peut prodiguer. Les initiés que j'ai rencontrés ont, indubitablement, un don de télépathie qui dépasse de loin ce que font les scientifiques sceptiques, lors d'expériences de *cold reading.*

De la même manière, la science n'a que des explications faibles et peu convaincantes en ce qui concerne l'hypnose car, même si elle est utilisée abusivement par les charlatans, l'hypnose était à l'origine – et elle le demeure dans son essence – une pratique occulte. En fin de compte, elle n'est explicable qu'en acceptant le concept de l'esprit précédant la matière. Elle naquit avec les rishi en Inde et avec les techniques utilisées durant les initiations par les prêtres égyptiens. Dans les *Yoga Sutra de Patañjali*, le pouvoir d'influencer la pensée des autres est un des pouvoirs appelés *vibhuti*. Cette pratique était utilisée à des fins bienveillantes, mais à mesure que le monde devenait un endroit dangereux, elle s'est transformée en moyen de défense aussi bien que d'attaque.

Nous avons déjà dit que dans la vision philosophique de l'esprit précédant la matière, la façon de regarder quelqu'un peut l'affecter au niveau subatomique. Les représentations du troisième œil, en forme de cobra enroulé, sur le front des initiés égyptiens indiquent que ce chakra peut se tendre et mordre ce qu'il perçoit. Au XVIIe siècle, le chimiste et Jean-Baptiste Van Helmont déclara que certains humains étaient capables de tuer un cheval à distance, simplement en le regardant fixement pendant quinze minutes. Depuis le XVIIIe siècle, les voyageurs européens qui se rendent en Inde sont fascinés par la faculté des mystiques à plonger quiconque dans un état de catalepsie grâce à leur seul regard. L'histoire qui suit est celle d'un voyageur du XIXe siècle qui fut consignée par Gerald Massey, un initié, ami de George Eliot.

Ce voyageur avait été ensorcelé par le regard d'un serpent, qui le faisait plonger, fasciné, de plus en plus profondément dans un sommeil somnambulique. Tout à coup, une autre personne du groupe tua le serpent, mettant fin brutalement au pouvoir qu'il exerçait sur le voyageur : ce dernier sentit un souffle dans la tête, comme si on lui avait fait sauter la cervelle avec une balle de pistolet. Au XXe siècle, d'autres voyageurs rapportèrent des histoires de loups qui arrivaient à immobiliser leurs victimes et à les empêcher de crier au secours, même quand celles-ci ne se savaient pas regardées. De mémoire d'homme, dans le village de Crowborough, qui se trouve à neuf kilomètres de l'endroit où j'écris ces lignes, vécut un sage, un guérisseur qu'on appelait « Pigtail Badger ». Les villageois avaient peur de lui, car on disait que cet homme grand, imposant, à l'air féroce, pouvait stopper la trajectoire de quelqu'un simplement en le regardant. On disait qu'il faisait parfois cela avec les fermiers qui labouraient leur champ et qu'il s'asseyait ensuite face à eux pour avaler leur repas.

Trois yeux égyptiens

LES PRINCIPAUX ENSEIGNEMENTS INITIATIQUES concernaient la façon dont on percevait les mondes des esprits après la mort. Les candidats ne doutaient pas de l'existence de la vie après la mort – cela ne leur serait même pas venu à l'esprit – mais ils redoutaient la nature exacte de cette expérience. Ils avaient peur que les démons, qu'ils avaient passé leur vie à esquiver, les attendent après leur mort : l'initiation apprenait aux candidats comment naviguer sains et saufs dans l'au-delà.

Comme nous l'avons dit, pendant le sommeil, l'esprit animal laisse les parties végétale et minérale derrière lui. Dans la mort, en revanche, la partie végétale, qui ordonne les fonctions vitales de base, s'en va avec l'esprit animal.

La partie végétale de la nature humaine a plusieurs fonctions, y compris le stockage de la mémoire. Comme elle se détache du corps matériel, les deux commencent à se désintégrer et c'est grâce à ce processus que l'esprit passe en revue la vie qui vient de s'achever.

La partie végétale se dissipe et se détache de l'esprit animal en quelques jours, et l'esprit passe alors dans la sphère sublunaire. C'est là qu'il est attaqué par des démons qui lui arrachent tous ses désirs bestiaux, corrompus et impurs, toutes ses envies maléfiques. C'est cette région, où l'esprit doit traverser ce processus de purification douloureux pendant une période équivalente à environ un tiers du temps qu'il a passé sur terre, que les chrétiens appellent le Purgatoire. C'est le même endroit qui correspond aux Enfers pour les Égyptiens et les Grecs, et au *kamaloca* (littéralement, « la région du désir ») pour les hindouistes.

Voici une phrase extraordinaire, attribuée à Maître Eckhart, le mystique allemand du XIIIᵉ siècle : « Ainsi, si tu as peur de la mort, si tu t'accroches trop, viennent des démons qui t'arrachent à la vie. Mais si tu as fait la paix en toi, les démons deviennent des anges qui t'affranchissent du poids de la terre. » Un initié adopte l'attitude juste face à la mort : il a fait la paix en lui. Il voit au-delà des apparences et sait que les démons, quand ils sont à leur place, remplissent un rôle inestimable, dans ce qu'on pourrait appeler l'« écologie » du monde des esprits. Car si l'esprit n'est pas purgé de cette manière, il ne peut pas s'élever dans les plus hautes sphères et entendre leur musique. Après son voyage prodigue sur terre, l'esprit ne peut être réunifié avec le Père tant qu'il n'a pas été purifié.

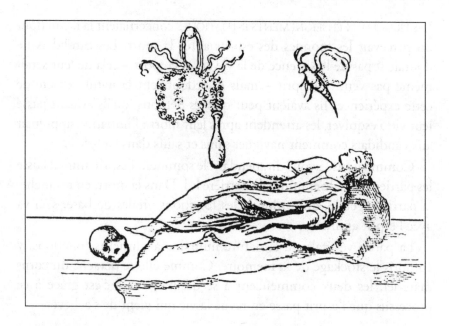

*Iconographie de l'esprit quittant le corps dans les arts égyptien et chrétien (*L'Iconographie chrétienne, *de Didron) ; Dans l'image égyptienne, l'esprit est montré en train de se séparer de la matière âme, mise au rebut.*

Il est important de garder à l'esprit que la connaissance acquise durant l'initiation n'est pas aride et abstraite, mais existentielle. L'initié a une expérience bouleversante, hors des limites de son corps.

De la sphère lunaire, l'esprit s'envole jusqu'au domaine de Mercure, de là jusqu'à Venus et ensuite jusqu'au Soleil. Puis, comme le dit l'orateur grec Aristide, l'esprit éprouve une légèreté qu'une personne qui n'a pas été initiée ne peut ni décrire, ni comprendre. Il est important de se souvenir que cet enseignement était commun aux écoles du Mystère de toutes les cultures de l'Antiquité et qu'il a été perpétué jusqu'aux temps modernes par les sociétés secrètes. Depuis le *Livre des morts* égyptien, à travers la Kabbale chrétienne de la *Pistis sophia,* ou *La Divine Comédie* de Dante, et jusqu'à la littérature moderne comme *Le Petit Prince* d'Antoine de Saint-Exupéry, la doctrine secrète a été préservée, parfois dans des livres que seuls les initiés peuvent comprendre – mais parfois dissimulée dans des œuvres exposées aux yeux de tous.

Dans les textes anciens, l'initié apprend les noms secrets des esprits qui gardent l'entrée de chaque sphère et parfois aussi les poignées de main secrètes ou autres signes et formules dont il a besoin pour franchir l'entrée. Dans la *Pistis sophia,* ces sphères sont en cristal, et les gardiens de leurs entrées sont des archontes [2] ou des démons.

Dans toutes les religions antiques, l'être qui guidait l'esprit humain à travers les Enfers et qui l'aidait à négocier le passage avec chaque gardien était le dieu de la planète Mercure.

Mais les initiés des écoles du Mystère préservaient un secret beaucoup plus étrange. À mi-chemin du voyage à travers les sphères s'opère un passage de relais : la tâche de guider l'esprit humain vers le haut est confiée à un grand être dont l'identité va peut-être vous surprendre. *Dans la dernière partie de l'ascension des sphères célestes, celui qui montre le chemin est Lucifer.*

Dans l'écologie spirituelle du cosmos, Lucifer est un mal *nécessaire,* aussi bien dans cette vie – car sans lui les humains ne pourraient ressentir le désir – qu'après la mort. Sans Lucifer, l'esprit serait plongé dans une obscurité totale qui l'empêcherait de comprendre son ascension. L'écrivain du IIe siècle romain Apulée écrivit que pendant l'initiation, l'esprit est confronté aux dieux du ciel dans toute leur splendeur révélée – et dépouillés de leurs ambiguïtés.

Illustration du Petit Prince *montrant l'ascension à travers les sphères.*

---

[2] Dans la plupart des cités grecques, dont Athènes, les archontes sont les titulaires des charges les plus élevées, qui avaient d'importantes fonctions judiciaires et politiques (ndlt)

L'esprit s'élève à travers les sphères de Jupiter et Saturne, passe par les sphères des constellations et se trouve enfin réunifié avec le grand Esprit cosmique. C'est un voyage douloureux, déroutant et épuisant. Plutarque a écrit qu'enfin, une merveilleuse lumière nous accueille, de merveilleux prés où l'on chante et où l'on danse, la solennité des royaumes sacrés et des apparitions bénies.

Puis l'esprit doit recommencer sa descente à travers les sphères : il se prépare à sa prochaine incarnation. En descendant, chaque sphère lui offre un cadeau dont il aura besoin quand il réintégrera le monde de la matière.

Le récit qui suit a été reconstitué à partir de fragments de tablettes anciennes datant peut-être du troisième millénaire avant Jésus-Christ, retrouvés en Irak à la fin du XIXᵉ siècle :

Il la fit sortir par la première porte et lui restitua le voile de sa pudeur,

Il la fit sortir par la seconde porte et il lui restitua les anneaux de ses mains et de ses pieds,

Il la fit sortir par la troisième porte et lui restitua la ceinture en pierres précieuses de sa taille,

Il la fit sortir par la quatrième porte et lui restitua les tuniques de son corps,

Il la fit sortir par la cinquième porte et lui restitua les opales de son cou,

Il la fit sortir par la sixième porte et lui restitua les boucles de ses oreilles,

Il la fit sortir par la septième porte et lui restitua la grande tiare de sa tête.

Aujourd'hui, on rappelle à chaque enfant l'histoire de ces cadeaux, en lui racontant *La Belle au bois dormant*. L'esprit humain réagit toujours chaleureusement à ce conte, car il le ressent comme profondément véridique.

Mais pour comprendre le sens ésotérique de *La Belle au bois dormant*, il faut considérer ce conte, pour ainsi dire, à l'envers. L'histoire raconte qu'à la fête donnée pour célébrer sa naissance, six fées offrent à la princesse des cadeaux pour lui permettre d'avoir une vie heureuse et épanouie. La septième fée, qui représente Saturne ou Satan, l'esprit du matérialisme, maudit l'enfant et lui prédit la mort, sort qui se transforme en une longue période de sommeil. Ces sept fées sont, bien évidemment, les sept dieux des sphères planétaires.

Ce qui est à l'envers dans cette histoire, c'est que ce sommeil mortel, dénué de rêves, malédiction de la fée malveillante, correspond en réalité à la vie sur terre. C'est-à-dire que par l'intervention de Satan, les humains perdent graduellement la conscience et, finalement, également la mémoire du temps passé dans les hiérarchies célestes. « Notre naissance n'est autre qu'un sommeil et un oubli[3]. » De fait, ce que l'on doit comprendre dans cette histoire, c'est que la fête du début du récit se déroule dans le monde des esprits et que ce n'est que lorsque la Belle s'endort qu'elle vit sur le plan matériel. Quand elle se réveille, elle meurt !

À vrai dire, nous avons déjà rencontré un paradoxe similaire dans l'histoire d'Osiris, qui a lieu essentiellement dans le monde des esprits. Quand il est cloué dans le coffre qui lui va comme une seconde peau, il s'agit de *sa* peau. Il est mort pour Isis, tant qu'il est vivant sur le plan matériel.

CES HISTOIRES NOUS DISENT QUE CETTE VIE ainsi que la vie après la mort, sont gouvernées par les planètes et les étoiles. Cela devrait attirer notre attention sur un autre aspect très important des enseignements initiatiques. L'initiation prépare le candidat à rencontrer les gardiens des différentes sphères, aussi bien en montant qu'en descendant. Si ces enseignements sont bien ancrés dans l'esprit de chacun, ils finissent par disposer l'esprit à collaborer consciemment avec les êtres spirituels supérieurs lors de la préparation de sa nouvelle incarnation. Ici, le mot-clé est « consciemment ».

L'initiation demande de forger une relation de travail consciente avec les êtres désincarnés et une connaissance existentielle de la manière dont ils affectent notre vie et la vie après la mort. Elle révèle leur façon d'opérer quand nous sommes éveillés, quand nous dormons, et *quand nous sommes morts*. Les histoires analysées dans les chapitres précédents, comme les travaux d'Hercule, sont structurées d'après différents cycles astronomiques – le voyage du Soleil à travers les mois de l'année et sa précession à travers les galaxies. Le fait est que les schémas qui ordonnent la vie sur terre sont les mêmes que ceux

---

[3] Source inconnue (ndlt)

qui agencent le monde des esprits. Hercule et Job ont traversé des épreuves durant leur vie terrestre, qui sont consignées dans l'histoire du monde, mais ils devront traverser les mêmes épreuves après leur mort – à moins qu'ils en prennent conscience. S'ils n'y parviennent pas, ils les retraverseront durant leur prochaine incarnation.

C'est le but de l'initiation : rendre les expériences de plus en plus conscientes, repousser les limites de la conscience.

Les croyances en matière de réincarnation chez les rose-croix sont dissimulées dans l'histoire de Blanche-Neige *et les sept nains.* Blanche-Neige *« meurt » et est allongée dans un cercueil en verre – une coutume légendaire pour les rose-croix. L'idée de la réincarnation peut sembler étrange pour des personnes qui ont grandi dans une culture chrétienne moderne. Cependant, comme nous le verrons, l'idée de réincarnation existe dans le Nouveau Testament, les premiers chrétiens y croyaient et, depuis, les chrétiens d'ordres supérieurs y croient en secret. Les croyances secrètes sur la réincarnation sont dissimulées dans l'art, l'architecture et la littérature : ici, dans le* Red Fairy Book *d'Andrew Lang.*

Dans nos vies individuelles – et collectives –, nous tournons en rond dans des cercles qui ont été tracés pour nous, par les planètes et les étoiles.

Mais si nous prenons conscience de l'existence de ces cercles de manière plus intime, si nous prenons conscience de l'action des étoiles et des planètes sur nos vies, alors nous ne sommes plus, dans un certain sens, piégés par eux, nous nous élevons au-dessus de ces cercles et nous ne tournons plus en rond et nous engageons dans une spirale ascendante.

ZARATHOUSTRA PORTAIT UN MANTEAU RECOUVERT d'étoiles et de planètes, en signe de la connaissance que lui avaient apportée les grands esprits du Soleil. C'est cette connaissance qu'il a transmise à son tour lors d'initiations. Quand les candidats réintégraient leur enveloppe charnelle, après leur expérience de décorporation, Zarathoustra leur permettait d'explorer les mécanismes internes de leurs corps – ce que l'autopsie permit de faire des milliers d'années plus tard. La différence tient encore au fait que les anciens n'étaient pas habitués à concevoir l'anatomie humaine de manière abstraite ou conceptuelle – ils considéraient la vie le plus subjectivement possible –, mais plutôt en l'*éprouvant*. C'est ainsi qu'ils connurent la glande pinéale, bien avant que la science moderne ne la « découvre ».

Au moment de la transition entre le VIe et le Ve siècle avant Jésus-Christ, l'humanité se lança dans la construction des grands cercles de pierre que nous pouvons admirer encore aujourd'hui. Pendant l'ère indienne, les dieux s'étaient retirés, et l'humanité avait été forcée de trouver le moyen de les suivre ; désormais, l'assistance des dieux se faisait plus rare, et les gens durent à nouveau chercher de nouvelles manières de leur demander de l'aide. Encore une fois, l'humanité était en train de sortir d'elle-même.

Zarathoustra, l'initiateur de ces monuments en pierre, peut être considéré comme une image inversée d'un Énoch postdiluvien.

Les cercles mégalithiques en pierre, qui commencèrent à fleurir à travers le Proche-Orient, l'Europe septentrionale et l'Afrique du Nord, étaient construits pour mesurer les mouvements des corps célestes. Dans les années 1950, le professeur Alexander Thom, de l'université de Cambridge, fut le premier à comprendre que les monuments mégalithiques à travers le monde étaient construits d'après une unité de mesure commune, qu'il appela le « yard mégalithique ». Cela a été vérifié depuis, par des analyses statistiques de monuments à grande échelle. Récemment, le Dr Robert Lomas, de l'université de Sheffield, a démontré qu'il était possible que cette unité de mesure, d'une précision étonnante, ait été la même dans différentes parties du monde ; un pendule qui se balance 360 fois pendant la période nécessaire à une étoile pour se déplacer le long d'un des 360° qui divisent la voûte céleste, fera une course d'exactement 16,32 pouces. Ce qui équivaut précisément à la moitié d'un « yard mégalithique ».

Les anciens, qui considéraient les étoiles et les planètes comme les régulateurs de la vie sur terre, définirent naturellement les premières mesures mathématiques du monde physique en référence aux corps célestes, ce qui revient à dire, spirituels. De fait, les mathématiques, à l'origine, n'étaient pas seulement *holistiques*, dans le sens qu'elles prenaient en compte la taille, la forme et le mouvement de la Terre et son rapport aux corps célestes, elles étaient aussi l'expression d'un élan spirituel.

LES POUVOIRS MALFAISANTS ONT TOUJOURS MENACÉ DE DÉTRUIRE Zarathoustra. Dans les montagnes, les lieux de pèlerinage zoroastriens d'aujourd'hui, on commémore cela de manière poignante : une flamme allumée est en permanence exposée à la brutalité des vents.

À soixante-dix-sept ans, Zarathoustra fut assassiné sur son autel.

KRISHNA NAQUIT PEU AVANT LA FIN DU QUATRIÈME MILLÉNAIRE, en l'an 3228 avant Jésus-Christ. Ce berger prophète était en quelque sorte le précurseur de Jésus-Christ. (Nous verrons bientôt comment Krishna, Osiris et Zarathoustra sont représentés, bien que déguisés, assistant à la Nativité dans des tableaux de la Renaissance.)

Il ne faut évidemment pas le confondre avec le Krishna dieu de la Guerre, le premier Atlante qui mena la grande bataille épique pour défaire les forces « lucifériennes » du désir et de l'illusion. Ces forces étaient désormais ancrées au plus profond de la nature humaine et avaient dégénéré en soif d'or et de sang.

Le besoin d'un nouveau sauveur se faisait sentir.

La future mère, la vierge Devaki, avait été assaillie par des visions de plus en plus pressantes. Un jour qu'elle était en extase, elle entendit la musique céleste des harpes ainsi que des voix et, dans une explosion de myriades de lumières, le dieu Soleil lui apparut, sous une forme humaine. Éblouie, elle perdit totalement connaissance.

L'initiation, par le maître de la Renaissance Andrea Mantegna. À comparer avec la représentation romaine de l'initiation de la page 52. L'acolyte encapuchonné est terrorisé : on lui fait « ressentir » une chute fatale. C'est une partie du procédé nécessaire pour provoquer une expérience de décorporation, qui permet au candidat de connaître, personnellement et de façon existentielle, ce qui arrivera quand son esprit quittera son corps après sa mort. On retrouve également la persistance de cette tradition dans le récit que le grand mage du XVIIIᵉ siècle, Cagliostro, fit de son initiation dans une loge maçonnique à Londres. À l'Esperance Lodge, au-dessus d'un pub de Soho, on lui demanda de jurer le secret, puis on lui banda les yeux. On lui attacha une corde autour de la taille et il entendit des poulies grincer alors qu'on le hissait au plafond. Tout à coup, on le laissa tomber sur le sol, on lui retira son bandeau et il vit un pistolet qu'on chargeait avec de la poudre et une balle. On lui remit le bandeau et on lui donna le pistolet, lui demandant de prouver son obédience à la loge en se tirant une balle dans la tête. Il hésita et ses initiateurs lui hurlèrent qu'il était lâche. Il appuya sur la gâchette, entendit une explosion et sentit un sifflement sur la tempe et l'odeur de la poudre. Il avait cru qu'il allait mourir. Désormais, il était initié.

Avec le temps, Krishna naquit. Devaki fut prévenue par un ange que son frère, Kansa, essayerait de tuer son garçon, alors elle s'enfuit de la cour pour aller vivre au milieu des bergers au pied du mont Méru.

Kansa était un tueur d'enfants, chassant ceux des pauvres gens, depuis qu'il était lui-même enfant. Cette fois-ci, il envoya un serpent géant à crête rouge tuer son neveu, mais Krishna réussit à tuer le serpent en le piétinant. Ensuite, un démon femelle appelé Putana, dont les mamelles étaient pleines de poison, l'attira à lui. Mais Krishna suça ses seins avec une telle puissance qu'elle se fripa et tomba raide morte.

Kansa continua à persécuter son neveu, essayant de le chasser comme un animal sauvage. Mais en grandissant, Krishna fut protégé par les bergers et se cachait sur les collines ou dans les forêts, où il prêchait la non-violence et l'amour de l'humanité : « Rendez le bien pour le mal, oubliez vos souffrances et pensez à celles des autres » ou « Renoncez aux fruits de votre travail – faites que le travail soit votre seule récompense [4]. » Krishna disait ce que nul avant lui n'avait dit.

Ses enseignements arrivèrent jusqu'à Kansa et le rendirent encore plus furieux, torturant son esprit.

Parmi les nombreuses appellations de Krishna, on trouve « celui que les vaches entendent » (c'est-à-dire le « vacher ») et le « seigneur des laitières ». Il aimait la vie simple de la campagne et il prêchait, mais il évitait toute confrontation directe avec Kansa. Les laitières étaient toutes folles amoureuses de ce jeune homme élancé. Il aimait jouer de la flûte et danser avec elles la danse de l'amour. Un jour, il les observa lorsqu'elles se baignaient dans la rivière Yumana, puis vola leurs affaires et grimpa en haut d'un arbre où elles ne pouvaient le rattraper. Une autre fois, il dansait avec elles et elles voulaient toutes lui tenir la main ; alors il se démultiplia, pour que chacune ait l'impression qu'elle tenait la main du vrai Krishna.

Un jour, son frère et lui-même, déguisés en pauvres gens de la campagne, se risquèrent jusqu'à Mathura, la ville de Kansa, pour prendre part à un tournoi d'athlétisme. Ils croisèrent alors Kubja, une jeune fille bossue qui portait des onguents et des parfums au palais. Elle donna sans hésiter à Krishna certains onguents qu'il lui demandait, même si elle ne pouvait absolument pas se permettre de lui faire un tel cadeau. Il la soigna alors de sa difformité et elle devint belle.

Kansa ne fut pas dupe du déguisement des deux frères et quand ces derniers se présentèrent au combat, ils se trouvèrent face à deux géants que Kansa avait embauchés pour les mettre en pièces. Un énorme éléphant était prêt à les piétiner jusqu'à la mort, si les géants échouaient. Krishna et son frère retournèrent la situation en leur faveur et réussirent à s'enfuir.

---

[4] La traduction est de nous (ndlt)

Krishna est un dieu de la transgression dont le numen – la virilité sacrée – le place au-delà de la moralité conventionnelle.

Mais le jeune berger finit par décider d'enlever son déguisement et de se présenter à visage découvert devant Kansa. Quand il revint à Mathura, il fut accueilli en sauveur par la population qui le couvrit de fleurs et de guirlandes. Kansa attendait avec son escorte sur la place principale.

« Tu as volé mon royaume », lui dit Kansa. « Tue-moi ! »

Krishna refusa. Alors Kansa ordonna à ses soldats de s'emparer de lui et de l'attacher à un cèdre. Le berger fut ensuite martyrisé par les archers de Kansa.

Ce fut avec la mort de Krishna, au cours de l'année 3102 avant Jésus-Christ, que le kali yuga – l'âge des ténèbres – commença. Un yuga est la division d'une grande année : il y a huit yugas au cours d'un cycle complet de précession.

Dans les traditions occidentale et orientale, ce grand virage cosmique commence en 3102 avant Jésus-Christ et se termine en 1899. Nous verrons au chapitre 24 comment les francs-maçons ont célébré la fin prochaine du kali yuga, en érigeant des monuments gigantesques dans le centre des grandes villes du monde occidental. La foule passe à côté de ces monuments familiers sans savoir qu'ils sont des représentants de l'histoire et de la philosophie proposées dans ce livre.

DANS L'OBSCURITÉ NAISSANTE, UNE LUEUR apparaissait. Krishna mourait, mais un autre grand personnage arrivait à l'âge adulte : un porteur de lumière s'incarnait comme, trois mille ans plus tard, Jésus-Christ le ferait.

Dans le prochain chapitre, nous allons nous pencher sur la vie du Lucifer incarné et l'époque à laquelle il a vécu.

11

Affronter la matière

*Imhotep et l'ère des pyramides • Gilgamesh et Enkidu •
Abraham et Melchisédek*

DEPUIS QUE LA SOCIÉTÉ EXISTE, de petits groupes de personnes ont eu recours à des techniques secrètes pour altérer leur état de conscience, avec la conviction que ces états donnaient le pouvoir de percevoir les choses d'une manière inaccessible à un état de conscience ordinaire.

Le problème est que, de nos jours, la conscience ordinaire, particulièrement terre à terre et empreinte de bon sens, et ce d'une manière inégalée dans l'histoire, prétend que ce que l'on perçoit dans cet état de conscience alternatif est forcément une illusion. Si les initiés d'une société secrète se plongent dans un état hallucinatoire, communiquent avec des êtres éthérés, voient le futur et influencent le cours de l'histoire, cela ne peut être qu'un mirage, ce sont des hallucinations.

Et s'il était possible de démontrer que, dans certains cas, ces états produisent un résultat ?

Nous avons suggéré que les états alternatifs ont inspiré certaines des plus grandes œuvres d'art, de la littérature et de la musique ; mais cet argument est faible, car on peut objecter qu'il s'agit simplement d'imagination, rien qui affecte la vie dans son aspect le plus pratique. Après tout, beaucoup d'œuvres d'art, même les plus importantes, recèlent un élément de fantaisie.

Notre esprit moderne préfère les preuves concrètes. Alors qu'en est-il des grands exploits technologiques ou des grandes découvertes scientifiques ? Dans ce chapitre, nous allons suivre l'évolution d'une époque où de grands initiés des écoles du Mystère ont conduit l'humanité vers des exploits techniques inégalés : du temple de Baalbek au Liban, constitué d'un bloc de granit sculpté qui pèse mille tonnes, que même la grue la plus puissante ne pourrait soulever aujourd'hui, jusqu'aux grandes pyramides de Gizeh et d'autres pyramides chinoises moins connues.

Au début de cette ère, les premières grandes civilisations semblèrent surgir de nulle part – la sumérienne dominée par le héros taureau Gilgamesh, l'égyptienne avec le culte du taureau Osiris et la crétoise avec ses courses de taureaux. L'ère de ces civilisations est l'ère du Taureau, qui commença au tout début du IIIᵉ siècle avant Jésus-Christ. Pour une raison que l'histoire conventionnelle n'arrive pas à déterminer, les gens commencèrent à vivre dans des sociétés hautement organisées, dans des villes de taille gigantesque, techniquement sophistiquées et complexes.

UN ÉVÉNEMENT OBSCUR, MAIS CAPITAL, QUI EUT LIEU en Chine, est enveloppé de mystère : même les grands initiés n'arrivent pas à le lire clairement.

Au troisième millénaire avant Jésus-Christ, les Chinois menaient une vie nomade et tribale et, d'après Rudolf Steiner, c'est dans un de ces campements que naquit un être extraordinaire. Quelques milliers d'années plus tard, un autre être céleste exalté s'incarnerait en Jésus-Christ mais, pour l'heure, c'est Lucifer qui avait trouvé son incarnation.

La naissance de Lucifer marqua le début de la sagesse.

Bien évidemment, j'utilise le mot « sagesse » de manière particulière – l'investissant du même sens que lui donnent les universitaires ou les érudits quand ils parlent de « la sagesse de la Bible ». Le livre des Proverbes ou l'Ecclésiaste, par exemple, qui sont des recueils de règles pour une vie heureuse et réussie, recèlent une sagesse qui ne présente aucune dimension morale ou religieuse, contrairement aux enseignements d'autres livres bibliques. Il s'agit ici d'une sagesse pratique et prudente, qui conseille ce qu'il faut faire afin de servir au mieux ses intérêts. Elle ne dit pas que la bonne conduite est récompensée et la mauvaise, punie ; excepté par les hommes eux-mêmes. Il n'y a, en fait, dans ces textes aucune notion d'un ordre providentiel.

Ces livres, qui ont été rassemblés sous la forme que nous leur connaissons aujourd'hui en 300 avant Jésus-Christ, sont le fruit d'une pensée développée environ 2 500 ans auparavant. L'histoire secrète avance que cette forme de sagesse fut possible grâce à l'incarnation et au ministère de Lucifer.

La majeure partie de l'initiation aux disciplines spirituelles a lieu entre l'enfance et l'âge adulte, à la suite de nombreuses années de préparation. L'initiation à la Kabbale, par exemple, n'est traditionnellement possible qu'à l'âge de quarante ans ; pour ce qui est des candidats à l'initiation à l'école de Pythagore, ils devaient vivre isolés, dans le silence total, pendant des années avant que leur éducation ne puisse commencer. Cependant, depuis sa naissance, Lucifer fut élevé dans l'enceinte d'une école du Mystère. Un cercle de mages travailla intensément à son éducation, lui permettant de prendre part aux cérémonies les plus secrètes, façonnant son âme jusqu'à l'âge de quarante ans, où il eut enfin une révélation. Il fut la première personne à être capable d'envisager la vie sur terre de façon totalement rationnelle.

AU CHAPITRE 8, NOUS AVONS VU QU'ORPHÉE avait inventé les nombres. Mais à l'époque d'Orphée, il était impossible de penser aux nombres sans prendre en compte leur signification spirituelle. Grâce à Lucifer, il est devenu possible de penser aux nombres sans connotation symbolique, de les envisager comme de simples instruments de mesure de quantité, dépouillés de toute notion de qualité. Les gens étaient désormais libres de mesurer, de calculer, de fabriquer et de construire.

Nous savons par Plutarque que le fils d'Orphée, Asclépius, était assimilé à Imhotep, qui a vécu aux environs de 2500 avant Jésus-Christ. C'est à ce moment-là que la grande vague de changements, cette manière révolutionnaire de penser venue d'Extrême-Orient, s'est imposée.

Imhotep était le vizir du grand roi égyptien Djoser. Il était connu comme « le sculpteur, le faiseur de vases de pierre ». Il était aussi appelé « l'observateur en chef », titre qui revint par la suite au grand prêtre d'Héliopolis. Représenté parfois avec une grande cape étoilée ou tenant un rouleau de parchemin, Imhotep était connu dans l'Antiquité comme le grand maître bâtisseur et architecte de la grande pyramide à degrés de Saqqara. Au XIXᵉ siècle, les archéologues qui faisaient des fouilles au pied de la pyramide découvrirent des trésors dans une cache, scellés dans le bâtiment depuis sa construction et que l'on appela les « choses impossibles d'Imhotep ». Certaines d'entre elles sont visibles aujourd'hui au Metropolitan Museum de New York. Les commentateurs du XIXᵉ siècle furent surtout fascinés par les vases qui, dirent-ils, seraient impossibles à reproduire par un artisan contemporain. Leur goulot étroit et leur ample corps laissent perplexe, car on se demande toujours comment le cristal de roche dans lequel ces vases sont creusés a pu être évidé de la sorte.

À une demi-heure de voiture de Saqqara se trouve la Grande Pyramide. C'est sans doute la construction la plus magnifique au monde, solidement érigée à ce moment décisif de l'histoire et orientée aux quatre points cardinaux avec une précision remarquable. Il n'est pas utile de décrire à nouveau sa magnificence, il nous suffit de savoir que même si, en principe, il serait possible d'en ériger une semblable aujourd'hui, cela serait ruineux pour toutes les économies ou presque, même les plus riches du monde et cela s'avérerait surtout une gageure pour l'ingénierie moderne, pour ce qui est de l'exactitude de l'orientation astronomique.

Mais ce qui rend la Grande Pyramide encore plus extraordinaire, presque miraculeuse, selon l'histoire secrète, c'est le fait qu'il s'agisse du *premier* bâtiment égyptien.

Les historiens conventionnels prétendent que les ambitions architecturales des Égyptiens ont évolué de la simple tombe, appelée mastaba, à la pyramide à six degrés, relativement difficile, pour culminer dans la sophistication et l'extrême complexité de la Grande Pyramide, dont on dit habituellement qu'elle date de 2500 avant Jésus-Christ. En l'absence de récits de l'époque et parce que ces bâtiments ne contiennent aucun élément organique qui pourrait permettre de les dater au moyen du carbone 14 et, qu'à ce jour, il n'existe pas de méthode permettant de dater la pierre taillée, cette interprétation peut sembler sensée.

Mais j'ai suggéré au début de ce livre qu'il s'agit ici d'une histoire à l'envers, sens dessus dessous : dans l'histoire secrète, la Grande Pyramide a été construite en 3500 avant Jésus-Christ, avant la fondation des grandes civilisations égyptienne et sumérienne, à une époque où les cercles de pierres et autres monuments « cyclopéens » étaient les seules constructions existantes.

Imaginons les peuples de l'âge de pierre, vêtus de peaux d'animaux et portant des outils primitifs, admirant, stupéfaits, la Grande Pyramide.

D'après l'histoire secrète, la pyramide à six degrés et d'autres constructions moins importantes représentent donc non pas une ascension, mais un déclin.

La Grande Pyramide est conventionnellement considérée comme une tombe : il a donc été dit que les puits qui, depuis ce qu'on appelle les chambres du roi et de la reine, sont dirigés vers des étoiles particulières, seraient des sortes de machines conçues pour aider l'esprit mort du pharaon à sortir de la tombe et rejoindre la demeure de son repos céleste. Dans cette vision, la Grande Pyramide serait donc une gigantesque machine à *ex-carnation*.

Du point de vue de l'histoire secrète, cette interprétation est anachronique. À cette époque, la croyance était qu'après la mort tous les esprits humains voyageaient à travers les sphères planétaires jusqu'aux étoiles. Comme nous l'avons vu, les vivants étaient encore tellement imprégnés du monde des esprits qu'il aurait été aussi difficile pour les hommes et les femmes de cette époque de décider de ne plus croire à la réalité du voyage d'après la mort, que pour nous de ne pas croire à l'existence du livre ou de la table qui sont devant nous.

Pour comprendre la fonction de la Grande Pyramide, nous devons chercher ailleurs. L'essence de la civilisation égyptienne ancienne est qu'elle essaye de se confronter à la matière. Cette volonté nouvelle de couper et de sculpter la pierre l'illustre bien.

Le rapport nouveau à la matière est également visible dans la pratique de la momification. Nous attribuons aux anciens des croyances absurdes lorsque nous relions la momification et les objets funéraires élaborés à la soi-disant croyance que les esprits voudraient *utiliser* ces objets après la mort. D'après la pensée ésotérique, le but de ces pratiques funéraires serait autre : ces objets exerceraient une attraction magnétique sur l'esprit ascendant, ce qui l'aiderait à se réincarner rapidement. On pensait que si le corps qui ne servait plus à rien était préservé, il resterait un point d'ancrage pour l'esprit qui venait de le quitter et exercerait une attraction qui aiderait l'esprit à revenir sur terre.

L'explication ésotérique concernant la Grande Pyramide est similaire. Au chapitre 7, nous avons dit que les grands dieux, trouvant de plus en plus difficile de se réincarner, s'étaient retirés sur la Lune, ne venant sur Terre que de plus en plus rarement.

La Grande Pyramide est une gigantesque machine à réincarnation.

LA CIVILISATION ÉGYPTIENNE représente un nouveau grand élan de l'évolution humaine. Elle est très différente de la civilisation orientale qui enseignait que la matière est mâya, ou illusion. Les Égyptiens initièrent la grande mission spirituelle de l'Ouest, qu'on appelle, dans l'alchimie, le soufisme ou la franc-maçonnerie et ailleurs, dans les sociétés secrètes, *l'œuvre*. La mission était de travailler la matière, de la couper, de la sculpter, de l'imprégner d'intentions sacrées, jusqu'à ce que chaque particule de l'univers ait été travaillée et rendue spirituelle. La Grande Pyramide était la première manifestation de ce désir.

CETTE HISTOIRE ABORDE LE THÈME DE LA CONSCIENCE de différentes manières.

Il s'agit d'abord d'une histoire qui a été racontée dans différents groupes, dont le but était d'atteindre des états de conscience altérés.

Ensuite, cette histoire suppose que la conscience ait changé avec le temps, de manière bien plus radicale que les historiens conventionnels ne veulent bien l'admettre.

Pour finir, elle suggère que la mission de ces groupes qui travaillaient sur leur état de conscience était de diriger son évolution. Dans un univers né de l'esprit, le but ultime de la création est toujours l'esprit.

Je voudrais revenir sur le deuxième point et démontrer que certains universitaires ont écrit récemment des ouvrages qui viennent corroborer la vision ésotérique selon laquelle la conscience d'alors était très différente de celle d'aujourd'hui.

Au moment où naissait la civilisation égyptienne, aux environs de 3250 avant Jésus-Christ, apparaissait entre le Tigre et l'Euphrate la civilisation sumérienne. Dans les premières villes sumériennes, les maisons abritaient les statues des ancêtres et de dieux mineurs. On gardait parfois un crâne, dans lequel « habitait » un esprit. Mais le grand esprit, celui qui avait pour tâche de protéger l'intérêt de la ville, « habitait » dans la « maison de dieu » : un grand bâtiment au centre des temples.

Les villes grandissaient, tout comme les « maisons de dieu », qui finirent par devenir des ziggourats, de grandes pyramides à degrés en briques crues. Au centre de chaque ziggourat, il y avait une grande pièce où trônait la statue du dieu, incrustée de métaux et de pierres précieux et enveloppée dans des vêtements éblouissants.

D'après les textes cunéiformes, les dieux sumériens aimaient manger et boire et appréciaient la musique et la danse : on mettait donc de la nourriture sur les tables et on les laissait seuls pour qu'ils puissent en profiter. Après un certain temps, les prêtres revenaient pour manger ce qu'il restait. Les dieux avaient aussi besoin de lits pour dormir et pour faire l'amour avec d'autres dieux. Pour cela, on les lavait, on les habillait et on les parfumait.

Comme pour les objets funéraires égyptiens, le but de tout cela était d'essayer de séduire les dieux afin qu'ils viennent habiter dans le monde matériel : on voulait leur rappeler les plaisirs sensuels qui leur étaient refusés dans le monde des esprits.

L'abeille est un symbole extrêmement important dans la tradition secrète. Les abeilles comprennent comment construire leurs ruches, avec une sorte de génie préconscient. Dans la construction de la ruche, les abeilles incorporent des données étonnamment précises comme, par exemple, l'angle de rotation de la Terre. Les cylindres sumériens nous montrent des corps humains surmontés de nids d'abeilles en guise de tête : à cette époque, la conscience individuelle était comprise comme étant constituée par différents centres de conscience, comme cela est décrit au chapitre 2. Ces centres pouvaient être partagés, ou même se déplacer d'un esprit à un autre, comme les abeilles de ruche en ruche.

En 1976, Julian Jaynes, professeur d'histoire à Princeton, publia une brillante analyse de textes anciens, qui portait notamment sur des écrits sumériens. *La Naissance de la conscience dans l'effondrement de l'esprit*[1] soutenait qu'à cette période, les gens ne comprenaient

Déesses sumériennes aux têtes en forme de ruche.

---

[1] *The Origin of Consciousness in the Breakdown of the Bicameral Mind* (ndlt)

pas du tout la notion de vie intérieure, telle que nous la concevons aujourd'hui. Ils n'avaient aucun vocabulaire pour la définir et leurs récits montrent que certains aspects relevant du mental (tels que vouloir, penser et ressentir) qu'aujourd'hui nous pensons générer, en quelque sorte, de « l'intérieur », étaient pour eux la résultante d'activités d'esprits et de dieux qui se trouvaient autour d'eux. *Ces impulsions leur apparaissaient comme les ordres d'êtres désincarnés qui vivaient indépendamment d'eux, plutôt que motivées par un ordre provenant d'eux-mêmes.*

AU DESSUS : *Ici, Athéna empêche Achille de frapper Agamemnon, sur un dessin de John Flaxman, qui était un initié des sociétés secrètes.*
CI-DESSUS : *un démon est assis sur l'épaule d'un saint et lui parle à l'oreille.*

Il est intéressant de noter que l'analyse de Julian Jaynes coïncide avec le récit ésotérique de l'histoire que fait Rudolf Steiner. Né en Autriche en 1861, Steiner représente un courant très pur de pensée rosicrucienne et il est le maître ésotérique des temps modernes qui a transmis le plus de détails sur l'évolution de la conscience. Mais, d'après ce que je sais, les recherches de Jaynes n'ont rien à voir avec ce courant ésotérique.

Il est peut-être plus aisé d'apprécier l'analyse de Jaynes à la lumière de la mythologie grecque, qui nous est plus familière. Dans l'*Iliade*, par exemple, on ne voit jamais personne s'asseoir pour réfléchir à ce qu'il convient de faire comme nous le ferions de nos jours. Jaynes montre que pour les gens de l'*Iliade*, l'introspection n'existe pas. Quand Agamemnon enlève la maîtresse d'Achille, ce dernier ne *décide* pas de se retenir : un dieu l'aborde *in extremis* et l'empêche de frapper Agamemnon. Un autre dieu surgit de la mer pour le consoler et c'est également un dieu qui murmure à Hélène sa nostalgie de Sparte. Les universitaires modernes ont tendance à interpréter ces passages comme des descriptions « poétiques » d'émotions intérieures, dans lesquelles les dieux seraient des symboles qu'un poète moderne pourrait exprimer autrement. La vision lucide de Jaynes nous montre que cette interprétation projette la conscience d'aujourd'hui sur des textes écrits par des individus qui avaient une tout autre forme de conscience. Et Jaynes n'est pas le seul à défendre ce point de vue. Le philosophe de Cambridge John Wisdom a écrit : « Les Grecs ne parlaient pas du danger de réprimer les instincts, ils pensaient plutôt contrecarrer Dionysos ou délaisser Poséidon au profit d'Athéna. »

Nous verrons dans les derniers chapitres de cette histoire que cette ancienne forme de conscience a continué à prospérer longtemps après la période dont parle Jaynes. Mais pour l'instant, je voudrais pointer une différence significative entre son analyse et la manière dont les anciens voyaient les choses : Jaynes décrit les dieux qui contrôlent les actions des humains comme des « hallucinations sonores », il dépeint les rois sumériens et les héros grecs comme étant les jouets d'une illusion hallucinatoire. Alors que pour les anciens, au contraire, il n'était pas question d'hallucinations, ils se sentaient indépendants et vivants.

Selon le Dr Jaynes, au temps d'Homère et même avant, les gens vivaient dans un monde d'illusions jusqu'à ce que l'hémisphère

L'agencement de la matière cosmique qui constitue l'illusion du monde matériel est appelé matrice en alchimie. Photo extraite du film *Matrix*, dans lequel la frontière entre le monde matériel et le monde « réel » est contrôlée par des personnages surnaturels menaçants qui portent des lunettes noires.

La matière originelle était plus fine que le gaz ou que la lumière ; elle durcit très graduellement pour devenir la matière que nous connaissons aujourd'hui. Les corps humains traversèrent également ce processus, les os n'étant, à un certain moment, qu'une sorte de cire rose, comme le décrit le philosophe rose-croix Jakob Böhme et comme l'illustre ici Jérôme Bosch.

Aucun surréaliste n'a autant représenté l'ère végétale du cosmos, et de manière aussi saisissante, que Max Ernst. Elle est également présente dans l'architecture de Gaudí, son contemporain, qui célébrait le végétal dans sa pratique religieuse quotidienne, ainsi que par sa diète à base de lait et de laitue. Le stade végétal existe encore aujourd'hui dans une dimension parallèle. William Quan Judge, théosophe, contemporain des deux artistes décrivit cette dimension comme un endroit rempli « de visions et de sons aussi étranges que ceux qu'on rencontre dans la jungle sud-américaine la plus vierge ».

Le serpent luciférien enroulé autour de l'arbre est l'image la plus évidente de l'introduction de la vie animale dans la vie végétale – ainsi que de la formation de la colonne vertébrale caractéristique des animaux. Le serpent était nécessaire au développement de la vie animale, mais il créa également les conditions favorisant la convoitise, la rage, l'illusion – et le mal. *Le Péché*, par l'artiste allemand du XIXe siècle Franz von Stuck.

Les esprits malfaisants ont du mal à sortir de la dimension à laquelle ils appartiennent et à pénétrer le monde ordinaire, mais parfois, les manipulations de non-initiés peuvent les y aider et il arrive que des communautés tout entières soient dépassées par leur pouvoir et se trouvent possédées par une sauvagerie sexuelle terrifiante. C'est ce que racontent de manière saisissante les films de David Lynch, comme sa série TV *Twin Peaks*.

Cauchemar. L'artiste suisse Henry Fuseli, érudit ésotériste, dépeint ici un démon provenant de la face cachée de la lune.

Camée romain, gravé par Aspasius. Dans la tradition ésotérique, les mythes concernant des dieux qui s'accouplent aux humains, qu'ils transforment ensuite en plantes et en animaux, sont le récit de la prolifération des formes biologiques.

Avant que l'anatomie humaine ne se développe dans la forme que nous lui connaissons aujourd'hui, un troisième œil jaillissait du milieu du front. Cet organe nous permettait de percevoir Mère Nature et découvrir sa sagesse. Voici une des célèbres tapisseries du musée de Cluny à Paris.

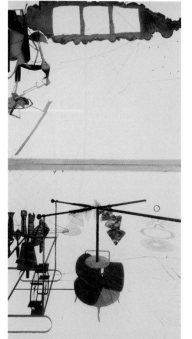

La Tentation de saint Antoine, par l'artiste hollandais Dominicus Van Wijnen, révèle des thèmes ésotériques inhabituellement explicites. Toutes les grandes religions sont idéalistes, dans le sens qu'elles croient toutes que la matière s'est formée à partir d'émanations de l'Esprit cosmique. Ce qui distingue l'élément ésotérique de ces religions, c'est la perception de ces émanations en tant qu'esprits ou anges associés au Soleil et à la Lune et aux planètes du système solaire.

La mariée mise à nu par ses célibataires, même, de Marcel Duchamp. Mise à nu, la mariée se révèle être Sophie, ou la sagesse ésotérique, adorée par les sept esprits du système solaire. Une représentation légère et moderne de la cosmologie ésotérique, imaginée par un inconditionnel de l'hermétisme du XXe siècle.

Les maisons de la Lune hindoues. L'explorateur britannique du début du XIXe siècle Edward Moor répertoria ces anciens symboles hindous représentant les différentes phases de la Lune. Les philosophes ésotériques s'y sont toujours intéressés de près, car ils pensent que les phases lunaires n'affectent pas seulement les marées et les formes des plantes, mais également la conscience humaine.

Minerve chassant les vices du jardin de la vertu, d'Andrea Mantegna. Un paysage du néolithique vu par un œil moderne, ne verrait qu'un monde sauvage parsemé de rares signes de vie humaine, comme peut-être quelques pierres empilées et des gens à peine vêtus de peaux d'animaux. Mais pour les yeux de la conscience de l'époque, cela ressemblerait plus à ce que dépeint ici Mantegna : un magnifique déploiement de dieux, de déesses et d'esprits, prenant part aux événements qui ont façonné la conscience dont nous avons hérité. Quelle vision est la plus vraie, la plus réelle ?

Détail du panneau du *Jardin des délices* de Jérôme Bosch. Après avoir fait l'expérience de
la *kamaloca*, ou du Purgatoire, l'esprit s'élève
à travers les sphères célestes, avant de redescendre pour la prochaine incarnation. C'est
cette descente que dépeint ici Bosch, dont les
tableaux sont impossibles à déchiffrer sans
connaissances ésotériques.

Dans le récit ésotérique, les grands
changements climatiques impliquent un grand changement dans
la conscience. Le Déluge, qui eut
lieu à la fin de l'âge de glace, re-
couvrit ce qui fut le théâtre des
grands événements de l'évolution
humaine primitive – ainsi que la
formation de l'inconscient. Gravure provenant d'une bible du début du XIXe.

Après la mort, l'esprit humain est attaqué par des démons qui lui arrachent ses péchés. Durant l'initiation, le candidat fait l'expérience d'un voyage *postmortem*, alors qu'il est encore en vie, ce qui aura des bénéfices sur son existence actuelle comme dans sa prochaine incarnation. C'est ce processus de l'initiation qui est dépeint ici sur un panneau du retable d'Issenheim de Matthias Grünewald.

SAUL AND THE WITCH OF ENDOR.

Certains chrétiens d'aujourd'hui détestent le surnaturel, cependant la Bible en est truffée. Ici, une ombre est appelée par la sorcière d'Endor à sortir du monde souterrain. Gravure d'une bible du XIXe.

Dans la tradition ésotérique, il est important de cultiver les états altérés de conscience – mais non d'une manière confuse. Dans ces états, la connaissance surnaturelle accessible produit des résultats pratiques. Dans la Bible, l'immersion de Joseph dans un puits est le récit codé de son initiation. Ses rêves aidèrent le pharaon à sauver son peuple de la famine. Gravure d'une bible du XIXe.

Le jésuite Athanase Kircher était un grand érudit de l'occulte, en rapport avec un grand nombre des personnages principaux de cette histoire. Son travail comporte, entre autres, ces images de la Déesse Mère, Cybèle, ainsi qu'une des premières images occidentales du Bouddha, montrant la compréhension de la dimension végétale du corps humain.

gauche du cerveau ne prenne le contrôle sur le droit. De son point de vue, chaque individu, même s'il croyait être interpellé par un dieu qui était également présent pour tout le monde, était en réalité prisonnier d'une hallucination qui lui était propre. Le problème de ce point de vue est le suivant : comme les hallucinations ne sont pas, quasiment par définition, consensuelles, nous pouvons imaginer que ces gens vivaient dans un état de barbarie et de chaos, caractérisé par une incompréhension mutuelle. La psychiatrie clinique moderne définit un schizophrène par son incapacité à savoir si les images qu'il voit et les sons qu'il entend existent à l'extérieur ou à l'intérieur de lui-même. La folie clinique provoque un désarroi extrêmement invalidant et un handicap de fonctionnement aussi bien au plan social que privé, et dans le travail. Alors que les gens qui vivaient à cette période érigèrent les premières civilisations postdiluviennes, leurs sociétés distinguaient les prêtres, les militaires, les agriculteurs, les commerçants et les artisans. Des forces de travail très organisées construisirent de grands édifices publics, des canaux et, bien évidemment, des temples. Les systèmes économiques étaient complexes et les armées, disciplinées et importantes. Pour que ces gens puissent coopérer, ces hallucinations n'auraient-elles pas dû être *collectives* ? Si la vision du monde qui prévalait dans l'Antiquité était cette illusion, elle devait être générale, très complexe et hautement sophistiquée.

J'ai essayé jusqu'à présent de présenter une histoire du monde telle qu'elle était comprise par les peuples de l'Antiquité, qui concevaient le monde comme une impulsion de l'esprit précédant la matière, dans laquelle, collectivement, chacun entretenait une relation avec les dieux, les anges et les esprits.

Freud et Jung nous ont familiarisés avec l'idée que notre esprit porte en lui des complexes psychologiques, indépendants de notre conscience et qui, à un certain degré, peuvent même être considérés comme autonomes. Jung décrit ces complexes psychologiques comme les sept déités planétaires de la mythologie et les appelle les sept archétypes majeurs de l'inconscient collectif.

Néanmoins, lorsque Jung a rencontré Rudolf Steiner, qui croyait aux êtres désincarnés et aux dieux planétaires, il s'en écarta en le traitant de schizophrène. Nous verrons au chapitre 27 comment, au crépuscule de sa vie, selon le consensus scientifique moderne, Jung dépassa largement les bornes : il en vint à conclure que ces complexes psychologiques étaient autonomes, c'est-à-dire *totalement indépendants du cerveau humain.* De ce point de vue, Jung dépassa Jaynes : en ne voyant plus les dieux comme des hallucinations – qu'elles soient individuelles ou collectives –, mais comme des intelligences supérieures, il embrassa l'ancienne philosophie de l'esprit précédant la matière.

Je mets en garde le lecteur contre la tentation de se laisser séduire par ces idées. Il est important qu'il se méfie de l'impression, que peut-être – soyons justes – cette version de l'histoire tient debout d'une certaine façon ou que cela lui parle d'une manière vaguement poétique ou pire, *spirituelle.* C'est important parce qu'un moment d'inattention pourrait le conduire – sans qu'il s'en aperçoive – le cœur léger et le pas agile, tout droit sur le chemin de l'asile psychiatrique.

GILGAMESH, LE GRAND HÉROS SUMÉRIEN, était le roi d'Uruk en 2100 avant Jésus-Christ. Son histoire folle déborde d'émotion, d'anxiété et d'aliénation. Le grand poète Rainer Maria Rilke l'appela « l'épopée de la crainte de la mort ».

L'histoire telle qu'elle nous est parvenue a été reconstituée grâce à des tablettes d'argile, qui furent découvertes au XIXᵉ siècle. Elle semble à peu près complète.

Au début du récit, le jeune roi est appelé le « buffle furieux ». Il déborde d'énergie, ouvre de nouvelles passes dans la montagne, creuse des puits, explore, se jette dans la bataille. Il est plus fort que n'importe quel autre homme, très beau, et courageux ; c'est également un grand amant, dont aucune vierge n'est à l'abri – mais il est seul. Il se languit d'avoir un ami, quelqu'un dont il serait l'égal.

Alors les dieux créèrent Enkidu. Il est aussi fort que Gilgamesh, mais sauvage. Ses cheveux emmêlés recouvrent son corps ; il vit au milieu des animaux sauvages, mange comme eux et boit l'eau des ruisseaux. Un jour, un chasseur vient raconter à Gilgamesh qu'il a rencontré cette étrange créature dans les bois.

Quand il entend cette histoire, le roi comprend, au fond de son cœur, que c'est lui l'ami qu'il attendait depuis toujours. Il conçoit un plan brillant : il demande à la plus jolie des prostituées du temple d'aller se promener nue dans la forêt, de trouver l'homme sauvage et de l'apprivoiser. Comme Gilgamesh l'avait prévu, dès qu'elle lui fait l'amour, Enkidu oublie qu'il habite dans les bois. Dès lors, les animaux sauvages qui le rencontrent sentent une différence et, au lieu de courir à ses côtés, ils s'enfuient.

Gilgamesh et Enkidu se rencontreront sur la place du marché d'Uruk, pour un duel. Toute la population est venue y assister. Gilgamesh finit par flanquer Enkidu par terre.

Avec le début de cette grande amitié commence une série d'aventures. Ils chassent les panthères et affrontent le monstrueux Humbaba qui garde la forêt de cèdres. Quand ils abattent le Taureau céleste, Gilgamesh en fait accrocher les cornes sur le mur de sa chambre.

Mais Enkidu tombe gravement malade. Gilgamesh reste à son chevet six jours et sept nuits. Un ver finit par tomber du nez d'Enkidu : c'est la fin. Gilgamesh tend un voile sur le visage de son vieil ami et rugit comme une lionne qui aurait perdu ses petits. Il parcourt la steppe en pleurant : la peur de sa propre mort commence à lui ronger les entrailles.

Gilgamesh finit par se retrouver dans la taverne de la fin du monde. Il veut chasser cette peur de son esprit. Il demande à une jolie serveuse où se trouve Ziusudra qui est, comme nous l'avons vu, un autre nom de Noé ou Dionysos. C'est un demi-dieu, qui n'est jamais vraiment mort.

Gilgamesh construit un bateau en planches recouvertes de goudron, comme celles qu'utilisent toujours aujourd'hui les habitants du bassin du Tigre et de l'Euphrate, et s'en va rencontrer le prophète.

Une représentation des deux héros en train de chasser, sur un sceau cylindrique. Il s'agirait de Gilgamesh et d'Enkidu.

Ziusudra lui dit : « Je vais te révéler un secret, un secret des dieux. Il y a, au fond de la mer, une plante qui pique comme la rose. Si tu peux la ramener à la surface, tu redeviendras jeune. C'est la plante de la jeunesse éternelle. »

Ziusudra était en train de lui révéler comment plonger dans les mers qui avaient recouvert l'Atlantide et comment retrouver cette connaissance ésotérique perdue dans le Déluge. Gilgamesh attache des pierres à ses pieds comme les pêcheurs de perles locaux, puis il plonge, cueille la plante, se libère des pierres et remonte à la surface, triomphant.

Mais, alors qu'il se repose de son exploit sur la plage, un serpent renifle la plante et la lui vole.

Gilgamesh tombe dans un état de prostration.

EN LISANT L'HISTOIRE DE GILGAMESH, on peut trouver curieux qu'il échoue aux épreuves que le grand meneur de l'humanité lui a envoyées. Il y a là une note d'anxiété que l'on ressent encore plus vivement dans les civilisations mésopotamienne et babylonienne qui dominèrent ensuite la région.

Au moment de la mort de Gilgamesh, nous nous trouvons à la période des grandes ziggourats, et de l'histoire de la tour de Babel : cette tentative de construire une tour qui toucherait les cieux et l'impossibilité de trouver une langue commune qui réunirait l'humanité. Cette histoire montre que les nations et les tribus commençaient à être attachées à leurs propres esprits tutélaires et autres anges gardiens et ils perdirent de vue les dieux supérieurs et, au-delà et au-dessus de ces dieux, le grand Esprit cosmique qui confère à chaque partie de l'univers une destinée commune. Les ziggourats représentent une tentative ratée d'atteindre les cieux par les voies matérielles.

La tour de Babel fut construite par Nemrod le Chasseur. La Genèse appelle cet homme « le premier potentat du monde ». L'archéologue David Rohl l'a identifié de manière convaincante avec l'historique Enmerkar (Enmer le Chasseur), le premier roi d'Uruk qui écrivit à son voisin le roi d'Aratta, lui demandant un impôt, dans ce qui serait la première lettre dont nous avons la trace.

Nemrod est le premier homme qui cherche à atteindre le pouvoir pour le pouvoir. Cette recherche induit la cruauté et la décadence. Dans la tradition hébraïque, on raconte qu'une prophétie qui annonçait la venue prochaine d'Abraham amena Nemrod à commettre un massacre d'enfants. Il faut comprendre par là qu'il pratiquait le sacrifice d'enfants et les enterrait dans les fondations de ses grands bâtiments.

Tournons-nous maintenant vers l'histoire secrète d'Abraham qui, en 2000 avant Jésus-Christ, se promenant parmi les « gratte-ciel » de sa ville natale d'Ur (Uruk), décida de se lancer dans une quête : devenir un nomade du désert pour redécouvrir le sens du divin qui était en train de se perdre.

Quand il visita l'Égypte, le pharaon lui donna une de ses filles, appelée Agar, qui devint la servante de sa femme, Saraï [2]. Agar porta son premier fils, Ismaël, qui allait devenir par la suite le père des nations arabes. Ce qui est sous-entendu ici, c'est qu'Abraham reçut un enseignement initiatique des prêtres égyptiens. À cette époque, les mariages se faisaient surtout au sein de la tribu ou de la famille étendue. Les pouvoirs surnaturels se transmettaient par le sang et le mariage entre les personnes de même lignée renforçait ces pouvoirs, comme, par exemple, dans la tradition tzigane. Le mariage de personnes de tribus différentes, lui, pouvait engendrer un échange de pouvoirs et de connaissances.

QUELLE FORME D'INITIATION ABRAHAM a-t-il pu recevoir en Égypte ?

Imaginons un candidat à l'initiation, allongé dans une tombe en granit. Il est entouré d'initiés, qui l'ont plongé dans une transe proche du sommeil. Dans cet état, les initiés sont capables de faire se détacher son corps végétal – et avec lui son esprit ou corps animal – de son corps physique, qui va flotter comme un fantôme au-dessus de l'entrée de la tombe. Un témoin d'une cérémonie pratiquée sur le poète irlandais William Butler Yeats raconte comment une série de cloches sonnaient pour marquer les différentes étapes de l'initiation. L'esprit de Yeats était visible et brillait à des intensités différentes lors des différentes étapes, marquées également par différentes couleurs.

Les initiés qui pratiquent ce genre de cérémonies savent comment modeler le corps végétal du candidat afin qu'une fois replongé dans le corps matériel, ce dernier puisse se servir consciemment de ses organes de perception. Après trois jours, le candidat sera « né à nouveau », ou initié : c'est à ce moment-là que l'hiérophante [3] lui attrape la main droite et le sort du cercueil.

---

[2] Sarah (ndlt)

[3] Prêtre qui explique les mystères du sacré (ndlt)

Dans la philosophie ésotérique, le corps végétal est de la plus haute importance. Il contrôle non seulement des fonctions physiologiques vitales, mais les chakras sont, évidemment, les organes du corps végétal. De fait, ce corps est en réalité le portail entre le monde physique et le monde des esprits et, si les chakras sont animés, ils peuvent conduire à des pouvoirs de perception et d'influence surnaturelles, de guérison, et à la capacité de communiquer avec des êtres désincarnés.

Ce sommeil dans le temple – pratiqué par les initiés des écoles du Mystère 2 500 ans après Abraham et qui est encore de mise dans certaines sociétés secrètes d'aujourd'hui – était également réservé aux malades. Pendant trois jours de sommeil, les initiés travaillaient sur leur corps végétatif à peu près de la même manière que lors du processus d'initiation.

La personne qui subissait ce traitement pouvait avoir des visions très réalistes, dirigées par les initiés. Elle était d'abord plongée dans l'obscurité la plus totale, ce qui lui faisait perdre toute conscience d'elle-même : elle avait l'impression de mourir. Puis elle se sentait revenir et, guidée par un être à tête d'animal, elle voyageait à travers de longs tunnels et une série de chambres. À d'autres étapes, elle était défiée ou menacée par d'autres dieux à tête d'animal et des démons, y compris des crocodiles monstrueux qui la déchiquetaient.

Dans *Le Livre des morts* égyptien, le candidat passe devant ces gardiens du seuil en affirmant : « Je suis le Gnostique, je suis celui qui sait. » Après sa mort, il pourra utiliser à nouveau cette formule magique dont il se sert lors de l'initiation.

Il s'approche du Saint des Saints. Il voit une lumière aveuglante passer à travers les fissures du portail. Il s'écrie : « Laissez-moi entrer ! Laissez-moi devenir un être spirituel, un pur esprit ! Je me suis préparé grâce aux écritures de Thot ! »

Enfin, dans les vagues de lumière ondulante, émerge une vision de la Déesse Mère allaitant son enfant. C'est une vision apaisante, car elle nous ramène à l'époque paradisiaque antérieure à la séparation du Soleil et de la Terre, (que nous avons évoquée au chapitre 3), quand celle-ci était illuminée de l'intérieur par le dieu Soleil, une époque sans frustration, sans maladie et sans mort. Elle nous projette également à une époque future, quand la Terre et le Soleil seront réunis et où la Terre sera à nouveau transfigurée par le Soleil.

Illustration du Magicien d'Oz. *L. Frank Baum était un théosophe qui inclut des connaissances ésotériques dans son célèbre roman. Les corps végétal, minéral et animal sont respectivement symbolisés par l'Épouvantail, l'Homme en fer-blanc et le Lion peureux. « Oz » est un terme cabalistique qui possède la signification mystique de 77, illustrant la force de la magie agissant sur la matière.*

De tout temps et partout dans le monde, des personnes ont cru que méditer sur cette image de la Déesse Mère et de son enfant entraînait des miracles de guérison.

APRÈS SON SÉJOUR EN ÉGYPTE, ABRAHAM prit le chemin de l'Ouest, vers la région que nous appelons aujourd'hui la Palestine. Il dut armer et entraîner ses serviteurs afin qu'ils viennent en aide à son frère, capturé par des bandits. Après une bataille sanglante, il traversa une vallée (que les spécialistes de la Bible identifient aujourd'hui comme étant la vallée de Cédron), où il rencontra un drôle de personnage nommé Melchisédek.

Comme pour Énoch, la Bible ne mentionne que très brièvement Melchisédek, mais il plane sur ces lignes un sentiment de sacré et de non-dit. Ce passage se trouve dans la Genèse 14, 18-20 : « Melchisédek, roi de Salem, fit apporter du pain et du vin ; il était sacrificateur du Dieu très-haut. Il bénit Abraham, et dit : Béni soit Abraham par le Dieu très-haut, maître du ciel et de la terre ! Béni soit le Dieu très-haut, qui a livré tes ennemis entre tes mains ! Et Abraham lui donna la dîme de tout. » Ce sentiment solennel est renforcé par un mystérieux passage dans le Nouveau Testament, Hébreux 6, 20-7, 17 : « ... Jésus est entré pour nous comme précurseur, ayant été fait souverain sacrificateur pour toujours, selon l'ordre de Melchisédek. En effet, ce Melchisédek, roi de Salem, sacrificateur du Dieu très-haut – qui alla au-devant d'Abraham lorsqu'il revenait de la défaite des rois, qui le bénit, et à qui Abraham donna la dîme de tout –, qui est d'abord roi de justice, d'après la signification de son nom, ensuite roi de Salem, c'est-à-dire roi de paix – *qui est sans père, sans mère, sans généalogie, qui n'a ni commencement de jours ni fin de vie – mais qui est rendu semblable au Fils de Dieu – ce Melchisédek demeure sacrificateur à perpétuité [ ] institué, non d'après la loi d'une ordonnance charnelle, mais selon la puissance d'une vie impérissable ;* car ce témoignage lui est rendu : Tu es sacrificateur pour toujours, Selon l'ordre de Melchisédek. »

De toute évidence, il se passe quelque chose d'étrange. Cet individu mystérieux, qui peut vivre éternellement, n'est pas un être humain ordinaire.

Dans la Kabbale, Melchisédek est l'identité secrète de Noé, le grand chef atlante qui a appris l'agriculture, la culture du maïs et du vin à l'humanité et qui n'est jamais vraiment mort, mais s'est déplacé dans une autre dimension. Il réapparaît maintenant pour être le maître spirituel d'Abraham, pour l'initier au niveau supérieur.

Pour comprendre les enseignements initiatiques de Melchisédek, nous devons examiner un épisode plus tardif où, d'après l'ancienne tradition, Melchisédek était présent, même si cela est escamoté dans la version biblique.

Isaac avait vingt-deux ans quand son père l'emmena en haut d'une montagne, pour le sacrifier sur *l'autel de Melchisédek.*

DANS CERTAINES FORMES D'INITIATION, il est très important qu'à un certain moment de la cérémonie le candidat croie, même brièvement mais avec conviction, qu'il va mourir.

Il avait peut-être compris qu'il allait faire l'expérience d'une mort symbolique, mais soudain il s'aperçoit qu'il y a peut-être eu un changement de programme. Il a peut-être prêté un serment solennel, sous la menace, de faire pénitence et de vivre selon des idéaux supérieurs, mais maintenant, le couteau sous la gorge, il se demande si les initiés dont il est à la merci savent qu'il leur a menti. Il sait, et il y pense à ce moment-là, qu'il a fait des choses qu'il n'aurait pas dû faire, qu'il n'a pas fait ce qu'il aurait dû faire et qu'il n'est pas un être sain. Il sait, au plus profond de lui-même, qu'il n'a pas assez de volonté pour respecter ses serments. Il s'est condamné à mort par sa propre bouche et il est totalement incapable de se venir en aide.

À ce moment-là, il sait qu'il a besoin d'une aide surnaturelle.

Nous pouvons ressentir l'écho de ce genre d'émotion – la peur et la pitié –, si on se laisse émouvoir par les grandes tragédies, telles qu'*Œdipe roi* ou *Le Roi Lear*. Pendant l'initiation, le candidat est amené à ressentir la tragédie de sa propre vie et un pressant besoin de catharsis. Il commence à juger sa vie comme le feront les anges et les démons, après sa mort.

La représentation de Melchisédek dans l'art et la littérature est tout à fait disproportionnée par rapport aux quelques lignes qui lui sont consacrées dans la Bible. Il est très présent dans le sanctuaire ecclésiastique français le plus marqué par l'ésotérisme, la cathédrale de Chartres, où il est représenté dans le porche nord en train de porter le calice, ou le Graal.

ALORS QUE LA LAME D'ABRAHAM ÉTAIT SUR LE POINT de trancher la gorge d'Isaac, un ange remplaça la victime par un bélier dont les cornes s'étaient prises dans les broussailles.

Les épines des broussailles représentent les deux pétales – ou épines – du chakra du troisième œil, prisonnier de la matière : Abraham agit de la sorte car sa manière de voir doit être sacrifiée. Pour le moment, au moins, la perception du monde des esprits doit être mise de côté pour le bien de la mission des ancêtres d'Abraham – développer le cerveau pour qu'il devienne l'organe de la pensée.

Les Juifs seront guidés par Jéhovah, le grand esprit de la Lune, le grand dieu du « tu-ne-feras- point » qui aide l'humanité à s'éloigner de l'animal et des expériences d'extase, à s'émanciper de l'esprit de tribu ou de groupe pour aller vers le développement du libre arbitre et de la liberté de penser.

Dans l'histoire secrète, ce sacrifice du chakra du troisième œil a lieu sur l'autel de Melchisédek, le grand prêtre des mystères du Soleil. Ce qui signifie qu'Isaac fut initié à un niveau qui lui fit comprendre la nécessité de cette nouvelle étape lunaire du développement humain. L'évolution vers le libre arbitre et la liberté de pensée allait conduire les humains à jouer un rôle conscient dans la transformation du monde.

Durant trois ans et demi, Isaac suivit les enseignements à l'école du Mystère de Melchisédek pour acquérir ces connaissances.

Melchisédek étant un prêtre des mystères du Soleil. Nous devons imaginer que cette école avait en ses murs un cercle de pierres. Nous sommes à la grande époque des temples du Soleil, dont il existe encore des vestiges à Lunebourg, en Allemagne, à Carnac, en France, et à Stonehenge, en Angleterre. Au IVe siècle avant Jésus-Christ, l'historien Diodore de Sicile décrivit un temple, en forme de sphère, dédié à Apollon et situé au nord. Aujourd'hui, les spécialistes pensent qu'il décrivait Stonehenge ou, plus probablement, Callanish, tout au nord de l'Écosse. Mais dans les deux cas, l'association avec Apollon doit être comprise comme l'impatience de voir renaître le dieu Soleil des entrailles de la Déesse Mère.

L'AUTRE GRANDE CONTRIBUTION AU DÉVELOPPEMENT de la pensée nous vient, bien évidemment, des Grecs.

Le siège de Troie marque le début de la grande civilisation grecque, qui s'inspira des Chaldéens et des Égyptiens pour développer ses propres idéaux.

Nous sommes en train de tracer une histoire du monde dans laquelle – pour la première fois – les vies des grands héros culturels du monde entier – Adam, Jupiter, Hercule, Osiris, Noé, Zarathoustra, Krishna et Gilgamesh – sont racontées en même temps, dans un récit chronologique. La plupart d'entre eux n'ont pas laissé de traces physiques, ils n'ont survécu que dans l'imagination collective, ont été préservés dans des fragments d'histoires et des images éparpillées.

Mais, à partir de maintenant, nous allons voir que nombre de personnages légendaires – qui, d'après la plupart des gens, ne sont pas historiques – ont laissé des traces matérielles, comme le montre l'archéologie récente.

La découverte des ruines de Troie, par l'archéologue allemand Heinrich Schliemann dans les années 1870, a toujours été un sujet de controverse. La couche géologique où il a entrepris ses fouilles, qui date probablement de 3000 avant Jésus-Christ, est bien trop ancienne pour être de l'époque d'Homère mais aujourd'hui, une grande partie des spécialistes acceptent de dire que la couche datant de 1200 avant Jésus-Christ, à la fin de l'âge de bronze, est tout à fait compatible avec le récit de l'*Iliade*.

Dans l'Antiquité, on menait une guerre pour s'emparer de la connaissance initiatique sacrée, en grande partie à cause des pouvoirs surnaturels qu'elle conférait. Les Grecs firent le siège de Troie pour emporter le Palladium, la statue sculptée par Athéna. Cela va nous éclairer sur la raison de leur acharnement à vouloir libérer Hélène.

Quand nous voyons une beauté, même aujourd'hui, elle est « une promesse de bonheur », pour citer Stendhal. Bien sûr, nous caressons cette promesse de manière triviale ou grossière, mais nous pouvons également la ressentir plus profondément et signifiante. La grande beauté peut receler un aspect mystique : elle semble détenir le secret de la vie. Si je pouvais être avec cette si belle personne, pensons-nous, je serais comblé. La présence d'une beauté exceptionnelle peut provoquer un état de conscience altéré et les hommes initiés ont souvent été associés à de très belles femmes – en partie, sans doute, parce que leur participation pouvait intensifier la pratique des techniques sexuelles secrètes ayant lieu dans les écoles.

La possession d'Hélène permettait aux Grecs d'avancer vers une nouvelle étape de leur civilisation.

Nous voyons le changement de conscience, que raconte le siège de Troie, dans la grande phrase d'Achille : « J'aimerais mieux, valet de bœufs, vivre en service chez un pauvre fermier, qui n'aurait pas grand chère, que régner sur ces morts, sur tout ce peuple éteint ! » Les héros de la Grèce et de Troie adoraient vivre au soleil : ce fut donc terrible pour eux lorsque ce dernier s'éteignit brusquement et que leurs esprits furent envoyés au pays des ombres, vers « le sombre couchant ». Voilà « la crainte de la mort » de Gilgamesh, intensifiée à un niveau qui semble presque moderne.

Notons qu'Achille ne doutait pas de la réalité de la vie après la mort, mais la conception qu'il s'en faisait ne dépassait pas, de toute évidence, celle de la vie sublunaire : une demi-vie ennuyeuse. Il avait perdu la vision des sphères célestes.

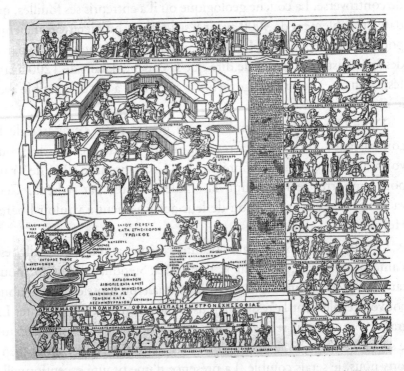

Le cheval de Troie est représenté sur le panneau inférieur. L'histoire du siège de Troie nous est parvenue, pour la majeure partie, dans le récit d'« Homère l'aveugle ». Dans le langage des sociétés secrètes, le terme « aveugle » ne doit pas nécessairement être pris à la lettre. Dans le cas d'Homère, cela pouvait signifier qu'il était un initié, dont le regard était dirigé vers le monde spirituel, et non matériel. Florence et Kenneth Wood ont démontré que l'Iliade pouvait être lue comme une allégorie des astres. Mais, comme nous l'avons vu, cela n'exclut pas que ce soit également un récit d'événements historiques réels. En tant qu'initié, Homère était conscient des grands dieux des étoiles et des planètes qui guidaient la vie d'ici-bas.

Nous pouvons envisager ce changement de conscience sous un autre angle. Demandons-nous quel héros vainquit le siège de Troie chez les Grecs. Ce ne fut pas le courageux Achille, un des derniers demi-dieux, presque invincible. Ce fut Ulysse « à l'intelligence rusée[4] », qui défit les Troyens en leur faisant accepter un cadeau empoisonné : le cheval de bois dont le ventre était empli de soldats.

Pour la sensibilité moderne, l'histoire du cheval de Troie paraît peu plausible. Du point de vue de la psychologie moderne, il est inconcevable de penser que quiconque puisse être aussi crédule.

Mais au temps de la guerre de Troie, les gens commençaient à peine à émerger de l'esprit collectif que nous avons essayé d'imaginer quand nous traversions l'ancienne forêt et celui que Julian Jaynes a essayé de définir plus tôt. Avant la guerre de Troie, tout le monde partageait un même *monde* de pensée. Les autres pouvaient *voir* ce que vous pensiez. Le mensonge d'Ulysse n'aurait pas été possible. Les gens établissaient des relations d'une terrible sincérité. Ils avaient cette sensation que nous avons perdue que quoi qu'ils fassent, ils participaient à des événements cosmiques.

... la date de la guerre de Troie est également la date de la première ruse de l'histoire.

Ulysse aveuglant le géant cyclope Polyphème. Ici, l'initiateur de la nouvelle façon de penser, détruit l'ancienne, celle du Troisième Œil. L'histoire parallèle de David et Goliath, quelque deux cents ans plus tard, quand David touche Goliath avec une pierre au milieu du front, nous montre que ces reliquats d'anciennes pratiques étaient alors encore une réalité historique.

---

[4] En français dans le texte (ndlt)

12

La descente dans les ténèbres

Moïse et la Kabbale • Akhenaton et Satan •Salomon,
Saba et Hiram • Le roi Arthur et le chakra couronne

LA CIVILISATION ÉGYPTIENNE EST SANS AUCUN DOUTE la plus brillante des civilisations dont nous avons conservé la trace. Elle s'est étalée sur plus de 3 000 ans, alors que la civilisation occidentale chrétienne n'a, à ce jour, que 2 000 ans. Le fait que les archives égyptiennes aient été si parfaitement préservées, aussi bien sur les murs des temples, que sur les tablettes ou les papyrus, a été essentiel pour permettre de restituer, dans leur contexte chronologique, les civilisations voisines qui avaient laissé moins de traces.

Traditionnellement, l'exode des Juifs d'Égypte a été situé pendant le règne du pharaon Ramsès II, l'un des plus grands dirigeants d'Égypte qui a, en outre, suscité nombre de réalisations : c'est le grand constructeur de Louxor et d'Abou Simbel, ainsi que de l'obélisque que nous pouvons admirer aujourd'hui sur la place de la Concorde, à Paris. Dans *Ozymandias,* le poète romantique Shelley en fit l'archétype de ces grands dirigeants qui se laissent aller à penser que leurs exploits survivront à jamais – « Contemplez mon œuvre, ô puissants, et désespérez ! »

Voilà un rival digne de Moïse, allez-vous penser : en tous les cas, c'est ce que pensait Cecil B. De Mille[1]. Mais, il y a désormais un problème : les archéologues ont découvert que si l'on recherche des traces des Hébreux ou, par exemple, celles de la chute de Jéricho ou du temple de Salomon, dans les couches archéologiques qui correspondent au règne de Ramsès II, on ne trouve absolument rien.

---

[1] Allusion au film *Les Dix Commandements* réalisé par Cecil B. De Mille en 1956 (ndlt)

Ce qui a conduit les universitaires à penser que les mythes épiques sur l'origine des Juifs n'étaient « que des mythes », et qu'ils n'étaient basés sur aucun fait historique réel.

Mais il faudrait se demander si ces universitaires ne *voulaient* pas que ces histoires soient fausses ; si leurs convictions n'étaient pas motivées par une sorte de nostalgie qu'éprouvent les adolescents envers l'époque bénie du jardin d'enfants, par peur de voir leurs certitudes ébranlées.

Dans les années 1990, un groupe de jeunes archéologues travaillant en Autriche et à Londres, dirigé par David Rohl, commença à remettre en question la chronologie égyptienne conventionnelle. Plus particulièrement, ils comprirent que deux listes de rois de la Troisième Période intermédiaire, qui avaient toujours été interprétées comme se succédant, devaient en réalité être comprises comme étant simultanées.

Cela eut pour effet de « raccourcir » la chronologie de l'ancienne Égypte d'au moins 400 ans. Cette « nouvelle chronologie » est graduellement en train de gagner du terrain parmi les précédentes générations d'égyptologues.

Un des effets secondaires de la mise en place de cette « nouvelle chronologie » – j'écris bien « secondaires », car ces universitaires n'avaient pas de but idéologique ou religieux – fut que, quand les archéologues de terrain commencèrent à chercher des traces d'histoires bibliques dans les couches correspondantes, ils firent des découvertes extraordinaires.

La condition humaine favorise grandement cette propension à croire ce que nous voulons bien croire, mais pour celui qui n'a pas d'arrière-pensées, pour celui qui ne pense pas que les histoires de la Bible ne sont que des « contes de fée », ces nouvelles preuves sont assez étonnantes.

Elles démontrent que Moïse ne vécut pas en 1250 avant Jésus-Christ, au même moment que Ramsès II, mais qu'il naquit en 1540 avant Jésus-Christ et que l'Exode date de 1447 avant Jésus-Christ. Des calculs astronomiques rétroactifs et la comparaison entre les observations de Vénus consignées dans les textes mésopotamiens et les textes bibliques, ainsi que les récits égyptiens, ou celui d'Artapanus, historien juif du IIIe siècle avant Jésus-Christ, qui réussit à avoir accès à des archives des temples égyptiens aujourd'hui disparues, ont permis à David Rohl de rassembler des preuves fiables, démontrant que

Moïse fut élevé en prince égyptien sous le règne de Néferhotep Iᵉʳ au milieu du XVIᵉ siècle avant Jésus-Christ. Artapanus raconte comment le prince Mousos devint un administrateur très connu sous le règne de Chenephres[2], le successeur de Néferhotep Iᵉʳ. Mousos fut ensuite envoyé en exil, car le pharaon était jaloux de lui. Pour finir, Rohl démontre que le pharaon de l'Exode est Ouadjekhâ, le successeur de Chenephres. Les fouilles effectuées dans les couches correspondant au règne de d'Ouadjekhâ révèlent les restes d'un village de travailleurs étrangers ou d'esclaves – comme ceux qui sont décrits dans le Papyrus de Brooklyn[3], un décret royal autorisant le transfert d'un groupe de personnes semblable, précisément à cette époque. Ce village peut avoir été construit par et pour les Hébreux. Il existe également des charniers et les preuves d'inhumations de masse exécutées à la va-vite, qui pourraient être une trace des plaies mentionnées dans la Bible.

Exhumer des pierres et des pots nous rattache à une réalité historique, mais pour comprendre ce qui avait de l'importance d'un point de vue humain, *ce que ça faisait d'être là*, ce que l'expérience humaine avait à proposer de grand et de profond à cette époque, nous devons encore une fois nous tourner vers la tradition secrète.

EN TANT QUE PRINCE ÉGYPTIEN, MOÏSE fut initié aux Mystères égyptiens. L'historien égyptien Manéthon a très bien documenté cela et a identifié Héliopolis comme étant l'école du Mystère du prince. Cela est confirmé par l'apôtre Stéphane dans les Actes 7, 22 : « Moïse fut instruit dans toute la sagesse des Égyptiens. »

Il est évident que les enseignements que donna Moïse étaient enracinés dans la sagesse d'Égypte. Dans *Le Livre des morts*, par exemple, la formule 125 décrit le jugement des morts. L'esprit doit dire à Osiris qu'il a mené une vie juste, puis nier avoir commis une liste spécifique d'actes immoraux devant les quarante-deux juges des morts : « Je n'ai point volé, je n'ai point tué, je n'ai pas fait de

---

[2] Connu également sous le nom de Chaneferre ou Sobékhotep IV (ndlt)

[3] Les papyrus médicaux sont d'anciens textes égyptiens écrits sur des rouleaux de papyrus qui nous donnent des informations précieuses sur les connaissances et les pratiques médicales de l'Égypte antique. Le papyrus de Brooklyn est consacré principalement aux morsures de serpent, il parle d'antidotes pour les venins de serpents, de scorpions et de mygales (ndlt)

faux témoignage », etc. Cela semble, de toute évidence, *anticiper* les Dix Commandements.

Cela n'ôte aucunement à Moïse sa valeur : son enseignement ne pouvait qu'être issu d'un milieu historique particulier. Ce qui est très significatif d'un point de vue historique, c'est la manière dont Moïse a reformulé cette sagesse antique afin de conduire l'humanité vers la prochaine étape de l'évolution de la conscience.

Quand Moïse s'enfuit en exil dans le désert, il rencontra un vieux et grand sage. Jéthro était africain – éthiopien –, grand prêtre et gardien d'une collection de tablettes de pierre. Lorsque Moïse épousa sa fille, Jéthro l'initia au niveau supérieur. L'histoire du buisson ardent fait allusion à cette initiation : au moment où Moïse voit le buisson ardent ne pas être consumé par les flammes, il a la vision de l'être que le feu, qui nous purge dans l'au-delà, n'arrive pas à détruire.

Lorsqu'il eut cette vision, Moïse comprit qu'il avait une mission : il fut submergé par le désir d'œuvrer pour le bien de l'humanité, de nous mener tous vers « la terre où coulent le lait et le miel ».

Mais alors que Moïse hésitait devant l'ampleur de la tâche, Dieu se fit plus pressant : « Tu prendras ce bâton en main, et c'est avec celui-là que tu accompliras les signes miraculeux. » Quand Moïse retourna en Égypte, il était déterminé à convaincre le pharaon de « faire sortir d'Égypte [son] peuple ».

Moïse et son frère Aaron étaient dans la salle du trône, face au pharaon. Soudain, Aaron jeta son bâton à terre et, comme par magie, ce dernier se transforma en serpent. Le pharaon ordonna à ses mages de faire de même, mais le serpent d'Aaron avala les leurs.

La joute entre le pharaon et Moïse s'étendit. Moïse usa de son bâton – ou baguette magique – pour diriger le cours des événements : faire tomber le feu et la grêle du ciel, provoquer une invasion de sauterelles, ouvrir la mer Rouge et faire jaillir une source d'un rocher.

Qu'est-ce que cela peut bien vouloir dire ? Je suppose que bien des lecteurs savent parfaitement de quoi je parle, mais la légende populaire qui veut que ce bâton ait été fabriqué du bois de l'arbre du jardin d'Éden lui donne un sens plus profond. Le bâton fait partie de la dimension végétale du cosmos. Par cette maîtrise, Moïse, qui est désormais initié, pouvait aussi bien manipuler ce qui se passait dans son corps que dans le cosmos autour de lui.

Plus tard, lorsque Moïse abandonna l'idée de persuader le pharaon de libérer son peuple et qu'il emmena les siens dans le désert du Sinaï, il descendit de la montagne avec les Tables de la loi. Moïse se révéla être un maître très exigeant, d'un certain point de vue plus exigeant que les pharaons. Son peuple ne réussissait jamais à vivre à la hauteur de ses exigences, au point d'être un jour puni par une invasion de serpents « brûlants » (Nombres 7, 19). Mais Moïse cloua un serpent d'airain sur un mât, à l'horizontale ; quiconque avait été mordu et le regardait était sauvé.

Dans Jean 3, 14, on trouve un commentaire sur ce passage de l'Ancien Testament : « Et comme Moïse éleva le serpent dans le désert, il faut de même que le Fils de l'homme soit élevé. »

Il est clair que Jean voit dans le symbole du serpent d'airain l'annonce de la crucifixion de Jésus-Christ. Le terme « élevé » porte le sens de « transfiguré », de « transformé ». Le serpent d'airain a été fondu et Jean suggère qu'il est le symbole de la transfiguration du corps matériel de l'humanité.

Le bâton qu'utilise Moïse pour châtier les Égyptiens et discipliner son peuple est une image de la conscience animale du serpent/Lucifer, conscience qui a été maîtrisée, qui s'est soumise à la volonté et à une discipline morale, qu'il est très difficile de maintenir.

Le grand cadeau que Moïse a fait à son peuple, c'est donc le sentiment de culpabilité. La moralité fait son apparition dans l'histoire avec Moïse et appelle un changement de direction.

Si nous considérons les Dix Commandements du point de vue ésotérique, le plus significatif est que les deux premiers bannissent l'utilisation des images dans la pratique religieuse et appellent les Juifs à ne vénérer aucun autre dieu. Après Abraham, Moïse œuvrait pour un autre genre de religion, qui voulait s'émanciper des pratiques des religions plus anciennes, avec leurs cérémonies élaborées et accablantes, leurs cymbales étourdissantes, leurs nuages de fumée aveuglants et leurs idoles parlantes. L'ancienne religion cherchait à diminuer la conscience. Certes, ses fidèles avaient accès au monde des esprits, mais de manière incontrôlée et à travers une grande vision rituelle, exubérante et écrasante, comme les fidèles d'Osiris. C'est à cela que s'attelait Moïse, à la remplacer par une communion plus consciente et plus sensée avec le divin.

Par le bannissement des images, Moïse contribuait aussi à créer les conditions qui rendraient possible la pensée abstraite.

LES DIX COMMANDEMENTS ET LES AUTRES LOIS de l'Exode et du Deutéronome forment les enseignements publics de Moïse. Ils sont destinés à tous. La tradition ésotérique dit qu'en même temps, il enseigna la Kabbale à soixante-dix anciens et leur prodigua les enseignements secrets et mystiques du judaïsme.

La Kabbale est aussi importante que les grandes religions mondiales et nous reviendrons sur certains de ses différents aspects.

Une fois encore, dire que la Kabbale tire son origine d'une tradition plus ancienne – le système numérique mystique des Égyptiens – ne dénigre en rien ses enseignements, ni Moïse.

Les suites de calculs mathématiques ne nous viennent pas des Égyptiens, mais leur compréhension pointue des mathématiques est présente dans leur art. L'œil d'Horus, par exemple, a souvent été représenté sous la forme de l'œil oudjat, dont nous savons aujourd'hui qu'il est composé d'un certain nombre de hiéroglyphes qui représentent des fractions qui, additionnées, ont un résultat de 63/64. Si l'on inverse ce résultat et qu'on divise 64 par 63, on trouve ce qui a été appelé « le plus grand secret des Égyptiens », le comma pythagoricien[4].

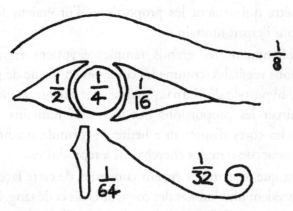

L'œil oudjat, représenté comme une série de fractions.

---

[4] Le comma pythagoricien ou comma diatonique est l'intervalle existant entre 7 octaves pures et 12 quintes pures. Il est inférieur à un quart de demi-ton, égal (environ) à 23,45 cents. Cet intervalle – ou différence de hauteur – dégagé par la théorie n'est pas un intervalle musical utilisé en tant que tel dans la pratique de cet art. Il apparaît lors de la construction de la gamme pythagoricienne (ndlt)

Des nombres aussi complexes que le comma pythagoricien, Pi et Phi (souvent appelé le nombre d'or) sont des nombres irrationnels. Leur secret est enfoui dans la structure profonde de l'univers et les Égyptiens les considéraient comme les principes qui contrôlent la création, les principes qui permettent à la matière d'être précipitée de l'esprit cosmique.

Les scientifiques reconnaissent aujourd'hui que le comma pythagoricien, comme Pi, le nombre d'or ou la séquence de Fibonacci, sont des constantes universelles qui décrivent des formes complexes aussi bien en astronomie qu'en musique ou en physique. La séquence de Fibonacci, par exemple, est une série où chaque nombre est la somme des deux précédents. Les spirales sont construites d'après cette séquence, elles sont innombrables dans la nature : les galaxies, les formes des ammonites et la disposition des feuilles sur une tige, entre autres.

Pour les Égyptiens, ces nombres représentaient aussi l'harmonie secrète du cosmos et ils les intégraient en tant que rythmes et proportions dans la construction de leurs pyramides et de leurs temples. Un bâtiment construit de la sorte était *idéal*. Un couloir, une porte, ou une fenêtre qui avaient les proportions d'or étaient forcément agréables pour l'esprit humain.

Bien évidemment, les grands temples égyptiens regorgent de représentations végétales, comme les colonnes en forme de jonc de la grande salle hypostyle de Karnak, mais c'était surtout la vie végétale qui déterminait les proportions des membres humains, celle qui arrondissait les côtes d'après une heureuse formule mathématique, que les bâtisseurs de temples cherchaient à reproduire.

Le fait est que les temples étaient construits de cette façon, car les dieux ne pouvaient plus habiter des corps de chair et de sang. Le temple était construit pour être le corps d'un dieu, rien de moins. L'esprit du dieu demeurait dans le corps matériel et végétal qu'incarnait le temple, tout comme l'esprit humain vit dans ses corps matériel et végétal.

LES HÉBREUX N'ONT PAS LAISSÉ un héritage architectural aussi riche que celui des Égyptiens. Leur mysticisme numérique nous est parvenu à travers le *langage* des livres de Moïse.

Le grand livre de la Kabbale est le *Zohar*, un vaste commentaire en cinq volumes de l'Ancien Testament, que l'on attribue traditionnel-

Dans l'idéalisme sacré, la forme humaine est un microcosme de l'univers. La proportion divine se trouve non seulement dans les ammonites et les nébuleuses, mais aussi dans le corps humain. L'égyptologue rebelle René Adolphe Schwaller de Lubicz passa quinze ans sur le site du temple de Louxor, pour trouver sa proportion mathématique divine. Il démontra que le rituel accompagnant la construction des premières fondations et la consécration du temple était appelé la cérémonie de « donner une maison à son maître ». Comme dans l'hindouisme, écrivit-il, où construire un temple en forme de corps humain était un processus magique. On croyait que si le maître d'œuvre faisait une erreur de construction dans une certaine partie du temple, il souffrirait d'une maladie ou d'une blessure dans la partie correspondante de son propre corps.

lement à Moïse. D'après la Kabbale, si le monde est une pensée faite matière, ce sont les mots et les lettres qui en ont été les instruments. Dieu a créé le monde en manipulant les lettres de l'alphabet hébreu et en créant des formes d'après elles. Les lettres hébraïques ont donc des propriétés magiques et les formes qu'elles composent dans les Écritures offrent différents niveaux de compréhension, ouvrent même une infinité de sens cachés.

Le chapitre 14 de l'Exode contient trois versets – les versets 19, 20 et 21 –, chacun composé de 72 lettres. Si l'on écrit ces versets les uns au-dessus des autres de façon à ce que les 72 lettres apparaissent en colonne, et si on lit une colonne à la fois, on découvre les 72 noms de Dieu.

Grande salle hypostyle à Karnak.

Chaque lettre de l'alphabet hébreu est aussi un nombre : *aleph*, le a hébreu, est un 1 ; *beth*, un 2, et ainsi de suite. Il y a là des connexions complexes : le mot hébreu pour « père » a une valeur numérique de 3, alors que le mot « mère » a une valeur de 41. Le « fils » a une valeur numérique de 44, ce qui correspond à l'association de Père et de Mère.

Mais il y a encore plus étonnant.

La valeur numérique de la phrase signifiant en hébreu « le jardin d'Éden » est de 144. Celle de l'« arbre de la connaissance » est de 233. Si l'on divise 233 par 144, on arrive à peu de chose près – à quatre décimales près – à la valeur du nombre d'or Phi[5] !

Au cours des dernières décennies, les mathématiciens se sont appliqués à rechercher les messages dissimulés dans les textes des livres de Moïse. Le travail révolutionnaire de Witzum, Rips et Rosenberg visait à découvrir des codes de transcription en utilisant des séquences de lettres équidistantes. Dans les résultats qu'ils ont publiés figurent les noms de certaines figures historiques, postérieures à la Bible, de l'histoire hébraïque. Mais jusqu'ici, aucune proposition, aucune séquence de phrases, rien qui puisse être interprété comme un message. Encore une fois, ce n'est pas à moi de révéler un secret, mais un des statisticiens de Cambridge m'a dévoilé les résultats obtenus en appliquant un « code SKIP » extrêmement complexe, code validé par un professeur de mathématiques de Cambridge. Les fragments qu'il m'a montrés font penser aux Psaumes.

Imaginez si un tout autre livre – ou une série d'autres livres – était dissimulé dans le livre que nous connaissons ! Peut-on imaginer que ces textes aient également différents niveaux de compréhension ?

Une telle complexité va bien au-delà de l'intelligence humaine classique.

Des recherches récentes menées par un groupe occulte, ont démontré que Jean-Sébastien Bach a composé quelques-unes des plus belles mélodies au monde – telles que la chaconne[6] – en donnant en même temps à chaque note la valeur d'une lettre de l'alphabet. La musique de Bach traduit des secrets, des messages semblables aux Psaumes. Encore une fois, cela ne va-t-il pas au-delà de l'intelligence humaine classique ?

Dans les cercles ésotériques, le langage que les initiés imprègnent de sens est parfois appelé la langue verte ou la langue des oiseaux. Rabelais et Nostradamus, qui étaient des contemporains à l'université de Montpellier, ainsi que Shakespeare, l'auraient écrite. Wagner y fait référence lorsqu'il fait allusion à la tradition qui veut que Siegfried ait appris la langue des oiseaux en buvant le sang du dragon.

---

[5] Respectivement 1,61805556 et 1,61803399 (ndlt)

[6] Dans la *Partita n° 2* pour violon, en ré mineur, BWV 1004 (ndlt)

Puisque nous y sommes, évoquons une dernière possibilité : et si nous étions nous-mêmes en train de la parler ? Peut-être que la seule différence entre nous et les grands initiés tels que Shakespeare, c'est qu'eux la parlent consciemment ?

SIGMUND FREUD S'INTÉRESSAIT de près à la Kabbale. Comme nous allons le voir, cela eut une influence formatrice sur sa pensée. Mais il faisait une erreur lorsqu'il déclara que le pharaon égyptien Akhenaton était à l'origine du monothéisme de Moïse. Nous savons maintenant que Moïse était là avant. Les idées monothéistes d'Akhenaton étaient subtilement, mais dangereusement, différentes.

À l'apogée du Nouvel Empire égyptien, le règne du père d'Akhenaton, le pharaon Amenhotep III, semblait indiquer une nouvelle ère de paix et de prospérité, qui vit s'ériger les temples les plus impressionnants de l'Antiquité – même si aucun n'a égalé la construction, unique en son genre, de la Grande Pyramide.

Après la naissance de trois filles, la reine Tiyi donna à Amenhotep un fils. Était-ce parce qu'il avait été tant attendu ou parce qu'il ne restait à son père que peu de temps à vivre, toujours est-il que le garçon, qui allait devenir Akhenaton, fut élevé dans l'enceinte du temple – et qu'il grandit avec l'impression d'être investi d'une mission cosmique.

Akhenaton était né avec un problème chromosomique qui lui conférait un aspect étrange d'hermaphrodite, comme n'appartenant pas à cette planète : il avait des cuisses de femme et un visage allongé, qui pouvait sembler éthéré, ou être celui d'un esprit. Ce problème chromosomique peut aussi induire des symptômes d'instabilité mentale – tels que la folie, des hallucinations, ou la paranoïa.

La combinaison de certains de ces facteurs peut l'avoir mené à certaines actions, qui menacèrent de bouleverser le progrès de l'évolution humaine.

Contrairement à Babylone, où les rois pouvaient agir indépendamment du clergé, ce qui les conduisait à des comportements extrêmes et cruellement despotiques, les pharaons d'Égypte régnaient sous l'égide des prêtres. C'est pourquoi l'opinion répandue, qui voit dans la révolution d'Akhenaton un acte d'individualisation radicale, est erronée.

Le début du règne d'Akhenaton coïncidait avec le début d'un cycle sothique. Ce cycle, d'après la théologie des prêtres, fut l'un des plus grands cycles astronomiques à avoir façonné l'histoire.

Le cycle sothique est de 1 460 ans. Dans la mythologie égyptienne, le début de chacun de ces cycles voyait le retour de l'oiseau Benou, le Phénix annonçant la naissance d'un nouvel âge et d'une nouvelle pratique. Quand Akhenaton annonça la fermeture du plus beau temple du monde, à Karnak, et la construction d'un nouveau centre du culte et d'une nouvelle capitale, à mi-chemin entre Karnak et Gizeh, ce n'était pas le geste délibéré d'un individu excentrique, mais celui d'un roi initié qui exprimait la destinée cosmique. Il se préparait à accueillir le retour de l'oiseau Bennou, en 1321 avant Jésus-Christ.

Son premier geste fut de construire un nouveau temple à la gloire d'Aton, le dieu du disque solaire. Dans la grande cour de son nouveau temple, Akhenaton avait fait ériger un obélisque surmonté de la pierre Benben, où le légendaire Phénix devait venir se poser.

Son deuxième geste, encouragé par sa mère, la reine Tiyi, fut de construire une nouvelle capitale et d'y transporter, à bord de barges sur le Nil, toute la machinerie gouvernementale. Il voulait déplacer l'axe du monde.

Il déclara ensuite que les autres dieux n'existaient pas, qu'Aton était le seul et l'unique dieu. C'était là un monothéisme très moderne. Vénérer Isis, Osiris et Amon Râ, fut interdit. Akhenaton fit fermer leurs temples et décréta que les fêtes en leur honneur étaient désormais des superstitions.

Les réformes d'Akhenaton peuvent séduire la sensibilité moderne par leur monothéisme matérialiste. Par définition, le monothéisme élimine les autres dieux — et il a tendance à éliminer également les esprits et toute autre forme d'intelligence désincarnée. Il a donc implicitement tendance à être matérialiste, *car il veut nier l'expérience des esprits* — or cette expérience est, comme nous l'avons vu, justement ce qui constitue la spiritualité.

Ce fut donc le Soleil *physique* qu'Akhenaton déclara divin et source de toute bonté. Ce qui eut pour conséquence d'émanciper l'art égyptien du formalisme hiératique traditionnel, avec ses rangs de déités. L'art d'Akhenaton semble naturaliste et il est facile pour nous de l'apprécier. Certains de ses magnifiques hymnes à Aton ont survécu, et semblent, étrangement, anticiper les Psaumes de David : « ... Combien nombreuses sont tes œuvres, mystérieuses à nos yeux ! Seul dieu, toi qui n'as pas de semblable, Tu as créé la terre selon ton cœur, alors que tu étais seul, Les hommes, toutes les bêtes domestiques et sauvages... », disait Akhenaton. « Que tes œuvres sont en grand nombre, ô Éternel ! » chante David, « Tu les as toutes faites avec sagesse. La terre est remplie de tes biens. »

Mais, au-delà de la poésie, au-delà de la pure intelligence et de la modernité s'exprimait aussi une folie monomaniaque. En bannissant tous les autres dieux et en se déclarant le seul habilité à transmettre la sagesse et l'influence d'Aton sur terre, il excluait, de fait, tout le clergé et le remplaçait par sa seule personne.

Il avait beau s'être placé au centre de la pratique religieuse, cela ne l'empêcha pas de se retirer de plus en plus dans le dédale des cours de son palais avec sa très belle femme, Néfertiti, et leurs enfants bien-aimés. Il jouait avec sa jeune famille, composait des hymnes et refusait d'entendre les mauvaises nouvelles concernant les troubles qui secouaient son peuple, ou les rébellions des colonies égyptiennes qui menaçaient sa suprématie dans la région.

L'effondrement de son pouvoir vint de l'intérieur. Après quinze ans de règne, et ce malgré ses prières à Aton, sa fille adorée mourut, ainsi que sa mère, Tiyi, qui l'avait toujours soutenu. À partir de ce moment-là, Néfertiti disparaît des archives de la cour.

Deux ans plus tard, les prêtres firent assassiner Akhenaton et mirent sur le trône un jeune homme que le monde entier allait connaître sous le nom de Toutankhamon.

Les prêtres restaurèrent sur-le-champ Thèbes, l'ancienne capitale. La ville d'Akhenaton devint vite une ville fantôme et chacun des monuments qui lui étaient dédiés, chacune des peintures le représentant, chaque mention du nom d'Akhenaton furent implacablement et systématiquement effacés.

Certains commentateurs modernes ont perçu chez Akhenaton une figure prophétique, parfois même sainte. Néanmoins, d'après ce que nous dit Manéthon, les Égyptiens se souviennent de son règne comme d'un événement « séthien ». Seth est, bien évidemment, Satan, le grand esprit du matérialisme qui a toujours travaillé à la destruction de la vraie spiritualité. Si son envoyé, Akhenaton, avait réussi à convertir l'humanité au matérialisme, 3 000 ans de la douce et belle croissance de l'esprit humain, ainsi que nombre des qualités qui ont évolué depuis, auraient été perdus à jamais.

BIEN QU'IL N'AIT PAS ÉTÉ AUSSI BIEN PRÉSERVÉ que certains autres temples égyptiens, aucun édifice ne pèse autant sur l'imaginaire collectif que le temple de Salomon.

Saül a récemment été identifié comme un personnage historique figurant dans les lettres des rois assujettis à Akhenaton. Ces rois écrivaient loyalement au pharaon des rapports sur les événements locaux. Dans ces courriers, le nom de Saül est « Labaya », le roi des Habirou (ou Apirou). Depuis cette identification, qui figure dans les archives des cultures avoisinantes, nous pouvons dire avec assurance que David – « Tadua » – fut le premier à réunir les tribus d'Israël dans un royaume dont il devint le roi en 1004 avant Jésus-Christ, ce qui correspond aux dates du règne de Toutankhamon. David jeta les fondations d'un temple à Jérusalem, mais mourut avant de pouvoir le construire, laissant cette tâche à son fils qui, nous le savons, fut sacré roi de Jérusalem en 971 avant Jésus-Christ.

Avant la nouvelle chronologie de David Rohl, on pensait que Salomon, s'il avait jamais réellement existé, vivait à l'âge de fer. Cela posait un réel problème, car les archéologues ne trouvaient pas dans les vestiges de cette période les preuves de la richesse et des projets de construction qui ont fait la renommée de Salomon. En situant Salomon à la fin de l'âge de bronze, tout s'emboîte parfaitement. Les vestiges de l'architecture de style phénicien qu'Hiram aurait construit ont été retrouvés dans la bonne couche archéologique.

Dans l'imaginaire populaire, le personnage de Salomon est l'incarnation de la grandeur et de la sagesse royales – et dans la tradition secrète, il est doté de pouvoirs magiques lui permettant de contrôler les démons. Dans les traditions secrètes franc-maçonnes – comme nous l'apprend également une oraison du chevalier Michael Ramsay datant de 1736 –, il est dit que Salomon a consigné son savoir magique dans un livre secret, qui a été par la suite enfoui dans les fondations du second temple de Jérusalem.

Dans le folklore juif, le règne de Salomon était si fastueux que l'or et l'argent étaient aussi communs que la pierre dans les rues. Mais comme les Juifs, qui étaient nomades, n'avaient pas coutume de construire des temples, pour ce projet, Salomon décida de faire appel à un architecte phénicien du nom d'Hiram Abiff. Même si, comme le prouvent ses mesures consignées dans l'Ancien Testament, ce temple n'était pas plus grand qu'une chapelle, il n'en était pas moins recouvert d'ornements d'une magnificence sans pareille.

En son centre se tenait le Saint des Saints, plaqué d'or et incrusté de gemmes, qui avait été construit pour renfermer l'arche d'Alliance, qui contenait les tables de la Loi. Des chérubins aux ailes déployées le protégeaient. Ils représentaient, comme nous l'avons vu, les constellations de la ceinture du zodiaque. Aux quatre coins de l'autel s'érigeaient quatre cornes représentant la Lune et un candélabre en or à sept branches – symbolisant, bien évidemment, le Soleil, la Lune et les cinq planètes principales. Les piliers de Jakin et de Boaz mesuraient les pulsations du cosmos. Ils étaient placés de manière à indiquer le lever du Soleil au moment des équinoxes et, d'après Flavius Josèphe, l'historien juif du Ier siècle, et Clément, le premier évêque d'Alexandrie, ils étaient surmontés d'« orrerys[7] », des représentations mécaniques du mouvement des planètes. Dans les récits bibliques, il est souvent question de grenades décoratives sculptées. Les robes des prêtres étaient incrustées de pierres précieuses qui représentaient le Soleil, la Lune, les planètes et les constellations – les émeraudes étant les seules pierres nommées.

Il semble que la particularité la plus extraordinaire du temple ait été une mer – ou, d'après le Coran, une fontaine – de cuivre en fusion. Encore une fois, de même que le serpent d'airain cloué à un mât par Moïse, cette image dévoile la présence de pratiques secrètes, visant à transformer la physiologie humaine.

Hiram, le maître d'œuvre, embaucha une confrérie d'artisans afin de réaliser son projet. Il les classa suivant trois degrés : les apprentis, les compagnons et les maîtres. Nous voyons ici se former le concept de confrérie, qui allait se répandre un jour au-delà du strict ésotérisme, pour transformer l'organisation de toute la société. Mais dans l'histoire du meurtre d'Hiram, nous devons voir une mise en garde : les choses pourraient un jour mal tourner…

D'APRÈS CERTAINES TRADITIONS SECRÈTES, IL EXISTAIT une rivalité sousjacente entre Salomon et Hiram Abiff. La reine de Saba rendit visite à Salomon, mais elle était également curieuse de rencontrer l'homme qui avait conçu un temple aussi miraculeux.

---

[7] Ancêtre des planétariums, du nom de l'inventeur, Orrery (ndlt)

Quand le regard d'Hiram Abiff se posa sur elle, elle se sentit brûler comme du métal en fusion.

Elle demanda à Hiram comment il avait réussi, à travers l'architecture de ce temple, à faire descendre la beauté des cieux sur terre. Il lui répondit en brandissant une croix en tau, une croix en forme de la lettre T. Immédiatement, tous les ouvriers se pressèrent dans le temple, telles des fourmis.

Voici encore une image d'insectes. Dans le Talmud et le Coran, il est dit que le temple a été construit grâce à l'aide d'un insecte mystérieux, capable de creuser la pierre, appelé le shamir. Comme pour la ruche, voici une image des forces spirituelles qu'Hiram peut commander.

Trois ouvriers étaient jaloux des pouvoirs secrets d'Hiram. Ils décidèrent qu'ils découvriraient le secret de la mer de cuivre en fusion. Alors qu'Hiram quittait le temple en fin de journée, ils lui tendirent une embuscade. Comme l'architecte refusait obstinément de révéler ses secrets, ils l'assassinèrent en le frappant à la tête, ce qui provoqua une hémorragie.

On dit que certains secrets moururent avec lui, qu'ils sont perdus à jamais et que ceux révélés dans les écoles du Mystère et dans les sociétés secrètes depuis sont des secrets de moindre importance.

L'histoire de la reine de Saba qui ressent une brûlure à la vue de la croix en tau a de fortes connotations sexuelles mais, pour commencer à comprendre les secrets d'Hiram, nous devons nous demander quelle était l'orientation particulière du temple, compte tenu de tous les éléments astronomiques inclus dans sa conception et dans sa décoration.

Deux chercheurs maçonniques indépendants, Christopher Knight et Robert Lomas, ont trouvé cette orientation, en partant du postulat qu'Hiram venait de Phénicie, où la déité principale est Astarté – ou Vénus. Cela correspond évidemment aussi aux détails décoratifs mentionnés plus haut, les grenades, qui sont les fruits de Vénus, et les émeraudes, qui sont ses pierres précieuses.

D'après Clément d'Alexandrie, le rideau qui délimitait le Saint des Saints avait une découpe en forme d'étoile à cinq branches. L'étoile à cinq branches a toujours été le symbole de Vénus, car la trajectoire écliptique que cette planète parcourt dans son cycle de huit années – cinq apparitions dans le ciel du matin et cinq dans celui

Le temple de Salomon sur une gravure du XVIIIe siècle. L'érudit franc-maçon Albert Pike l'appela « un abrégé du cosmos ». Les piliers jumeaux, Jakin et Boaz, ont une multitude de significations, y compris à un niveau physiologique, les mouvements rythmiques du sang rouge et violet et, à un niveau cosmique, l'entrée rythmique des esprits, alternativement dans les mondes spirituel et matériel.

du soir – dessine une forme à cinq pointes. C'est la seule planète qui forme un dessin aussi complet et aussi régulier. Cette image est parfois vue comme un pentagramme, parfois comme une étoile à cinq branches et parfois, comme nous le verrons lorsque nous aborderons les rose-croix, comme une fleur à cinq pétales, la rose.

Cette figure n'est pas seulement le symbole de Vénus, elle revêt également une signification importante en géométrie car, comme l'a révélé dans son livre sur la proportion divine le professeur de mathématiques de Léonard de Vinci, Luca Pacioli, elle incarne le nombre d'or dans toutes ses parties.

Mais il y a mieux. Cette géométrie sacrée agit sur le temps autant que sur l'espace.

Cinq cycles de Vénus de 584 jours se déroulent *exactement* pendant huit années solaires, ce qui veut dire qu'un cycle de Vénus représente 1,6 cycle solaire. Nous avons déjà rencontré ce nombre : 1,6 est le début du nombre d'or, l'un de ces nombres irrationnels et magiques qui décrivent le précipité de l'esprit dans la matière.

Dans l'ancienne doctrine secrète, ce sont les planètes et les étoiles qui contrôlent ce précipité de la matière.

Les associations avec Vénus se multiplient, une dimension s'ouvrant sur une autre, comme les univers bulles de la science moderne. Le nom Jérusalem a de nombreuses étymologies possibles. L'une d'entre elles dit que le nom initial de la ville était Urshalem, « ur » signifiant « fondée par » et Shalem étant l'ancien nom d'Astarté – ou Vénus – au moment de son apparition vespérale. Dans la tradition maçonnique, les loges sont modelées sur le temple de Jérusalem. L'étoile à cinq branches de Vénus est représentée sur la chaise de cérémonie du grand maître et les initiés se saluent en s'étreignant suivant un cérémonial en cinq temps. Les loges sont équipées de lucarnes, alignées de façon à ce que la lumière de Vénus puisse les traverser lors des jours importants. Un maître maçon est amené à renaître face à la lumière de Vénus au moment d'un équinoxe.

De prime abord, si l'on garde à l'esprit l'identification de Vénus avec Lucifer, ces associations peuvent sembler déconcertantes. Mais dans l'histoire ésotérique, Lucifer est *toujours* un mal nécessaire. Les humains sont capables de penser grâce à l'équilibre entre Vénus et la Lune – et la Lune, comme nous venons de le voir, est aussi très présente dans la décoration de l'autel du Temple.

La mission de Salomon était de guider l'humanité vers un monde plus sombre et plus matériel, tout en préservant la flamme de la spiritualité. C'est de cette mission que la franc-maçonnerie se chargera au XVIIᵉ siècle, à l'aube de l'âge moderne du matérialisme.

LA LÉGENDE DE SALOMON TROUVE UN ÉCHO LOINTAIN dans les îles britanniques. En admettant que les légendes d'Arthur aient un fondement historique, les érudits modernes ont tendance à les situer à « l'âge des ténèbres », époque qui suivit le retrait des Romains de Grande-Bretagne et à laquelle un seigneur de la guerre chrétien se serait lancé dans de glorieux mais inutiles combats contre les envahisseurs païens. Une étude développe l'idée curieuse que derrière la figure historique du roi Arthur se cachait Owain Ddantgwyne, un seigneur gallois qui vainquit les païens saxons lors de la bataille de Badon, en 470. Dans ce cas, « Arthur » aurait été un titre signifiant « l'ours ».

Mais le véritable roi Arthur vécut à Tintagel, un peu avant Salomon, aux environs de 1100 avant Jésus-Christ, quand les communautés rurales et pacifiques de l'âge de bronze de Grande-Bretagne furent envahies par les peuples de l'âge de fer, à l'esprit plus militaire et qui vivaient dans des forts de colline. Son mentor spirituel, Merlin, le magicien de la forêt de Brocéliande, était un survivant de l'époque des cromlechs, les cercles de pierres. En aidant Arthur à préserver les mystères du Soleil, il fit de lui un « roi Soleil », entouré de ses douze chevaliers du zodiaque et marié avec Vénus – Guenièvre étant le nom celtique de Venere, ou Vénus. La couronne d'Arthur était un chakra couronne en flammes, qui lui permit de guider son peuple – comme le fit Salomon – dans les ténèbres qui allaient en s'épaississant.

Hérodote témoigne qu'en Iran, on croyait que le roi émettait une lumière tellement forte et insoutenable qu'il devait se tenir derrière un rideau pendant les audiences avec ses sujets. La couronne était le symbole d'un certain degré d'initiation et l'initié était couronné par du feu bouddhique. (Le feu est lié, dans l'iconographie comme dans les textes, à la méditation, à l'énergie ascétique et caractérise notamment la première méditation du bodhisattva – ndlt.)

13

La Raison – et comment la dépasser

Élie et Élisée • Isaïe • Le bouddhisme ésotérique •
Pythagore • Lao-tseu

APRÈS LE RÈGNE DE SALOMON, LE ROYAUME d'Israël s'effondra à nouveau.

C'est alors qu'apparurent les prophètes, véritable institution, dont le rôle était de conseiller les rois – cependant, contrairement à la relation qu'entretenaient Melchisédek et Abraham, ou Merlin et Arthur, les nouveaux prophètes étaient subversifs et cherchaient la confrontation. Ils n'étaient pas consensuels et disaient des choses désagréables que personne ne voulait entendre. Ils tempêtaient et, parfois, on les considérait comme fous.

Élie était un homme farouche, étrange et solitaire, presque un clochard. Il portait un grand manteau et une ceinture en cuir et, comme Zarathoustra, il combattait le feu par le feu.

Dieu lui avait dit de se cacher dans les bois et de boire l'eau du ruisseau ; les corbeaux assuraient sa nourriture. Le corbeau indique qu'Élie était en train d'être initié à la sagesse de Zarathoustra. Comme nous l'avons vu, « Corbeau » est l'un des degrés d'initiation dans ses Mystères.

Achab, roi d'Israël, avait épousé Jézabel et entrepris d'ériger des autels à Baal (qui est le nom cananéen de Saturne/Satan). Élie se battit contre les prophètes de Baal et les vainquit en appelant le feu à descendre des cieux. Une autre fois, cerné par les bataillons de soldats que Jézabel avait envoyés pour le capturer, il appela de nouveau le feu à son secours.

Élie était un homme démesuré, un prophète qui vécut au plus près de la folie. Il existe un grand nombre d'histoires qui attestent de son charisme : sa clairvoyance, sa capacité à changer l'eau d'un puits empoisonné en eau saine, à faire flotter le fer ou à guérir les lépreux.

Parmi ces histoires, il en existe une, étrange, qui raconte comment il a ramené un jeune garçon à la vie en se couchant sur lui et en le pénétrant de son esprit. Un jour, il dut retourner dans la nature pour sauver sa vie – et rejoindre Dieu. Il se retrouva alors au sommet d'une montagne au beau milieu d'un terrible orage. On peut aisément imaginer cet homme apostrophant les intempéries, mélange de roi Lear et de bouffon.

Il s'écroula, épuisé et s'endormit sous un genévrier, où il rêva d'un ange.

Il faisait encore nuit quand il partit escalader le mont Horeb à la recherche de Dieu, comme l'ange le lui avait suggéré dans son sommeil, lorsqu'un vent violent se leva et fit trembler la montagne et rouler d'énormes rochers dans sa direction, mais Élie savait que Dieu n'était pas dans ce vent et réussit à gagner une grotte pour se mettre à l'abri.

Soudain, un éclair tomba devant la grotte et le feu ravagea la végétation, emprisonnant Élie dans son abri. Mais il savait que Dieu n'était pas non plus dans ce feu.

Le feu finit par s'éteindre, la tempête s'éloigna et, à l'aurore, tout était calme. L'étoile du matin apparut et, dans l'air doux du lever du jour, Élie entendit la petite voix tranquille de Dieu.

C'était un personnage exubérant et outrancier, mais cela ne l'empêcha pas d'être le prophète d'une nouvelle forme d'intériorité. Cette histoire est le prolongement de celle de Moïse qui entend la voix du buisson ardent, mais cela se passe plus silencieusement, de manière presque subliminale. À une époque antérieure, les gens avaient un sens aigu du divin, désormais ils devaient écouter avec attention, se discipliner mentalement et se concentrer afin de pouvoir en discerner l'appel.

Pour comprendre le sens profond de la mission d'Élie, il faut comprendre sa mort et, pour cela, nous devons nous tourner vers l'Inde.

On raconte, dans certains témoignages, que des mystiques indiens sont capables de se matérialiser et de se dématérialiser à volonté. Dans la merveilleuse *Autobiographie d'un yogi* de Paramahansa Yogananda, publiée pour la première fois en 1946, ce mystique écrit qu'il devait rencontrer son maître spirituel, Sri Yukteswar, à la gare locale, mais qu'il reçut un message télépathique lui disant de ne pas y aller. Son maître était en retard. Le disciple l'attendit à l'hôtel. Soudain, une des fenêtres qui donnaient sur la rue fut inondée par la lumière du soleil et son maître se matérialisa clairement devant lui. Il lui expliqua qu'il n'était pas une apparition mais bien fait de chair et de sang et qu'il avait été enjoint par le divin de donner à son élève la possibilité de vivre cette expérience très rare. Paramahansa Yogananda toucha les sandales en corde et en tissu orange si familières et sentit la robe de son maître le caresser.

Élie développa ce don jusqu'au stade suivant. *Il apprit comment s'incarner et s'« excarner » à volonté.*

You can't take it with you[1], dit le dicton, mais d'après la doctrine secrète, c'est possible. Georges Ivanovitch Gurdjieff, le grand initié du XXᵉ siècle, a dit que, pour réellement devenir maîtres de nous-mêmes dans cette vie-ci, nous avons besoin de ce qui nous sera également nécessaire afin de survivre comme êtres conscients après la mort. L'initiation concerne aussi bien la vie après la mort que la vie terrestre. Dans le septième livre de *La République* Platon a dit : « Qu'un homme ne puisse, en la séparant de toutes les autres, définir l'idée du bien, […] ne diras-tu pas d'un tel homme […] qu'il passe sa vie présente en état de rêve et de somnolence, et qu'avant de s'éveiller ici-bas, il ira chez Hadès dormir de son dernier sommeil ? »

À la fin de sa vie, Élie s'éleva dans les cieux sur un chariot ardent : il ne mourut pas de manière ordinaire. Comme Énoch et Noé, il rejoignit la corporation des maîtres ascendants, le plus souvent invisibles et qui reviennent sur terre dans les grands moments de crise et de changement.

Dans la pensée kabbalistique, le chariot dans lequel Élie monte aux cieux est l'un des aspects d'une entité mystérieuse appelée la Merkabah. Les grands initiés travaillent sur leur corps végétal afin qu'il ne se dissolve pas après la mort, ce qui permet à l'esprit ascendant de préserver certains aspects de sa conscience qui ne sont, généralement, possibles que pendant la vie sur terre. Les initiés connaissent des techniques secrètes par lesquelles il est possible de cristalliser des énergies très fines, afin que ces dernières ne se dispersent pas après la mort.

Nous verrons plus loin que les penseurs chrétiens allaient appeler ce chariot le corps de résurrection.

---

[1] Expression qui pourrait se traduire par « Tu ne peux pas l'emporter avec toi », par référence au dépouillement de la mort (ndlt)

Pendant son ascension, Élie perdit son manteau. Il fut récupéré par le successeur qu'il avait lui-même désigné : Élisée. Un procédé mystérieux agissant sur le manteau conféra à Élisée un pouvoir supérieur à celui d'Élie. (Nous verrons comment cela fonctionne lorsque nous aborderons la vie et l'œuvre de Shakespeare.)

Néanmoins, la succession d'Élie par Élisée fut équivoque. Il semble qu'un jour Élie ait voulu répudier Élisée. Il partit précipitamment et, comme Élisée lui courait après, Élie lui dit : « Va, retourne ; car que t'ai-je fait ? » Voit-il chez Élisée quelque chose dont il se méfie ? Plus tard, lorsqu'un groupe de garçons se moque du crâne chauve d'Élisée, celui-ci utilise ses pouvoirs pour appeler deux ours de la forêt qui attaquent les jeunes hommes et les tuent. Il semble que ce prophète était encore engagé dans une bataille mortelle avec Baal.

Deux cents ans plus tard, au temps du prophète Isaïe, une nouvelle compréhension transcendante de la façon dont fonctionne l'univers s'était développée. La notion de « grâce » commençait à détourner les prophètes de la violence. En 550 avant Jésus-Christ, Isaïe proclamait : « Le peuple qui marchait dans les ténèbres Voit une grande lumière ; […] Car un enfant nous est né, un fils nous est donné, Et la domination reposera sur son épaule ; On l'appellera Admirable, Conseiller, Dieu puissant, Père éternel, Prince de la paix[2]. »

La notion de grâce s'est développée à partir de ce sens prophétique de l'histoire. Les rois des deux royaumes et leur peuple avaient échoué à faire ce qu'il leur était demandé : ils étaient dégénérés et la terre était ravagée. Mais la grâce de Dieu fit émerger une racine vivante de cette terre à l'abandon. Les prophètes voyaient la grâce opérer de la sorte, de leur vivant, aux niveaux militaire et politique, lors de l'essor et de la chute cyclique de leurs petits royaumes. Ils prophétisaient aussi sa récurrence dans les grands cycles cosmiques de l'histoire.

A contrario, pour les disciples de Baal, la vie était affaire de pouvoir. Ils pensaient que s'ils observaient les rites religieux adéquats – les sacrifices et les cérémonies magiques –, ils pourraient contraindre les dieux à les servir.

Isaïe rejetait cette vision. Il dit à son peuple que Yahvé avait fait preuve de « grâce » en les choisissant, en leur donnant la force d'obéir, en les purifiant de leurs péchés, en les sauvant lorsqu'ils s'étaient

---

[2] Isaïe 9, 1 et 9, 5-6 (ndlt)

montrés entêtés et avaient désobéi, et en leur promettant de restaurer leur gloire, même s'ils ne la méritaient pas. L'amour de Yahvé ne pouvait jamais être exigé, acheté ou gagné, disait-il : c'est un amour accordé en toute liberté.

Dès que cet amour divin fut compris, il ne fallut pas longtemps pour qu'il ouvre une nouvelle dimension dans l'amour qu'un être humain porte à un autre.

Isaïe avait un sens aigu de l'histoire et de la future fortune d'Israël – « Un rejeton sortira de la souche de Jessé » (Isaïe 11, 1). Il avait également une grande vision de la fin de l'histoire, dont nous parlerons plus tard – « Le loup habitera avec l'agneau, la panthère se couchera

L'ascension d'Élie. Gravure provenant d'une Bible du XIXe siècle.

229

avec le chevreau. Le veau, le lionceau et la bête grasse iront ensemble, conduits par un petit garçon » (Isaïe 11, 6).

La tradition prophétique s'éteignit autour de 450 avant J.-C. Comme l'écrivit, à la fin du XVIᵉ siècle, le rabbin kabbaliste Hayyim Vital : après Aggée, Zacharie et Malachie, les prophètes n'étaient plus capables de voir que les niveaux inférieurs des cieux, et ce de manière très vague.

Les derniers mots de l'Ancien Testament sont les propres mots de Malachie qui prophétise le retour d'Élie, que l'on attend encore de nos jours à chaque Pâque juive : son couvert est mis pour le dîner, accompagné d'un verre de vin, et la porte lui est ouverte.

MAIS, DANS D'AUTRES PARTIES DU MONDE, d'autres admirables initiés étaient en train d'explorer de nouvelles dimensions de la condition humaine. Un grand vent de « lumières » était en train de balayer simultanément l'esprit de différentes personnes de différentes cultures.

Le prince Siddhârta naquit à Lumbini – dans ce qui correspondrait au Népal d'aujourd'hui – à une époque où de petits États de la région étaient en conflit.

Jusqu'à l'age de vingt-neuf ans, il vécut protégé, dans le luxe. Chacun de ses besoins était satisfait avant même qu'il ne se manifeste et son regard ne croisait que la beauté. Mais un jour, il sortit du palais et il vit ce qu'on ne lui avait jamais permis de voir – un vieil homme. Il en fut horrifié, mais il décida de continuer son exploration et découvrit que son peuple pouvait être malade, ou même mourant.

Il décida de quitter le palais – ainsi que sa femme et son fils – pour essayer de donner un sens à cette souffrance. Il vécut parmi les ascètes pendant sept ans, mais ne réussit pas à trouver ce qu'il cherchait, ni dans le yoga de Patañjali, ni dans les enseignements des descendants des rishi.

Puis, à trente-cinq ans, il s'assit sous un pipal[3], sur les bords de la rivière Neranjara, bien décidé à ne pas bouger avant d'avoir compris.

Après trois jours et trois nuits, il comprit que la vie était souffrance et que le désir des choses terrestres était responsable de ces souffrances, mais il comprit aussi qu'il était possible de s'en libérer. En effet, on peut atteindre un degré de liberté tel et une telle affinité

---

[3] Appelé depuis arbre de la Bodhi (ndlt)

avec le monde des esprits, qu'il n'est plus besoin de se réincarner, et ainsi devenir un bouddha, comme Siddhârta.

Le chemin vers cette compréhension – ou éveil – fut appelé le « Noble Chemin octuple » par le Bouddha lui-même, et il impliquait la compréhension juste, la pensée juste, la parole juste, l'action juste, les moyens d'existence justes, l'effort juste, l'attention juste et la concentration.

Le Noble Chemin octuple peut sembler terriblement exigeant et moralisateur pour la sensibilité occidentale moderne ; il peut aussi sembler abstrait, ou même impraticable. Mais les enseignements de Bouddha ont un aspect ésotérique et, comme tous les enseignements ésotériques, ils possèdent un niveau de signification extrêmement pratique. La philosophie ésotérique apprend à ses initiés comment obtenir des transformations psychologiques au moyen de techniques concrètes qui agissent sur la physiologie humaine. Pour ce qui est du Noble Chemin octuple, ces huit pratiques sont des exercices qui animent huit des seize pétales du chakra de la gorge.

C'est un virage historique dans les pratiques initiatiques. Dans les rituels du temps de la Grande Pyramide, par exemple, le candidat à l'initiation était amené à un état de transe très profond, proche de la mort, puis un cercle de cinq initiés sortait son corps végétal de son corps physique. Les adeptes travaillaient sur ce corps végétal, le façonnaient pour l'amener à prendre des formes qui lui permettraient de percevoir des mondes plus élevés. Ainsi, lorsque le corps végétal réintégrait le corps physique et que le candidat se réveillait, il était né à nouveau, dans une forme de vie supérieure. Ce qu'il faut souligner ici, c'est que le candidat égyptien était *inconscient* durant tout le processus d'initiation.

En revanche, désormais, les disciples de Bouddha participaient consciemment à leur propre initiation, travaillant sur leurs chakras en toute conscience. Ce travail impliquait aussi de vivre une nouvelle vie, plus morale, basée sur la compassion pour tout ce qui vit.

En s'émancipant du monde des esprits, les individus risquaient d'être aveuglés par leurs pouvoirs, qui dépassaient de loin leur volonté de faire le bien, ce qui pouvait donc les induire à ne pas les utiliser à bon escient.

Il faut savoir qu'il a toujours été possible d'acquérir des pouvoirs, même sans avoir été initié. Cela arrive parfois après un grave traumatisme infantile, qui peut provoquer une déchirure dans la psyché par laquelle les esprits se précipitent de manière incontrôlée. Certains médiums modernes ont souffert d'un violent traumatisme dans leur enfance. Parfois, des personnes acquièrent ces pouvoirs à travers la pratique de la magie, qui, parfois, peut être noire, ou du moins d'une forme qui n'est pas en accord avec des idéaux spirituels élevés, comme cela est le cas dans les vénérables écoles secrètes, qui préservent l'authentique tradition. Le danger est qu'un non-initié, même s'il est pétri des meilleures intentions, puisse avoir du mal à reconnaître les esprits avec lesquels il communique.

Le but du Noble Chemin octuple est une initiation qui protège et contrôle le développement moral : si l'on veut être capable de contrôler le monde, il faut d'abord être capable de se contrôler soi-même.

Le chakra de la gorge est l'organe de la formulation de la sagesse spirituelle. Il relie le chakra du cœur au chakra du troisième œil. Dans la physiologie d'un initié, des courants d'amour jaillissent du chakra du cœur pour remonter celui de la gorge et viennent illuminer le troisième œil. Quand la lumière atteint le troisième œil, celui-ci s'ouvre comme une fleur et brille comme le Soleil.

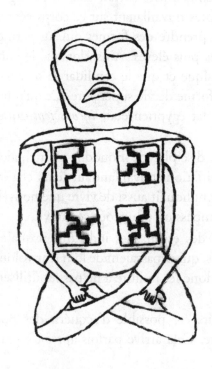

Dans le bouddhisme ésotérique, le Bouddha est l'esprit de Mercure. Ce n'est donc pas une coïncidence si les Celtes appellent la planète Mercure « Budh », qui signifie « enseignement sage ». La position du lotus, caractéristique de la tradition indienne, était connue des Celtes, comme le prouve cette sculpture retrouvée sur un seau à Osberg, en Norvège.

Nous rencontrons parfois un écho – ou avant-goût – de cela dans notre vie quotidienne. Quand nous regardons quelqu'un avec des yeux amoureux, nous voyons chez cette personne des qualités que les autres ne voient pas. Le simple fait de regarder cette personne avec amour peut faire naître ces qualités et aider à leur épanouissement. Si vous rencontrez quelqu'un qui a une nature spirituelle très raffinée, cette personne sera sûrement heureuse, souriante, rieuse, presque enfantine. C'est parce que ces personnes regardent l'humanité avec des yeux emplis d'amour.

Quand le Bouddha mourut, il avait atteint son but : il n'avait plus besoin de se réincarner.

Mais cela ne veut pas dire pour autant qu'il ne fait plus partie de cette histoire, comme nous le verrons lorsque nous aborderons la Renaissance italienne.

L'empereur bouddhiste Asoka, petit-fils du premier homme qui réussit à unifier l'Inde, régna à partir de 273 av. J.-C. Lorsqu'il perdit plus de cent mille hommes dans une bataille, il décida de renoncer à la guerre et, à partir de ce jour, il voulut régner en montrant le brillant exemple de sa spiritualité bouddhiste. Il fit ériger quelque 84 000 stupas, ou sanctuaires, dont très peu perdurèrent. Dans l'histoire officielle, on se souvient de ce qu'il accomplit en matière d'irrigation, ainsi que les routes, les hôpitaux et les jardins botaniques qu'il fit construire. On se rappelle aussi son végétarisme et l'interdiction de tuer les animaux qu'il promulgua. Dans l'histoire ésotérique, on se souvient également qu'il a fondé le « Neuf inconnu », une société secrète très puissante dont beaucoup pensent, encore aujourd'hui, qu'elle est toujours opérante (c'était également le cas de Jagadish Chandra Bose, l'un des plus grands scientifiques indiens, décédé en 1937).

PYTHAGORE NAQUIT EN GRÈCE, SUR LA PROSPÈRE ÎLE de Samos, aux environs de 575 avant Jésus-Christ, au moment même où l'on posait les premiers blocs de marbre sur l'Acropole d'Athènes.

Il est l'individu qui a eu la plus grande influence sur l'évolution de la pensée ésotérique occidentale. De son vivant, il était considéré comme un demi-dieu. Comme pour Jésus-Christ, aucun de ses écrits n'est parvenu jusqu'à nous, mis à part quelques citations, commentaires et autres histoires, consignés par ses disciples.

Il est dit qu'il avait le don d'ubiquité, qu'un aigle blanc lui avait permis de le caresser, qu'il s'adressa à une rivière un jour et qu'une voix provenant des eaux lui répondit : « Je te salue, Pythagore ! » On dit aussi qu'il conseilla à des pêcheurs qui avaient passé une journée totalement improductive, de jeter leur filet une dernière fois à la mer et que, cette fois-ci, le filet faillit rompre sous le poids de leur pêche. C'était un grand guérisseur qui récitait parfois des vers d'Homère, qui avaient, selon lui, un très grand pouvoir – tout comme les mystiques chrétiens récitent des versets des Psaumes et de l'Évangile selon saint Jean. Il utilisait aussi la musique à des fins de guérison. Le philosophe grec Empédocle déclara que Pythagore pouvait soigner les malades et rajeunir les vieux. Comme Bouddha, il se souvenait de ses incarnations passées et on dit qu'il pouvait également se souvenir de l'histoire du monde depuis le commencement.

Sa sagesse était le résultat de plusieurs années de recherche et d'initiations multiples dans les écoles du Mystère. Il passa vingt-deux ans à apprendre les secrets des prêtres initiés égyptiens. Il étudia également avec les mages de Babylone et avec les descendants des rishis indiens, qui ont gardé le souvenir d'un grand thaumaturge qu'ils appelaient Yaivancharya.

Pythagore cherchait à synthétiser la pensée ésotérique du monde entier pour la transformer en une conception totale du cosmos – ce que le philosophe kabbaliste du XVIIe siècle Leibniz appellerait la « philosophie pérenne ».

À ce moment de l'histoire du monde, du point de vue idéaliste, nous sommes à un tournant. Les grandes idées ou pensées qui émanent de l'esprit cosmique sont maintenant presque occultées par la matière qu'ils ont créée ensemble. La tâche de Pythagore était de les enregistrer en tant que concepts avant qu'elles ne disparaissent complètement.

Dès lors, la philosophie de Pythagore commença à traduire la vision primordiale de la conscience, l'image qu'en avaient les anciens, en termes abstraits et conceptuels.

Aux environs de 532 avant Jésus-Christ, Pythagore se mit à dos Polycrate, le despote qui gouvernait Samos. Forcé à l'exil, il fonda une petite communauté – la première d'une longue série – à Crotone, au sud de l'Italie. Pour y entrer, les candidats à l'initiation devaient suivre des années d'entraînement, dont une étrange diète à base de coquelicots, de graines de sésame et de concombre, de miel sauvage, de jonquilles et de pelure de bowie volubile, dont le jus avait été préalablement extrait. On mettait l'accent sur la gymnastique, afin d'harmoniser les trois corps humains – le matériel, le végétal et l'animal – et, enfin, on imposait le silence aux candidats pendant des années.

Pythagore était capable d'offrir à ses élèves une vision très large du monde des esprits, qu'il leur interprétait par la suite. De ces divers enseignements allaient naître les premiers cours académiques de mathématiques, de géométrie, d'astronomie et de musique.

On dit qu'en son temps, Pythagore était le seul à entendre la musique des sphères, qui était conçue comme une suite de notes, chacune jouée par les sept planètes à mesure qu'elles bougeaient dans l'espace. Il est assez facile de réfuter tout cela et de considérer que ce ne sont que des sottises mystiques. Néanmoins, la façon dont il mesura la première gamme musicale semble tout à fait plausible.

Un jour, Pythagore se promenait en ville lorsqu'il entendit le bruit du métal qu'on tapait sur une enclume. Il remarqua que les marteaux de différentes tailles produisaient différents sons. En rentrant, il fixa une planche à travers une pièce et y pendit une série de poids différents, formant une échelle ascendante. À la suite de plusieurs essais, il détermina que les notes qui sont agréables à l'oreille humaine correspondent à différents poids. Puis il calcula que ces poids étaient, mathématiquement, précisément proportionnels les uns aux autres. Ce sont ces calculs qui nous permettent de jouir de l'octave dont nous nous servons encore aujourd'hui.

Comme Pythagore et ses disciples commençaient à décrire l'élément rationnel de la vie, ils formulèrent également un concept parallèle qui n'avait peut-être jamais été articulé, car jusque-là il avait fait partie de l'expérience quotidienne de chacun. Voici ce qu'ils disaient : la vie peut être expliquée en termes rationnels, jusqu'à un certain point. *Mais elle comporte également un vaste élément irrationnel.*

Les enseignements des écoles du Mystère relatifs à l'aspect rationnel de la vie allaient contribuer à la construction de villes, au développement de la science et de la technologie, et à structurer et réguler le monde du dehors. Les enseignements irrationnels, du moins dans leur forme explicite, seraient réservés aux écoles. En parler au-dehors était dangereux et pouvait engendrer l'hostilité. Plutarque a dit que ceux qui connaissent les vérités supérieures ont du mal à prendre au sérieux les valeurs prétendument « sérieuses » de la société. Il aimait aussi citer Héraclite : « Le temps est un enfant qui joue… »

Ce fut donc au moment de la naissance de la pensée rationnelle que les écoles du Mystère encouragèrent l'opposé. Ce n'est pas un hasard si Pythagore, Newton et Leibniz, ceux qui ont le plus contribué à aider l'humanité à s'approprier la réalité de l'univers physique, se sont plongés dans la pensée ésotérique : comme ces grands esprits l'ont compris, la raison en est que quand on regarde la vie de manière aussi subjective que possible, et non pas avec l'objectivité de la science, il ne fait pas l'ombre d'un doute que des schémas très différents émergent. La vie, du point de vue objectif, peut être rationnelle et soumise aux lois naturelles mais, vécue de manière subjective, elle est irrationnelle.

En séparant l'expérience en deux de cette manière, Pythagore permit de penser plus clairement aux deux dimensions.

On enseignait aux élèves de Pythagore à vivre en dehors de la société, alternant l'extase mystique et l'analyse intellectuelle. Pythagore fut le premier à s'appeler lui-même « amateur de sagesse », ce qui veut dire « philosophe » mais, comme ses successeurs Socrate et Platon, il était plus proche du mage que du professeur d'université contemporain. Ses élèves le respectaient profondément : ils croyaient qu'il pouvait influer sur leurs rêves et réorienter leur conscience éveillée en un instant.

Pythagore s'attirait une haine meurtrière de la part de ceux qui étaient exclus de son cercle. Il refusa d'admettre dans son école du Mystère un homme appelé Cylon, à cause de son comportement imprudent et de son caractère impérieux. Ce dernier dressa une foule contre Pythagore : ils réussirent à pénétrer dans le bâtiment où le philosophe et ses disciples étaient réunis, et ils y mirent le feu. À l'intérieur, tous moururent.

À L'ÉPOQUE DE PYTHAGORE, DEUX AUTRES PHILOSOPHES, de différentes parties du monde, Héraclite en Grèce et Lao-tseu en Chine, firent brièvement leur apparition dans le cours de l'histoire en essayant de définir rationnellement la dimension irrationnelle de la vie.

« On ne peut pas entrer deux fois dans le même fleuve », disait Héraclite.

On raconte que Confucius rendit visite à Lao-tseu. Confucius voulait être initié, mais Lao-tseu le congédia, raillant ses manières doucereuses et son ambition démesurée. Ce récit est probablement apocryphe, mais révèle néanmoins une vérité importante : le confucianisme et le taoïsme sont en Chine, respectivement, des pensées exotériques et ésotériques.

Confucius passa des années à réunir les pensées de la sagesse traditionnelle chinoise et cette collection fut plus tard adoptée comme manuel de gouvernance par les dirigeants chinois.

Les paroles de Confucius sont pleines de raison : « Un voyage de mille lieues commence toujours par un premier pas[4] » ; « Donnez plus de valeur à l'action qu'au résultat » ; « Si vous n'atteignez pas votre but, réajustez-le. » Et ainsi de suite.

Nous pouvons comparer Confucius à Rudyard Kipling, ils étaient tous deux serviteurs de l'empire. Si le matérialisme scientifique décrivait tout ce qui existe, le poème de Kipling *If*[5] serait notre règle de conduite pour la vie et la philosophie ésotérique n'aurait rien à nous apprendre.

> Si tu forces ton cœur, tes nerfs, et ton jarret
> À servir à tes fins malgré leur abandon,
> Et que tu tiennes bon quand tout vient à l'arrêt,
> Hormis la Volonté qui ordonne : « Tiens bon ! »
> Si tu sais bien remplir chaque minute implacable

---

[4] Il semblerait que cette phrase soit attribuée aux deux philosophes, ce qui laisse à penser que Confucius l'aurait reprise de Lao-tseu (ndlt)

[5] « Si » (ndlt)

> De soixante secondes de chemins accomplis,
> À toi sera la Terre et son bien délectable,
> Et – bien mieux – tu seras un Homme, mon fils.
>
> (traduction Jules Castier, 1949)

Le problème est que, même si, parfois, la meilleure chose à faire est d'avoir le courage de continuer et ne pas abandonner, parfois, comme Orphée l'a appris à ses dépens, il est plus prudent d'abandonner et de se laisser porter par le courant. Souvent, s'accrocher à ce que nous voulons est la meilleure façon de l'éloigner. Il est parfois judicieux de lâcher prise afin d'obtenir ce que nous voulons. Comme le dit Lao-tseu :

> Plus l'éveillé se met en retrait, plus il avance.
> Plus le sage donne aux autres, plus il possède.
> Parce qu'il est désintéressé, il se réalise
> Le tranquille est le seigneur des agités.

TRENTE ANS APRÈS LA MORT DE PYTHAGORE, une impressionnante armée perse, conduite par Xerxès, envahit la Grèce. Puis, durant les premières années du Ve siècle, les envahisseurs perses furent défaits et repoussés par les Athéniens à Marathon, puis par une alliance entre Spartiates et Athéniens à Mycale.

Pythagore avait institutionnalisé les discussions ouvertes et la prise collective de décisions pour ce qui concernait la communauté tout entière – ce que nous appelons aujourd'hui la politique. Grâce à cela – et tant que dura l'alliance entre Athéniens et Spartiates – il allait naître une « ville État » unique en son genre, Athènes.

14

Les mystères de la Grèce et de Rome

Les mystères d'Éleusis • Socrate et son démon • Platon, le mage
• L'identité divine d'Alexandre le Grand • Les Césars et Cicéron
• L'essor des mages

LES ATHÉNIENS POSSÉDAIENT UN DON pour la pensée libre et individuelle. Les Spartiates, eux, développèrent la détermination, la compétitivité et l'admiration, au point de vouer une adoration à leurs hommes forts et de créer des héros. Au Vᵉ siècle avant Jésus-Christ, la force a instauré les conditions nécessaires à l'épanouissement de la culture grecque, qui commençait à établir les canons de beauté des formes et la rigueur intellectuelle qui nous inspirent encore aujourd'hui.

C'était la Grèce des grands initiés : les philosophes Platon et Aristote, le poète Pindare, et les dramaturges Sophocle et Euripide.

La plus célèbre école du Mystère de Grèce se trouvait à Éleusis, un hameau situé à quelques kilomètres d'Athènes. Cicéron, l'homme d'État romain lui-même initié, dira par la suite que les mystères d'Éleusis et ce qu'ils ont engendré constituèrent le plus grand cadeau qu'Athènes fit au monde civilisé.

LE NOM ÉLEUSIS VIENT D'*EULANO* QUI SIGNIFIE « JE VIENS », c'est-à-dire « je viens au monde ». Il ne reste presque plus rien du sanctuaire – n'ont survécu que quelques pierres éparpillées çà et là et une paire de panneaux intérieurs. Cependant, un témoin de cette époque décrivit un mur extérieur fait de pierres d'un bleu grisé, dont il ne reste aucune trace. À l'intérieur, on pouvait voir des statues peintes et des frises représentant des déesses, des gerbes de céréales et des fleurs à huit pétales. Dans un récit, il est question d'une ouverture dans le plafond du sanctuaire, seule source de lumière du temple.

Les Petits Mystères étaient célébrés au printemps et comportaient des rites de purification et de théâtralisation des histoires des dieux.

Une statue d'un dieu, ceinte d'une couronne de myrte et portant une torche, était transportée lors d'une procession où l'on dansait et chantait. Le dieu était sacrifié et mourait trois jours. Quand la statue qui le représentait revenant de chez les morts était brandie, l'assemblée des hiérophantes[1] et des candidats criait : « Iacchos ! Iacchos ! Iacchos[2] ! »

Ces célébrations contenaient également un élément ouvertement sexuel : un érudit byzantin du nom de Psellos raconte que Vénus y fut montrée en train de sortir de la mer, entourée de représentations animées de l'organe génital féminin et que, par la suite, le mariage de Perséphone et d'Hadès eut lieu[3]. Clément d'Alexandrie raconte quant à lui que le viol de Perséphone y fut joué, et Athénagoras dit également qu'au cours de cette pièce étrange, tragique et presque irréelle, elle était dépeinte avec une corne sur le front, qui symbolisait peut-être le troisième œil.

Il existe des récits d'un cérémonial où l'on fait couler du lait d'un vase en or en forme de sein. À première vue, ce cérémonial symbolise le culte voué à la Terre Mère mais, à un niveau plus profond, nous pouvons y déceler également le lien que ces cérémonies entretenaient avec l'idée de la vie après la mort. D'après Pythagore, la Voie lactée était considérée comme une vaste rivière ou un « troupeau d'esprits ». L'esprit des morts, semblable aux étoiles, s'élevait par la porte du

---

[1] Un hiérophante est un prêtre qui explique les mystères du sacré. Dans l'Antiquité grecque, le mot désignait plus particulièrement le prêtre qui présidait aux mystères d'Éleusis et instruisait les initiés (ndlt).

[2] Iacchos est le fils de Zeus et de Déméter et le nom solennel de Bacchus dans les mystères d'Éleusis. Les rituels des Mystères étaient toujours accomplis par les prêtres de Déméter (ndlt).

[3] Perséphone, fille de Zeus et de Déméter, fut enlevée par Hadès pour être son épouse et la reine des Enfers alors qu'elle cueillait des fleurs dans les prairies d'Enna (Sicile). Les cultures cessèrent de croître dans les champs alors que Déméter parcourait le monde à la recherche de sa fille. Un jour, alors qu'elle errait sur les terres de Grèce sous les traits d'une vieille mendiante, elle entra dans la cité d'Éleusis et demanda l'hospitalité. Les citoyens l'accueillirent avec une grande générosité et, en reconnaissance, la déesse dévoila sa véritable identité et récompensa ses bienfaiteurs : elle leur dévoila ses mystères et la maîtrise de l'agriculture (ndlt)

Capricorne jusqu'aux hautes sphères, avant de redescendre dans le monde matériel par la porte du Cancer. Pindare a dit : « Heureux qui a vu les mystères d'Éleusis, avant d'être mis sous terre ! Il connaît les fins de la vie et le commencement donné de Dieu. » Et Sophocle : « Ô trois fois heureux ceux d'entre les mortels, qui vont dans l'Hadès après avoir contemplé ces mystères : eux seuls jouissent de la vie là-bas, pour les autres il n'y a que des maux là-bas. » Enfin, Plutarque a dit que ceux qui meurent vivent pour la première fois ce que les initiés ont déjà vécu.

Les Grands Mystères, célébrés autour de l'équinoxe d'automne, étaient précédés de neuf jours de jeûne, au terme desquels les candidats à l'initiation buvaient une boisson puissante appelée le kykéôn.

Il paraît évident qu'une faim extrême peut en elle-même provoquer un état hallucinatoire, ou même rendre visionnaire. Après ce long jeûne, le candidat avalait cette boisson à base d'orge braisé, d'eau et d'huile de germandrée tomenteuse, qui a un effet narcotique quand elle est prise dans des quantités suffisantes.

On savait que les Mystères faisaient vivre aux gens les expériences les plus intenses : la peur la plus profonde, l'horreur la plus

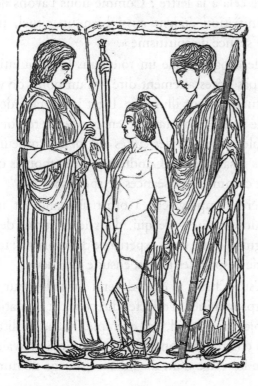

Un panneau d'Éleusis qui est parvenu jusqu'à nous, montrant Déméter et un candidat à l'initiation.

totale, ou le plus grand ravissement. Plutarque décrivit la terreur de ceux qui allaient être initiés comme semblable à celle qu'on éprouve quand on est sur le point de mourir. Et, d'une certaine manière, c'était vrai.

Imaginez que vous ayez assisté à une de ces cérémonies terrifiantes et spectaculaires des Petits Mystères, au cours desquelles sont représentés des événements surnaturels, et que maintenant vous êtes persuadé que tout cela va arriver pour de vrai, que vous allez participer à un spectacle où l'on va vous tuer et que, d'une certaine façon, vous allez vraiment y laisser votre peau ! Les récits de Proclus suggèrent que les candidats étaient attaqués par « des hordes déchaînées de démons terrestres ». Bien qu'il fût désormais très difficile pour les esprits *supérieurs,* les dieux, de se manifester dans un monde matériel si dense, cela demeurait relativement facile pour les esprits mineurs : les démons et l'esprit des morts. Le candidat devait être déshonoré, puni et torturé par les démons. Dans sa *Description de la Grèce*, Pausanias le Périégète décrit un démon appelé Euronymous, à la peau d'un noir bleuté, semblable à celle d'une mouche, qui dévorait la chair des corps en décomposition.

Devons-nous prendre cela à la lettre ? Comme nous l'avons déjà dit, ces cérémonies d'initiation étaient aussi bien un rituel, une représentation, qu'une « séance de spiritisme ».

Le fait que l'usage de drogues joue un rôle dans la conjuration de ces démons ne veut pas nécessairement dire – d'un point de vue idéaliste – que ces créatures étaient illusoires. Il est important de se rappeler que dans l'Inde rurale, on pratique encore des cérémonies religieuses très respectables, on voue des cultes aux déités mineures, les Prêtas, les Bhutas, les Pisakas et les Gandharvas ; cérémonies que l'Occident considérerait comme des « séances de spiritisme ».

Les écoles du Mystère s'employaient à offrir au candidat une expérience spirituelle authentique – ce qui, dans le contexte de la philosophie idéaliste, signifie « une vraie expérience des esprits » : tout d'abord des démons et de l'esprit des morts, ensuite des dieux.

Au Vᵉ siècle avant Jésus-Christ, il était devenu difficile pour les dieux, dépourvus de corps matériel, d'affecter directement la matière – de faire bouger un objet trop lourd, par exemple. Mais, en disant des mots magiques sans émettre de sons, les prêtres initiés arrivaient parfois à faire apparaître le visage d'un dieu dans le nuage de fumée d'un feu sacrificiel. Le théosophe de la fin du XVIIIe siècle Karl von Eckartshausen a consigné quels étaient les ingrédients qui favorisaient les apparitions, lors des fumigations : la pruche, la jusquiame, le safran, l'aloès, l'opium, la mandragore, le salorum, les graines de pavot, l'asafoetida et le persil.

Les statues qui font la renommée de la Grèce, à l'aspect si miraculeusement vivant, sont apparues dans les écoles du Mystère. Leur fonction originelle était également de convoquer les dieux sur terre, de les aider à se matérialiser.

Nous savons, d'après l'usage que l'on faisait des statues en Égypte et en Mésopotamie, que leur but était que les dieux les habitent, qu'ils les occupent comme si elles étaient leur corps physique, qu'ils leur fassent prendre vie. Devant la statue d'Artémis à Éphèse, on pouvait voir la Terre Mère apparaître, tel un grand arbre ; on avait l'impression d'être absorbé dans la matrice végétale du cosmos, de ne faire qu'un avec ce grand océan de vagues de lumière entremêlées.

Les statues respiraient et semblaient bouger : on disait que parfois elles vous parlaient.

Au terme d'un certain nombre d'essais réussis, le candidat était autorisé à s'élever dans le royaume Empyrée, un endroit baigné de lumière, empli de musique et de danses. Dionysos – Bacchus ou Iacchos – apparaissait dans une lumière magnifique. L'orateur Aristide se souvient : « J'ai cru sentir le dieu s'approcher et je l'ai touché. J'étais entre la veille et le sommeil. Mon esprit était si léger et celui qui n'a pas été initié ne peut pas comprendre. » La légèreté d'esprit à laquelle il se réfère est, en fait, une expérience de décorporation. Il semble clair qu'à l'apogée des Mystères, les dieux occupaient parfois des corps éthérés ou végétaux et apparaissaient sous la forme de spectres lumineux ou de fantômes.

Le processus d'initiation donnait donc une connaissance directe, existentielle et indéniable, qui prouvait que l'esprit pouvait vivre en dehors du corps. Pendant qu'il était dans cet état, le candidat devenait un esprit parmi les esprits, un dieu parmi les dieux. Lorsque l'initié « renaissait » à la vie quotidienne et matérielle, lorsqu'il était couronné initié, il conservait bon nombre de pouvoirs divins de perception et l'aptitude à influencer le cours des événements.

L'expérience de l'initiation était donc mystique. Cependant, comme nous l'avons vu pour Pythagore, la connaissance pratique, et même

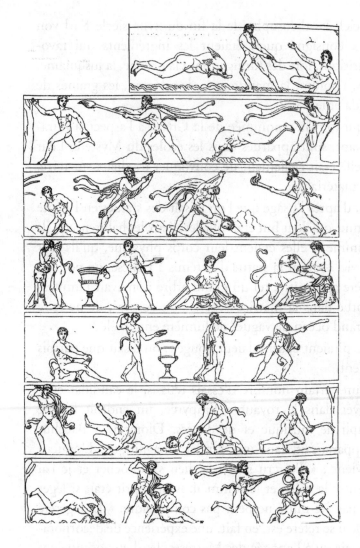

Dans la doctrine à l'envers et sens dessus dessous des sociétés secrètes, les Grecs créèrent les premières statues représentant des corps humains parfaits, parce que le corps humain n'acquit une forme parfaite qu'à cette époque. Les Grecs commencèrent à vouer un culte au corps à cause de cette toute nouvelle expérience de la forme parfaite.

scientifique, faisait, implicitement, également partie de cette expérience. Après l'initiation, un hiérophante élucidait ce que le nouvel initié venait de vivre, tirant ses révélations obscures d'un livre fait de deux tables de pierre, appelé le *Livre d'interprétation*. Ces révélations expliquaient comment le monde matériel et le corps matériel humain avaient été formés et comment le monde des esprits les dirigeait tous les deux. Dans leurs enseignements, les hiérophantes s'aidaient également de symboles, dont un thyrse, fait d'un roseau, avec parfois sept nœuds et surmonté d'une pomme de pin. Ils utilisaient également les « jouets de Dionysos » – un serpent d'or, un phallus, un œuf et une toupie qui produisait le son « Om ». Cicéron écrivit que quand on

Connu également comme la baguette d'Hermès, le Caducée était un bâton sur lequel s'enroulaient deux serpents. Le thyrse était une représentation du Caducée, probablement fait à partir d'une tige creuse comme celle du fenouil – dans lequel Prométhée portait le feu afin d'illuminer l'humanité. Le thyrse dans lequel se cache le feu secret sacré est la Sushumna Nadi *de la physiologie occulte indienne. Au sommet de la tige se trouvait une pomme de pin qui représentait la glande pinéale.*

arrivait à les comprendre, les mystères occultes avaient plus à voir avec la science qu'avec la religion.

Cet enseignement recelait également un élément prophétique. Lors de l'initiation finale à Éleusis, on présentait au candidat un épi de blé vert qu'on tenait en l'air en silence.

D'une part, les Mystères étaient une célébration agricole et sollicitaient les faveurs de Déméter à l'approche des moissons. Mais, d'autre part, il s'agissait également de la moisson des âmes.

Ce blé représentait l'étoile Spica, la graine divine que tenait dans la main gauche la déesse vierge de la constellation de la Vierge. Je parle ici, bien évidemment, de la déesse que les Égyptiens appelaient Isis. La graine qu'elle tient anticipe la période des semis cosmique. Elle deviendra le pain de la Cène, symbolisant le corps végétal de Jésus-Christ et également la dimension végétative, ou état de conscience altéré, sur laquelle, d'après l'ésotérisme chrétien, nous devons tous travailler si nous souhaitons Le rencontrer.

Nous voyons à nouveau que la pensée ésotérique met l'accent sur la dimension végétative du cosmos. Dans la philosophie de Platon, cette dimension est l'âme, médiatrice entre le corps matériel et l'esprit animal. Si nous voulons quitter le monde matériel et entrer dans le monde des esprits, cette dimension végétative doit être au cœur de notre travail.

LES ESPRITS POUVAIENT INFLUENCER LES ÉVÉNEMENTS de bien d'autres manières.

Lorsqu'on contemple l'un des rares bustes de Socrate à avoir survécu, on est frappé par la vie et par cet air de satyre qui se dégagent de sa physionomie.

Dans la tradition secrète, il était la réincarnation du grand esprit qui avait vécu autrefois dans le corps de Silène.

Parfois, Socrate parlait de son démon, signifiant par là le bon esprit qui le guidait dans la vie. Cela peut paraître étrange aujourd'hui, mais le récit qui suit, évoquant un démon des temps modernes, peut être instructif. Il s'agit d'un incident relaté par un élève du philosophe ésotérique russe Piotr Demianovitch Ouspensky, qui eut une grande influence, au XXᵉ siècle, sur des écrivains et artistes tels que le poète et dramaturge T. S. Eliot, l'architecte Frank Lloyd Wright, et les artistes Kazimir Malevitch et Georgia O'Keefe.

Cet homme, qui était avocat, venait d'assister à une conférence d'Ouspensky, dans une maison de l'ouest londonien. Il était sur le chemin du retour, déconcerté, en proie au doute, quand une voix

L'importance de la Spica dans l'Antiquité est démontrée par le fait que, hormis Sirius, elle est la seule étoile représentée sur le fameux planisphère de Dendera, dont une partie est reproduite ci-dessus. La grande roue cosmique enserre toutes les étoiles, hormis celle-ci qui est sauvée, se trouvant juste en dehors du cercle.

intérieure lui dit : « Si tu t'éloignes de cela, tu vas le regretter le reste de ta vie. » Il se demanda d'où cette voix pouvait venir.

Il finit par trouver une explication dans les enseignements d'Ouspensky. Cette voix était son moi supérieur. Un des grands desseins du processus d'initiation qu'il était en train de traverser était de faire en sorte, en altérant sa conscience, *qu'il puisse entendre cette voix tout le temps.*

Socrate était un homme qui était guidé par sa conscience de cette façon. Il mena à bien le grand projet de traduire la sagesse instinctive du moi animal et inférieur en concepts. Sa philosophie, comme celle de Pythagore, n'est pas seulement académique : c'est également une philosophie de la vie. Le but de la philosophie, disait-il, est d'apprendre à mourir.

Au sein même des écoles secrètes, les avis divergent sur une question : Socrate a-t-il réellement été initié ?

Quand il fut accusé de corrompre la jeunesse d'Athènes et de ne pas croire aux dieux, il fut condamné à boire de la ciguë et mourut en pardonnant à ses bourreaux.

DIRE QUE LA RELIGION A EU UN EFFET NÉGATIF, ou même destructeur, sur l'histoire de l'humanité est devenu un lieu commun. Les guerres de religion, l'Inquisition, l'étouffement de la pensée scientifique et les contraintes patriarcales sont les dérives les plus fréquemment citées. Cependant, il serait judicieux de se souvenir que certains des plus grands accomplissements de l'humanité trouvent leur origine dans

Pierres précieuses, gravées respectivement des portraits de Silène et de Socrate.

les écoles du Mystère et que celles-ci occupaient dans l'Antiquité une place centrale dans la religion en tant qu'institution. La sculpture, le théâtre, mais également la philosophie, les mathématiques et l'astronomie, ainsi que certaines idées médicales et politiques naquirent dans ces institutions religieuses.

Et, par-dessus tout, *les écoles du Mystère ont eu une influence sur l'évolution de la conscience.*

L'histoire conventionnelle se préoccupe peu de l'évolution de la conscience, mais elle est manifeste, lorsqu'on regarde les changements qui se sont opérés dans le théâtre grec. Dans les pièces d'Eschyle et de Sophocle, premiers dramaturges dont l'œuvre fut jouée en dehors des écoles du Mystère, les démons ailés, appelés les Érinyes ou les Furies, persécutent les auteurs de méfaits, comme dans l'*Orestie* qu'Eschyle écrivit en 458 avant Jésus-Christ. Mais dans *Hippolyte*, la pièce d'Euripide de 428 avant Jésus-Christ, cette réprobation a été intériorisée et a désormais un nom : « Il n'y a qu'une chose qui puisse survivre à tous les procès – une conscience tranquille. »

Dans l'histoire conventionnelle, on imagine que les gens ont toujours été tiraillés par leur conscience, or, Euripide est le premier auteur à mettre cela en mots. Dans la « pensée à l'envers » de la tradition ésotérique, s'il n'est pas question de conscience dans les

La mort d'Eschyle, gravure sur pierre précieuse. Eschyle était le fils d'un prêtre d'Éleusis. Il fut menacé d'exécution pour avoir dévoilé les secrets des Mystères en les transposant sur scène. Il échappa à la mort en affirmant qu'il n'avait jamais été initié. Mais quand un aigle, qui volait haut dans les airs, lâcha un rocher sur son crâne chauve – ce qui le tua sur le coup –, beaucoup interprétèrent cet événement comme une punition divine.

annales de l'histoire de l'humanité jusqu'à ce jour, c'est parce que ce sont les mystères d'Éleusis qui *ont forgé* cette nouvelle dimension de l'expérience humaine.

Le grand art dramatique nous montre que notre ressenti n'obéit pas toujours aux conventions. Il nous enseigne une nouvelle manière d'être – de sentir, de penser, de vouloir et de percevoir. Comme le dit Saul Bellow, l'art dramatique ouvre les perspectives de la condition humaine.

Lorsque nous voyons une pièce du théâtre grec, la *catharsis* nous purifie. Les auteurs grecs faisaient vivre à leur public une expérience qui, par certains aspects, était proche de l'initiation, et leur façon de travailler était basée sur une compréhension essentiellement initiatique de la nature humaine. Notre corps animal a été corrompu : il a durci et s'est entouré d'une sorte de carapace protectrice, dans laquelle nous nous sentons confortablement à l'abri. Nous sommes habitués à cette carapace, nous avons même fini par compter sur cette protection. Mais si nous avons des vies douillettes c'est grâce au sang versé, à la torture, au vol et à l'injustice et, dans notre for intérieur, nous ne pouvons l'ignorer. Ce dégoût que nous éprouvons pour nous-mêmes nous empêche de vivre *pleinement* le moment présent, de vivre la vie à fond. Nous n'arrivons pas à aimer véritablement ou à être aimé, tant que cette carapace, semblable à celle d'un insecte, n'est pas brisée par le processus déchirant de l'initiation. Tant que nous n'atteignons pas ce point, nous ne savons pas ce que la vie est censée être.

Quand nous assistons à une représentation des grandes tragédies qui ont été inspirées par l'expérience de l'initiation – *Œdipe roi* ou *Le Roi Lear*, par exemple – nous pouvons avoir un aperçu de ce processus.

SI CERTAINES IDÉES GRECQUES SONT DIFFICILES à comprendre ou à accepter, d'autres semblent, à première vue, tellement évidentes, voire banales, qu'on aurait tendance à penser qu'elles ne valent même pas la peine d'être évoquées. Les quelques phrases attribuées à Pythagore qui nous sont parvenues sont les suivantes :

« Et, plus que tout, respecte-toi toi-même »

et

« Ne cède pas à la tentation, à moins que tu n'acceptes de te trahir. »

Statue saisissante
d'un acteur portant
un masque. Aristophane
a fait une satire des Mystères
dans Les Grenouilles.
La tragédie mettait en scène
les machinations de Satan
sur terre, alors que la comédie,
elle, révélait celles de Lucifer.

Pour comprendre pourquoi ces pensées étaient incroyablement provocatrices pour l'époque, pourquoi elles ont ébranlé le monde et traversé les âges, nous devons les replacer dans le contexte d'une période où le sens de soi n'en était qu'à ses prémices.

De la même manière, lorsque Socrate a dit : « Une vie sans examen ne vaut pas la peine d'être vécue », il s'adressait à des gens qui n'avaient, jusque-là, pas eu la faculté de penser de manière abstraite et d'étudier leur vie. Ce fut le grand cadeau que Socrate fit au monde.

À LA MORT DE SOCRATE, SON DISCIPLE, PLATON, devint la figure de proue de la philosophie grecque.

Platon naquit en 428 avant Jésus-Christ. Il faisait partie d'une des premières générations à qui l'on a systématiquement appris à lire. Il fonda l'Académie dans les jardins d'Académos, à Athènes, qui abritent le tombeau du héros éponyme.

Ses dialogues sont la plus pure expression de la philosophie de l'esprit précédant la matière, appelée idéalisme, qui est au cœur de cet ouvrage.

Dans l'histoire secrète, *tout le monde* avait jusque-là fait l'expérience du monde de manière idéaliste. La conscience étant ce qu'elle était, personne n'aurait pu douter du fait que les pensées étaient une forme de réalité supérieure aux objets : c'était une croyance instinctive, qui n'appelait pas de questions. Mais il devenait nécessaire qu'un grand initié conceptualise la vision idéaliste du monde et qu'il la transcrive de manière systématique, car la conscience avait évolué jusqu'à ce qu'il devienne envisageable de concevoir le point de vue contraire. Aristote, le disciple de Platon, fit le grand bond philosophique en avant qui conduisit au matérialisme, la pensée moderne dominante.

DE NOS JOURS, IL EST FACILE DE MAL INTERPRÉTER l'idéalisme de Platon et de tirer hâtivement la conclusion que, si le monde matériel est un précipité de nos processus mentaux, nous devrions être capables de le manipuler à volonté, par le simple fait d'y *penser*. D'ailleurs, si le monde n'est, en quelque sorte, qu'un hologramme géant, ne pourrait-on pas l'éteindre ? Dans *Les Principes de la connaissance humaine*, l'évêque Berkeley, le plus influent des philosophes idéalistes de langue anglaise, prônait une conception de l'idéalisme qui soutenait que la matière n'avait pas d'existence indépendamment de sa perception – et c'est la conception la plus familière aux étudiants de philosophie dans les universités anglo-saxonnes d'aujourd'hui.

Mais historiquement, ce n'est pas l'opinion de la grande majorité des personnes qui ont adhéré à l'idéalisme au cours de l'histoire. Comme je l'ai déjà dit, ces personnes *faisaient l'expérience* du monde de manière idéaliste : leur imaginaire était bien plus puissant que leur faculté de penser, qu'ils commençaient tout juste à développer. Pour eux, les objets de leur imagination étaient plus réels que ceux que leurs sens percevaient – mais cela ne veut pas nécessairement dire que ces derniers étaient totalement irréels.

La plupart des gens qui, au cours de l'histoire, ont adopté l'idéalisme comme philosophie de vie, ont envisagé la matière précipitée de l'esprit comme un processus qui s'est progressivement mis en place et qui s'est déroulé sur de très longues périodes. Ils croyaient aussi – et croient encore – que l'hologramme serait un jour éteint, comme il l'a déjà été *auparavant*, mais ce processus sera également progressif et prendra d'aussi longues périodes.

Les étudiants qui débattent aujourd'hui du pour et du contre de l'idéalisme ont probablement des difficultés à assimiler les idées de Platon, aux dieux et aux anges, comme nous sommes en train de le faire. Cette association risque de sembler grossièrement anthropomorphique à la sensibilité moderne.

Encore une fois, il faut savoir qu'historiquement, les personnes qui adoptaient l'idéalisme comme philosophie de vie ont toujours eu tendance à croire aux esprits, aux dieux et aux anges.

Beaucoup d'idéalistes ont même poussé le raisonnement jusqu'à se dire qu'il était possible d'envisager les grandes pensées cosmiques qui tissent le monde et les principes actifs cachés derrière les apparences comme des êtres conscients nous ressemblant. Des idéalistes comme Cicéron et Newton ont considéré ces « intelligences », pour utiliser le terme de Newton, sans les personnaliser, ni les dépersonnaliser. Cicéron et Newton n'étaient ni naïvement polythéistes, ni sottement monothéistes. Ils faisaient l'expérience d'une vie remplie de sens et d'un cosmos *signifiant*. Ils pensaient donc que la structure du cosmos abritait quelque chose ressemblant à la conscience humaine.

Ce qui était essentiel, c'était que les initiés des sociétés secrètes, comme ceux des écoles du Mystère, rencontraient ces « intelligences » désincarnées lorsqu'ils atteignaient des états de conscience alternatifs. C'est sans doute Goethe qui décrit le mieux ce que c'est qu'être un idéaliste des temps modernes. Dans ses écrits, il dit qu'il faut ressentir la vraie présence de liens vivants avec le monde naturel et avec d'autres personnes, même si ces liens ne sont pas nécessairement visibles, ni mesurables. Et surtout, il parle des grands esprits universels qui régissent le tout. Ceux que Newton appelait les « intelligences », Goethe les appelait « les mères » :

> « Nous errons tous en plein mystère. Nous sommes entourés d'une atmosphère dont nous ignorons, pour ainsi dire, tout : et ce qui s'agite en elle et les rapports qu'elle peut avoir avec notre esprit. Tout ce que nous savons, c'est qu'en certains cas particuliers les antennes de notre âme peuvent franchir leurs limites corporelles, ce qui leur permet d'avoir un pressentiment et même de voir effectivement l'avenir tout proche. [...]

De même, une âme peut influer d'une manière décisive sur une autre par sa seule présence muette. Je pourrais en citer maints exemples. Il m'est arrivé bien souvent, comme je cheminais avec quelque intime et que je pensais intensément à quelque chose que celui-ci se mettait précisément à parler de ce que j'avais dans la tête. Ainsi, j'ai connu un homme qui, sans mot dire, par la seule puissance de son esprit, était à même de faire taire subitement une société au moment où elle se livrait à un entretien animé. Il pouvait même y jeter le trouble de sorte que tous en ressentait une sorte de malaise.

« Nous avons tous en nous des forces électro-magnétiques et, tel l'aimant, nous exerçons une force attractive ou répulsive dès que nous entrons en contact avec quelqu'un de semblable ou de dissemblable. [...].

– Entre amants, cette force magnétique est particulièrement efficace et opère même de loin. Dans ma jeunesse il m'est arrivé bien des fois, au cours de promenades solitaires, de penser à elle jusqu'à ce qu'elle vînt effectivement à ma rencontre. « Je ne me sentais pas tranquille dans ma chambre, disait-elle, je ne pouvais rien y faire, il m'a fallu venir. »

Goethe continue en parlant des connexions vivantes qui sous-tendent de tels phénomènes :

« Ainsi, demeurant dans une obscurité et dans une solitude éternelles, les Mères sont à l'origine de la création ; elles représentent *le principe qui crée et qui conserve* et dont émane tout ce qui, à la surface de la terre, a forme et vie. Ce qui cesse de respirer, devenu être spirituel, retourne vers elles, et elles le gardent jusqu'à ce qu'il retrouve l'occasion d'entrer dans une nouvelle existence. Toutes les âmes et toutes les formes de ce qui fut autrefois et sera à l'avenir errent, comme des nuées dans l'espace infini de leur séjour. Tout cela entoure les Mères et le magicien s'il veut, par le pouvoir de son art, exercer sa puissance sur la forme d'un être et rappeler à une vie illusoire une créature qui fut autrefois, devra donc se rendre dans leur royaume. »

AU Vᵉ SIÈCLE AVANT JÉSUS-CHRIST, ATHÈNES ET SPARTE s'étaient battues pour dominer la région. Mais, au IVᵉ siècle, elles furent toutes les deux renversées par la Macédoine, gouvernée par le robuste Philippe II. Plutarque a noté que le fils de Philippe, Alexandre, naquit en 356 avant Jésus-Christ, le jour même où un fou mit le feu au temple d'Éleusis.

Chaque école du Mystère enseignait sa propre sagesse, c'est ce qui explique pourquoi Moïse et Pythagore furent initiés dans plusieurs d'entre elles. Les hiérophantes de l'école du Mystère rattachée au temple d'Artémis, à Éphèse, enseignaient les mystères de la Terre Mère, les pouvoirs qui façonnent le monde naturel. On peut dire que, dans un certain sens, les esprits de cette école pénétrèrent Alexandre à la naissance. Ce dernier passa sa vie à essayer d'identifier l'élément divin qui l'habitait.

Un jour, l'intrépide et beau garçon aux yeux de braise et à la crinière de lion réussit à dresser un magnifique et fougueux cheval, appelé Bucéphale, qu'aucun des généraux de son père n'avait réussi à monter.

Philippe se mit à la recherche du plus grand esprit de son temps, afin d'en faire le tuteur de son fils. Il choisit le plus illustre élève de Platon, Aristote. Alexandre et le vieil homme se reconnurent comme deux âmes sœurs.

À partir du moment où Platon avait exprimé de manière formelle et conceptuelle l'idéalisme, il était inévitable que la pensée opposée voie rapidement le jour. Au lieu de déduire la vérité sur le monde, des principes immatériels et universels, Aristote réunit et classifia les données du monde matériel. Il élabora des lois de physique à travers un procédé d'abstraction ; dès lors, il fut capable d'inventer une manière tout à fait moderne et nouvelle de décrire les pouvoirs sous-jacents qui façonnent la nature. On dit souvent que c'est par le truchement de l'Empire romain que se propagea le christianisme ; de la même manière, Alexandre créa le plus grand empire du monde, et c'est par ce biais que la philosophie d'Aristote se divulgua.

Philippe fut assassiné alors que son fils n'avait que vingt ans mais, immédiatement, Alexandre se révéla être un chef hors du commun, ainsi qu'un redoutable et talentueux commandant militaire. En 334 avant Jésus-Christ, il mena son armée combattre en Asie et battit les Perses lors de la bataille d'Issus, alors que ces derniers étaient dix fois plus nombreux. Puis il balaya la Syrie et la Phénicie, avant de conquérir l'Égypte, où il fonda la ville d'Alexandrie. Partout où il passait, il fondait des villes États sur le modèle grec, diffusant la politique et la philosophie grecques.

Une partie de la mission d'Alexandre était de sauver la nouvelle évolution de la conscience, forgée par des penseurs comme Platon ou Euripide, que la richesse, la grandeur et la puissance militaire asiatiques menaçaient d'étouffer. Plus particulièrement, il devait préserver la toute nouvelle rationalité qui risquait de se voir éclipsée par l'ancienne médiumnité ritualiste.

En 331 avant Jésus-Christ, Alexandre battit les Perses une seconde fois et détruisit leur ancienne capitale de Persépolis, avant de poursuivre vers l'Afghanistan pour enfin arriver en Inde. Là-bas, il s'entretint avec des philosophes brahmanes, les descendants des rishis. Lorsque les prêtres d'Alexandre furent invités à assister aux cérémonies d'initiation des brahmanes, ils furent surpris de constater que les rituels ressemblaient beaucoup à ceux de leurs propres cérémonies.

On raconte qu'Alexandre envoya un philosophe grec chercher un enseignant brahmane, le sommant de se présenter devant lui : il lui promettait de grandes récompenses s'il acceptait et la mort par décapitation s'il refusait. Le philosophe finit par retrouver le brahmane au fin fond de la forêt et il reçut cette réponse, qui l'envoyait plus ou moins paître : « Les brahmanes ne craignent pas la mort et ne désirent pas d'or. Nous dormons d'un sommeil profond et paisible sur un tapis de feuilles dans la forêt. Posséder des biens matériels ne ferait que déranger notre sommeil. Nous nous déplaçons librement à la surface de la terre, évitant le conflit, et nos besoins sont assouvis comme par une mère qui nourrit son bébé au sein. »

Alexandre n'avait presque jamais essuyé un tel revers. Jusqu'à la fin de sa vie, il semble que personne n'ait réussi à se mettre en travers de son chemin. Il était de ces rares individus qui semblent faire plier le monde entier à leur volonté.

Comme je l'ai déjà suggéré, la vie d'Alexandre peut être interprétée comme une quête, destinée à comprendre l'origine du pouvoir divin qui l'habitait. Selon différentes traditions, Persée, puis Thésée, furent tour à tour désignés comme ses ancêtres. Aristote avait donné à Alexandre un exemplaire de l'*Iliade* d'Homère ; le jeune homme en avait appris le texte par cœur, et il se voyait parfois comme le demi-dieu Achille. En 332 avant Jésus-Christ, il partit en expédition jusqu'au temple d'Amon, dans l'oasis de Siwa, dans le désert, à environ huit cents kilomètres à l'ouest de Memphis, en Égypte. Il a été dit qu'il avait failli mourir lors de cette expédition, mais il pourrait s'agir d'une référence à une « mort mystique ». Ce qui est certain, c'est qu'il fut « reconnu » et initié par les prêtres du temple.

On se demande parfois si ces derniers ne lui auraient pas fait savoir qu'il était un fils d'Amon Zeus. On suppose que les cornes cérémonielles qu'il se mit à porter après cela étaient un signe de cette reconnaissance. Dans certains des pays qu'il conquit, on se souvint de lui comme d'un homme à cornes. Dans le Coran, il apparaît comme Dhul-Qarnayn, ce qui signifie « celui qui a deux cornes ». Mais d'après l'histoire secrète, ces cornes sont celles d'un chasseur que nous avons déjà rencontré et deux amis qui s'aimaient intensément, Gilgamesh et Enkidu, séparés trop tôt par la mort de ce dernier, furent réunis à nouveau, lorsqu'ils se réincarnèrent en Alexandre et Aristote.

À seulement trente-trois ans, Alexandre ignora les avertissements des astrologues de Babylone qui le sommaient de ne pas entrer dans leur ville. Deux semaines plus tard, il mourut emporté par la fièvre. Très rapidement, il s'avéra que l'empire d'Alexandre n'avait tenu que grâce à son magnétisme personnel.

AUX ALENTOURS DE 200 AVANT JÉSUS-CHRIST, LE BOUDDHISME apparut comme la première religion pratiquant le prosélytisme. Avant cela, la croyance était déterminée par la provenance ethnique, ou la tribu. La condition humaine était en train de changer. Pour les non-initiés, le monde des esprits était une vision qui s'évanouissait, laissant de vagues traces incertaines, difficiles à cerner. Les gens, inspirés par Pythagore, Socrate, Platon et Aristote, étaient en train de développer une pensée déductive et inductive. Ils étaient désormais capables de soupeser les arguments des deux visions différentes.

En 140 avant Jésus-Christ, Rome était devenue la capitale du monde et du tourbillon des idées. Le citoyen avait le choix entre des systèmes de croyance très différents : le culte officiel des dieux planétaires, le culte néoégyptien de Sérapis, l'épicurisme, le stoïcisme, la philosophie péripatétique[4] et le culte persan du mithracisme. Les moines bouddhistes et les brahmanes indiens étaient sans doute également arrivés jusqu'à Alexandrie.

Pour la première fois de l'histoire, adhérer à l'un de ces systèmes de croyance n'était plus qu'une question de choix personnel.

---

[4] Qui concerne la doctrine philosophique d'Aristote (ndlt)

On pouvait choisir en se basant sur des preuves, ou sur ce qu'on *voulait* bien croire. La domination de l'Empire romain a donc également vu apparaître l'imposture, le cynisme et l'exploitation de la sensibilité, ce qui était tout à fait nouveau.

Quand on pense à Rome, on pense au raffinement et à la magnificence, mais également à la paranoïa. Si l'on compare la Grèce de Périclès avec la Rome des Césars, on trouve dans cette dernière le même genre de pompe dominatrice, de rituels élaborés et extraordinaires, remplis de fumée, d'encens et de cymbales, utilisés, à une époque antérieure, pour hypnotiser les foules et les soumettre à Baal. Ces procédés étaient désormais utilisés pour amener les gens à croire que les membres égocentriques de l'élite dirigeante étaient en réalité des dieux.

Les Césars forcèrent les écoles du mystère à les initier. Par là, ils eurent accès aux anciens enseignements initiatiques concernant le dieu Soleil.

Virgile, d'après un tableau du peintre suisse Henry Fuseli. Virgile était un grand poète initié qui conta la fondation et la destinée de Rome. L'Énéide (livre VI, vers 748-751) fait allusion à la doctrine de la réincarnation, au désir de l'esprit de revenir dans le corps au bout de mille ans. « Lorsque durant mille ans, toutes ces âmes ont fait rouler la roue du temps, un dieu appelle leur immense troupe près du fleuve Léthé, pour que, sans se souvenir du passé, elles revisitent à nouveau les sphères supérieures et commencent à vouloir se réincarner. »

Jules César éradiqua les druides parce qu'ils enseignaient les mystères du Soleil – c'est-à-dire qu'ils annonçaient le retour du dieu Soleil sur terre. De la même manière, Auguste bannit l'astrologie, non pas parce qu'il n'y croyait pas, mais parce que ce que les astrologues pouvaient voir écrit dans le ciel dérangeait ses ambitions : si les gens ne pouvaient plus lire les signes du temps, pensait-il, peut-être pourrait-il se faire passer *lui-même* pour le dieu Soleil. Caligula, qui avait été initié, savait comment communiquer avec les esprits de la Lune dans ses rêves. Mais, parce qu'il avait été initié par la force et sans la préparation nécessaire, il ne savait identifier ces esprits. Caligula parlait de Jupiter, Hercule, Dionysos et Apollon, comme de ses frères dieux, et apparaissait parfois dans des tenues extravagantes afin de leur ressembler. Le règne de la folie de Néron atteignit son apogée lorsqu'il réalisa qu'après tout, il n'était pas le dieu Soleil. Il préféra mettre la terre à feu et à sang plutôt que de laisser vivre un autre grand personnage.

L'*ÂNE D'OR*, D'APULÉE, EST UNE DES GRANDES ŒUVRES INITIATIQUES de la période romaine. Elle renferme une très belle histoire sur la vie de l'esprit. « Amour et Psyché » est un récit qui transmet un message simple, et somme toute conventionnel, sur les dangers de la curiosité, mais il possède également un sens ésotérique et historique.

Psyché est une belle jeune fille innocente, dont Cupidon (Amour) tombe amoureux. Le dieu lui envoie des messagers lui demandant de venir le retrouver dans son palais au sommet de la colline pendant la nuit. Elle va pouvoir faire l'amour avec un dieu, mais à une condition : elle doit le retrouver dans l'obscurité la plus totale. Psyché doit donc croire sur parole que c'est bien Cupidon qui va partager sa couche.

La sœur aînée de Psyché, qui est jalouse, se moque d'elle et lui dit que, la nuit, quand elle part retrouver Cupidon, ce n'est pas un beau et jeune dieu qui lui fait l'amour, mais un horrible serpent géant. Une nuit, n'y tenant plus, Psyché éclaire le visage de son amant qui s'est endormi après l'amour. Elle est ravie de découvrir le beau visage du jeune dieu, mais une goutte d'huile brûlante tombe de la lampe sur le torse du dieu qui se réveille. Psyché sera privée de sa présence pour toujours.

Le double sens de cette histoire est le suivant : le dieu est, en fait, réellement un horrible serpent. C'est l'histoire des Nephilim, de l'apparition du serpent du désir animal dans la condition humaine – mais racontée du point de vue de l'humain.

L'Âne d'or ou les Métamorphoses, *qui contient l'histoire d'Amour et Psyché, est un très beau livre, écrit de la main d'un initié dans un style espiègle qui anticipe Rabelais. Mais c'est également une œuvre sciemment littéraire. La sincérité monolithique des anciennes écoles du Mystère n'existe plus.*

LES ÉCOLES DU MYSTÈRE TOMBAIENT en décrépitude. Comme nous l'avons vu, des fouilles à l'entrée de souterrains à Baia, dans le sud de l'Italie, ont révélé des passages secrets et des trappes, dont on se servait pour convaincre le candidat qu'il vivait des expériences sur-naturelles. Dans l'obscurité enfumée et anesthésiante, des prêtres attifés comme des dieux surgissaient des ténèbres devant des candidats lourdement drogués aux hallucinogènes. Robert Temple a reconstitué les cérémonies de cette période décadente. Il était surtout question d'effets spéciaux terrifiants et de pantins, un peu comme dans le train fantôme d'une foire moderne. La grande différence était qu'à la fin de l'initiation, lorsque le candidat émergeait en pleine lumière, les prêtres l'interrogeaient et, à moins qu'il ne croie à leurs illusions sans l'ombre d'une hésitation, *ils le tuaient.*

À Rome, les gens sincères, les vrais initiés, se retirèrent dans l'ombre, dans des écoles qui opéraient indépendamment du culte officiel, et le stoïcisme devint l'expression apparente de l'élan initiatique de cette époque, le courant dominant de l'évolution intellectuelle et spirituelle. Cicéron et Sénèque, tous deux profondément engagés dans le stoïcisme, essayèrent de tempérer l'égocentrisme de leurs dirigeants. Ils tentèrent de promouvoir l'idée que tous les hommes étaient frères et que les esclaves devaient être libérés.

Cicéron était un citadin raffiné, ardent défenseur des réformes au sein de l'Empire romain. Il considérait son initiation à Éleusis comme la grande expérience formatrice de sa vie. Il disait que cela lui avait appris « à connaître la vie véritable, une certaine façon non seulement de vivre dans la joie, mais de mourir avec une belle espérance ».

Cicéron se méfiait des croyances futiles et empreintes de superstition de la plèbe en des dieux corrompus, mais il faisait preuve de tolérance. Il prétendait que tout mythe, même le plus ridicule, pouvait être interprété de manière allégorique. Dans *De la nature des dieux,* il a fait un exposé passionné de l'idée défendue par les stoïques : l'existence d'un esprit circulant dans l'univers, cette force directrice qui amène les plantes à se nourrir dans le sol, qui donne aux animaux le flair, l'instinct, et la capacité d'aller chercher ce qui est bon pour eux, faculté proche de la raison. Il disait que ce même esprit de l'univers donne aux gens une raison et une intelligence supérieures à celles des dieux eux-mêmes. Il ne fallait pas imaginer les dieux avec des corps comme les nôtres, disait-il, mais sous des formes éthérées et magnifiques. Il écrivit également que nous pouvons déceler un dessein supérieur, profond, dans le mouvement des étoiles et des planètes.

Quand les intrigues politiques de Rome rattrapèrent enfin Cicéron, il tendit stoïquement son cou à la lame du centurion.

Sénèque croyait également à cette compassion cosmique des stoïques – et à la capacité, pour les adeptes, de manipuler cette compassion à leur avantage. Dans sa pièce, *Médée,* il cite certainement les formules magiques utilisées par les sorciers qui pratiquaient la magie noire à cette époque. Médée est dépeinte comme étant capable de diriger son pouvoir haineux, de se concentrer si intensément qu'elle en arrive à changer la position des étoiles.

À cette époque désenchantée, il était également devenu possible d'envisager que les dieux n'existent sous aucune forme. Parmi l'élite intellectuelle, les épicuriens furent ceux qui formulèrent la première philosophie matérialiste et athée. En revanche, la croyance dans les esprits inférieurs, ceux des morts et des démons, perdurait. Si l'on se penche sur la littérature de cette période, comme les Évangiles du Nouveau Testament, on se rend compte que le monde était infecté par une grande quantité de démons, telle une épidémie.

Pendant que l'élite intellectuelle caressait l'idée de l'athéisme, le commun des mortels jouait avec des formes ataviques d'occultisme qui tiraient parti du fait que les démons et les autres formes d'esprits inférieures étaient attirées par les vapeurs émanant des sacrifices sanglants.

Le grand prêtre du temple de Jérusalem attachait des clochettes à ses robes, afin que les gnomes qui vivaient dans l'ombre l'entendent arriver et cachent leurs horribles formes. Le temple était pourvu d'un système de drainage complexe pour pouvoir évacuer les milliers de litres de sang sacrificiel qui coulaient chaque jour dans son enceinte.

De par le monde, on prenait des mesures de plus en plus désespérées. Les écrits de Plutarque contre le sacrifice humain prouvent bien que la pratique était alors courante.

Au même moment, en Amérique du Sud, lors d'une étrange parodie, on clouait un sorcier à une croix.

15

Le retour du dieu Soleil

Les deux enfants Jésus • La mission cosmique • Crucifixion en Amérique du Sud • Le mariage mystique de Marie Madeleine

EN PALESTINE, L'HISTOIRE DU MONDE en était à un tournant décisif. Les dieux ne se manifestant plus « au-dehors », dans le monde matériel, il fallait que le dieu Soleil, le Verbe, descende sur terre. Comme nous allons le voir, *sa mission était de planter dans l'esprit humain les graines de la vie intérieure, qui deviendrait le nouveau théâtre de la nouvelle expérience spirituelle.* Ce geste allait faire naître le sentiment, qui nous est si familier aujourd'hui, que les hommes ont une vie intérieure propre à chacun d'entre eux.

L'intention cosmique était de pousser l'esprit humain vers l'individualité : qu'il soit capable de penser librement, d'exercer son libre arbitre et de choisir ceux qu'il aimait. Afin de créer les conditions nécessaires à cette évolution, la matière devint de plus en plus dense jusqu'à ce que chaque esprit finisse par être isolé dans le cerveau d'un individu. La pensée et la volonté humaines n'étaient donc plus contrôlées entièrement par les dieux, les anges et les esprits, comme cela avait été le cas un siècle auparavant, à l'époque du siège de Troie.

Cette avancée comportait néanmoins des dangers car, non seulement l'humanité allait se couper entièrement du monde des esprits, mais les humains eux-mêmes risquaient également de s'isoler les uns des autres.

C'était une crise importante. Les gens ne se considéraient plus comme des êtres spirituels, car l'esprit humain risquait d'être complètement étouffé. L'amour qui unissait les tribus et les familles, ce lien du sang instinctif, presque surnaturel, comme celui qui réunit une horde de loups, se trouvait affaibli par ces crânes nouvellement durcis, vivant dans ces nouvelles villes et cités.

En retraçant le développement du sentiment d'identité individuelle, nous avons croisé le mosaïsme[1], où la règle de vie en communauté était strictement encadrée par la loi du talion, ainsi que l'obligation de ressentir de la compassion pour chaque être vivant, comme l'a enseigné le Bouddha. Dans ces deux traditions, comme nous l'avons remarqué, apparaît une obligation morale, un chemin de discipline individuelle et de développement. Les stoïciens romains donnaient enfin à l'individu un statut politique et un statut légal, sous la forme de droits et de devoirs.

Le paradoxe était qu'à mesure que le sentiment d'individualité se développait, la valeur de la vie s'amenuisait. Les bains de sang du Colisée étaient la preuve que les gens n'avaient aucune idée de la valeur et encore moins du caractère sacré de la vie humaine de chaque individu.

Jésus ben Pandira, le chef des esséniens, prêchait la pureté et la compassion universelle, mais ce qu'il préconisait, c'était de se retirer du monde. Les stoïciens prêchaient la responsabilité, mais il s'agissait pour eux d'un devoir dépourvu de joie. « Que les choses à venir ne te tourmentent point », disait l'empereur stoïque Marc Aurèle pour définir sa philosophie de vie. « Tu les affronteras, s'il le faut, muni de la même raison dont maintenant tu te sers dans les choses présentes. » Mais ses mots étaient chargés de lassitude.

L'humanité était emportée par une marée de souffrance. Il est facile d'imaginer que les gens étaient impatients d'entendre quelqu'un leur dire : « Venez à moi, vous tous qui peinez sous le poids du fardeau, et moi, je vous procurerai le repos. »

Nous avons vu que lors de l'initiation, un épi de blé vert était brandi devant le candidat dans le Saint des Saints du temple d'Éleusis et qu'on apprenait au novice à attendre le « temps des semis ». Dans le Saint des Saints des grands temples égyptiens, les candidats découvraient aussi Isis, allaitant l'enfant Horus. Ce deuxième Horus, l'Horus-à-venir, serait le nouveau roi des dieux et il apporterait avec lui un nouvel ordre. Il s'appellerait le Berger, l'Agneau de Dieu, le Livre de la Vie, et la Vérité et la Vie. Isaïe avait dit à son peuple de respecter les voies du Seigneur. En imaginant l'arrivée du Messie,

---

[1] Ensemble des doctrines et des institutions que le peuple d'Israël reçut de Moïse (ndlt)

il promettait que les péchés seraient lavés. Dans son quatrième églogue[2], le poète romain Virgile, initié, prédit l'arrivée de l'homme dieu, le Sauveur : « Un âge tout nouveau, un grand âge va naître ; [...] Et le ciel nous envoie une race nouvelle. [...] un enfant près de naître Qui doit l'âge de fer changer en âge d'or », écrit-il. « Et s'il subsiste encore des traces de nos crimes, la terreur jamais plus n'accablera le monde[3]. »

En fait, la vie de Jésus-Christ telle qu'elle nous est racontée peut ressembler à un assemblage d'événements ayant été inspirés par la vie de ses prédécesseurs : il est né d'une vierge et d'un menuisier, comme Krishna, un 25 décembre, comme Mithras. Il est annoncé par l'étoile d'orient, comme Horus. Il marche sur l'eau et nourrit cinq mille personnes grâce au contenu d'un seul petit panier, comme Bouddha. Il accomplit des miracles de guérison, comme Pythagore. Il ressuscite les morts, comme Élisée et, enfin, il monte au ciel, comme Hercule, Énoch et Élie.

Il se révèle difficile de trouver un *seul* geste ou une *seule* parole attribuée au Jésus des Évangiles qui n'ait pas, d'une manière ou d'une autre, été préfigurée. Une personne mal intentionnée pourrait penser que c'est là la preuve que sa vie est une fable. Mais, dans l'histoire secrète, on parle plutôt d'un mouvement de convergence de l'univers, le cosmos tout entier s'efforçant de donner naissance à un nouveau dieu Soleil.

Si l'on regarde l'image de la Nativité telle que l'imagination de grands artistes l'a restituée au fil du temps et que, grâce à la doctrine secrète, on en décode les signes, nous voyons bien comment tout dans l'histoire secrète du monde a conduit à ce moment.

La présence d'Isis se révèle dans Marie. Au moment où le Soleil se lève dans la constellation des Poissons, signe astrologique de Jésus, la constellation opposée est celle de la Vierge. Joseph, qui s'avance avec un bâton tordu, évoque Osiris – son bâton symbolisant le troisième œil. La grotte dans laquelle Jésus serait né est la boîte crânienne dans laquelle un nouveau miracle de conscience ne va pas tarder à voir le jour. Le bébé dans la mangeoire a le corps lumineux et végétatif de Krishna. Le bœuf et l'âne représentent les deux ères qui

---

[2] Des *Bucoliques* (ndlt)

[3] Traduction de Paul Valéry (ndlt)

ont précédé l'ère des Poissons – l'ère du Taureau et celle du Bélier. L'étoile qui guide les Mages est l'esprit de Zarathoustra (« l'étoile d'or »). Un des mages est Pythagore réincarné, et tous ont été initiés par le prophète Daniel. L'ange qui annonce la naissance aux pâtres est l'esprit de Bouddha.

LA TRADITION SECRÈTE A PARFOIS tendance à voir les choses avec une simplicité enfantine.

Les deux Évangiles qui racontent la petite enfance de Jésus, celui de Luc et celui de Matthieu, livrent deux versions très différentes, et même contradictoires, de cette période, à commencer par deux généalogies et deux dates et lieux de naissance dissemblables, ainsi que la visite de bergers, chez Luc, et de mages, chez Matthieu. L'art du Moyen Âge a très fidèlement restitué ces différences, mais elles ont disparu depuis. Si l'Église dissimule ces « nuances », les théologiens universitaires admettent que si ces récits sont en conflit, c'est qu'il est raisonnable d'admettre qu'au moins l'un des deux est faux – conclusion sans doute difficile à accepter pour ceux qui croient que les écritures sont d'inspiration divine.

En revanche, dans l'histoire secrète, cela ne pose aucun problème, car ces deux récits racontent l'histoire de *deux* enfants Jésus distincts. Ces garçons avaient un lien de parenté étrange : ils n'étaient pas jumeaux, cependant ils se ressemblaient presque à l'identique.

Dans le texte gnostique la *Pistis sophia*, contemporain du Nouveau Testament canonique – et que certains experts considèrent être tout aussi authentique –, il existe une drôle d'histoire concernant ces deux enfants.

Marie voit un garçon qui ressemble tellement à son fils qu'elle le prend pour tel. Mais ce garçon la surprend quand il lui demande à voir Jésus. De peur de se trouver devant un genre de démon, elle attache le garçon au lit, puis s'en va aux champs chercher Joseph et Jésus. Elle les trouve en train de planter des piquets de vigne. Ils rentrent tous les trois à la maison et, quand les garçons se découvrent, ils se regardent fixement, stupéfaits, puis s'enlacent.

La tradition secrète, qui retrace le procédé complexe et subtil par lequel la forme et la conscience humaines se sont assemblées, établit un parallèle en retraçant le procédé extrêmement complexe par lequel l'incarnation du Verbe s'est mise en place. Dans ce récit, un des deux enfants Jésus, qui portait l'esprit de Krishna, devait, d'une manière

Carton préparatoire pour La Vierge, sainte Anne, l'enfant et le petit saint Jean *de Léonard de Vinci, conservé à la National Gallery, à Londres. La dimension ésotérique de cette œuvre est portée par le tourbillon de lumière étoilée qui suggère un monde entre les mondes. Vinci représente ici les deux enfants Jésus. De la même manière, dans la version de Londres de la* Vierge aux rochers, *un artiste postérieur à Léonard de Vinci a rajouté une longue croix qui, dans l'art chrétien, est le signe distinctif de saint Jean-Baptiste.*

mystérieuse, sacrifier son identité individuelle dans l'intérêt de l'autre. Dans l'économie spirituelle du cosmos, il fallait qu'il le fasse afin que le garçon qui survivrait puisse être prêt à recevoir un jour l'esprit du Christ lors du baptême. Comme cela est dit dans la *Pistis sophia* : « Vous ne devîntes qu'une seule et même personne. »

Cette tradition des deux enfants Jésus a été préservée par les sociétés secrètes, comme le prouvent la représentation sur le portail nord de la cathédrale de Chartres, la mosaïque de l'abside de San

Miniato, près de Florence, et les tableaux de nombreux initiés, comme Borgognone, Raphaël, Léonard de Vinci et Véronèse.

« AU COMMENCEMENT ÉTAIT LE VERBE, ET LE VERBE était en Dieu et le Verbe était Dieu [...]. Tout par lui a été fait [...]. Et la lumière luit dans les ténèbres, et les ténèbres ne l'ont point reçue [...]. Il était dans le monde, et le monde par lui a été fait, et le monde ne l'a pas connu. »

L'auteur de l'Évangile selon saint Jean est ici en train de comparer la création du cosmos par le Verbe avec la mission de Jésus-Christ, le Verbe incarné. Jean présente cette deuxième mission comme une sorte de *deuxième création.*

À un moment où l'univers matériel était devenu si dense qu'il était totalement impossible pour les dieux de se manifester à la surface de la terre, le dieu Soleil descendit.

Il avait pour mission de planter une graine, ce qui n'était ni une tâche facile, ni sans danger. Cette graine de spiritualité allait s'épanouir afin de créer un espace, un nouveau terrain où les dieux pourraient se manifester...

Le point important ici, et qui est souvent négligé en dehors de la tradition secrète, est le suivant : *Jésus-Christ a créé la vie intérieure.*

Nous avons aperçu un indice de cette vie intérieure dans la petite voix calme qu'a entendue Élie. De même, dans le livre de Jérémie, le Seigneur dit : « Je mettrai ma loi au-dedans d'eux, Je l'écrirai dans leur cœur. » Semer la graine du Soleil il y a un peu plus de deux mille ans s'est révélé être l'événement décisif du processus qui a permis à chacun d'entre nous de faire l'expérience d'un cosmos intérieur, d'une variété et d'une taille infinies.

Nous ressentons également l'infini que les autres portent en eux. Les conditions permettant à un sentiment d'individualité de se développer se sont mises en place sur plusieurs centaines d'années. C'est ce que nous appelons aujourd'hui, l'ego. Mais sans l'intervention du dieu Soleil, l'ego serait resté un petit point replié sur lui-même, dur et isolé, attaché à sa seule gratification immédiate et tourné vers ses intérêts les plus bas. Chaque être humain aurait été en guerre avec l'autre. Aucun individu n'aurait envisagé son prochain comme un centre de conscience indépendant.

Quand les parents de Jésus l'emmenèrent au Temple, au moment de la disparition de son âme sœur, il se montra très sage : l'autre

Jésus lui avait légué la capacité de lire les pensées, de voir au fond de l'âme des gens, de percevoir comment ils se reliaient au monde des esprits, et de savoir que dire ou que faire pour les aider. Il ressentait la douleur de l'autre comme la sienne. Il faisait l'expérience de quelque chose de nouveau – l'empathie – que personne, avant lui, n'avait jamais ressenti.

Lorsqu'un individu ou un petit groupe de personnes développent une nouvelle faculté, ou une nouvelle forme de conscience, celle-ci

Rémus et Romulus. L'histoire des deux enfants Jésus est, en effet, une version sacrée de l'histoire de Rémus et Romulus, dans laquelle l'un des deux frères doit tuer l'autre afin qu'il soit l'objet du sacrifice fondateur de la Ville éternelle. Les grands bâtiments et les villes étaient, dans l'Antiquité, fondés sur des sacrifices et c'est sans nul doute à cela que se réfère le mythe de Rémus, tué et enterré dans un fossé. Dans le cas des deux enfants Jésus, l'un des deux se sacrifiait, pourrait-on dire, pour la Nouvelle Jérusalem.

se propage souvent à une vitesse remarquable. Jésus-Christ mit en place une nouvelle forme d'amour, un amour *bienveillant*, basé sur le don d'empathie. L'individu pouvait désormais transcender librement les limites de son existence isolée et partager l'intimité d'une autre personne.

L'amour avant Jésus-Christ avait été tribal ou familial. Maintenant, les individus pouvaient passer au-delà des liens de sang et *choisir* librement qui ils voulaient aimer. C'est cela que Jésus voulait dire quand, dans l'Évangile selon Marc, 3, 32, il semble nier l'importance qu'a sa propre mère à ses yeux et, dans l'Évangile selon Matthieu, 10, 37, il dit : « Celui qui aime son père ou sa mère plus que moi n'est pas digne de moi... »

L'ésotérisme apprend avant tout à aimer de la manière juste. Il dit que quand vous coopérez avec les forces bienveillantes qui forment le cosmos, la force vous traverse d'une telle manière que vous pouvez en prendre conscience. Ce processus est appelé thaumaturgie, ou magie divine.

Que ce soit à ce niveau ou bien au niveau des « petits gestes de bonté et d'amour, insignifiants et oubliés », ou « la petite voie » de sainte Thérèse de Lisieux, la voie d'abnégation et les gestes de charité dans chaque petite chose, la nouvelle perspective chrétienne se concentrait sur la vie intérieure. Si l'on compare les précédents codes moraux, tels que les lois de Moïse ou même le Code d'Hammourabi, qui est encore plus ancien, avec le Sermon sur la montagne, il est évident que les premiers n'étaient qu'un assemblage de règles destinées à régir le comportement de chacun dans le monde extérieur – ne pas vénérer d'idoles, ne pas voler, ne pas tuer, ne pas commettre l'adultère, etc. Les enseignements moraux des Évangiles, en revanche, sont orientés vers nos états intérieurs. « Bénis soient les simples d'esprit... ceux qui pleurent... les modestes... au cœur pur. »

Quand Jésus dit : « Mais moi, je vous dis que quiconque regarde une femme pour la convoiter a déjà commis un adultère avec elle dans son cœur », il disait ce que personne n'avait jamais dit avant lui : que nos pensées les plus profondes sont aussi réelles que les objets physiques. Ce que je pense « en mon for intérieur » a un effet direct sur l'histoire du cosmos.

Dans un univers idéaliste, l'intention revêt une importance bien plus grande que dans un univers matérialiste. Dans un univers idéaliste, si deux personnes font exactement la même chose en même temps, mais que l'une le fait avec cœur et l'autre non, les conséquences seront très différentes. Mystérieusement, l'état de notre esprit influence le résultat de nos actions, tout comme l'esprit inspiré d'un grand peintre influence ses tableaux.

Dans l'interprétation ésotérique des mythes grecs, l'ambroisie, la nourriture des dieux, est l'amour des êtres humains. Sans elle, les dieux s'affaiblissent et leur pouvoir de nous aider diminue. Dans la chrétienté mystique et ésotérique, nous n'attirons les anges que si nous leur demandons de l'aide ; si, en revanche, nous ne le faisons pas, ils s'enfoncent dans un état végétatif crépusculaire, et les fantômes et démons qui s'insinuent autour de notre être inférieur travaillent à leur place.

Nous pouvons, évidemment, résister aux démons et entraîner notre être animal de base de la même manière que nous dressons un chien – par un procédé répétitif. Dans les enseignements ésotériques, il est dit que la pratique quotidienne de la méditation pendant un minimum de vingt et un jours est nécessaire pour induire un changement profond dans nos habitudes.

Mais il existe une partie encore plus profonde de notre être, qui se situe bien au-dessous du seuil de la conscience et qui lui est inaccessible. Nous ne pouvons pas transformer cette partie de notre être par le simple exercice de notre volonté, et ce malgré toute notre assiduité : car la corruption de notre être animal a pénétré dans nos êtres végétal et minéral.

Pour purifier et transformer cette partie de notre être, nous avons besoin d'une aide surnaturelle.

La mission surnaturelle du dieu Soleil était donc de plonger au plus profond de la matière, afin d'y introduire son influence spirituelle transformatrice. Le dieu Soleil a la capacité d'atteindre la partie la plus matérielle de l'être humain, ce qui explique pourquoi il est écrit : « Aucun de ses os ne sera rompu. »

LE LOTUS À DOUZE PÉTALES IRRADIE depuis la région du cœur pour envelopper ceux que nous choisissons d'aimer. Il est également un organe de réception : ce que nous aimons vraiment s'ouvrira à nous et nous révélera ses secrets.

Envelopper quelqu'un d'amour de cette manière est un exercice d'imagination. L'imagination ne doit évidemment pas être confondue avec le fantasme. Il s'agit de la perception authentique d'une réalité supérieure – et l'organe de perception de cette réalité est, aussi bien en Orient qu'en Occident, le chakra du cœur. C'est à cela que font référence les disciples sur la route d'Emmaüs, quand ils reconnaissent celui qu'ils viennent de croiser et se disent : « Notre cœur ne brûlait-il pas au-dedans de nous, lorsqu'il nous parlait en chemin… »

Quand le chakra du cœur s'ouvre et rayonne, il est possible de percevoir le « monde du dehors » de manière surnaturelle. Un cœur aimant peut aussi nous faire ressentir consciemment le cœur du cosmos, l'intelligence aimante qui vit au-delà du « monde du dehors » et qui le contrôle. « Heureux ceux qui ont le cœur pur, car ils verront Dieu. »

L'amour influence la volonté aussi bien que nos pouvoirs de perception. Quand nous aimons véritablement quelqu'un, nous sommes prêts à tout pour cette personne.

C'est pour cela que le chakra du cœur s'épanouit lorsque l'amour nous pousse à agir en accord avec notre conscience. En agissant ainsi, contrairement à Marc Aurèle, nous ne ressentons pas de lassitude ; nous ne sommes ni distants, ni désabusés, ni faux ; nous n'avons pas l'impression qu'une partie de notre être fait son « devoir » pendant que l'autre n'en a pas envie. Nous agissons portés par l'amour et la dévotion.

L'initiation forge une nouvelle forme de conscience qui aiguise notre clairvoyance, nous fait ressentir consciemment le monde des esprits qui nous était si familier aux stades précoces de l'évolution humaine, mais avec de nouveaux éléments. Si l'on regarde les initiations de Pythagore, qui servirent de référence pendant les périodes où la Grèce et Rome régnaient sur l'humanité, on s'aperçoit qu'elles étaient tournées vers la réalisation d'un état de conscience alternatif qui menait à une libre communication avec le monde des esprits, ce qui avait été le quotidien de Gilgamesh ou d'Achille, par exemple, mais en y apportant une différence de taille. Les initiés de l'école de Pythagore étaient capables de conceptualiser leurs expériences spirituelles, ce qui n'était pas le cas d'Achille ou de Gilgamesh.

Quatre cents ans plus tard, les initiations de Jésus-Christ introduisirent un nouvel élément, qui exaltait une vertigineuse et nouvelle dimension de l'amour.

Si on veut mieux comprendre les événements capitaux décrits dans les Évangiles, nous devons nous pencher sur la relation qu'entretenait Jésus avec les écoles du Mystère.

Nous allons donc franchir la ligne jaune d'un territoire jalousement gardé par les érudits.

Des découvertes controversées, globalement admises par les spécialistes de la Bible mais qui n'ont pas été divulguées dans les congrégations, nous montrent qu'il existe certains textes chrétiens anciens, redécouverts en Palestine dans les années 1950, contenant une version des paroles de Jésus qui est probablement plus proche de la vérité que celles des quatre Évangiles.

Certains de ces textes rapportent même des propos qui n'apparaissent pas dans le Nouveau Testament.

Le fait que des textes comme l'Évangile selon saint Thomas contiennent des versions plus fidèles aux paroles bibliques nous laisse supposer que toutes les paroles non bibliques contenues dans ces textes sont authentiques.

Ce point est important pour notre histoire, car certains de ces propos se rapportent aux enseignements secrets.

L'Évangile suggère que Jésus prodiguait des enseignements particuliers à certains de ses disciples préférés, enseignements qui ne devaient pas filtrer en dehors de son cercle d'intimes.

Quand Jésus avertit qu'il ne faut pas « donner des perles aux cochons », il a l'air de dire qu'il ne révélera pas certaines vérités sacrées à la foule. Saint Marc rapporte des propos plus explicites de Jésus, dans le verset 4, 11 : « C'est à vous qu'a été donné le mystère du royaume de Dieu ; mais pour ceux qui sont dehors, tout se passe en paraboles... »

Une lettre écrite au IIe siècle par Clément, évêque d'Alexandrie, nous livre un récit encore plus étonnant de « l'implication de Jésus dans les enseignements secrets ». Ce texte a été découvert en 1959 par le Dr Morton Smith, professeur d'histoire ancienne à l'université Columbia, sur les rayons de la bibliothèque du monastère Mar Saba, près de Jérusalem :

> « ... Marc donc, pendant le séjour de Pierre à Rome, mit
> par écrit les actes du Seigneur : il ne les publia cependant pas
> tous et ne signala certes pas les actes secrets, mais il choisit

ceux qu'il jugeait les plus utiles pour faire croître la foi des catéchumènes. Après que Pierre eut subi le martyre, Marc se rendit à Alexandrie, emportant à la fois ses propres notes et celles de Pierre. À partir de ces notes, il fit passer dans son premier livre les choses qui sont de nature à faire progresser dans la connaissance et il composa un évangile plus spirituel à l'usage de ceux qui se perfectionnent. […] Au moment de mourir, il légua son ouvrage à l'Église qui est à Alexandrie, où il est conservé aujourd'hui encore de façon parfaitement sûre. »

L'évêque d'Alexandrie cite ensuite cette version « plus spirituelle » de l'Évangile de Marc :

« … Et ils arrivèrent à Béthanie, et il y avait là une femme dont le frère était mort. Et elle vint, se prosterna devant Jésus et lui dit : "Fils de David, aie pitié de moi." Mais les disciples la réprimandèrent. Et Jésus, rempli de colère, partit avec elle au jardin où se trouvait le tombeau. [Et aussitôt se fit entendre une voix forte venant du tombeau. Et Jésus, s'étant approché, roula la pierre loin de la porte du tombeau.] Et il entra aussitôt à l'endroit où se trouvait le jeune homme, étendit la main et le ressuscita en lui saisissant la main. Le jeune homme, l'ayant regardé, l'aima, et se mit à supplier Jésus de demeurer avec lui. [Et, étant sortis du tombeau, ils allèrent à la maison du jeune homme, car il était riche.] Et, après six jours, Jésus lui donna un ordre ; et, le soir venu, le jeune homme se rendit auprès de lui, le corps nu enveloppé d'un drap. Et il demeura avec lui pendant cette nuit-là, car Jésus lui enseignait le mystère du Royaume de Dieu. De là, s'étant levé, il retourna au-delà du Jourdain. »

Notre sensibilité moderne pourrait nous laisser penser que cette histoire – qui semble être une version plus détaillée de la résurrection de Lazare dans l'Évangile selon Jean – serait le récit d'une liaison homosexuelle. Cependant, comme nous le verrons plus tard, quand nous examinerons plus clairement la nature des cérémonies initiatiques, Marc fait sûrement allusion ici à une initiation d'une école du Mystère.

Cristofon facem me quaemps viens ✠ Jllanempe die moce mala non mocais ✠ | Millesimo cccc° xx° terno ✠

L'expression « Fils de l'Homme » pose un problème aux théologiens esotériques, car elle semble faire référence aussi bien à un état d'esprit qu'à Jésus lui-même. Dans la pensée ésotérique, ce n'est pas problématique, car l'individu qui a atteint l'illumination, rendue possible par Jésus-Christ, pourra, par conséquent, être conscient de son être supérieur, ou être divin. Dans l'iconographie chrétienne, cette évolution est communément symbolisée par un enfant porté sur l'épaule, comme dans l'histoire de saint Christophe qui porta l'enfant Jésus sur les siennes. Dans la Kabbale, ces deux dimensions identiques sont contenues dans la lettre « shin » à trois dents.

La résurrection de Lazare a toujours été comprise comme le récit codé d'une initiation. Voici pourquoi : Lazare « meurt » pendant trois jours et, quand Jésus-Christ le fait revenir, il utilise la phrase : « Lazare, lève-toi et marche », la même phrase qu'utilisaient les hiérophantes dans les Grandes Pyramides quand, après trois jours, ils tendaient la main pour faire se lever le candidat allongé dans la tombe ouverte de la chambre du roi.

À quoi ressemblait l'initiation de Lazare, de son point de vue à lui ? Quelle forme de conscience alternative conférait-elle ? Les lecteurs seront peut-être surpris de savoir que nous connaissons la réponse. Car, dans l'histoire secrète, l'homme appelé Lazare dans l'Évangile selon Jean écrivit plus tard l'Apocalypse de Jean, ou Jean le Divin. D'après la doctrine secrète, l'ouverture des sept sceaux et les grands événements visionnaires qui s'ensuivent, décrits dans l'Apocalypse, se réfèrent à la réouverture des sept chakras.

Certains pourraient trouver ces faits difficilement admissibles, mais il faut garder à l'esprit que les enseignements de Jésus-Christ sont enracinés dans l'ancienne philosophie secrète, ce qui est également le cas de ses paroles transcrites dans la Bible et des textes découverts récemment.

Je n'ai pas voulu brusquer les choses, car certains d'entre nous ont été élevés dans la culture chrétienne et trouvent qu'il est plus facile d'admettre que ce genre d'événement a lieu dans des traditions lointaines, sans doute à cause de l'acuité que donne la distance, mais aussi parce que cette distance nous aide à ne pas nous apercevoir que nous pénétrons en territoire sacré. Mais les textes chrétiens les plus sacrés sont profondément occultes :

> Les misérables possèdent le pays...
> La foi transporte les montagnes...
> Demande et il te sera donné...

Les dirigeants de l'Église ont délibérément obscurci ces textes, ainsi que les doctrines clés de la foi chrétienne. Le christianisme libéral moderne a essayé de s'adapter à la science en minorant sa dimension occulte, mais les paroles du Sermon sur la montagne, citées plus haut, décrivent comment le surnaturel opère dans l'univers. Paradoxales et mystérieuses, irrationnelles, décrivant des faits tout à fait invraisemblables selon les lois de la probabilité, ces paroles décrivent le fonctionnement de l'univers d'une manière qui serait totalement impossible si la science seule devait s'en charger.

Car les misérables n'hériteront certainement pas de la terre, et les prières ne seront pas entendues par les forces que décrit la science. Ni la vertu ni la foi ne sont récompensées – *à moins qu'un agent surnaturel ne s'en occupe.*

Le Nouveau Testament regorge d'enseignements sur le surnaturel et certains sont décrits de manière très explicite. Le problème, c'est qu'on nous a éduqués à ne pas les voir. Mais le texte dit clairement que saint Jean-Baptiste est Élie revenu – ce qui veut dire réincarné. Ce texte recèle également de la magie. Feu Hugh Schonfield, Morton Smith et d'autres experts ont démontré que les miracles de Jésus, et en particulier les termes qu'il emploie, sont basés sur des textes magiques trouvés sur des papyrus grecs, égyptiens et araméens.

Quand, dans l'Évangile selon Jean, on raconte que Jésus-Christ utilise de la salive pour préparer une pâte à mettre sur les yeux d'un aveugle, il ne s'agit pas simplement d'une action divine, dans le sens d'un influx immédiat d'esprit, mais également d'une manipulation de la matière permettant d'influencer ou de contrôler l'esprit.

Encore une fois, il ne s'agit aucunement ici de dénigrer Jésus-Christ. Ces faits ne doivent pas être considérés de manière anachronique. Dans la philosophie et la théologie de cette époque, cette sorte de magie divine – ou thaumaturgie – était non seulement respectable, mais aussi l'activité la plus élevée à laquelle un être humain pouvait aspirer.

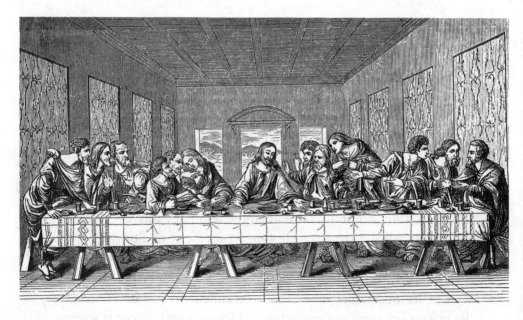

La Cène, par Léonard de Vinci. Il a été suggéré que ce tableau faisait allusion à des doctrines secrètes qui ont été tues concernant le rôle féminin dans le christianisme. Nous verrons bientôt que c'est tout à fait vrai.

ON PEUT FERMER PRUDEMMENT LES YEUX sur l'aspect surnaturel de l'histoire de Jésus-Christ et l'essor du christianisme, mais on doit néanmoins admettre qu'il est arrivé quelque chose d'extraordinaire, qui nécessite une explication. Car, qu'un miracle se soit accompli ou non dans ce coin reculé du Proche-Orient au début du Iᵉʳ siècle, les effets de ce miracle, ou de ce « non-événement », sur l'histoire du monde sont d'une portée inégalée, aussi bien par leur ampleur que par leur profondeur. Cet événement a donné naissance à la civilisation que nous connaissons, une civilisation jouissant d'une liberté sans précédent, de prospérité pour tous, de richesse culturelle et d'avancée scientifique. Avant Jésus-Christ, l'individu n'avait pas une grande importance, la vie ne revêtait pas le caractère sacré qu'elle acquit par la suite et l'amour qu'un individu choisissait librement de porter à un autre ne possédait pas ce pouvoir transcendant. Bien évidemment, certaines de ces idées avaient été annoncées par Krishna et Isaïe, par le Bouddha, Pythagore et Lao-tseu, mais ce qui était propre au christianisme, cette « graine de moutarde [4] » qu'a plantée Jésus-Christ, c'était *l'idée de la vie intérieure*. Avec Jésus, non seulement l'individu commençait à sentir ce que nous ressentons tous aujourd'hui, à savoir que, de même que le cosmos est un espace infini et sans limites, nous possédons tous en nous le même cosmos riche et infini, mais il introduisait également l'idée que nous avons une histoire personnelle qui vient s'incorporer dans la grande histoire. Chacun d'entre nous peut chuter, comme l'humanité tout entière a chuté ; chacun d'entre nous traverse des crises de doute et trouve sa propre rédemption à travers l'amour qu'il choisit librement – ce qui est très différent de la conscience tribale des générations antérieures de Juifs, ou de la conscience de la ville État des Grecs.

LE MINISTÈRE DE JÉSUS-CHRIST ne dura que trois ans : depuis le baptême jusqu'au vendredi saint, le 3 avril de l'an 3 après Jésus-Christ quand, à « la colline des crânes », le Golgotha, ou Calvaire, le dieu Soleil fut cloué à une croix de matière. Ensuite, lors de la Transfiguration, le dieu Soleil commença à transformer cette matière et à la spiritualiser.

Nous avons déjà dit que dans les écoles du Mystère, depuis Zarathoustra jusqu'à Lazare, les candidats subissaient une « mort mystique » de trois jours et une renaissance. Le candidat était plongé

---

[4] « Graine de moutarde », ou « grain de sénevé », en référence à la parabole de Jésus (ndlt)

dans une transe profonde, proche de la mort, durant trois jours, pendant lesquels son esprit traversait le monde des esprits, rapportant la connaissance et le pouvoir dans le monde matériel. Cette « mort » était vraie, mais sur le plan spirituel. *Ce qui est arrivé avec la crucifixion et la résurrection de Jésus-Christ, c'est que pour la première fois, ce processus d'initiation se produisit sur le plan matériel et devint un événement historique.*

LA PART D'OMBRE DE CE GRAND ÉVÉNEMENT est racontée dans l'histoire du Christ aux Enfers, voyage que ce dernier effectua juste après sa mort sur la croix. Cette histoire est tombée en désuétude, ce qui a contribué à nous faire perdre la dimension spirituelle du cosmos. L'initiation sert aussi bien à illuminer le chemin de notre voyage post-mortem que celui de notre vie. Pendant les siècles précédant la venue de Jésus-Christ, la vie après la mort s'était réduite à l'image inquiétante d'une demi-vie, d'une vie d'ombre dans le royaume sublunaire, le shéol. En commençant leur ascension à travers les sphères célestes, les esprits humains perdaient connaissance. Par conséquent, lorsqu'ils se réincarnaient, ces esprits revenaient sans aucun souvenir de leur voyage.

En descendant aux Enfers, Jésus-Christ suivait le chemin d'Osiris : il traçait une route que les morts pourraient suivre. Pour achever l'œuvre de Dieu, la grande mission cosmique, les vivants et les morts allaient devoir marcher main dans la main.

D'APRÈS LA DOCTRINE ÉSOTÉRIQUE, L'HISTOIRE du monde peut être résumée comme suit :

Il était une fois un âge d'or où la Terre et le Soleil étaient réunis et où le Soleil donnait sa forme à la Terre.

Le Soleil se sépara ensuite de la Terre, ce qui la fit se matérialiser et se refroidir.

Le dieu du Soleil revint pour insuffler son esprit à la Terre, afin que le cosmos se dématérialise à nouveau un jour pour redevenir spirituel.

C'est cette vision cosmique de la mission d'amour de Jésus-Christ qui inspira les chrétiens de la première heure, cette vision de son œuvre qui a contribué à la construction des grandes églises du Moyen Âge et à l'art de la Renaissance. Mais cette vision s'est perdue dans le christianisme moderne exotérique.

Apollonius de Tyane. De tous les guérisseurs et thaumaturges itinérants contemporains de Jésus-Christ, Apollonius est celui qui fit la plus grande impression sur les chroniqueurs de l'époque. Ce pythagoricien de Cappadoce laissa pousser ses cheveux et ne portait que des vêtements en lin et des chaussures en écorce d'arbre. Il chassait les démons et accomplissait des miracles de guérison. Mais le parallèle le plus intéressant avec Jésus-Christ est peut-être qu'il insista sur le fait que l'époque des sacrifices sanglants était révolue. « Nous ne devrions approcher Dieu, disait-il, qu'avec la plus noble faculté dont nous sommes dotés – à savoir, l'intelligence. »

Si nous acceptons, au niveau cosmologique, que la mort de Jésus-Christ *devait* arriver, nous devons néanmoins nous demander ce qui provoqua cette mort à un niveau historique. Quelles furent les causes immédiates de cette crucifixion ?

Jésus-Christ avait instruit Lazare en privé, mais la renaissance de ce dernier, le moment où il fut appelé à une nouvelle vie, fut un événement public – contrairement à la pratique courante de l'époque, où ce genre d'événement se produisait dans l'enceinte sévèrement gardée d'une école du Mystère. Jésus-Christ n'était pas non plus un hiérophante employé par les écoles d'État. De fait, les sadducéens devinrent ses ennemis jurés, car c'étaient eux qui contrôlaient la divulgation du savoir initiatique pour le compte de l'élite dominante. Initier Lazare en public était un acte révolutionnaire, qui signifia que le lien unissant les initiés à cette élite était rompu. C'était le début de la fin des écoles du Mystère. Et cela ouvrait la voie aux sociétés secrètes.

Jésus-Christ menaçait également l'élite romaine. Les soldats qui le revêtirent d'une robe violette et le ceignirent d'une couronne d'épines n'avaient pas d'autre roi, pas d'autre dieu que César. Ils se moquèrent de lui en l'habillant de cette robe qui était portée par les initiés d'Adonis. La couronne d'épines, elle, était une satire de la couronne accordée au candidat qui avait terminé son initiation aux mystères d'Éleusis. Les Césars étaient les grands ennemis occultes de Jésus-Christ.

CE QUE L'ON SAIT MOINS, C'EST QU'UN AUTRE ENNEMI était à l'œuvre de l'autre côté de la terre. Un initié pratiquait une magie bien plus noire et bien plus puissante que celle des Césars.

D'après Rudolf Steiner, ce sorcier développa ses pouvoirs surnaturels au cours de ses différentes incarnations et menaçait désormais d'entraver le cours de l'histoire.

La Résurrection.
Cette partie du retable d'Issenheim, peint par Matthias Grünewald, est une vision cosmique de Jésus-Christ en dieu Soleil. Grünewald dépeint ce que Tertullien, Père de l'Église, appelait, d'après la tradition des mystères grecs, la graine lumineuse, l'« augoeides ». Plantée dans la terre, elle s'épanouissait maintenant sous la forme d'un corps étoile, un corps de rayons de lumière. Quand les disciples sur la route d'Emmaüs ne reconnurent pas immédiatement le Christ, c'est parce qu'ils venaient de rencontrer ce corps « augoédien ».

Il avait atteint son pouvoir grâce à de multiples sacrifices humains. José Ortega y Gasset, le philosophe espagnol, déclare que le sang répandu permet la libération d'esprits. Le sang est mystérieux et effrayant, selon lui. Il porte la vie et, quand il est répandu et que le sol en est taché, le paysage tout entier s'excite et devient fou.

Ceux qui pratiquent l'occultisme savent que l'on peut tuer les êtres humains d'une certaine façon, de manière à exploiter leur esprit. Nous avons vu que de grands initiés, comme Élie par exemple, façonnaient leur propre corps végétal et animal, afin que ceux-ci deviennent des chariots qui leur permettaient de voyager dans le monde des esprits. Dans les cercles occultes, l'on sait aussi que les sorciers peuvent utiliser l'esprit et l'âme des autres, leurs victimes sacrificielles, comme des chariots.

La croix au milieu des quatre chérubins, qui symbolisent les quatre éléments. Comme nous l'avons vu, les quatre éléments travaillent ensemble depuis les constellations, aux quatre coins du cosmos, pour maintenir le monde matériel en place. Jésus-Christ représente ici le cinquième élément, son rôle cosmique, le dieu Soleil qui vient sur terre pour spiritualiser les quatre éléments et dissoudre la matière.

Le Christ descendant aux enfers, *gravure d'Albrecht Dürer. Première épître de Pierre 3,
18-9 : « Christ aussi a souffert une fois pour les péchés, lui juste pour des injustes, afin de
nous amener à Dieu, ayant été mis à mort quant à la chair, mais ayant été rendu vivant
quant à l'Esprit, dans lequel aussi il est allé prêcher aux esprits en prison. » Après cette
descente – pour reprendre les termes de saint Paul : « il est aussi descendu dans les régions
inférieures de la terre » – les esprits se servent de Jésus comme d'un guide pour éclairer
leur chemin.*

Le grand ennemi, le sorcier, était donc capable de contrôler
les personnes après leur mort. En sacrifiant un grand nombre de
victimes, il se constituait une armée dans le monde des esprits.

Au tournant du millénaire, un héros solaire fut envoyé sur terre pour s'opposer à lui. Comme nous l'a appris le *Codex de Florence*, de Bernardino de Sahagœn, un des rares textes à avoir survécu aux Conquistadores, son nom était Huitzilopotchtli. Tout comme pour les héros solaires précédents, sa naissance avait été prédite.

Il naquit d'une mère vierge et, dès sa naissance, les forces du mal conspirèrent sa mort.

Mais Huitzilopotchtli survécut et après de nombreuses tentatives, il mena enfin une guerre magique de trois ans contre le sorcier. Il le vainquit, en le crucifiant.

Quand Jésus-Christ fut crucifié, un immense pouvoir spirituel avait été libéré sur terre. Au même moment, la crucifixion du sorcier d'Amérique du Sud avait ouvert un vortex qui allait engloutir les grands courants de l'histoire du monde, les deux extrêmes : le bien et le mal.

L'ÉVANGILE DE PHILIPPE CONTIENT DES ALLUSIONS énigmatiques sur la relation qu'entretenait Jésus avec Marie Madeleine. « Le Seigneur l'aimait, plus que tous les disciples et l'embrassait souvent sur… » Puis, étrangement, le texte est coupé ! Mais cela semble être une référence au Cantique des cantiques : « Qu'il me baise des baisers de sa bouche ! » et « Car l'amour est fort comme la mort ».

La Légende dorée de Jacques de Voragine, le recueil d'histoires de saints le plus populaire du Moyen Âge, raconte qu'à Jérusalem, après la mort du Christ, un groupe de chrétiens fut persécuté. Sept d'entre eux furent abandonnés sur une petite embarcation laissée à la dérive sur la Méditerranée. Ils accostèrent en Camargue, à l'ouest de ce qui est aujourd'hui la ville de Marseille.

À la Sainte-Baume, massif se trouvant au-dessus de Marseille, on peut encore voir la grotte où Marie Madeleine, qui descendit de ce bateau, passa les trente dernières années de sa vie.

Elle est souvent dépeinte comme une pénitente, nue, avec de longs cheveux roux. Un tableau de Fra Bartolomeo, qui se trouve dans une petite chapelle au fond d'un jardin près de Florence, la représente avec la jarre pleine d'huile qu'elle utilisait pour oindre les pieds de Jésus-Christ. Cette jarre est posée sur une pierre où sont inscrits les mots suivants :

J'AI TROUVÉ CELUI QUE MON CŒUR AIME

Le Christ apparaît à Marie Madeleine, *d'Albrecht Dürer. La pensée ésotérique est, essentiellement, affaire de réincarnation. Sa première préoccupation n'est pas les esprits transmis par les gènes. Jésus-Christ est apparu pour mettre fin à une certaine manière de transmettre la clairvoyance et la sagesse : celle de la lignée. L'amour devait être choisi librement au lieu d'être instinctif et tribal. L'idée du mariage de Jésus et de Marie Madeleine et de leur descendance est donc sans importance dans le cadre de sa mission. La littérature ésotérique et les enseignements des écoles font plutôt référence au « mariage mystique » du Soleil et de la Lune, le* hieros gamos, *ou hiérogamie, dont nous reparlerons dans un chapitre ultérieur.*

16

La tyrannie des Pères

Les gnostiques et les néoplatoniciens • Le meurtre d'Hypatie •
Attila et le chamanisme • Un zeste de zen

DANS LES ENSEIGNEMENTS SECRETS DES ÉCOLES, la vie et la mort du dieu
Soleil marquent le milieu de l'histoire secrète.

Bien qu'il n'ait pas été remarqué par les chroniqueurs de l'époque,
cet événement sera considéré à la fin des temps comme le moment
charnière de l'histoire.

Pour les gens qui vivaient à cette période, l'ampleur de cet évène-
ment fut, de toute évidence, difficile à évaluer. Après un long moment
d'aridité spirituelle, on commençait à jouir du monde des esprits, à
en faire l'expérience de manière très intense, si ce n'est atavique. Il est
possible que certains aient pris conscience de la révolution spirituelle
qui avait eu lieu, mais en l'absence d'une autorité unifiante, institu-
tionnelle, comme celle que les hiérophantes des écoles du Mystère
avaient exercée, ces expériences nouvelles étaient interprétées de
manière très diverse. La prolifération des sectes, dans les décennies
qui ont suivi la mort de Jésus, en est la preuve.

De nombreux textes gnostiques sont aussi anciens que les livres de
l'Ancien Testament et, certains se revendiquent valides à juste titre.
Nous avons déjà évoqué l'Évangile de saint Thomas et sa version
des paroles de Jésus, qui semble plus authentique, ainsi que le récit
que fait la *Pistis sophia* des deux enfants Jésus. Le texte quelque peu
fragmentaire des *Actes de Jean* nous offre un aperçu fascinant des
pratiques de groupe qu'organisait Jésus-Christ.

L'auteur y décrit une danse circulaire : les disciples commençaient par se tenir la main et former un cercle, puis ils tourbillon-
naient autour de Jésus-Christ. Dans la liturgie qui accompagne cette
danse, Jésus-Christ est l'initiateur, et son interlocuteur est le candidat
à l'initiation.

> Candidat : « Je veux être sauvé »
> Christ : « et je veux sauver. »
> Candidat : « Je veux être délivré »
> Christ : « et je veux délivrer. »
> Candidat : « Je veux être blessé »
> Christ : « et je veux blesser. »
> Candidat : « Je veux manger »
> Christ : « et je veux être mangé. »

Les *Actes de Jean* utilisent le langage de manière paradoxale, parfois même absurde. Le sens de tout cela s'éclaircira à mesure que nous avançons.

> Candidat : « Je n'ai pas de maison et j'ai des maisons. »
> « Je n'ai pas de lieu et j'ai des lieux. »
> « Je n'ai pas de temple et j'ai des temples. »

La suite nous est parvenue sous forme de fragments, mais elle semble faire référence aux mystères de la mort et de la résurrection osiriens et chrétiens. Ensuite, le Christ dit : « Tel qu'on me voit maintenant, je ne suis pas. Ce que je suis, tu le verras quand tu viendras. Si tu connaissais la souffrance, tu posséderais l'absence de souffrance. Connais la souffrance et tu posséderas l'absence de souffrance. »

Il existe une danse hindoue en l'honneur de Krishna, qui est une sorte de ronde, ou « danse circulaire ». Les danseurs virevoltent autour du dieu Soleil, en imitant le mouvement des planètes. Cela peut indiquer que les *Actes de Jean* sont inspirés par la vision cosmique de Jésus-Christ en tant que dieu Soleil revenu.

Dans l'Évangile de saint Philippe, il est question de cinq rituels, le dernier et le plus important des cinq étant le rituel de la chambre nuptiale. S'agit-il d'un rituel sexuel comme ceux qui avaient lieu dans les temples d'Égypte, de Grèce et de Babylone ?

L'Église s'employa ensuite à mettre l'accent sur l'unicité de la révélation chrétienne et s'évertua à éloigner Jésus-Christ et ses enseignements des pratiques antérieures. Mais pour les chrétiens de la première heure, il était tout à fait normal que le christianisme ait des racines dans les enseignements du passé et qu'il représente l'aboutissement d'anciennes prophéties. Nombre de ces chrétiens comprenaient le christianisme à travers ce qu'ils avaient appris dans les écoles du Mystère d'Égypte, de Grèce et de Rome.

Un des premiers Pères de l'Église, Clément d'Alexandrie, pourrait avoir connu des personnes qui avaient elles-mêmes connu les apôtres. Clément et son élève Origène croyaient en la réincarnation : ils enseignaient aux élèves les plus avancés la *disciplina arcani,* ou discipline de l'arcane, des pratiques religieuses qu'on considérerait, aujourd'hui, comme de la magie.

Ces premiers chefs chrétiens, comme Clément et Origène, étaient des érudits qui contribuaient aux avancées intellectuelles de leur époque. La plus enthousiasmante d'entre elles trouva son expression dans le néoplatonisme.

Platon avait totalement converti en concepts la vision du monde selon laquelle l'esprit précède la matière. Au IIe siècle après Jésus-Christ, les idées de Platon furent développées pour devenir une philosophie vivante, une philosophie de vie, une religion même avec ses propres pratiques spirituelles, ce que nous appelons aujourd'hui le néoplatonisme. Il ne faut pas oublier que, si à notre époque nous avons tendance à considérer la pensée de Platon, académique et aride, pour ses disciples, au cours des siècles qui suivirent sa mort, ses écrits avaient le statut d'écritures saintes. Les néoplatoniciens ne prétendaient pas inventer de nouvelles idées mais pensaient plutôt formuler des commentaires afin d'éclaircir le sens des originaux de leur maître. Des passages qui ne sont aujourd'hui considérés que comme des exercices hermétiques de logique abstraite étaient utilisés par les néoplatoniciens pratiquants lors de leurs dévotions.

Ils s'employaient à décrire l'expérience spirituelle authentique. Dans *Les Délais de la justice divine,* Plutarque, qui était très influencé par le néoplatonisme, décrit ce à quoi ressemblent, quand on les observe, différents esprits qui entreprennent leur voyage après la mort. Les âmes des morts seraient enveloppées d'une sorte de flamme, mais « les unes [les âmes] jetaient un éclat pur et uni, comme la pleine lune dans sa plus grande clarté ; les autres avaient par intervalles des écailles ou des cicatrices légères. Celles-ci étaient marquées de taches noires, comme des serpents, ce qui leur donnait une figure extraordinaire ; d'autres enfin avaient des incisions assez profondes ».

Plotin[1], le plus grand néoplatonicien de l'école d'Alexandrie, était un mystique pratiquant. Son élève, Porphyre, rapporta avoir à

---

[1] Philosophe né en 205 après J.-C. à Lycopolis (aujourd'hui Assiout), en Égypte, considéré comme le fondateur de la pensée néoplatonicienne (ndlt)

plusieurs reprises vu son maître dans des états d'extase, fusionnant avec « l'Un [2] ». Quant à Plotin, il disait de Porphyre, d'un ton quelque peu dédaigneux, que lui n'avait jamais atteint de tels états ! Les néoplatoniciens des générations suivantes mirent l'accent sur l'importance des pratiques théurgiques, ou magiques et pieuses : Jamblique, par exemple, laissa des descriptions très détaillées de ses visions.

Plotin élabora une « métaphysique des émanations » extrêmement complexe, ressemblant à ce que nous avons abordé au chapitre 1. Le néoplatonisme influença d'autres traditions, comme la Kabbale et l'hermétisme, particulièrement par son approche systématique.

Certains universitaires considèrent que l'hermétisme et la Kabbale sont des pensées néoplatoniciennes teintées, respectivement, de culture égyptienne et hébraïque. Mais dans l'histoire secrète, les écrits hermétiques et kabbalistiques qui commencèrent à apparaître à cette époque sont les premières formes écrites et systématisées d'anciennes traditions largement orales.

On prétend que *Hermetica* est, à l'origine, l'œuvre d'Hermès Trismégiste, un ancien sage égyptien. Le texte était écrit en grec et comportait quarante-deux volumes. Yuri Stoyanov, chercheur émérite à l'institut Warburg, m'a confirmé récemment que la plupart des universitaires acceptent aujourd'hui ses origines purement égyptiennes. *Hermetica* est tolérant envers les autres traditions, sans doute parce qu'il était implicitement admis que *toutes* les traditions s'adressaient aux mêmes dieux planétaires et ouvraient le chemin vers le même monde des esprits.

De fait, il est possible de faire un parallèle entre les émanations comptées par Plotin, les dieux d'*Hermetica* et les sphères célestes décrites dans la *Pistis sophia*.

Dans la Kabbale, les émanations de l'esprit cosmique – les sefirot – forment une sorte d'arbre à mesure qu'ils descendent – l'arbre séfirotique. L'interprétation allégorique des écritures de l'érudit juif Philon d'Alexandrie établit la structure partagée par toutes les religions. Saint Paul faisait allusion à différents ordres d'anges – non seulement anges et archanges, mais aussi séraphins, chérubins, trônes,

---

[2] La théorie de l'émanation de toutes choses à partir de l'Un – qui désigne un principe suprême et transcendant – est un des thèmes centraux du néoplatonisme (ndlt)

dominations, vertus, puissances, et principautés. Il parlait d'un système que ses lecteurs devaient évidemment comprendre, système qui fut exposé de manière explicite par son élève, Denys l'Aréopagite. Les neuf ordres qu'il décrivit peuvent être assimilés aux neuf branches de l'arbre séfirotique – ainsi qu'aux différents ordres de dieux et d'esprits des anciennes religions polythéistes d'inspiration astronomique. On peut, par exemple, établir un parallèle entre les Puissances de saint Paul et les dieux du système solaire des Grecs et des Romains, les Puissances de lumière étant les esprits du Soleil, et les Puissances de l'ombre, les dieux de la Lune et les planètes.

Rebecca Kenta, spécialiste de la pensée ésotérique juive, a comparé l'ascension à travers les portes de la sagesse sur l'arbre kabbalistique de la vie avec les enseignements soufis et a fait le lien entre les sefirot et les chakras de la tradition hindoue.

Tout idéalisme, le système philosophique qui sous-tend toute religion, conçoit la création en tant qu'une série d'émanations descendant de l'Esprit cosmique. Mais la particularité de l'ésotérisme, c'est le fait d'identifier ces émanations avec les esprits des étoiles et des planètes d'un côté, et avec la physiologie occulte, de l'autre. C'est ce qui oblige à passer par l'astrologie, l'alchimie, la magie et des techniques pratiques afin d'atteindre des états alternatifs.

Il est important de garder à l'esprit qu'il ne s'agit pas ici d'une accumulation d'abstractions, mais bien d'expériences vécues. Les neuf hiérarchies d'anges étaient parfois partagées en trois parties et, quand saint Paul disait qu'il avait été au Troisième Ciel, il signifiait qu'il avait été initié à un niveau tel qu'il avait côtoyé personnellement les esprits les plus élevés, tels que les séraphins, les chérubins et les trônes.

LE CHRISTIANISME SE CONSTRUISIT SUR DES EXPÉRIENCES INITIATIQUES et des croyances comme celles-ci. Le plus grand Père de l'Église, saint Augustin, était un adepte d'une tardive école du Mystère persane, qui fonda le manichéisme.

Mani naquit en 215 dans la région que nous appelons aujourd'hui l'Irak. Alors qu'il n'avait que quinze ans, un être lui apparut. Cet être mystérieux, qu'il appela le Jumeau, lui révéla un grand mystère : le rôle du mal dans l'histoire de l'humanité. Il découvrit que les forces du mal se mêlèrent à celles du bien dès la création du cosmos. Il apprit aussi, que dans la grande bataille cosmique entre le bien et le mal, les forces du mal triomphent *virtuellement*.

La nature cosmique de la vision de Mani est palpable dans son syncrétisme, dans le récit qu'il fait des grands événements de l'histoire et le rôle important qu'il y faisait jouer à Zarathoustra, au Bouddha, aux prophètes hébreux et à Jésus-Christ.

L'universalisme des initiés a tendance à inquiéter les tyrans et leur perception aiguë des forces du mal est toujours sujette à des interprétations erronées. Mani fut protégé par deux rois successifs, mais le troisième le persécuta, le tortura et finit par le crucifier.

« Ainsi averti de revenir à moi, j'entrai dans le plus secret de mon âme, aidé de votre secours. J'entrai, et j'aperçus de l'œil intérieur, si faible qu'il fût, au-dessus de cet œil intérieur, au-dessus de mon intelligence, la lumière immuable » (Augustin, *Confessions*, livre VII, chapitre X). Le grand accomplissement intellectuel de saint Augustin fut de faire un compte rendu complet de la doctrine de l'Église en termes platoniciens. Ce qui est souvent passé sous silence dans l'Église conventionnelle, c'est que ce récit est basé sur l'expérience directe et personnelle de l'initié. Augustin a lui-même vu, avec « l'œil mystérieux de l'âme », une lumière plus brillante que celle de l'intellect. Mais il ne s'intéresse pas seulement aux abstractions éternelles ; dans ses *Confessions*, on le sent torturé par le temps qui passe, notamment dans sa phrase souvent citée : « Seigneur, accordez-moi la chasteté et la continence… mais pas encore. » À un autre moment poignant de son expérience visionnaire, il avance : « Bien tard, je t'ai aimée, Ô beauté si ancienne et si nouvelle, Bien tard, je t'ai aimée ! » Le sentiment du temps qui passe se prolonge chez saint Augustin dans la vision ésotérique qu'il a de l'histoire. Nous verrons plus tard la façon dont il comprenait le déroulement des étapes successives de l'histoire du monde, lorsque nous aborderons sa prophétie concernant la fondation de la Cité de Dieu.

C'était également l'époque des grands missionnaires chrétiens. Saint Patrick, qui avait été capturé et vendu comme esclave, s'en fut répandre l'idée de la sacralité de la vie humaine, idée que Jésus-Christ avait introduite dans le courant de l'histoire du monde. Il se battit également contre l'esclavage et le sacrifice humain. Mais il était aussi un magicien dans la tradition de Zarathoustra et de Merlin, un personnage terrifiant qui chassait les serpents d'Irlande grâce à sa baguette magique, délogeait les démons et réveillait les morts.

Le christianisme fut rapidement accepté par les Celtes. Saint Patrick superposa à la prophétie cosmique celte du retour du dieu Soleil l'histoire de la vie et de l'œuvre de Jésus-Christ. Le christianisme celtique mêlait joyeusement des éléments chrétiens et païens. Dans l'art celtique, les motifs entrelacés représentaient également les vagues de lumière entremêlées qui, dans toutes les traditions, caractérisent le premier stade de l'expérience mystique.

Les Celtes, farouchement indépendants, continuèrent à mettre l'accent sur la nécessité personnelle de faire l'expérience directe du monde des esprits et se mirent à développer des traditions ésotériques, indépendamment de Rome. Certaines des croyances et pratiques de ces anciens groupes de chrétiens seraient bientôt considérées comme hérétiques par l'Église romaine.

Lorsqu'un peuple partage les mêmes valeurs, quand il partage ce que le théologien Paul Tillich appelle « la préoccupation ultime », il peut parfois être facilement blessé par de légères nuances d'opinion. Ces différences mènent parfois à une haine meurtrière, si bien que le pire ennemi n'est parfois plus l'envahisseur étranger, celui qui vient de loin, les joues creusées de larmes de sang, mais un frère ou une sœur que l'on côtoie chaque jour dans la même congrégation.

Et parfois, les membres d'une congrégation voudront interdire certaines croyances – comme l'a fait l'empereur Auguste –, non parce qu'ils pensent qu'elles sont fausses, mais parce qu'ils pensent qu'elles sont vraies.

L'HISTOIRE DE LA FONDATION DE L'ÉGLISE ROMAINE et de la diffusion de sa doctrine, grâce aux bons offices de l'Empire romain agonisant, a été racontée aussi bien par l'Église que par ses ennemis. L'empereur Constantin affirma qu'une nuit, avant qu'il ne parte mener bataille contre des rebelles, il fit un rêve dans lequel Jésus-Christ lui apparut et lui dit de mettre la croix sur sa bannière, avec l'inscription « Par ce signe, tu vaincras ». Constantin obéit et les rebelles furent dûment défaits.

Il déclara le christianisme religion officielle de l'Empire et offrit le palais du Latran aux évêques de Rome. Les bénéfices politiques d'une telle décision furent indéniables et, comme la nouvelle forme de conscience, née à Jérusalem, se répandait rapidement à travers l'Empire, Constantin en tira parti et offrit la liberté aux esclaves qui se convertissaient et vingt pièces d'or aux hommes ou femmes libres qui faisaient de même.

La mariée mise à nu par ses célibataires, *même, de Marcel Duchamp. Mis à nu, les célibataires révèlent leurs identités planétaires.*

Comme nous l'avons vu, les Romains vouaient un culte à la cruauté. Le pouvoir d'un être humain sur un autre, même porté à l'extrême, était exalté. Les Romains étaient impitoyables et la cruauté était une vertu virile : on imagine donc bien que l'exhortation chrétienne à l'humilité et à la soumission bousculait sérieusement les habitudes. De toute évidence, les chrétiens connaissaient de nouvelles joies, une nouvelle manière d'être au monde.

Imaginez comme il devait être étrange pour un Romain de rencontrer un initié chrétien. Les chrétiens représentaient une toute nouvelle forme de conscience : ils étaient capables de vivre dans leur esprit, illuminés par l'enthousiasme et la certitude intimes de leur expérience spirituelle. Cette rencontre a dû être tout aussi déconcertante, tout aussi intrigante que celle, des centaines d'années plus tard, entre un Pygmée de Papouasie Nouvelle-Guinée et le premier explorateur européen à fouler son territoire. Derrière ce regard se trouvait tout un monde nouveau.

CONSTANTIN AVAIT PEUT-ÊTRE ESPÉRÉ QUE LA RIGUEUR de la nouvelle religion aiderait à ralentir la chute de l'Empire romain, mais une prophétie des *Oracles sibyllins* l'inquiétait, car elle disait que Rome serait de nouveau le repaire des loups et des renards.

Il s'employa à contrecarrer cette prophétie en transférant l'esprit de Rome dans un autre lieu, où il fonda une capitale alternative. Il excava alors le Palladium, la statue divine qui avait été apportée de Troie lors de la fondation de Rome, l'extirpant de sous une colonne en porphyre, et l'enterra sur le site de ce qui deviendrait Constantinople, sous la même colonne, qui était maintenant surmontée d'une statue du dieu Soleil, couronnée des clous de la vraie croix, formant une sorte de nimbe.

Ce symbolisme, qui incorporait des enseignements initiatiques sur le dieu Soleil, serait compris par les initiés de toutes les religions. Ce qui est paradoxal, c'est que sous le règne de Constantin, l'Église commença à supprimer tous les enseignements initiatiques et à réduire ses enseignements esotériques en dogme. En 325, le concile de Nicée décida quels Évangiles, parmi les nombreux en circulation, étaient les vrais. Des édits impériaux interdirent les pratiques païennes et, sur ordre des fils de Constantin, femmes et enfants furent nourris de force, leur bouche tenue ouverte grâce à un outil en bois, gavés du pain béni qu'on leur enfournait dans le gosier.

Quand Julien, le neveu de Constantin, prit le pouvoir en 361, il renversa ce courant d'intolérance religieuse. Il avait été l'élève du philosophe néoplatonicien Jamblique et comprenait bien la mission de celui qu'il appelait le « Dieu aux sept rayons ». Il déclara tous ses sujets égaux en droits, sans distinction de croyance religieuse, et permit aux temples païens de rouvrir.

Julien écrivit une polémique célèbre contre le christianisme borné et dogmatique qui avait vu le jour sous le règne de Constantin, ce qui explique pourquoi par la suite, les chrétiens l'appelèrent l'Apostat, ce qui signifie qu'il avait abandonné la foi. Il affirmait que le christianisme avait essayé de nier l'existence des dieux que lui avait rencontrés lors de son initiation.

Julien mena une campagne militaire en Perse. Tout comme les Grecs avaient assiégé Troie pour en contrôler la connaissance initiatique, Julien voulait comprendre la connaissance secrète des écoles du Mystère manichéennes, basées en Perse. Il en savait assez

L'Externsteine, en Allemagne. Cet ancien bas-relief se trouve à quelques pas d'un bas-relief plus ancien représentant un dieu scandinave pendu à un arbre, ce qui implique l'acceptation du fait que le christianisme soit né de traditions païennes. Notons que l'on fait allusion ici à la compréhension ésotérique des différents corps d'un individu, car, alors que le corps du Christ est descendu de la croix, son esprit repose déjà dans les bras de son père.

pour estimer que la mission du dieu Soleil était menacée et que les mystères manichéens concernaient la bataille entre le dieu Soleil et Ahrima – ou Satan –, l'esprit du matérialisme.

Toutefois, avant de pouvoir mener à terme sa mission, Julien fut assassiné par un partisan de Constantin et une nouvelle ère saturnienne commença : la vraie spiritualité initiatique allait être ensevelie. L'empereur Théodose mena une politique impitoyable

294

qui réprima tout désaccord avec la position impériale concernant la doctrine chrétienne. Il confisqua la propriété des « hérétiques » et s'appropria leurs temples. Les statues d'Isis furent consacrées à Marie et le Panthéon de Rome, temple dédié à tous les dieux, d'une beauté cosmique sans pareille, fut transformé en temple monothéiste.

Théodose fit fermer les écoles du Mystère et, en 391, il assiégea le Sérapéum d'Alexandrie. Cet ensemble sacré, abritant un grand temple surmonté d'un plafond aux motifs de nuages dédié au dieu Sérapis, était une des merveilles de l'Antiquité. À l'intérieur, une statue du dieu était suspendue au plafond par un aimant. Le temple abritait également des bibliothèques qui contenaient les plus grandes collections de livres au monde. Heureusement, de nombreux ouvrages furent subtilisés avant que le temple ne fût brûlé et ses statues sacrées traînées dans les rues.

Finalement, Théodose finit par tourner son attention vers l'école néoplatonicienne d'Alexandrie, le plus grand dépositaire de l'héritage intellectuel des écoles du Mystère. La grande figure du néoplatonisme de l'époque était Hypatie. Fille d'un grand philosophe et mathématicien, elle fut instruite en philosophie, en mathématiques, en géométrie et en astronomie. Son père avait développé une série d'exercices afin de faire de son corps un parfait vaisseau pour son esprit brillant. Elle adorait nager, monter à cheval et pratiquer l'escalade. Elle était donc aussi belle qu'intelligente et fut bientôt célèbre pour ses inventions d'instruments scientifiques, dont un qui permettait de mesurer précisément la gravité des liquides. Peu de ses écrits ont survécu, mais elle était reconnue partout comme un des plus grands esprits de son temps.

Elle attirait une foule nombreuse lors de ses conférences où, versée dans la sagesse de Plotin et de Jamblique, elle expliquait que le christianisme s'était développé à partir des enseignements des écoles du Mystère et, comme son père, elle soutenait qu'aucune tradition ou doctrine ne pouvait revendiquer l'exclusivité de la vérité.

Une après-midi de 414, au moment où Hypatie quittait la salle de conférences, un groupe de moines vêtus de noir la firent descendre de son char, déchirèrent ses vêtements et la traînèrent nue dans les rues jusqu'à une église proche. Ils la tirèrent jusqu'à l'autel et, dans la pénombre froide d'une atmosphère lourde d'encens, ils se ruèrent sur son corps nu, recouvert d'un drap noir, et ils la mirent en pièces, arrachant ses membres et raclant la chair de ses os à l'aide de coquilles d'huîtres, avant de brûler ses restes.

L'Église voulait effacer Hypatie de l'histoire, comme les prêtres d'Amon avaient essayé d'effacer Akhenaton.

IL EST TENTANT DE VOIR L'ÉGLISE COMME LE MÉCHANT répresseur de la pensée libre et d'idéaliser les groupes marginaux et les écoles subversives comme celles des néoplatoniciens ou des gnostiques. Depuis le début de son histoire, l'Église comptait parmi ses chefs des hommes pratiquant la magie noire et d'autres initiés qui abusèrent de leurs pouvoirs surnaturels à des fins personnelles. Mais il est également vrai – et bien plus important – de dire que depuis l'époque de saint Paul et de saint Augustin, les plus grands chefs de l'Église ont été

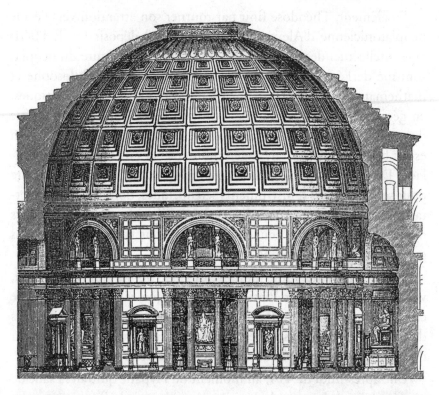

Le Panthéon de Rome. Ovide explique que les temples représentent le cosmos comme une sphère. La grande rotonde du Panthéon a un diamètre de 43,58 m. Elle est surmontée d'une ouverture au centre du toit pour faire passer la lumière du soleil. Sa hauteur, du sol au plafond, là où se trouve l'ouverture, est égale à son diamètre, ce qui fait qu'elle contient une grande sphère d'air. Les niches, autour de la rotonde, abritaient autrefois des images des dieux planétaires.

les initiés des plus grands ordres et ont cherché à guider l'humanité d'après le projet divin défini dans ce livre. Ils savaient qu'inéluctablement, l'idée de la réincarnation allait disparaître en Occident. D'après le plan cosmique, cette partie du monde devait être le berceau du développement du sentiment de valeur de la vie humaine.

De l'autre côté, les néoplatoniciens, bien qu'ils aient continué le travail de Pythagore et de Platon, convertissant en concepts les expériences directes du monde des esprits, semblaient ne pas se rendre compte de la grande révolution qui avait eu lieu. Il n'y a dans leurs écrits nulle trace des évangiles d'amour universel que Jésus-Christ avait introduits. De même, les gnostiques, qui mettaient l'accent sur l'expérience directe et personnelle du monde des esprits, contrairement à l'acceptation passive d'un dogme abstrait, allaient dans le sens de l'impulsion qu'avait donnée Jésus-Christ, mais nombre d'entre eux nourrissaient une haine farouche envers le monde, ce qui contredisait la mission du Christ visant à transformer le monde matériel. Par ailleurs, bien des croyances que les gnostiques puisaient dans leurs aventures dans le monde des esprits étaient assez fantaisistes. Non seulement certains d'entre eux ne croyaient pas que Jésus-Christ ait pu tomber si bas et habiter un corps physique, mais ils pensaient également qu'il avait vécu sur terre seulement sous la forme d'une sorte de fantôme. Ils pratiquaient également d'étranges formes de mortification et de débauche extrêmes, comme moyens d'affliger leurs propres sens tant haïs et de trouver un accès au monde des esprits. Certains encourageaient des serpents à glisser sur leurs corps nus, d'autres buvaient du sang des menstrues en disant : « Voici le sang du Christ », et d'autres encore croyaient que leurs pratiques sexuelles magiques donneraient naissance à des créatures divines. Certains allaient jusqu'à se castrer et s'écriaient : « Je suis plus mort que toi ! »

ROME VOULAIT SUPPRIMER LES DIFFÉRENCES DOCTRINALES. La conviction chrétienne et la morale étaient utiles à Constantin et à Théodose : elles unifiaient l'Empire, le renforçant de l'intérieur, à un moment où l'Orient et ses hordes barbares se faisaient menaçants.

La Chine était un empire en expansion, ce qui avait causé une sorte d'effet domino en Asie Centrale et jusqu'en Europe. Sous la pression des Goths, les Wisigoths et les Vandales envahirent des parties de l'Europe, allant même jusqu'à Rome avant de se retirer. Puis, durant le second quart du Vᵉ siècle, les tribus mongoles nomades s'unirent sous le commandement d'un grand chef, Attila le Hun. Attila balaya les territoires précédemment envahis par les Goths et les Vandales pour former un empire qui s'étendait des plaines d'Asie centrale au nord de la Gaule. Il pénétra au nord de l'Italie et pilla Constantinople.

Attila, le « fléau de Dieu », est devenu synonyme de barbarie. Mais Priscus, un historien grec qui visita un camp du grand chef, en fait un tout autre portrait. Priscus dépeint un Attila vivant dans une simple maison de bois, construite en planches polies et entourée d'une clôture. Des nattes en laine servaient de tapis et Attila – littéralement « petit père » – recevait ses visiteurs, vêtu de simples vêtements en lin, dépourvu de bijoux en or ou de pierres précieuses. Il buvait – modérément – dans un bol en bois et mangeait dans un plat du même matériau. Il ne montra aucune émotion au cours de son entrevue avec le philosophe, sauf quand son fils cadet arriva, qu'il le tapota sous le menton et le regarda d'un air satisfait.

On dit également que quand Attila conquit la ville chrétienne de Corinthe, il fut effaré d'y voir des prostituées à chaque coin de rue. Il leur laissa le choix entre épouser un de ses hommes ou l'exil.

Si Attila n'était pas le monstre féroce de l'imagination populaire, il est néanmoins juste de dire que s'il avait réussi à contrôler l'Empire romain, cela aurait été un désastre pour l'évolution de la conscience humaine.

Les Romains craignaient Attila plus que tous leurs ennemis. Ce guerrier ne permettait pas à ses hommes de vivre sur le territoire romain, ni d'acheter des denrées romaines. Quand il envahissait une contrée, il renversait la romanisation en détruisant les édifices et en dérobant des milliers de livres d'or en tribut. Quand, en 452, il eut enfin Rome à sa merci, le pape Léon Iᵉʳ le rencontra.

Le pape Léon négocia un accord avec Attila, par lequel Honoria, la fille de l'empereur, deviendrait sa femme, accompagnée d'une dot de plusieurs milliers de livres d'or.

À ce stade, Attila crut qu'il avait atteint son ambition de renverser l'Empire romain et de dominer le monde.

Attila et son peuple pratiquaient le chamanisme. Dans chaque bataille, Attila était guidé – très sagement, comme le prouve l'histoire – par ses prêtres chamans. Le tumulte de l'armée de Huns, qui semait la terreur sur son passage, était provoqué par l'aboiement de chiens, le bruit de ferraille des armes qui s'entrechoquaient et le son de cornes et de cloches. Ce tapage était destiné à convoquer les bataillons de morts, les fantômes de leurs ancêtres, pour qu'ils se battent aux côtés des soldats. Ils appelaient également, à la manière des chamans, les groupes d'âmes carnivores, les loups et les ours, afin qu'ils entrent en eux et leur donnent des pouvoirs surnaturels.

Puisque nous venons d'aborder les invasions barbares d'Orient, il me semble qu'il est temps de faire une pause pour parler du chamanisme. Le mot « chaman » provient du mot tungus mongol qui signifie « celui qui sait ».

Depuis le temps des barbares, jusqu'à aujourd'hui, les chamans ont usé d'un nombre très varié de techniques, que Mircea Eliade a appelé « les techniques archaïques d'extase », afin d'atteindre un état de transe : le son des percussions et la danse sur ces rythmes, l'hyperventilation, les automutilations délirantes, les privations sensorielles, la déshydratation et la privation de sommeil – ainsi que des plantes psychotropes, telles que l'*ayahuasca*, le peyotl et les champignons hallucinogènes. Des études récentes, parmi lesquelles celles menées par William Emboden, professeur de biologie à la California State University, suggèrent que les drogues étaient utilisées également dans les centres du Mystère dans le but d'induire des états de transe – par exemple, le kykéón à Éleusis, et le lotus égyptien qui était consommé avec de l'opium et des racines de mandragore dans l'Égypte antique.

Des scientifiques ont également isolé une enzyme du cerveau qui induit ces états de transe et des recherches semblent prouver que deux pour cent d'entre nous ont un niveau de diméthyltryptamine naturelle suffisamment élevé pour nous mettre spontanément et involontairement dans ces états. Il semblerait aussi que nous en soyons plus abondamment pourvus jusqu'à l'adolescence, où le processus de cristallisation se met en place, bouche la glande pinéale et limite ses fonctions. Pour ceux d'entre nous qui ne sont pas pourvus de cette enzyme, ces anciennes techniques, ou d'autres similaires, sont nécessaires pour atteindre la transe.

Les anthropologues ont remarqué que les récits d'expériences chamaniques de différentes cultures montrent une progression passant par les mêmes étapes : d'abord, la fermeture du monde sensoriel et un sentiment de voyage dans les ténèbres ; mais également, parfois, une grande douleur, comme si le corps était démembré. Ensuite, une mer de lumière, souvent accompagnée d'une sorte de kaléidoscope de lumières géométriques changeantes – la matrice.

Puis ces motifs géométriques se transforment, le plus souvent, en serpents ou en créatures mi-animales, mi-humaines, souvent pourvues de corps malléables et quasi transparents.

Enfin, quand la transe s'achève, le chaman a l'impression qu'il possède des pouvoirs surnaturels, la capacité de soigner, des informations sur ses ennemis, une influence télépathique sur les animaux et le don de prophétie.

Tout cela a l'air de bien correspondre aux descriptions d'initiations des écoles du Mystère que nous avons déjà abordées. Gregg Jacobs, de la Harvard Medical School, a déclaré que « par les techniques chamaniques, nous pouvons nous plonger dans des états de conscience ancestraux et puissants ».

Mais du point de vue des spécialistes modernes de l'ésotérisme, l'exemple du chamanisme ne peut nous servir que si l'on essaye de comprendre les écoles du Mystère et les sociétés secrètes. De nombreux tableaux que les cultures chamaniques ont laissés comme traces de leurs états de transe sont incroyablement beaux, mais n'offrent pas le même panorama, magnifique et total, du monde des esprits que l'on trouve, par exemple, dans les plafonds des temples d'Edfou ou de Philae. De plus, les êtres que rencontrent les chamans semblent appartenir aux esprits inférieurs et non pas aux dieux planétaires plus élevés avec lesquels les prêtres communient.

Du point de vue des enseignants modernes de l'ésotérisme, le chamanisme, que ce soit celui pratiqué par les hordes de Huns ou de Mongols, ou bien, aujourd'hui, celui des *sangomas* en Afrique du Sud, représente une dégénérescence d'une vision primordiale autrefois magnifique.

Une fois de plus, nous voyons que dans l'histoire secrète, tout est à l'envers, sens dessus dessous. Dans l'histoire conventionnelle, les stages primitifs de la religion furent marqués par l'animisme et le totémisme, qui se sont développés pour former les cosmologies complexes des grandes civilisations antiques ; alors que dans l'histoire secrète, la vision primordiale de l'humanité était complexe, évoluée et magnifique et ne s'appauvrit qu'ensuite, pour mener à l'animisme, au totémisme et au chamanisme.

Les tribus d'Attila pratiquaient un chamanisme qui leur donnait un accès au monde des esprits, que bien des gens d'Église pourraient leur envier, mais cet accès relevait d'un état atavique ; il allait à l'encontre de l'impulsion de l'évolution de la conscience humaine qui avait été développée par Pythagore et Platon, et à laquelle Jésus-Christ et Paul avaient donné une nouvelle direction. Le but de cette évolution était très noble – que les gens puissent tirer du plaisir de leur supériorité intellectuelle individuelle et qu'ils puissent choisir d'être libres, puissants et aimants, non seulement dans le monde matériel, mais aussi dans le monde des esprits.

Prendre des drogues fait, bien évidemment, partie de la pratique chamanique moderne, mais cela est interdit par la majeure partie des enseignants ésotériques, quand il s'agit d'atteindre le monde des esprits. Pour ces enseignants, il faut faire l'expérience du monde des esprits par sa seule intelligence et avec un sens critique aussi intact que possible, voire même plus aiguisé. D'un autre côté, entrer en contact avec les esprits par les drogues ne nécessite aucune préparation et peut donc ouvrir une dimension démoniaque, qui pourrait par la suite ne plus vouloir se refermer.

QUAND, EN 453, ATTILA SE PRÉPARA À CÉLÉBRER SON MARIAGE avec une jeune femme d'une grande famille, à la peau douce – il avait déjà des centaines de femmes – c'était un homme dans la force de l'âge et en pleine possession de ses moyens, qui s'apprêtait à voir chuter l'Empire romain.

La jeune et délicate pousse d'une nouvelle étape de la conscience humaine était sur le point d'être écrasée dans l'œuf.

Au matin, Attila fut retrouvé mort. Il avait saigné abondamment du nez.

« JE LE CROIS, PARCE QUE C'EST ABSURDE. » Cette phrase célèbre de Tertullien, le premier Père de l'Église parlant latin, influença nombre de théologiens à la fin du XIXᵉ et pendant la première moitié du XXᵉ siècle.

Tentons de nous mettre à la place d'un citoyen de l'Empire romain en ces temps de déclin : la vie lui semblait absurde, il vivait dans un monde désenchanté, qui remettait en cause les grandes certitudes spirituelles sur lesquelles s'étaient fondées les plus importantes civilisations de l'Antiquité. Ces certitudes ne semblaient plus correspondre à sa vie. Pan était mort depuis longtemps et les oracles s'étaient tus. Dieu et les dieux ne ressemblaient guère plus qu'à des idées vides et abstraites, alors que la vraie vie de la pensée se trouvait dans le domaine de la science et de la technologie, dans les théories atomiques de Lucrèce, dans les projets d'ingénierie extra-ordinaires – les aqueducs, les systèmes de drainage et les milliers de kilomètres de routes – qui fleurissaient partout. Les certitudes spirituelles avaient été remplacées par de dures réalités politiques et économiques.

Mais, si ce citoyen avait prêté attention à l'appel intime de son âme, il aurait peut-être remarqué que ce grincement mécanique et dur de la nécessité, cette nouvelle voie dans laquelle s'engageait le monde mettait en relief quelque chose de tout à fait contraire, une chose qu'on appelait, ailleurs, « la voie sans nom ». Si ce citoyen avait choisi de ne pas le faire taire, il aurait pu peut-être entendre les suggestions émanant de courants souterrains de pensée.

À ce moment critique de l'histoire, nous passons des écoles du Mystère aux sociétés secrètes, de la gouvernance des élites politiques, à quelque chose de bien plus subversif, de souterrain. Un nouvel état d'esprit allait s'emparer de la vie spirituelle des initiés, que l'on retrouve dans la vie du bouffon de Dieu, saint François d'Assise, dans les fous de Shakespeare, dans le gentil travail de sape de Rabelais, dans les *Voyages de Gulliver*, dans *Alice au pays des merveilles* et dans les découpages et collages de Kurt Schwitters.

EN RÉPONSE À UNE QUESTION SUR LE SENS du zen, un moine leva son doigt. Un garçon de la classe commença à le singer et, par la suite, lorsque quelqu'un discutait des enseignements de ce moine, le polisson levait le doigt en se moquant.

Mais, au cours suivant, le moine lui attrapa le doigt et le lui coupa. Alors que le jeune garçon s'enfuyait en courant, il fut appelé par le moine. Il se retourna et vit le moine le regarder en levant le doigt.

Ce fut à ce moment-là que le jeune atteignit l'éveil.

Ce conte cruel n'est pas un épisode historique, mais une des fables classiques du zen, que l'on racontait au moment de la mort d'Attila.

La capacité d'abstraction s'était développée depuis moins de mille ans, sous l'impulsion de Pythagore, de Confucius et de Socrate.

Le bouddhisme s'était exporté d'Inde, pour atteindre la Chine avec la visite du vingt-huitième patriarche bouddhiste Bodhidharma. Pendant les deux cents ans qui suivirent, le bouddhisme et le taoïsme fusionnèrent en Chine, créant une philosophie d'éveil spontané et intuitif appelé le *tch'an* – ou zen, comme elle finit par s'appeler au Japon.

Le *tch'an* apportait une certaine prudence quant aux limitations de la pensée abstraite.

Le garçon et ses camarades s'étaient démenés pour comprendre ce qu'avait bien voulu dire le moine. Nous pouvons même les imaginer en train de froncer les sourcils alors qu'ils s'efforçaient de comprendre l'éveil de manière cérébrale.

Mais le garçon a tout à coup la possibilité de voir le monde du point de vue d'un état alternatif de la conscience. Il le voit soudain du point de vue de la conscience végétale, centrée sur le plexus solaire, plutôt que sur son crâne. C'est au moyen de cette conscience végétale que nous sommes individuellement reliés à chaque autre être vivant du cosmos. Ces connexions peuvent être visualisées comme les vrilles d'un grand arbre cosmique dont chaque fleur serait un plexus solaire. Si l'on envisage autrement cette conscience végétale, on peut dire qu'elle est une autre dimension, le monde entre les mondes et la porte d'accès au monde des esprits. C'est une forme de conscience, une « lumière immuable » pour citer saint Augustin, dans laquelle celui qui veut s'éveiller doit se glisser.

Le garçon atteint l'éveil parce que, du point de vue de cette autre forme de conscience, le doigt du moine appartient, autant au moine qu'à lui. Une pensée conventionnelle n'émanant que de la tête ne peut saisir cela.

On ne peut s'empêcher de rire lorsqu'on voit soudain le cosmos à l'envers et sens dessus dessous. Au début de la seconde moitié du Ve siècle, un sentiment d'absurdité nouveau fit irruption dans le monde, et depuis lors, les grands initiés des sociétés secrètes, en Occident comme en Orient, adoptèrent tous un zeste de zen.

L'EMPIRE BYZANTIN, SOUS LE RÈGNE DE SON CHEF autoritaire Justinien, s'étendit et récupéra même des territoires des mains des barbares. Justinien fit fermer les dernières écoles de philosophie grecque, provoquant la fuite des enseignants, qui emmenèrent avec eux des textes d'Aristote, comme son traité d'alchimie, aujourd'hui perdu.

Nombre d'entre eux arrivèrent en Perse, où le roi Khusraw rêvait d'une grande académie comme celle qui avait inspiré la civilisation grecque. Dans une effervescence intellectuelle qui incorpora des idées du néoplatonisme, du gnosticisme et de l'hermétisme, la méthodologie d'Aristote fut appliquée conjointement au monde matériel et au monde des esprits. Et c'est ainsi que commença l'âge d'or de la magie arabe.

Nos enfances sont illuminées par la magie – les génies, les lampes magiques et les « abracadabra ! ». Ces histoires commencèrent à semer leur influence sur l'histoire du monde au VIᵉ siècle. Il y avait des rumeurs relatives à des automates et à des machines volantes, des cachettes où l'argent coulait spontanément et des formules magiques puissantes qui allaient être regroupées dans des livres interdits.

Bientôt, le monde entier serait envoûté par l'Arabie, car les livres qui livraient ses secrets furent publiés de par le monde. Des livres où l'on pouvait entendre susurrer les démons.

17

L'âge de l'islam

Mahomet et Gabriel • Le « Vieux de la Montagne » • Haroun al-Rachid et les Mille et Une Nuits • Charlemagne et le Perceval historique • La cathédrale de Chartres

UN PERSONNAGE AUSTÈRE ET INTIMIDANT OBSERVAIT ces événements depuis le monde des esprits.

En 570, à La Mecque, naquit un enfant appelé Mahomet. Dès l'âge de six ans, il perdit ses deux parents et devint berger. L'enfant s'épanouit en un jeune homme aux épaules larges, aux cheveux noirs et frisés et, à travers sa barbe touffue, brillaient des dents d'une blancheur éclatante. Il devint chamelier, transportant épices et parfums, spécialités de La Mecque, jusqu'en Syrie. À l'âge de vingt-cinq ans, il épousa une riche veuve dans sa ville natale, dont il devint l'un des citoyens les plus aisés et les plus respectés.

Il en avait fait du chemin depuis la mort de ses parents et il avait, pour ainsi dire, pris une belle revanche sur la vie ! Malgré cela, Mahomet n'était pas satisfait. Le centre religieux de La Mecque était un grand bloc de granit noir appelé la Kaaba. Certaines traditions affirment qu'il serait tombé du système de Sirius. À cette époque, l'Arabie était peuplée de tribus qui pratiquaient le chamanisme, chacune d'entre elles vouant un culte à ses propres divinités et esprits. Au centre de ce tourbillon, près de la Kaaba, une tente sacrée abritait des centaines de leurs idoles. La Mecque était par ailleurs une ville corrompue par la vente d'eau bénite – tirée d'une source qu'Ismaël avait fait jaillir du sable. Pour Mahomet, c'était un spectacle désolant : les gens ne s'intéressaient qu'à gagner de l'argent, à le jouer, à monter à cheval et à s'enivrer.

Lors de ses voyages en chameau en Égypte ou en Syrie, il entendait parler du judaïsme et de Jésus-Christ. L'histoire du Christ chassant les marchands du temple l'aurait-elle frappé ? Toujours est-il que Mahomet acquit la conviction que l'Arabie avait besoin d'un prophète, de quelqu'un comme Jésus-Christ, qui purgerait les gens de leurs superstitions et de leur corruption et qui les unirait sous un seul et unique objectif cosmique.

Mahomet était assis sur une des collines surplombant La Mecque, broyant du noir et se demandant comment faire, quand un ange lui apparut et lui dit : « Je suis l'ange Gabriel. » Ensuite, l'apparition lui montra une tablette en or et lui demanda de lire ce qui y était inscrit. Mahomet répondit qu'il était illettré mais, quand Gabriel renouvela sa demande, il s'aperçut qu'il savait lire. C'est ainsi que commencèrent les conversations avec l'ange qui constituent le Coran. Mahomet descendit ensuite en ville, prêcher ce que Gabriel lui avait appris, avec une sincérité enflammée et une force irrésistible. Il résumait son credo en ces quelques mots très réalistes :

> Mes enseignements sont simples
> Il n'existe qu'un seul Dieu, Allah,
> Et Mahomet est son prophète
> Renoncez aux idoles
> Ne volez pas
> Ne mentez pas
> Ne médisez pas les uns des autres
> ne buvez ni vin, ni boisson enivrante
> Si vous suivez mes enseignements, alors vous suivrez l'islam.

Quand on lui demandait d'accomplir un miracle afin de prouver que sa prédication était inspirée par Dieu, il refusait. Il disait qu'Allah avait créé les cieux sans avoir besoin de piliers et qu'il avait fait la terre, les rivières, la figue, les dattes et l'olive – et que cela était déjà un miracle en soi.

Ce matérialisme extatique préfigurait l'ère moderne.

AU COURS DE LEURS CONVERSATIONS CÉLESTES, l'archange Gabriel demanda à Mahomet de choisir un rafraîchissement et Mahomet choisit du lait, appelé jus de lune par les occultistes : l'alcool serait interdit par l'islam.

D'un point de vue ésotérique, il est très significatif que l'ange qui dicte le Coran à Mahomet soit Gabriel, l'archange de la Lune. Allah est le nom musulman de Jéhovah, grand dieu de la Lune et de la pensée. Gabriel annonce le pouvoir de la pensée qui contrôle les passions humaines et étouffe la fantaisie. Son dieu, le dieu du « tu-ne-feras-point », est représenté dans l'iconographie musulmane par le croissant de lune.

La pensée est un processus mortifère, qui se nourrit des énergies vitales. Au Moyen Âge – la grande époque de l'islam – la pulsion sexuelle allait être contenue, afin de permettre le développement de la capacité de penser. Pour étouffer les débordements des excentricités gnostiques, les chefs religieux imposèrent leur autorité au peuple.

Du point de vue de l'histoire conventionnelle occidentale, au Moyen Âge, l'Europe fut assiégée par des musulmans barbares. Du point de vue de l'histoire ésotérique, la vérité est tout autre. Les graines qui furent semées à cette époque et qui, en germant, allaient transformer l'Europe, et l'espèce humaine dans son ensemble, provenaient de l'islam.

PAR SES PRÊCHES À LA MECQUE, MAHOMET s'attira l'inimitié de certains, qui complotèrent pour l'assassiner. Il s'enfuit donc rejoindre la ville de Médine avec son disciple Abou Bakr afin d'y rassembler ses partisans.

En 629, il revint à La Mecque et, pendant les quatre années qui lui restaient à vivre, il établit sa suprématie sur le reste de l'Arabie. Quand Abou Bakr lui succéda – en tant que calife – la volonté de conquête continua à un rythme étourdissant.

Ce qui fait, en partie, le succès d'une religion, c'est son *utilité dans le monde*, c'est-à-dire son apport en bénéfices matériels. L'association du monothéisme radical de Mahomet et de la méthodologie d'Aristote, qui avait déjà pénétré dans la pensée arabe, se répandit bientôt autour du globe, depuis l'Espagne jusqu'aux frontières de la Chine.

Les Arabes s'appropriaient de nouvelles idées et les répandaient, en puisant dans le zoroastrisme, le bouddhisme, l'hindouisme et la science des Chinois. Ils commencèrent à fabriquer du papier, firent de grands progrès en astronomie, en médecine, en physique et en mathématiques, en remplaçant le grossier système numérique romain par celui que nous utilisons aujourd'hui.

D'APRÈS SES PROPRES TEXTES, LE SOUFISME a une origine très ancienne, primordiale : certaines traditions datent son origine de l'époque de

Les grottes des Pères du désert, sur une estampe du XIXe siècle. Les Pères du désert vivaient isolés et consacraient leur vie à des pratiques extrêmes, qui leur donnaient accès au monde des esprits. Cette manière de vivre se développa pour devenir le mouvement monastique. Saint Antoine le Grand, le plus grand des Pères du désert, restait allongé dans des tombes pendant de longues périodes, dans des états de transe. Un jour, Antoine conseilla à un homme de se couvrir de viande. Quand cet homme fut déchiqueté par des chiens, il apprit ce que ce serait de se faire attaquer par des démons après la mort. Lors d'un épisode appelé « la tentation de saint Antoine », il entra lui-même dans la sphère de la Lune, connue aussi sous le nom de kamaloca *ou de Purgatoire, et put y voir le diable, un grand homme noir qui avait la tête dans les nuages. Il vit aussi des anges qui réussirent à guider certains humains hors de portée du diable.*

la confrérie Saramong – ou « confrérie de l'abeille » – fondée dans le Caucase, en Asie centrale, pendant la première grande migration postdiluvienne. Ce qui est certain, c'est que le soufisme fut ensuite influencé par le gnosticisme et le néoplatonisme.

Si, pendant la période de sa domination, l'islam avait une tendance à devenir dogmatique et paternaliste, le soufisme suivait l'impulsion inverse : il éprouvait une fascination pour ce que l'esprit possédait de plus paradoxal et d'alambiqué. L'islam ésotérique préconisait de se plonger dans une spiritualité plus féminine, douce et sensible. Cette impulsion se ressent largement dans la profusion de la poésie soufie.

La question de ce qui constitue le « soi » est également largement abordée dans le soufisme, qui dit que ce que nous avons l'habitude de prendre pour notre « moi » est en réalité une entité qui opère indépendamment de nous, composée essentiellement de peurs, de faux attachements, d'aversions, de préjugés, de jalousies, d'orgueil, d'habitudes, de soucis et de compulsions. La plupart des pratiques soufies tendent à vouloir briser ce faux « moi », cette fausse volonté.

Le verset 50, 16 du Coran dit : « Nous [Dieu] sommes cependant plus près de lui [l'homme] que la veine de son cou », mais la plupart d'entre nous, distraits par nos faux « moi », n'en sommes pas conscients.

Le grand auteur soufi Ibn Arabi dit qu'un grand maître soufi est celui qui à la capacité de se dévoiler à lui-même.

Dans la pratique soufie, on utilise des exercices de respiration et la musique afin d'atteindre des états de conscience alternatifs. Le soufisme enseignait le processus, parfois douloureux, du « réveil » : prendre conscience de nous-mêmes et du courant cosmique et mystique qui nous parcourt, pour devenir plus vivants.

Et comme ils s'abandonnaient totalement à ce courant mystique, les soufis pouvaient être déchaînés, imprévisibles et déconcertants. Nous verrons par la suite que le soufisme a eu une influence importante, mais non reconnue, sur la culture occidentale.

Ali, cousin et beau-frère de Mahomet, était pour ce dernier ce que Jean avait été pour Jésus-Christ : il recevait et transmettait les enseignements secrets. Les soufis obéissaient à la loi islamique, mais ils la considéraient comme la face externe des enseignements ésotériques.

Ali et la fille de Mahomet, Fatima, fondèrent la dynastie de Fatimides qui régna sur une grande partie de l'Afrique du Nord. Au Caire, ils établirent une école de philosophie ésotérique appelée « la maison de la Sagesse ». On y enseignait sept degrés initiatiques. Les candidats étaient initiés à la sagesse éternelle et acquéraient des pouvoirs secrets. Sir John Woodroffe, le traducteur du XIXᵉ siècle des grands textes tantriques, dévoila une tradition soufie qui avait une compréhension analogue de la physiologie occulte. Dans cette tradition, les centres de pouvoir avaient des noms magnifiques et intrigants comme « Cœur de Cèdre » ou « Cœur de Lis ».

Un des initiés de « la maison la Sagesse » fut Hassan ibn al-Sabbah, le célèbre « Vieux de la Montagne ».

Il fonda une petite secte qui, en 1090, prit le château d'Alamut, situé dans les montagnes au sud de la mer Caspienne, dans ce qui serait l'Iran aujourd'hui. De sa forteresse montagneuse, il envoyait ses agents secrets dans le monde entier et exerçait son pouvoir en manipulant les dirigeants lointains. Ses *hashishim* – assassins – infiltraient les cours royales et les armées. Quiconque *pensait* désobéir à Hassan était trouvé mort le lendemain matin.

En Occident, la vision qu'on se fait du personnage d'Hassan est sans doute déformée par un passage extrait des récits de voyage de Marco Polo. Ce dernier affirmait que le « Vieux de la Montagne » donnait à ses jeunes adeptes des drogues qui les endormaient pendant trois jours. À leur réveil, ils se retrouvaient dans un très beau jardin qui, leur disait-on, était le Paradis. Ils étaient entourés de très belles jeunes filles qui leur jouaient de la musique et leur donnaient tout ce qu'ils désiraient. Après trois jours, les jeunes hommes étaient à nouveau drogués. Ils se réveillaient, cette fois-ci devant Hassan, convaincus qu'il avait le pouvoir de les renvoyer au Paradis sur un coup de tête. Alors, quand Hassan leur demandait de tuer quelqu'un, les assassins le faisaient de bonne grâce, sachant que le Paradis serait leur récompense.

En vérité, Hassan avait interdit tous les alcools : il alla même jusqu'à exécuter un de ses fils qu'il avait retrouvé ivre. Il avait également banni la musique. Son peuple le considérait comme un saint homme et un alchimiste, un adepte qui était capable de contrôler les événements du monde entier par ses pouvoirs surnaturels. Tout cela en dépit du fait que, dès qu'il eut installé sa cour à Alamut, il ne quitta sa chambre que deux fois.

Au XXᵉ siècle, l'archétype de l'homme qui a l'air fou mais qui, en vérité, contrôle le monde depuis sa cellule, a été représenté par le personnage du Dr Mabuse, dans le film profondément ésotérique de Fritz Lang.

HAROUN AL-RACHID FUT ÉGALEMENT un des personnages fascinants de cette époque. Il devint calife à un peu plus de vingt ans et fit rapidement de Bagdad la ville la plus splendide du monde. Il y fit construire un palais d'une magnificence inégalée, occupé par des centaines de courtisans, des esclaves et abritant un harem. C'était un lieu d'une matérialité étincelante, où un homme pouvait profiter de tous les plaisirs du monde, en être repu et se mettre à rêver de nouveauté.

Ce potentat enturbanné de notre imaginaire, le Calife des *Mille et Une Nuits*, attira à sa cour tous les grands écrivains, artistes, penseurs et scientifiques de l'époque. Comme cela est raconté dans les *Mille et Une Nuits*, on dit qu'il s'éclipsait parfois par une porte dérobée et que, dissimulé sous un déguisement, il se glissait parmi son peuple afin de les espionner et de savoir ce que les gens pensaient réellement de lui.

Dans un de ces contes célèbres, un pêcheur de la mer Rouge trouve dans ses filets une grande lampe en fer. Quand il la hisse à bord, il s'aperçoit qu'elle est gravée des triangles emboîtés du sceau de Salomon. De nature curieuse, le pêcheur ouvre la lampe : il en sort une vapeur noire qui obscurcit le ciel. Cette vapeur se condense ensuite et prend la forme d'un génie monstrueux qui dit au pêcheur qu'il a été emprisonné dans la lampe par Salomon. Il lui raconte qu'au bout de deux cents ans, il avait juré qu'il enrichirait quiconque le libérerait ; qu'après cinq cents ans, il avait décidé de gratifier son libérateur de pouvoirs. Mais après mille années de captivité, il s'était résolu à tuer celui qui le libérerait, et il dit au pêcheur de se préparer à mourir. Mais ce dernier lui répond qu'il n'arrive pas à croire que le génie était emprisonné dans la lampe. Alors, pour le lui prouver, l'esprit redevient vapeur et replonge, en un lent mouvement en spirale, dans la lampe. Bien évidemment, c'est à ce moment-là que le pêcheur referme le couvercle.

On dirait une banale histoire pour enfants mais, pour les occultistes, elle est pétrie de connaissances ésotériques. Le mot « génie » (ou « djinn ») signifie « se cacher » et il est notoire que les peuples arabes avaient des méthodes pour venir à bout de ces entités qui se cachaient dans les maisons en ruine, dans les puits et sous les ponts ; de plus, enfermer les esprits et les démons dans des amulettes, des anneaux ou sous des pierres précieuses, en utilisant des sceaux magiques comme celui de Salomon, était une pratique très courante. Ces connaissances, qui étaient d'origine arabe et surtout destinées à doter de pouvoirs les talismans par des procédés astrologiques, furent, au Moyen Âge, consignées dans de célèbres grimoires. Le plus grand de tous, appelé le *Picatrix*, allait fasciner nombre de personnages influents de cette histoire, notamment Jean Trithème, Marsile Ficin et Elias Ashmole.

RÛMÎ ÉTAIT PRÉDESTINÉ À DEVENIR UN DES GRANDS POÈTES de la cour. Déjà enfant, sa présence était déconcertante. Dès six ans, il commença à jeûner et à avoir des visions. On raconte qu'un jour, alors qu'il jouait avec un groupe de garçons à poursuivre un chat de toit en toit, Rûmî protesta que les êtres humains se devaient d'être plus ambitieux que les animaux – puis il disparut. Quand les autres enfants hurlèrent de peur, il réapparut derrière eux avec un drôle de regard : il leur raconta que des esprits, enveloppés de manteaux verts, l'avaient emporté dans d'autres mondes. Ces « manteaux verts » pouvaient être les ombres d'El-Kader, l'Homme vert, un être très puissant, capable de se matérialiser et de se dématérialiser à volonté. Les soufis disent que l'Homme vert vient en aide à ceux qui sont investis d'une mission spéciale.

À trente-sept ans, Rûmî était un professeur d'université adoré de ses étudiants. Un jour, alors qu'il montait à cheval en compagnie de ses élèves, il fut accosté par un derviche. Shamsi Tabriz s'était fait un nom en insultant les cheiks et les hommes saints, car il ne voulait être guidé par personne d'autre que Dieu – ce qui le rendait imprévisible, envahissant et parfois même extrêmement pénible.

Les deux hommes s'étreignirent et partirent vivre ensemble dans une cellule, où ils méditèrent pendant trois mois. Chacun trouva dans les yeux de l'autre ce qu'il avait toujours cherché.

Mais c'était compter sans les étudiants de Rûmî, qui étaient si jaloux qu'un jour ils tendirent une embuscade à Shamsi et le tuèrent à coups de couteaux.

Rûmî pleura toutes les larmes de son corps et se laissa dépérir. Il était dévasté. Un jour, alors qu'il marchait dans la rue, il passa devant l'échoppe d'un orfèvre, d'où provenait le son rythmique d'un marteau qui travaillait l'or. Rûmî se mit à scander le nom d'Allah et à tournoyer en extase.

C'est ainsi que naquit l'ordre Mevlevi, l'ordre soufi des derviches tourneurs.

La magnifique civilisation arabe fascinait, autant qu'elle horrifiait, l'Europe médiévale. Les voyageurs revenaient avec des histoires sur la vie à la cour, des fables de lions tenus en laisse par centaines et évoquaient un lac de mercure sur lequel flottait un lit gonflé d'air, attaché à des piliers d'argent aux quatre coins, grâce à des bandes de soie. L'histoire la plus en vogue était celle d'un jardin miraculeux, en métaux précieux, dans lequel volaient et chantaient des oiseaux mécaniques. En son milieu se dressait un arbre qui portait des fruits en pierres précieuses d'une taille extraordinaire, représentant les planètes.

Pour beaucoup, ces prodiges étaient d'essence nécromantique. De fait, ils se trouvaient à la frontière entre la magie et la science. Une des explications réside en partie dans la découverte faite à Bagdad en 1936. Un archéologue allemand du nom de William Koenig faisait des fouilles dans le système d'évacuation d'un palais, lorsqu'il découvrit ce qu'il identifia immédiatement comme étant une batterie électrique primitive. Elle remontait au moins au Moyen Âge. Quand une de ses collègues en fabriqua une identique, elle s'aperçut que cette batterie pouvait générer un courant électrique qui permettait de recouvrir d'or une figurine en argent, en une demi-heure.

À GAUCHE : *L'appel à la prière. Un jaillissement de la pensée à l'envers, sens dessus dessous, envahit le monde grâce au soufisme :* « *La vérité, c'est également de chercher celui qui cherche.* »

À DROITE : *Pamela Lyndon Travers, créatrice de* Mary Poppins, *était une disciple du grand maître du XXᵉ siècle, Georges I. Gurdjieff, qui fut influencé par les soufis, comme par les lamas tibétains. Le personnage de Mary Poppins – dans le livre plutôt que dans le film, plus sentimental – est celui d'une adepte soufie, déconcertante dans la mesure où elle est capable de mettre le monde sens dessus dessous, à l'envers, et de détourner les lois naturelles.*

EN 802, HAROUN AL-RACHID FIT PARVENIR des cadeaux à l'empereur Charlemagne : de la soie, des candélabres en cuivre, des parfums et un échiquier en ivoire. Il lui offrit également un éléphant et une horloge à eau qui marquait les heures en laissant tomber des petites billes en bronze dans un bol, alors que des figurines de chevaliers surgissaient de petites portes. Ces cadeaux étaient bien évidemment destinés à impressionner Charlemagne et à marquer la supériorité de la science arabe – et l'étendue de son empire.

Sans trois générations de rois des Francs – Charles Martel, Pépin le Bref et Charlemagne –, l'islam aurait probablement effacé le christianisme de la surface de la terre.

Charlemagne, né en 742, avait hérité de l'épée confectionnée à partir de la lance de Longinus, qui avait servi à percer le flanc de Jésus-Christ sur la croix. L'empereur vivait et dormait avec elle, persuadé qu'elle lui donnait le pouvoir de voir l'avenir et de forger sa propre destinée. Durant la première décade du IXe siècle, il remporta des victoires contre les musulmans : Joyeuse, son épée, lui servit à les empêcher d'envahir le nord de l'Espagne et lui permit de protéger le chemin du pèlerinage vers Saint-Jacques-de-Compostelle.

Charlemagne était un personnage imposant : il mesurait deux mètres et ses yeux étaient d'un bleu éclatant. C'était un homme aux habitudes simples et modestes, mais il réussit à assujettir l'histoire à sa volonté. Sa vision de l'Europe permit non seulement de maintenir une identité chrétienne face aux invasions islamiques, mais il se battit également pour protéger le peuple des excès des seigneurs corrompus et tyranniques.

Dans les écrits d'un des grands mages de la Renaissance, Trithème, abbé de Sponheim, nous apprenons une drôle d'histoire sur la Sainte-Vehme, ou tribunal secret de Francs-Juges qui, d'après l'ésotériste Eliphas Lévi, fut fondée par Charlemagne en 770. Ce tribunal excluait les non-initiés au moyen de codes et de signes secrets. Des hommes masqués, parfois appelés les « Soldats secrets de la lumière », accrochaient des sommations sur les portes des châteaux des seigneurs qui se croyaient au-dessus de la loi. Malgré leurs gardes du corps, les nobles qui passaient outre ces sommations étaient systématiquement retrouvés assassinés, blessés par la dague cruciforme caractéristique de la Sainte-Vehme.

Celui qui décidait d'obéir venait seul, le soir, à l'endroit qui lui avait été désigné, parfois au croisement d'une route déserte. Des hommes masqués apparaissaient et lui enfilaient une cagoule, avant de l'emmener pour l'interroger. À minuit, on lui enlevait la cagoule : le seigneur se retrouvait dans ce qui pouvait être une voûte souterraine, face aux Francs-Juges masqués et vêtus de noir. C'est là qu'il était jugé.

Cette société secrète n'est évidemment pas ésotérique, ni obscure dans ses méthodes, mais le thème de la voûte viendrait confirmer les légendes qui prétendent que Charlemagne a été initié.

L'Enchiridion du pape Léon était un grimoire, comprenant des formules de protection contre les poisons, le feu, les tempêtes et les animaux sauvages, qui fit son apparition dans l'histoire exotérique au début du XVIe siècle. Mais on disait que Charlemagne le portait tout le temps, serré contre lui, dans un petit sac en cuir. Ce qui semble confirmer l'authenticité de cette histoire est que le premier chapitre de l'Évangile selon saint Jean était inclus dans l'*Enchiridion* et considéré comme sa formule la plus puissante. Ces versets sont encore utilisés de cette manière par les ésotéristes pratiquants.

Une preuve plus tangible de l'influence de l'ésotérisme sur la pensée de Charlemagne se trouve dans la chapelle palatine d'Aix-la-Chapelle. Cette chapelle, que l'empereur fit ajouter à sa demeure, était le plus grand bâtiment au nord des Alpes de cette époque. Sa forme octogonale préfigure les murs qui entoureront la Nouvelle Jérusalem, d'après la numérologie ésotérique de l'Apocalypse de Jean. L'entrée se fait par la porte du Loup – ainsi nommée d'après le loup légendaire qui piégea le Diable et le déposséda de la chapelle. Sur le déambulatoire du premier étage, on peut admirer l'imposant trône de l'empereur romain, sculpté dans de simples dalles de marbre blanc. Au centre de la chapelle, un cercueil en or massif contient les os de Charlemagne et au-dessus est suspendue la « couronne de lumière », un lustre gigantesque en forme de roue, qui ressemble à un chakra couronne en feu.

Charlemagne réussit également à réunir les grands érudits du christianisme, dans le but de rivaliser avec la cour de Haroun al-Rachid. Le plus grand d'entre eux étant sans doute Alcuin d'York.

Le lien avec la Grande-Bretagne est très important dans l'histoire secrète. L'esprit du roi Arthur vit et respire dans l'histoire de Charlemagne. Il est le défenseur de la foi et tient les païens à distance grâce à une épée qui lui confère des pouvoirs d'invincibilité. Il est également entouré d'un cercle de chevaliers fidèles, ou de paladins, comme c'est le cas pour Charlemagne.

*Dans la chevalerie,
le heaume, l'épée
et les éperons sont les symboles
de l'initiation. L'adoubement
du chevalier, cérémonie
qui consiste à poser l'épée
sur son épaule, est une
réminiscence de l'ancienne
cérémonie d'initiation
où l'on frappait le front
avec un thyrse, qui faisait
jaillir l'eau et le vin.
Dans certaines cérémonies
modernes, cela est commémoré
par un coup assez fort porté
sur le front. Ce coup permet
la naissance d'une forme
de pensée supérieure.
On se souvient qu'Athéna
naquit du front de son père.*

Nous avons vu que le vrai roi Arthur vivait à l'âge de fer et qu'il était un champion du dieu Soleil, à une époque envahie par les ténèbres. Les histoires du Graal, qui furent ajoutées au texte d'origine au temps de Charlemagne, sont basées sur des événements historiques.

Vous pensez peut-être que l'histoire de Perceval n'est qu'une allégorie, mais dans l'histoire secrète, c'était un homme de chair et de sang, une réincarnation de Mani, le fondateur du manichéisme du IIIe siècle. Bien qu'il ne le sût pas, il était également le neveu de Guillaume de Gellone (dit aussi Guillaume de Toulouse, ou Guillaume d'Orange), paladin de Charlemagne, qui combattit contre les Sarrasins à Carcassonne en 793. Cette bataille coûta si cher aux musulmans qu'ils se retirèrent de France.

Perceval avait été élevé pour devenir forestier : il vivait au fond des bois avec sa mère, loin des fastes de la cour et des dangers de la chevalerie. Il ne connut ni son père, ni son oncle célèbre. Il n'aurait jamais dû devenir un chevalier comme Roland, célèbre de son vivant et dont les moindres faits et gestes étaient écrits dans le ciel et chantés dans les textes officiels. Mais les faits et gestes de Perceval, ses batailles personnelles, allaient changer le cours de l'histoire.

Un jour, Perceval jouait seul dans les bois, quand une troupe de chevaliers passa près de lui. L'épisode est décrit par Chrétien de Troyes dans un passage éclairant :

> « C'était au temps où les arbres fleurissent, les bois
> se feuillent, les prés verdissent, où les oiseaux dans leur
> latin, avec douceur, chantent au matin, et où toute chose
> s'enflamme de joie. Le fils de la Veuve Dame de la Déserte
> forêt perdue se leva et, de bon cœur, sella son cheval de chasse,
> se saisit de trois javelots et sortit ainsi du manoir de sa mère.
> Ainsi pénètre-t-il dans la forêt et aussitôt, au fond de lui,
> son cœur fut en joie à cause de la douceur du temps
> et du chant qu'il entendait venant des oiseaux. En homme
> très habile au lancer, il allait lançant tout alentour le javelot
> qu'il portait, en arrière, en avant, en bas, en haut. Pour finir,
> il entendit parmi le bois venir cinq chevaliers armés,
> de toutes pièces équipés. Elles faisaient un grand vacarme,
> les armes de ceux qui venaient ! À tout instant se heurtaient
> aux armes les branches des chênes et des charmes, les lances
> se heurtaient aux boucliers, les mailles des hauberts crissaient,
> tout résonnait, bois ou fer des écus et de hauberts. Le jeune
> homme entend, mais sans les voir, ceux qui arrivent à vive
> allure. [...] Mais quand il les vit tout en clair, au sortir
> du bois, à découvert, quand il vit les hauberts étincelants,
> les heaumes clairs et brillants, et les lances et les écus, choses
> qu'il n'avait jamais vues, quand il vit le vert et le vermeil
> reluire en plein soleil, et l'or, et l'azur, et l'argent, il trouva
> vraiment beau et noble et s'écria : "doux seigneur, mon dieu,
> pardon ! Ce sont des anges que je vois là !" »

Perceval eut une illumination. Il quitta sa mère qui en eut le cœur brisé et partit en quête d'aventure.

Malgré tous ses idéaux, Perceval était un chevalier maladroit : ses missions étaient souvent incomprises et se résumaient à des échecs. Son chemin était solitaire.

Puis, un jour où il chevauchait au bord d'une rivière et que le crépuscule approchait, il demanda à deux pêcheurs s'ils savaient où il pourrait trouver un abri pour la nuit. Ils lui indiquèrent un grand château au sommet d'une colline. Il s'avéra que c'était le château d'Amfortas, le Roi pêcheur, qui avait été blessé à la cuisse et saignait abondamment. Klingsor, un roi malfaisant, avait tendu un piège à Amfortas – usant de ruses afin de le faire céder à la tentation d'une jolie femme – et avait réussi à le blesser.

Lors du dîner, Perceval assista à un défilé de pages qui transportaient une lance dont tombait une goutte de sang et un bol étincelant. Puis il s'endormit. Dans certaines versions de la légende, il est dit qu'il dut affronter une série d'épreuves : il fut menacé par des animaux sauvages – des lions – et tenté par un démon à l'apparence magnifique. On dit aussi qu'il dut traverser le pont des Périls, une épée gigantesque qui enjambait les douves. Nous verrons comment toutes ces versions peuvent être réconciliées.

À son réveil, il trouva le château désert. En sortant, il découvrit que toutes les récoltes étaient perdues et que le pays était à l'abandon.

Perceval fut ensuite accepté à la cour, où il reçut ses éperons. Mais un jour, une vieille femme horrible l'aborda et lui dit que si le pays souffrait, c'était parce que lorsqu'il avait eu la vision du Graal au cours du souper, il avait omis de poser au roi la question qui aurait eu le pouvoir de le guérir et de lever la malédiction qui pesait sur le royaume.

Lors de sa deuxième visite au château du Graal, Perceval posa à Amfortas la question qui le guérit et réussit dans la quête du Graal, là où tous les autres chevaliers avaient échoué. Lancelot avait échoué, par exemple, à cause de son amour pour Genièvre : il n'avait pas un cœur pur.

À l'apogée de sa quête, Perceval voit d'abord la lance de Longinus – ce qui rappelle son lien avec Charlemagne – et, enfin, le Graal lui-même.

Quelles conclusions faut-il tirer de cette histoire ? La vision fait indubitablement référence à une cérémonie initiatique. Les épreuves de Perceval et ses visions eurent lieu lors d'une transe profonde.

Mais, bien évidemment, le fait que des événements soient symboliques ou allégoriques ne veut pas dire qu'ils ne doivent pas être considérés comme réels.

Donc, qu'est-ce que le Graal ?

Comme nous l'avons vu, dans la première version germanique de cette histoire, le Graal est une pierre. Il semble également avoir les propriétés de la pierre philosophale des alchimistes. Il brille, il régénère, il rajeunit les chairs et les os et, d'après von Eschenbach, il

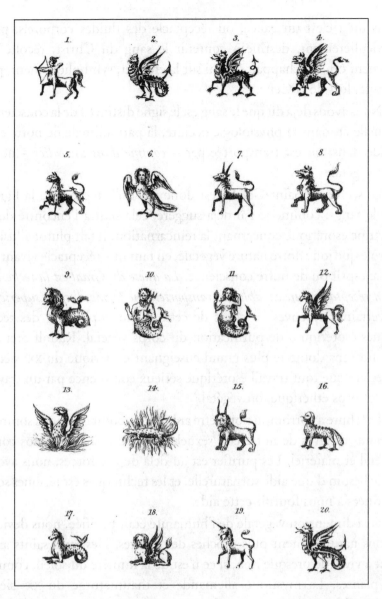

Dessins héraldiques ésotériques, représentant nombre de créatures et symboles de l'histoire secrète, extraits du Précis d'héraldique britannique, *1854.*

offre tellement des douceurs et des délices du monde, qu'il ressemble au royaume du Paradis. Évidemment, si l'on avait donné à cette pierre tombée du front de Lucifer la forme d'un bol, ce serait une pierre *travaillée*.

Pour comprendre ce qu'est vraiment le Graal, nous devons nous rappeler sa fonction, écouter attentivement ce que la célèbre histoire nous dit : c'est un calice, ou réceptacle des fluides corporels, plus particulièrement, destiné à contenir le sang du Christ, récolté au moment où il s'échappait de Lui sur la croix et, symboliquement, par la suite, lors de la Cène.

Nous avons déjà dit que le sang est le signe distinctif de la conscience animale et, dans la physiologie occulte, la part animale de notre être réside dans, ou est transportée par – *comme dans un calice* – notre part végétale.

Le secret du Saint-Graal n'est donc pas qu'il représente la lignée par le sang : comme je l'ai déjà suggéré, cela irait à l'encontre de la doctrine ésotérique concernant la réincarnation. Il fait plutôt allusion au rôle que joue notre nature végétale, en tant que réceptacle vivant de notre esprit ou de notre conscience. *La quête du Graal est la recherche d'un réceptacle pur, capable de transporter une forme d'esprit supérieur*, et certaines épreuves au cours de cette quête impliquent des techniques ésotériques de purification du corps végétal. Rudolf Steiner, qui fut sans doute le plus grand enseignant ésotérique du XXᵉ siècle, a déclaré que tout travail ésotérique sérieux commence par un travail sur le corps éthérique, ou végétal.

La Chute a corrompu notre être animal, au point que nous sommes devenus esclaves de notre être sexuel, et que cela a atteint nos corps végétal et matériel. Les purifier est au-delà de nos forces, nous avons donc besoin d'une aide surnaturelle, et les techniques ésotériques sont destinées à nous fournir cette aide.

Si la dimension végétale de l'humanité était purifiée, nous deviendrions naturellement plus proches des plantes. Des êtres saints arrivent à vivre de presque rien, si ce n'est de la lumière du soleil, comme les plantes. La mystique allemande et thaumaturge du XXᵉ siècle Thérèse Neumann vécut pendant quarante ans en ne se nourrissant que d'hostie consacrée.

Mais, si des techniques destinées à transformer notre corps végétal existent depuis l'Antiquité, quelle est la part de nouveauté, qu'est-ce qui est différent dans les techniques d'initiation du Graal ?

Lors de sa deuxième rencontre, remplie de sens, avec le Roi Pêcheur blessé, Perceval posa la question : « Mon frère, de quoi souffres-tu ? »

Cette question atteste d'un mélange de compassion désintéressée et – de manière plus significative – d'un esprit libre et curieux, ce qui était nouveau au VIIIe siècle. Voici donc un nouvel élan vers la liberté de pensée et le déclin de l'autorité de l'Église.

Quand Perceval a une vision du Saint-Graal, il s'agit d'une vision du corps végétal ou de l'esprit qui a été tellement transformé par un sentiment de moralité et un questionnement intellectuel qu'il est apte à porter une forme d'esprit supérieur, l'esprit de Jésus-Christ.

La dimension historique de cette histoire réside dans la partie qui raconte que la blessure d'Amfortas est la cause de la désolation du pays.

La dévotion des initiés influe donc sur le destin des nations.

La forme de l'histoire est également intéressante : l'accession au Graal de Perceval est représentée par le biais des visions du héros.

Dans les temples de l'Antiquité, on fabriquait des statues extraordinaires pour que les dieux viennent les habiter. Au Moyen Âge, les grands initiés inspiraient des images merveilleusement fécondes, et c'était dans ces images mentales que les dieux descendaient et vivaient.

En 814, à la mort de Charlemagne, son empire s'effondra rapidement, mais l'idée d'une Europe unie lui a survécu. Comme le roi Arthur, Charlemagne n'est peut-être jamais mort et attend de revenir quand on aura besoin de lui.

L'ÉGLISE ÉTENDIT SON POUVOIR ET SA FORTUNE. Elle voulait être la seule à détenir les clés du Royaume : elle avait prétendu qu'un individu n'avait qu'une seule vie en supprimant les enseignements sur la réincarnation et avait privilégié un seul dieu en effaçant les connaissances sur les racines astronomiques de la conscience humaine. À ce moment de l'histoire, elle insistait sur l'unicité des parties désincarnées de l'être humain : en 869, au huitième concile œcuménique, l'Église ferma définitivement la porte du monde des esprits en abolissant l'ancienne distinction entre l'aspect végétal de l'âme et la dimension animale de l'esprit. L'âme et l'esprit furent déclarés identiques : de fait, le monde des esprits, qu'on approchait autrefois au moment de la messe, devint une abstraction vide de sens.

L'expérience personnelle du monde des esprits fut remplacée par le dogme, qui devait être approuvé par les autorités compétentes.

Pendant ce temps, la forte influence islamique, à la fois spirituelle et intellectuelle, continuait à envahir l'Europe, grâce à des centres universitaires comme Tolède et la Sicile. L'étude des mathématiques, de la géométrie et des sciences naturelles, en partie inspirée par la traduction et la préservation des travaux d'Aristote – dont le mérite revient aux Arabes –, aussi bien que celle de l'astronomie et de l'astrologie, s'étendit au nord de l'Europe ; cela conduisit à la création des premières universités, basées sur le modèle islamique. L'influence de l'Islam était aussi présente dans les arabesques de l'architecture gothique, inspirées par les formes végétales et tortueuses des mosquées.

SUR LE PORTAIL NORD DE LA CATHÉDRALE DE CHARTRES, construite en 1028, on peut voir Melchisédek portant le Graal. L'islam avait ramené en Europe l'astrologie que Rome avait abandonnée quelques centaines d'années plus tôt ; cette influence est visible dans les symboles du porche ouest – les poissons de la constellation du même nom et les deux chevaliers templiers de la constellation des Gémeaux. Le fronton est également un bel exemple de *vesica piscis* [1], un troisième œil qui voit le monde des esprits apparaître dans le monde matériel.

La cathédrale de Chartres est à l'intersection du mysticisme islamique, de l'ancienne spiritualité celtique et du christianisme néo-platonicien. Elle a été construite au sommet d'une colline alvéolée d'anciennes grottes et de tunnels, qui serait l'emplacement d'un site consacré à la Terre Mère. Dans la crypte, on peut encore voir une vierge noire, résonance de la parenté entre Isis, mère du dieu Soleil, et Marie, mère de Jésus-Christ.

Le sol de la nef est le labyrinthe le plus connu d'Europe. Construit en 1200, ce labyrinthe a un diamètre de 13 mètres. Pendant la Révolution française, la plaque en bronze qui trônait en son centre, représentant Thésée, Ariane, et le Minotaure, fut malheureusement fondue pour fabriquer des canons.

Bien évidemment, les labyrinthes et les dédales sont d'anciens artefacts païens, dont on trouve des restes non seulement à Cnossos, mais aussi à Hawara en Égypte, et dans beaucoup de sites en plein air : creusés dans le gazon en Irlande, en Grande-Bretagne et en Scandinavie. De nombreuses églises chrétiennes renfermaient des

---

[1] Le *vesica piscis* est une terminologie latine utilisée pour décrire la forme allongée et ovale de la mandorle qui ressemble à un poisson – la mandorle étant une gloire ovale en forme d'amande dans laquelle apparaît généralement le Christ de majesté du Jugement dernier, mais aussi d'autres personnages sacrés (ndlt)

Vous devez changer de direction sept fois, mais ne jamais prendre le même chemin. Cette spirale représentée en deux dimensions est dessinée ici à partir d'un dessin original de Botticelli.

labyrinthes, avant le XVIIIe siècle, mais ces derniers furent détruits à cause de leur connotation païenne.

Un des monticules funéraires à Newgrange, en Irlande, était encore appelé le « château en spirale » par les gens du pays dans les années 1950, à cause d'une spirale sculptée près de son portail d'entrée. Il existait même une expression – « Notre roi est allé au château en spirale » – pour signifier qu'il était mort.

Cette expression est une des clés nécessaires pour comprendre le symbolisme secret du labyrinthe et de la cathédrale de Chartres elle-même. Si vous entrez dans le labyrinthe et que vous suivez le chemin, vous vous retrouvez en train de vous déplacer en spirale : d'abord vous allez à gauche, puis vous revenez vers la droite, tout en vous rapprochant du centre. Les pèlerins qui suivent ce chemin se retrouvent engagés dans une danse, comme celle de Jésus décrite dans les *Actes de Jean*. Le but du labyrinthe, comme de toute pratique initiatique, est d'atteindre un état de conscience alternatif dans lequel l'esprit s'élève dans le monde des esprits et fait l'expérience de la mort, tout en restant en vie.

À Chartres, Ariane intervenant pour sauver Thésée est Marie, qui donne naissance au dieu Soleil et, à travers Lui, nous pouvons donner naissance à notre être supérieur.

Le labyrinthe de Chartres peut donc être vu comme une sorte de mandala, ou une aide à la méditation et à l'accession à un état de conscience alternatif. Dans la géométrie sacrée de la cathédrale, le labyrinthe se reflète dans un autre mandala : la grande rosace.

Les vitraux du Moyen Âge apparurent tout d'abord en Iran/Irak au XIᵉ siècle. Les extraordinaires vitraux luminescents de Chartres furent fabriqués par des adeptes de l'alchimie qui avaient appris les secrets des Arabes, dont nous sommes incapables de reproduire la technique de nos jours. Le grand égyptologue René Schwaller de Lubicz expliqua à son biographe, André Vandenbroeck, que les rouges et les bleus éclatants des vitraux de Chartres n'avaient pas été obtenus grâce à des pigments chimiques mais en séparant l'essence volatile des métaux. Il a essayé cette technique de séparation avec le grand alchimiste Fulcanelli et la retrouva également dans des éclats de verre qu'il avait excavés en Égypte.

La rosace, dont les signes du zodiaque se déploient sur le pourtour, représente le chakra en feu, tel qu'il devrait être lorsque nous atteignons le centre du labyrinthe de la vie, dansant enfin sur la musique des sphères. Ce n'est pas pour rien que la cathédrale de Chartres a été considérée comme un creuset alchimique, visant à transformer l'humanité.

L'influence de l'islam se faisait sentir dans la structure même du monde, sur le plan ésotérique aussi bien qu'exotérique. Puis, en 1076, les musulmans turcs prirent le contrôle de Jérusalem.

18

Le sage démon des Templiers

Les prophéties de Joachim • Les amants de Ramón Llull •
Saint François et le Bouddha • Roger Bacon se moque
de Thomas d'Aquin • Les Templiers et Baphomet

EN 1076, LES TURCS MUSULMANS, QUI AVAIENT PRIS le contrôle de Jérusalem, se mirent à persécuter les pèlerins chrétiens. Les croisés libérèrent la ville mais furent défaits une nouvelle fois.

En 1119, sous le commandement d'Hugo de Payens, cinq chevaliers se retrouvèrent sur le Golgotha, lieu de la crucifixion de Jésus-Christ. Tout comme les chevaliers partis en quête du Graal, ils jurèrent de devenir des réceptacles dignes du sang du Christ. Afin de protéger les pèlerins, ils établirent leurs quartiers sur le site de ce qui semblait avoir été les écuries attachées au temple de Salomon.

Fondé entre la première et la deuxième croisade, ce groupe de chevaliers devint la milice du christianisme. Les chevaliers du Temple, ou ordre des Pauvres Chevaliers du Christ et du Temple de Jérusalem, leur nom complet, portaient toujours des braies en peau de mouton sous leurs vêtements en signe de chasteté et s'interdisaient de tailler leur barbe. Ils ne devaient rien posséder, mis à part leur épée, et mettaient toutes leurs propriétés en commun. Ils ne devaient jamais demander clémence à leur adversaire et ne pouvaient battre en retraite que s'ils étaient à trois contre un et, même dans ce cas, ils devaient toujours finir par se battre jusqu'à la mort.

En 1128, saint Bernard de Clairvaux, le fondateur de l'ordre des Cisterciens et l'homme d'Église le plus influent de son époque, rédigea « l'Ordre », le règlement des Templiers, qui en fit officiellement un ordre religieux. Saint Bernard disait des Templiers qu'ils ne connaissaient pas la peur : « bien des fois il leur est arrivé de mettre l'ennemi en fuite presque dans la proportion d'un contre mille et de deux contre dix mille. [...] ils savent se montrer en même temps, plus doux que des agneaux et plus terribles que des lions, au point qu'on ne sait s'il faut les appeler des religieux ou des soldats, ou plutôt qu'on ne trouve pas d'autres noms qui leur conviennent mieux que ces deux-là, puisqu'ils savent allier ensemble la douceur des uns à la valeur des autres » (*De laude novae militiae*).

Des découvertes archéologiques semblent confirmer que l'établissement de leurs quartiers sur le site du temple de Salomon n'était peut-être pas sans arrière-pensées : ils pouvaient ainsi creuser le sol à leur aise. Des objets leur appartenant ont été découverts dans des tunnels très profonds creusés dans la pierre, dans une direction qui les aurait menés directement sous le site supposé du Saint des Saints.

Les cérémonies d'initiation des Templiers étaient au croisement de plusieurs traditions, dont le soufisme et la sagesse salomonique du Temple : on tuait un agneau et, avec des parties de son corps, on faisait une corde qu'on accrochait ensuite au cou du candidat et c'était entraîné par cette corde qu'il était emmené dans la salle d'initiation. On lui avait fait jurer, sous peine de mort, que ses intentions étaient totalement pures et le candidat se demandait désormais si le grand maître avait le pouvoir occulte de percer son âme – allait-il mourir ?

Les candidats devaient affronter des épreuves terrifiantes, proches de celles que traversaient autrefois les adeptes de Zarathoustra, comme la confrontation avec d'épouvantables forces démoniaques ; cela afin d'être prêts à affronter la mort ou toute autre horreur qu'ils risquaient de rencontrer dans d'autres vies – ou après la mort.

Ces confrontations avec les démons allaient revenir hanter les Templiers mais, pendant au moins deux cents ans, leur *esprit de corps* et leur organisation exemplaire leur permirent d'influencer, voire de diriger, les affaires du monde avec grand succès.

De nombreux nobles se joignirent à l'Ordre et, puisqu'ils devaient mettre leurs biens en commun, les Templiers devinrent extrêmement riches. Ils inventèrent les lettres de crédit, qui permettaient à l'argent d'être transféré sans courir le risque d'être volé et le temple de Paris devint le centre des finances françaises. Ils étaient, en quelque sorte, les ancêtres des banquiers et jouèrent un rôle important dans le développement des classes commerçantes. Les Templiers patronnaient également les premières corporations de commerçants à s'être émancipées de l'Église et de la noblesse. Appelés les « compagnons du

Devoir », les membres de ces compagnonnages, qui étaient responsables des projets de construction des Templiers, devaient maintenir un code éthique dans les affaires et protéger les veuves et les enfants de leurs membres.

À LA FIN DU XIIᵉ SIÈCLE, DE NOUVEAUX DÉFIS allaient éprouver la suprématie de l'Église.

En 1190-1191, Richard Cœur de Lion, petit-fils de Guillaume de Poitiers – le premier troubadour –, revenant de la troisième croisade, décida de s'arrêter chez un ermite de la montagne connu pour ses dons prophétiques. Richard revint de sa visite à l'ermite avec le message suivant : « Quelles sombres nouvelles se profilent sous ce capuchon[1] ! »

Joachim de Flore naquit dans un petit village de Calabre aux alentours de 1135 et vécut en ermite de nombreuses années, avant de rejoindre une abbaye et de fonder la sienne, perchée dans les montagnes : l'abbaye de Flore.

Il essayait de comprendre l'Apocalypse de Jean, bataillant avec elle, comme il le dit lui-même, et échouant. Un matin de Pâques, il se réveilla se sentant un homme neuf : on lui avait accordé une nouvelle faculté de compréhension. Au Moyen Âge, ses nombreux commentaires prophétiques inspirèrent la pensée spirituelle et les groupes mystiques partout en Europe et, plus tard, les rose-croix.

Les grands livres de la Kabbale n'avaient pas encore été écrits, mais les écrits de Joachim ont une dimension kabbalistique qui résulte peut-être de son amitié avec Pedro Alfonso[2], un juif espagnol converti. Il est évident que se dégage des textes de l'Ancien Testament le sentiment puissant de l'implication de Dieu dans l'histoire, mais ce que la pensée de Joachim recèle de particulièrement kabbalistique, c'est l'interprétation des textes bibliques sous l'angle d'un symbolisme des nombres, ainsi que sa vision de ce qu'il appelait l'Arbre de Vie. Inspiré probablement de la tradition orale qu'il avait puisée dans son amitié

---

[1] Phrase citée dans un livre de Damian Thompson, *The End of Time*, traduite par nous (ndlt)

[2] Pierre Alphonse (en latin Petrus Alfonsi, en espagnol Pedro Alfonso, 1062-vers 1140) était un médecin espagnol, grand connaisseur de l'islam et auteur de plusieurs textes, dont le célèbre *Disciplina clericalis* (ndlt)

avec Alfonso, il publia un schéma de cet arbre deux cents ans avant qu'une idée semblable ne fût publiée par les kabbalistes.

Mais l'aspect le plus frappant de la théorie de Joachim, qui captiva l'imaginaire médiéval, fut sa théorie de « trois ». Il disait que si l'Ancien Testament était l'âge du Père qui avait imposé la crainte et l'obéissance, et que le Nouveau Testament était celui du Fils, de l'âge de l'Église et de la foi, alors la réalité de la Trinité suggérait qu'un troisième âge devait arriver, l'âge de l'Esprit-Saint. L'Église ne serait alors plus nécessaire, car ce serait un âge de liberté et d'amour. Joachim était initié : il existait donc également une dimension astrologique à sa pensée, qui est généralement passée sous silence par les commentateurs de l'Église. L'ère du Père était celle du Bélier, l'ère du Fils, l'ère des Poissons, et l'ère du Verseau serait celle du Saint-Esprit.

Joachim prophétisa qu'il y aurait une époque de transition entre la deuxième et la troisième ère, âge auquel un nouvel ordre d'hommes spirituels éduquerait l'humanité, où Élie réapparaîtrait, comme cela est dit dans le dernier verset de l'Ancien Testament, dans le livre de Malachie. Élie serait le précurseur du Messie qui viendrait nous escorter vers la grande *innovatio*. Joachim annonça également que l'Antéchrist s'incarnerait avant le début de la troisième ère. Comme nous le verrons, les prophéties de Joachim fascinent encore les sociétés secrètes d'aujourd'hui.

LES MUSULMANS CONSIDÉRAIENT RAMÓN LLULL, qu'on appelait aussi Doctor Illuminatus, comme un missionnaire, néanmoins sa pensée regorgeait d'idées islamiques.

Ramón Llull naquit à Palma, la capitale de Majorque, en 1235 et fut élevé en tant que page à la cour. Il vivait une vie de plaisirs, ne connaissant pas les soucis. Un jour, où il poursuivait de ses assiduités une dame génoise qu'il désirait ardemment, il conduisit son cheval jusque *dans* l'église de Sainte-Eulalie, où elle priait. Elle le rejeta. Mais une autre fois, elle répondit à des vers qu'il lui avait envoyés en lui donnant un rendez-vous privé. Quand il arriva, elle ôta son corsage sans le prévenir et lui montra ses seins : ils étaient dévorés par une maladie maligne.

Ce choc marque le début de la conversion de Llull. Cela l'aida à se forger une vision du monde où les extrêmes oscillent, où les apparences peuvent être trompeuses. Dans son livre le plus connu, *Le Livre de l'ami et de l'aimé,* il se demande : « Et l'eau qui a coutume d'aller

L'astrologie réintroduite dans l'Europe chrétienne par l'islam, personnifiée ici dans un manuscrit du XVIᵉ siècle français.

en aval, quand sera-ce pour elle l'heure d'aller en amont ? » Il parle de l'amant qui tombe parmi les épines, mais ajoute qu'il lui semble « que c'étaient des fleurs et qu'il était sur un lit d'amour ». « Qu'est donc la souffrance ? » demande-t-il. « D'obtenir ce que l'on désire dans ce monde-ci… Si vous voyez l'être aimé, habillé avec raffinement », dit-il, « assis, repu et reposé, sachez que chez cet homme, vous voyez la damnation et le tourment. » Le parfum des fleurs évoque pour l'Amant la pestilence de la richesse et de la méchanceté, de la vieillesse et de la lascivité, de la frustration et de l'orgueil.

Llull écrit qu'il faut gravir les marches de l'échelle de l'humanité, jusqu'à atteindre la gloire de la nature divine. Cette ascension mystique est possible en travaillant sur ce qu'il appelle « les pouvoirs de l'âme » – les émotions, l'imagination, la compréhension et la volonté. De cette manière, il contribuait à forger cette forme très personnelle d'alchimie qui, comme nous le verrons, fut le grand moteur de l'Europe ésotérique.

Dans une de ses phrases les plus dures, il avertit : « Si tu dis la vérité, ô fou, tu seras battu par les hommes, tourmenté, réprouvé et tué. » Prêchant des musulmans en Afrique du Nord, il fut attaqué par la foule, emmené en dehors de la ville et lapidé.

FRANÇOIS NAQUIT DANS UN MONDE OÙ LES SERFS souffraient d'une pauvreté extrême et où les êtres difformes, les vieux, les pauvres et les lépreux étaient traités avec un profond mépris. Le clergé aisé vivait confortablement en exploitant ses serfs et persécutait quiconque n'était pas d'accord avec lui.

En 1206, François était un riche jeune homme de vingt ans. Il vivait en Italie, à Assise, une vie insouciante et cruelle, évitant tout contact avec la difficulté et retenant son souffle quand il voyait un lépreux.

La ressemblance avec la vie du prince Siddhârta est frappante.

Un jour où il se promenait à cheval, son animal se cabra soudainement et il se retrouva face à un lépreux. Il descendit de sa monture et, avant même qu'il s'en rende compte, il était en train de serrer sa main sanguinolente et d'embrasser ses joues et ses lèvres purulentes. Il sentit le lépreux retirer sa main et, quand François leva les yeux sur lui, il avait disparu.

Il sut alors, tout comme saint Paul sur la route de Damas, qu'il avait rencontré le Christ ressuscité.

La vie et la philosophie de François furent totalement remises en question. Il commença à voir clairement que les Évangiles recommandaient une vie de pauvreté, dévouée à aider les autres, ne possédant « ... ni or, ni argent, ni monnaie dans vos ceintures ; ni sac pour le chemin, ni deux tuniques, ni souliers, ni bâton... ». François disait que la pauvreté consistait à ne rien avoir, à ne rien désirer, et pourtant à tout posséder vraiment, l'esprit libre. Il en arriva à considérer que *l'expérience en elle-même est importante, et non ce que nous vivons.* Les choses que nous possédons ont une emprise sur nous et menacent de prendre le pouvoir sur notre vie. Une voix provenant d'un crucifix peint sur un tableau de l'église de San Domenico, près d'Assise, lui dit un jour : « François, va et répare ma maison qui, tu le vois, tombe en ruine. » Cet appel fut, pour François, une expérience ineffable à laquelle il ne put résister.

Il transforma sa nature non seulement dans ses dimensions animale et végétale mais également, comme nous allons le voir bientôt, dans sa dimension matérielle, si bien que les animaux lui répondaient de manière incroyable. Le grillon chantait quand il le lui demandait et les oiseaux se rassemblaient pour l'entendre prêcher. Lorsqu'un terrible loup menaça le village montagnard de Gubbio, François partit à sa rencontre. Le loup se précipita sur lui mais, dès qu'il entendit François lui ordonner de ne faire de mal à personne, il se coucha à ses pieds et, depuis ce jour, il se mit à le suivre partout, totalement apprivoisé. Il y a quelques années, le squelette d'un loup a été retrouvé enterré sous le sol de l'église de San Francesco della Pace, à Gubbio.

Si l'on compare le mysticisme de Ramón Llull avec celui de saint François, on observe qu'un changement profond s'est opéré dans le monde en peu de temps. Le mysticisme de François est celui des choses simples et naturelles, du grand air et du quotidien.

Dans la première biographie de saint François, *Les Petites Fleurs de saint François d'Assise*, il est dit qu'il découvrit les mystères de la nature grâce à la sensibilité de son cœur. Pour François, tout était vivant. Il avait une vision extatique du cosmos tel que le conçoivent les idéalistes : ce sont les hiérarchies célestes qui créent tout et qui donnent la vie. La Création tout entière chante à l'unisson dans le *Cantique de frère Soleil*[3] :

> [...] Loué sois-tu, mon Seigneur, avec toutes tes créatures,
> surtout messire frère Soleil,
> par qui tu nous donnes le jour, la lumière :
> il est beau, rayonnant d'une grande splendeur,
> et de toi, le Très-Haut, il nous offre le symbole.

> Loué sois-tu, mon Seigneur, pour sœur Lune et les étoiles :
> dans le ciel tu les as formées,
> claires, précieuses et belles.

---

[3] Ou *Cantique des créatures* (ndlt)

> Loué sois-tu, mon Seigneur, pour frère Vent,
> et pour l'air et pour les nuages,
> pour l'azur calme et tous les temps :
> grâce à eux tu maintiens en vie toutes les créatures.
>
> Loué sois-tu, mon Seigneur, pour sœur Eau.
> qui est très utile et très humble,
> précieuse et chaste.
>
> Loué sois-tu, mon Seigneur, pour sœur notre mère la Terre,
> qui nous porte et nous nourrit,
> qui produit la diversité des fruits,
> avec les fleurs diaprées et les herbes…

L'esprit du christianisme avait autrefois aidé à l'évolution du bouddhisme. Il avait introduit l'enthousiasme qui avait aidé les enseignements de compassion universelle de Bouddha à s'épanouir dans le monde matériel. Mais à ce moment de l'histoire, c'est l'esprit du Bouddha qui aida à réformer le christianisme, en inspirant la simple dévotion et la compassion pour chaque chose vivante.

Un jour, vers la fin de sa vie, saint François méditait et priait sur le mont La Verna devant sa cellule d'ermite, quand le ciel se remplit soudain de lumière : un séraphin à six ailes lui apparut. François s'aperçut que cet être avait le même visage que celui du crucifix peint qui l'avait envoyé en mission. Il comprit que Jésus-Christ l'envoyait sur une *nouvelle* mission.

Peu après sa mort, l'ordre des Franciscains qu'il avait fondé se trouva dans la tourmente. Le pape demandait aux frères de prendre davantage de responsabilités, parmi lesquelles l'acquisition de terres et la gestion de l'argent. De nombreux franciscains y virent une violation de la vision de François et fondèrent des groupes séparatistes, les Fraticelli, ou Spirituels franciscains. Pour eux-mêmes, comme pour les étrangers, ils étaient ce nouvel ordre d'hommes spirituels qui conduirait l'Église à sa fin, comme Joachim de Flore l'avait prédit.

C'est pour cette raison que les disciples de saint François furent persécutés comme des hérétiques et tués.

Une fresque célèbre de Giotto montre ainsi saint François en train de soutenir l'Église : s'il l'a vraiment aidée à ne pas s'effondrer complètement, peut-on vraiment dire qu'il ait réussi à la réformer, comme la voix du crucifix le lui avait demandé ? Dans l'ésotérisme, on dit que le séraphin qui donna à saint François ses stigmates lui avait annoncé que sa nouvelle mission devait être accomplie *après sa mort.* Une fois par an, le 3 octobre, pour l'anniversaire de sa mort, il devait conduire l'esprit des défunts en dehors des sphères lunaires, vers les hiérarchies supérieures.

Encore une fois, nous voyons que l'initiation se soucie aussi bien de la vie après la mort, que de la vie elle-même.

À L'ÉPOQUE DE RAMÓN LLULL ET DE SAINT FRANÇOIS, des impulsions nouvelles qui visaient à réformer la pratique religieuse voyaient le jour partout en Europe : en Yougoslavie, en Bulgarie, en Suisse, en Allemagne, en Italie et, surtout, dans le sud de la France.

C'est dans cette région que les cathares s'attaquèrent à la corruption de l'Église. Leur doctrine centrale était proche de celle des gnostiques et disait qu'ils devaient se préserver du monde malfaisant et rester purs. Tout comme les Templiers et saint François, ils renoncèrent aux possessions matérielles et firent strict vœu de chasteté.

Les cathares n'avaient pas d'églises en pierre ni en bois : ils rejetaient le système du sacrement qui faisait de l'Église le seul intermédiaire entre Dieu et le peuple. « Nous tenons à la virginité plus qu'à toute autre chose », disait un témoin. « Nous ne couchons pas avec nos femmes, mais les aimons comme des sœurs. Nous ne mangeons pas de viande. Tous nos biens sont en commun. » Ils n'avaient qu'une seule prière, la prière de Dieu, et leur rituel initiatique, le *consolamentum*, consistait à dire au revoir au monde malfaisant. Ils embrassaient également le martyre.

Et, sans le savoir, ils rendirent un grand service à l'Église. En 1208, le pape Innocent III ordonna une croisade contre les cathares. À Béziers, les croisés demandèrent qu'on leur livre les cinq cents cathares qui se réfugiaient dans les murs de la ville. Les habitants refusèrent de les livrer et ils se firent massacrer par milliers. Un des soldats avait demandé au légat papal, Arnaud Amaury, comment ils allaient faire pour distinguer les cathares des autres : ce dernier avait répondu par une phrase, désormais célèbre : « Tuez-les tous, Dieu reconnaîtra les siens. » Les croisés s'arrêtèrent ensuite dans la ville de Bram et y prirent cent otages : ils leur coupèrent le nez et la lèvre supérieure, puis les aveuglèrent – tous, sauf un, qui conduisit la procession vers le château. À Lavaur, ils capturèrent quatre-vingt-dix chevaliers et les pendirent : quand ces derniers mettaient trop de temps à mourir, ils les poignardaient. Une armée entière de prisonniers furent brûlés vifs à Minerve.

En 1244, les derniers hérétiques, qui avaient survécu à un siège de neuf mois au château de Montségur perché sur une colline, se rendirent. Deux cents moines cathares descendirent de la montagne et marchèrent vers le bûcher qui les attendait.

D'après la légende, la veille, quatre moines avaient réussi à s'échapper du château, emmenant avec eux le trésor secret des cathares. Personne ne sait si ce trésor était de l'or, des reliques ou une doctrine secrète, mais il ne faudrait pas se laisser aller à idéaliser les cathares. Ils enseignaient que le monde était un endroit malfaisant d'une manière qui suggère qu'ils étaient, comme les gnostiques avant eux, sous l'influence d'une philosophie orientale qui hait le monde et adore la mort. L'Église de Rome les éradiqua avec une violence extrême, mais la véritable pensée ésotérique de l'époque en était plus proche que la veine du cou.

DURANT LES PREMIÈRES ANNÉES DU XIIIᵉ SIÈCLE naquit un enfant chétif. Peu après sa naissance, il fut emmené et élevé par douze sages. Dans le récit de Rudolf Steiner, ils vivaient dans un édifice qui avait appar-

Le ministère des morts reconnaissants sculpté sur un sarcophage du XVIᵉ siècle.

tenu aux Templiers, à Montsalvat, à la frontière entre la France et l'Espagne.

Le garçon était totalement isolé du monde et les gens de la région ne purent rien voir de sa nature miraculeuse. Il était animé par un esprit si fort et si brillant que son petit corps devint transparent.

Les douze hommes l'initièrent aux alentours de 1254 et il mourut peu de temps après – ayant partagé sa vision spirituelle avec ceux qui l'avaient élevé. Ils l'avaient préparé pour sa prochaine réincarnation, qui allait changer la face de l'Europe.

ALBERT LE GRAND NAQUIT EN 1193. IL AVAIT L'AIR ennuyeux et idiot, jusqu'à ce qu'il ait une vision de la Vierge Marie. Il commença alors à étudier avec un tel zèle qu'il devint bientôt le philosophe le plus célèbre d'Europe. Il étudia la science d'Aristote, la physique, la médecine, l'architecture, l'astrologie et l'alchimie. Le petit texte *La Table d'émeraude*, d'Hermès Trismégiste, qui contient l'axiome central de l'hermétisme – « le plus haut vient du plus bas, et le plus bas du plus haut » – apparut pour la première fois dans la littérature exotérique sur les étagères de sa bibliothèque. Il est presque certain qu'il étudia des méthodes pour déceler le métal dans les profondeurs de la terre en utilisant des techniques occultes. On dit qu'il construisit un étrange automate, qu'il appela l'Androïde, qui était capable de parler, et peut-être même, de penser et de bouger de son propre chef. Il était fait de cuivre et d'autres métaux, choisis pour leur correspondance magique avec les corps célestes, et Albert le Grand lui donnait la vie en lui murmurant des incantations magiques et des prières à l'oreille.

La légende qui veut qu'Albert le Grand fût l'architecte de la cathédrale de Cologne provient probablement du livre qu'il aurait soi-disant écrit, *Liber constructionum Alberti*, contenant les secrets des ouvriers francs-maçons sur la construction des fondations des cathédrales d'après les lignes astronomiques.

LES HISTOIRES QUI PARLENT DE FOUILLER LES PROFONDEURS de la terre afin d'y découvrir du métal, comme celles d'Albert le Grand, font souvent allusion à l'initiation. Nous savons que des initiations de ce genre étaient encore pratiquées Moyen Âge, grâce au récit d'une cérémonie qui eut lieu en Irlande, provenant de trois sources différentes.

Un soldat du nom d'Owen, qui avait servi Étienne d'Angleterre, s'en fut au monastère de Saint-Patrick, à Donegal. Il y jeûna neuf jours, déambulant dans le monastère et prenant des bains puri-ficateurs rituels. Au neuvième jour, il fut admis dans la chambre souterraine « d'où tous ceux qui entrent ne ressortent pas ». Là, on le coucha dans une tombe, éclairée par une unique ouverture. Cette nuit-là, Owen fut visité par quinze hommes, tous vêtus de blanc, qui l'avertirent qu'il allait subir une épreuve. Soudain, un groupe de démons lui apparut et le tint au-dessus d'un feu avant de lui montrer des scènes de supplice, comme celles que décrit Virgile.

Pour finir, deux doyens vinrent le voir et lui montrèrent le Paradis.

ALBERT LE GRAND ÉTAIT LE GUIDE SPIRITUEL de Thomas d'Aquin, qui était de presque trente-trois ans son cadet. Il paraîtrait que ce dernier aurait détruit l'Androïde de son maître : certains affirment qu'il le croyait diabolique, d'autres qu'il ne supportait plus de l'entendre parler à longueur de temps.

Thomas d'Aquin s'était inscrit à l'université de Paris pour étudier Aristote auprès de son maître, mais il découvrit par la suite que le plus grand des aristotéliciens était musulman. Averroès prétendait que la logique aristotélicienne prouvait que le christianisme était absurde.

La logique allait-elle étouffer la religion, et toute forme de vraie spiritualité ?

L'œuvre de Thomas d'Aquin s'achève par son imposante *Somme théologique*, probablement le livre de théologie le plus influent jamais écrit. Son but était de démontrer que la philosophie et le christianisme n'étaient pas seulement compatibles, mais qu'ils s'illuminaient réci-proquement. Thomas d'Aquin utilisa les outils analytiques les plus fins pour penser le monde des esprits. Il fut capable de catégoriser les êtres des hiérarchies célestes, les grandes forces cosmiques qui créent les formes naturelles comme nos expériences subjectives. La *Somme* contient, par exemple, les enseignements définitifs de l'Église concer-nant les quatre éléments, pénétrés d'une intelligence vivante et non pas d'une pensée dogmatique abrutissante.

Thomas d'Aquin est un personnage clé de l'histoire secrète, car son grand triomphe intellectuel sur Averroès a permis à l'Europe de se prémunir contre le matérialisme scientifique qui l'aurait envahie quelques centaines d'années trop tôt.

À nouveau, il est important de garder à l'esprit qu'une telle réussite est due à une approche personnelle et directe du monde des esprits. On sait, sans l'ombre d'un doute, que Thomas d'Aquin était un alchimiste, comme Albert le Grand, qui croyait qu'il était possible d'exploiter le pouvoir des esprits pour apporter des changements dans le monde matériel. De tous les textes d'alchimie qui lui sont attribués, selon les spécialistes, au moins un est authentique. Pour mieux le comprendre, il est utile de le comparer à l'un de ses contemporains : Roger Bacon.

De nos jours, l'alchimie peut sembler une activité étrange et mystérieuse. Mais elle est, en réalité, très familière à tous ceux qui fréquentent les églises, car c'est exactement ce qui se passe à l'apogée de la messe. C'est Thomas d'Aquin qui le premier a formulé la doctrine de la transsubstantiation[4] du pain et du vin. Ce qu'il décrit est essentiellement un processus alchimique par lequel la substance du pain et du vin change et qu'*une transsubstantiation parallèle s'opère dans le corps humain.* La messe n'induit pas simplement une nouvelle disposition d'esprit, une détermination à mieux faire, mais un changement physiologique vital.

Ce n'est pas un hasard si Thomas d'Aquin a formulé sa doctrine au moment même où les histoires du Graal commençaient à circuler. Ces dernières décrivent le même processus, bien qu'en faisant appel à des méthodes différentes.

Roger Bacon et Thomas d'Aquin étaient ennemis – le premier se moquait du second car il ne savait pas lire Aristote dans le texte – mais tous deux étaient représentatifs de la grande impulsion de l'époque, qui était de renforcer et d'affiner l'intelligence. Ils trouvaient la pensée *magique*. La capacité de penser longuement et de manière abstraite, de jongler avec les concepts, n'avait existé, brièvement, que dans l'Athènes de Socrate, de Platon et d'Aristote, avant d'être étouffée. Une nouvelle tradition, plus vivante et plus durable, émergea avec Thomas d'Aquin et Roger Bacon. Tous deux faisaient passer l'expérience avant les catégories obsolètes de la tradition. Ils étaient tous deux des hommes profondément religieux, qui cherchaient à parfaire leurs croyances en se basant sur l'expérience elle-même. Bacon disait : « Sans l'expérience des sens, il n'est point de possibilité pour une connaissance sûre. »

Bacon était plus pragmatique, mais quand il explorait les aptitudes surnaturelles de l'esprit, il invoquait les mêmes entités provenant

---

[4] Transformation d'une substance en une autre (ndlt)

des mêmes hiérarchies spirituelles que celles que l'Aquinate avait répertoriées. Ils appliquaient tous deux une analyse rigoureuse et logique, et leur mysticisme n'avait rien de comparable avec celui, irréfléchi et extatique, des cathares.

Jeune universitaire à Oxford dans les années 1250, Roger Bacon, comme Pythagore avant lui, était résolu à connaître tout ce qu'il y avait à connaître. Il voulait posséder toutes les connaissances des universitaires de la cour de Haroun al-Rachid.

Roger Bacon devint l'image même du magicien : il apparaissait parfois dans la rue vêtu de robes islamiques, et on l'affublait du nom

Couverture du Testamentum Cremeri *(ou* Testament d'un Anglais*), représentant Thomas d'Aquin pratiquant l'alchimie.*

338

de Docteur mirabilis[5]. Le reste du temps, il le passait à travailler jour et nuit, enfermé dans sa chambre, qui était parfois le théâtre d'explosions.

Bacon faisait des expériences pratiques avec des métaux et du magnésium, par exemple : il découvrit notamment la poudre et ce, indépendamment de l'influence des Chinois. Un jour, il effraya ses étudiants en éclairant un cristal, ce qui produisit un arc-en-ciel – chose que, disait-on à l'époque, seul Dieu savait créer. Il possédait également une longue-vue, magique aux yeux des autres, qui lui permettait de voir à quatre-vingts kilomètres à la ronde : lui seul à cette époque avait compris les propriétés des lentilles.

Cependant, il est certain que Bacon avait des pouvoirs qui allaient bien au-delà de ce que la science d'aujourd'hui pourrait expliquer. Il envoya au pape Clément IV ses travaux au grand complet, par l'intermédiaire d'un jeune homme appelé John, à qui il avait appris par cœur tous ses ouvrages en l'espace de quelques jours. Il utilisait une méthode à base de prières et des symboles magiques. De la même manière, il était capable d'enseigner à ses étudiants l'hébreu : en quelques semaines, ces derniers le maîtrisaient si bien qu'ils étaient capables de lire les Écritures.

La magie n'est autre que le pouvoir de l'esprit sur la matière. Comme nous commençons à le voir, la philosophie ésotérique cherche des méthodes qui permettent de développer les facultés de l'esprit, de façon à pouvoir manipuler les lois naturelles.

Chez Bacon, l'intelligence et l'imagination étaient très développées et chacune agissait sur l'autre. En 1270, il écrivit : « On pourrait construire des machines propres à faire marcher les plus grands navires plus rapidement que ne le ferait toute une cargaison de rameurs : on n'aurait besoin que d'un pilote pour les diriger. On pourrait aussi faire marcher des voitures avec une vitesse incroyable, sans le secours d'aucun animal [...]. Enfin, il ne serait pas impossible de faire des instruments qui, au moyen d'un appareil à ailes, permettraient de voler dans l'air, à la manière des oiseaux [...]. » Cet homme remarquable avait, au Moyen Âge, une vision parfaitement claire d'un monde technologique – tel qu'il serait créé, plus tard, par la science expérimentale. Bacon était un franciscain qui,

---

[5] Le Docteur admirable (ndlt)

comme le fondateur de son ordre, aspirait à un monde meilleur, plus honnête et plus bienveillant pour les pauvres et les dépossédés.

Dans *Le Nom de la Rose*, d'Umberto Eco, le héros aux airs de Sherlock Holmes, William de Baskerville, fait une distinction entre deux formes de magie : la magie du Diable qui cherche à faire du mal aux autres par des moyens illicites, et la magie sacrée qui redécouvre les secrets de la nature, la science perdue des anciens. Comme les alchimistes arabes qui l'influencèrent, Bacon travaillait à la frontière de la magie et de la science – et nous allons voir que cette frontière est ce qui constitue essentiellement l'essence de l'alchimie.

Bacon a écrit un traité appelé le *Miroir d'alchimie* et il aimait rappeler l'adage d'un grand érudit de la Kabbale, saint Jérôme, qui disait à peu près ceci : « On peut trouver bien des choses incroyables, au-delà des limites de ce qui est probable, et qui sont vraies justement à cause de cela. »

En 1273, Thomas d'Aquin était en train de terminer la rédaction de sa *Somme théologique* lorsqu'il assista à une messe à Naples où il eut une révélation mystique qui le bouleversa. Il écrivit : « Tout ce que j'ai écrit me semble un fétu de paille comparé à ce que j'ai vu et à ce qui m'a été révélé. »

CHEZ LLULL ET CHEZ BACON, NOUS AVONS TROUVÉ DES ALLUSIONS à l'entraînement de l'imagination. Bien évidemment, les idéalistes ont une vision bien plus exaltée de l'imagination que les matérialistes : pour les idéalistes, l'imagination est une faculté qui permet de comprendre des réalités supérieures.

L'entraînement de cette faculté est la discipline centrale à toute pratique ésotérique : aussi bien des initiations aux sociétés secrètes que de la magie.

Pour les occultistes et les ésotéristes, l'imagination est importante aussi parce qu'elle est *la grande force créatrice de l'univers*. L'univers est une création de l'imagination de Dieu. Comme nous l'avons vu au premier chapitre, l'imagination fut la *première* émanation – et c'est bien notre imagination qui nous permet d'interpréter la création et de la manipuler.

La créativité humaine, qu'elle soit magique ou non, résulte d'une façon particulière de canaliser les puissances de l'imaginaire. Dans les brochures d'alchimie, le sperme est décrit comme étant un résultat de l'imagination, par exemple. C'est une manière de dire que l'imagination renseigne non seulement le désir, mais qu'elle a aussi le pouvoir de transformer nos natures matérielles en profondeur.

Les initiés qui savent travailler sur ces puissances créatrices sont capables de transformations magiques puissantes, *en dehors* de leur propre corps, dans le monde matériel. Dès son plus jeune âge, un initié indien apprend à voir un serpent apparaître devant lui, et ce avec un tel pouvoir de concentration et une imagination tellement entraînée qu'il pourra un jour faire en sorte que les autres le voient aussi.

Bien évidemment, lorsqu'on accorde autant d'importance à l'imagination, on court le danger de se rapprocher dangereusement du fantasme, le risque que tout ce travail sur l'imaginaire se termine en hallucination : la magie peur ressembler à un leurre pour se berner soi-même.

L'approche systématique des sociétés secrètes était destinée à contrer cela.

Saint Bernard de Clairvaux, qui écrivit le recueil de règles des Templiers, conseillait un entraînement systématique de l'imagination. En convoquant les images de la naissance, de l'enfance, du ministère et de la mort de Jésus-Christ, on pouvait invoquer Son esprit. Si on imaginait, par exemple, une scène de la vie quotidienne dans laquelle Jésus-Christ était impliqué, qu'on visualisait les casseroles et la vaisselle, ses vêtements, son apparence, ses rides, l'expression de son visage, et le sentiment que l'on éprouve lorsqu'on est regardé par Lui avec cette expression et que, soudain, on cessait la visualisation, ce qui resterait pourrait être l'essence de l'esprit du Christ.

Au XIIIe siècle, un kabbaliste espagnol du nom d'Abraham Aboulafia écrivit en développant l'idée du mot créateur de Dieu : dans les textes kabbalistiques précédents, les vingt-deux lettres de l'alphabet hébreu avaient été décrites comme des pouvoirs créatifs. Donc, « au commencement », Dieu avait agencé ces lettres pour en faire des mots : et, c'est à partir de ces mots que s'étaient révélées les différentes formes de l'univers. Abraham Aboulafia proposait que les initiés puissent participer à ce processus créatif en combinant et recombinant les lettres hébraïques de la même manière. Il conseillait de se retirer dans une pièce tranquille, de porter une robe blanche, d'adopter des poses rituelles et de prononcer les noms divins de Dieu. De cette manière, on atteignait un état de transe visionnaire et extatique, qui donnait accès à des pouvoirs secrets.

La notion de « mots de pouvoir » qui donnent à un initié le pouvoir sur le monde des esprits – et, de fait, sur le monde matériel – est très ancienne. On dit que Salomon avait ce pouvoir et, dans son Temple, le Tétragramme – le nom le plus puissant et sacré de Dieu – ne pouvait être prononcé qu'une fois l'an, le jour de l'Expiation[6], par le grand prêtre lui-même, seul dans le Saint des Saints. Au-dehors, trompettes et cymbales jouaient pour que personne ne l'entende. On disait que celui qui savait comment prononcer ce mot pourrait terrifier les anges. Avant cela, les Égyptiens disaient que Râ, le dieu du Soleil, avait créé le cosmos en utilisant des mots de pouvoir et que ces mots donnaient aux initiés une maîtrise, non seulement sur cette vie-ci, mais sur l'au-delà.

Abraham Aboulafia conseillait également de faire des schémas des noms de Dieu. Dans la tradition hébraïque, les signes magiques et les sceaux ont toujours été fréquemment utilisés. Au Moyen Âge, on y ajouta des éléments égyptiens et arabes, et cette pratique se répandit – ceci largement grâce à la diffusion de grimoires comme *Le Testament de Salomon* et *La Clé de Salomon*[7]. La plupart des sortilèges contenus dans ces grimoires promettaient la réalisation de désirs purement égoïstes : qu'il s'agisse de désirs sexuels, de vengeance, ou encore de la découverte d'un trésor. La préparation d'ingrédients comme la cire d'abeille, le sang d'un animal, la poudre de magnétite, le soufre et, pourquoi pas, la cervelle d'un corbeau, étaient suivis d'une séance de purification. Puis venait la cérémonie elle-même, pendant laquelle on pouvait voir apparaître des faucilles, des baguettes magiques ou des épées, cérémonie célébrée à un moment propice à la convocation des esprits. Par ce procédé, on arrivait à faire inscrire sur un anneau, ou même sur un simple morceau de papier, le sceau – ou la signature – de l'esprit, qui affectait ensuite celui qui le portait, sciemment ou pas, de manière positive ou négative. Au milieu du XIVᵉ siècle, *Le Livre d'Abraham le juif* apprenait à déclencher les tempêtes, à ressusciter les morts, à marcher sur l'eau et à être aimé d'une femme. Tout cela pouvait être accompli grâce aux sceaux et carrés des lettres kabbalistiques.

---

[6] Yom Kippour, ou jour du Pardon (ndlt)

[7] Il s'agit bien du texte du Moyen Âge *Clavis Salomonis*, et non du roman de Dan Brown paru en 2007 aux États-Unis (ndlt)

L'Église fait aujourd'hui une distinction très nette entre certaines cérémonies visant à invoquer les puissances spirituelles, qui ont lieu dans le contexte strictement liturgique, et toutes les autres cérémonies destinées à commercer avec, ou à invoquer, les esprits, qui ne se dérouleraient pas sous son égide. Ces dernières sont cataloguées comme « occultes », ce qui, dans le langage moderne de l'Église, signifie le plus souvent « magie noire ».

Au Moyen Âge, ce genre de distinction aurait été impossible, car pour garantir les récoltes ou s'assurer d'un succès lors d'un duel, l'Église permettait que certains rituels soient pratiqués sous son autorité. Le pain consacré était considéré comme un remède pour les malades et une protection contre la peste. On faisait des amulettes qui protégeaient de la foudre et de la noyade à partir de la cire des cierges. On glissait sous les toits des morceaux de papier où étaient inscrites des formules magiques, afin de se prémunir contre le feu. Les cloches des églises pouvaient chasser le tonnerre et les démons ; des malédictions solennelles étaient prononcées afin d'éloigner les chenilles, et l'eau bénite était répandue sur les champs pour s'assurer d'une bonne récolte. Les reliques sacrées étaient considérées comme des fétiches faiseurs de miracles. Le baptême rendait la vue aux enfants aveugles et les vigiles nocturnes dans le tombeau d'un saint suscitaient des rêves visionnaires et la guérison – dans la tradition du « temple du sommeil » d'Asclépius.

Des apologistes chrétiens ultérieurs tentèrent de faire la distinction entre les pratiques religieuses légitimes, c'est-à-dire les suppliques adressées à des êtres spirituellement supérieurs qui pouvaient choisir de satisfaire ou non une requête, et la magie, conçue comme un procédé mécanique de manipulation des forces occultes. Mais cette distinction se fonde sur un malentendu. La magie est également un procédé incertain d'invocation des esprits, qui implique aussi des entités très haut placées.

Au Moyen Âge, tout le monde croyait aux hiérarchies spirituelles. La croyance sous-jacente à toutes les pratiques spirituelles, que ce soit au sein de l'Église ou non, était la suivante : le fait de répéter une formule, comme une prière, ou de célébrer une cérémonie, avait le pouvoir d'influencer les événements matériels, en bien ou en mal. Par ces pratiques, les gens croyaient qu'ils pouvaient communiquer avec les ordres des esprits éthérés qui contrôlaient le monde matériel.

La croyance et l'expérience universelles étaient, en ce temps-là, que la prière était efficace, ou que la Providence récompensait le bon et punissait le mauvais.

L'histoire était perçue comme providentielle, mais pas de manière fataliste. Dieu avait un projet pour l'humanité et différents ordres d'êtres désincarnés et d'êtres incarnés aidaient à son déroulement. C'était un projet dissimulé dans les écritures de la Bible, que les prophètes élucidaient.

Mais ce projet pouvait mal tourner d'un instant à l'autre.

ENCORE AUJOURD'HUI, LE VENDREDI 13 EST CONSIDÉRÉ comme un jour néfaste. Le vendredi 13 octobre 1307, les rois du monde se décidèrent à réagir pour tenter d'éradiquer les influences ésotériques qui, craignaient-ils, étaient en train d'échapper à leur contrôle.

Peu avant l'aube, les sénéchaux de France, agissant sur ordre du roi Philippe le Bel, envahirent les temples et les logements des Templiers et arrêtèrent quinze mille d'entre eux. Au temple de Paris, le plus grand centre financier de France, ils trouvèrent une chambre secrète qui contenait un crâne, deux fémurs et un linceul blanc – ce que l'on trouve toujours, bien évidemment, dans n'importe quel temple maçonnique d'aujourd'hui.

Seul un petit nombre de chevaliers réussirent à s'échapper. Ils partirent du port de La Rochelle et se réfugièrent en Écosse, où ils vécurent sous la protection du rebelle Robert de Bruce.

L'Inquisition accusa les chevaliers prisonniers de forcer les novices à cracher sur la croix du Christ et à la piétiner. Ils furent également accusés de sodomie et de vénérer une idole à tête de chèvre qu'on appela Baphomet. Les chevaliers confessèrent adorer cette idole à la longue barbe, aux yeux pétillants et à quatre pieds. Sous la pression de Philippe le Bel, le 22 mars 1312, le pape fulmina la bulle *Vox in excelso*, qui ordonnait l'abolition définitive de l'ordre. Les biens des Templiers furent saisis par la monarchie.

Lors de leur apparition devant la commission papale, les chevaliers affirmèrent avoir été torturés lors des interrogatoires : un certain Bernard de Vardo présenta une boîte en bois qui contenait les os carbonisés de ses pieds, tombés lorsqu'ils avaient été brûlés.

Quelle vérité se cachait derrière leurs confessions ?

Peu avant sa mort, j'ai eu le privilège de travailler avec le grand spécialiste des manuscrits de la mer Morte, Hugh Schonfield.

Ce dernier a beaucoup œuvré pour faire comprendre aux érudits chrétiens les racines juives du Nouveau Testament qui ont, jusqu'ici, été négligées ou incomprises.

Schonfield connaissait le cryptogramme Atbash qui consiste à inverser la première lettre de l'alphabet avec la dernière, la deuxième avec l'avant-dernière, et ainsi de suite. Il savait aussi que ce cryptogramme avait été utilisé pour crypter des messages dans le livre de Jérémie et dans certains des manuscrits de la mer Morte. D'instinct, il essaya de décrypter le mot « Baphomet » et il y trouva caché le mot « sagesse ».

La personnification de la sagesse, le Baphomet, avec lequel les Templiers confessèrent communier, était néanmoins le dieu à tête de chèvre de l'expérience *du monde*. Depuis Zarathoustra, durant les cérémonies initiatiques, les candidats plongés dans des états de conscience alternatifs étaient confrontés à des épreuves terrifiantes : ils étaient attaqués par des démons et se préparaient ainsi à surmonter le pire que la vie – et la vie après la mort – avait à offrir. Désormais, les ingénieux tortionnaires de l'Inquisition étaient capables d'infliger à leurs victimes une telle douleur que ces dernières replongeaient dans des états de conscience alternatifs, pendant lesquels leur apparaissait à nouveau le roi démon Baphomet. Cette fois-ci, Baphomet triomphait.

Il est vrai que les Templiers affrontaient le pire de ce que la vie et la mort avaient à offrir.

19

Fous d'amour

*Dante, les troubadours et le premier amour • Raphaël,
Léonard de Vinci et les mages de la Renaissance italienne •
Jeanne d'Arc • Rabelais et la « voie du fou »*

À FLORENCE, EN 1274, LE JEUNE DANTE rencontra la belle Béatrice.

Et ce fut le coup de foudre.

Ce fut le premier coup de foudre de l'histoire.

Cette vérité historique revêt une importance considérable dans les annales des sociétés secrètes. Pour les défenseurs de l'histoire conventionnelle, les gens tombaient amoureux depuis la nuit des temps. Cela fait partie, dit-on, de notre constitution biologique, d'ailleurs les odes de Pindare et de Sapho sont des expressions de l'amour romantique.

Mais pour les adeptes de l'histoire secrète, ces odes de la Grèce antique expriment un désir exclusivement sexuel. Elles ne décrivent pas la folle douleur de la séparation, l'extase que provoque l'apparition de l'être aimé, et ce regard illuminé qui caractérise encore l'état amoureux de nos jours.

Dante décrivit *sa* découverte de l'autre : « Elle m'apparut revêtue d'une très noble couleur, humble et honnête, rouge sang, ceinte et ornée comme il convenait à son très jeune âge. À ce moment, je dis en vérité que l'esprit de la vie, qui demeure en la chambre la plus secrète du cœur, commença à trembler si fort, qu'il se manifesta horriblement en mes plus petites veines. … le début et la fin de mon bonheur venaient de m'être révélés. » Par la suite, il écrivit que quand il la vit pour la première fois, il crut qu'un ange avait, par miracle, réussi à s'incarner sur terre. Il serait dommage de comprendre ces mots comme une pure convention poétique.

Dans *La Divine Comédie*, il décrit la sensation qu'il éprouva : il se crut entièrement absorbé par ses yeux et ajoute que l'érotisme qui s'en dégageait l'envoya directement au Paradis. Encore une fois, ce n'est pas une coquetterie de langage : l'érotisme et le mysticisme s'entrelaçaient de manière tout à fait nouvelle en Occident.

Dante et Béatrice épousèrent tous deux une autre personne, et Béatrice mourut jeune. Ce que nous éprouvons encore aujourd'hui lorsque nous vivons une histoire d'amour, avec ses désirs mystiques et ce sentiment de prédestination – le sentiment que cela *devait* arriver – provient entièrement du ferment mystique de l'islam. De même que l'on peut considérer que l'amour inconditionnel de son prochain, typiquement chrétien, est né du concept de « grâce » des prophètes hébreux, on peut dire que les mystiques soufis, tels qu'Ibn Arabî, ont, en atteignant des états de conscience altérés, éclairé la compréhension du sacré dans le monde. Dans son ouvrage révolutionnaire, *L'Interprète des désirs,* Ibn Arabî exprimait l'amour sexuel en termes d'amour divin. Les soufis abordaient un sentiment qui n'avait pas encore été éprouvé et mettaient ainsi en place les conditions nécessaires afin que d'autres puissent en faire l'expérience.

Pendant plus de mille ans, les instincts érotiques avaient été réprimés. Les énergies sexuelles avaient été canalisées afin de favoriser le développement de l'intellect humain. À l'époque de Bacon et de Thomas d'Aquin, cette phase touchait à sa fin. Conçue lors de veillées nocturnes passées agenouillé devant l'autel, la *Somme théologique* de Thomas d'Aquin est un ouvrage de deux millions de mots, élaborant des syllogismes ardus, témoignant d'une capacité de concentration implacable, avec laquelle les philosophes d'aujourd'hui auraient du mal à se mesurer.

Encouragés désormais par un élan provenant d'Arabie, les gens commençaient à se délecter du monde matériel, à tirer un plaisir sensuel de la lumière, des couleurs, de l'espace et du toucher. Le point d'évolution de la conscience humaine sortit des cellules des moines pour se loger dans les jardins des délices. Le monde commençait à se couvrir de sensualité.

L'occupation islamique de l'Europe s'attarda en Espagne. Puis, à mesure que la brillante civilisation mauresque s'étendait vers le nord, ce nouvel élan sensuel se propagea dans le reste du monde, à commencer par le sud de la France.

Au XIIᵉ siècle, la Provence et le Languedoc devinrent les régions les plus civilisées d'Europe. Les troubadours, les poètes provençaux adaptèrent les formes poétiques arabo-andalouses : leurs éclats érotiques étaient source d'inspiration. Bien que son auteur ne fût pas une ésotériste, *The Wandering Scholars*[1], de Helen Waddell, reste le meilleur compte rendu de cette période de transition. Elle y raconte l'histoire d'un abbé qui quitte son monastère à cheval avec un jeune moine dont c'est la première sortie. Soudain, ils croisent des femmes sur la route :

« Ce sont des démons, dit l'abbé.

– J'ai trouvé, dit le jeune moine, qu'elles étaient la plus jolie chose qu'il m'ait jamais été donné de voir. »

Le premier troubadour qui apparut dans le courant de l'histoire exotérique fut Guillaume, comte de Poitiers et duc d'Aquitaine. À son retour des Croisades, il se mit à composer de tendres et ardentes chansons d'amour. L'épanouissement de cette liberté nouvelle s'étendit bien au-delà de la cour pour atteindre toutes les strates de la société. On trouvait chez les troubadours, Bernard de Ventadorn[2], fils d'un boulanger, et Pierre Vidal, rejeton d'un fourreur. C'est sans doute sous l'influence d'hommes de cette origine que les objets vernaculaires – crapauds, lapins, matériel agricole, auberges, pigeons maladroits, crépitements d'épines et joue reposant sur un avant-bras – firent leur apparition dans la poésie.

Le poète troubadour Arnaud Daniel, dont Dante dit qu'il était « *il miglio fabbro*[3] », se vante de « chasser le lièvre avec un bœuf, rassembler les vents et nager à contre-courant ». Il parle, de la manière caractéristique des penseurs ésotériques, des pouvoirs que lui a conférés l'initiation.

Les troubadours sont non seulement passés outre les barrières sociales, ils ont également inversé la traditionnelle sujétion des femmes aux hommes : dans leur poésie, les hommes deviennent esclaves des femmes. Le mariage avait fonctionné comme un élément de contrôle social, mais désormais les troubadours encourageaient une nouvelle forme d'amour qui ne serait plus arrangée mais spontanée, et qui pourrait exister entre des personnes qui n'étaient pas du même rang.

L'amour devint subversif comme les sociétés secrètes.

---

[1] « Les érudits errants » (ndlt)

[2] Ou Ventadour (ndlt)

[3] Littéralement « le meilleur forgeron », qui pourrait se dire également « le meilleur orfèvre » en relation avec son talent de poète (ndlt)

Le Roman de la rose *était l'œuvre la plus importante de l'époque. Elle décrit un château entouré d'un mur septuple – donc planétaire –, couvert de figures emblématiques. Seuls ceux qui peuvent en deviner le sens seront admis dans le beau jardin de roses.*

Cette nouvelle façon « de tomber amoureux » faisait se sentir plus libre, plus vivant. C'était une nouvelle forme de conscience, passionnée. Dans la poésie des troubadours, cette nouvelle façon d'être – l'amour – peut être atteinte si l'on réussit un certain nombre d'épreuves – passer par l'Enfer et les eaux profondes, trouver la sortie du labyrinthe, combattre et tuer des bêtes sauvages. Il faut résoudre des énigmes et choisir la bonne boîte.

Pâle et torturé par le doute, l'amant tremble lorsqu'il est enfin admis en présence de sa bien-aimée. Lorsqu'il accomplit l'acte sexuel, il atteint un état de conscience altéré qui lui confère des pouvoirs surnaturels. Tous les amants savent que, quand ils regardent vraiment au fond des yeux de l'autre, ils se touchent réellement.

En d'autres termes, l'expérience de tomber amoureux fut non seulement instillée dans le courant de la conscience humaine par les initiés, mais *être amoureux avait acquis la structure profonde d'un processus d'initiation.*

La littérature des troubadours est truffée de symbolique initiatique. La rose, leur symbole le plus célèbre, provient vraisemblablement du soufisme, où elle représentait, entre autres choses, l'entrée du monde des esprits – ainsi qu'une allusion évidente aux chakras. Dans le célèbre conte *Le Rossignol et la Rose,* d'Oscar Wilde, l'oiseau représente l'esprit humain rêvant du divin. Il est également question de sexe à travers la matière charnue et sensuelle de la rose. L'ubiquité de la rose dans la poésie des troubadours indique la présence de techniques ésotériques, et peut-être – comme le disait Ezra Pound –, alchimiques, pour atteindre l'extase sexuelle. Guillaume de Poitiers écrivit : « Je veux garder ma Dame pour me rafraîchir le cœur et renouveler mon corps, si bien que je ne puisse vieillir… Celui-là vivra cent ans qui réussira à posséder la joie de son Amour. »

À l'origine, l'élan qui allait permettre l'épanouissement de la Renaissance était sexuel. Essayons d'éclaircir cette déclaration qui pourrait sembler outrancière – *la conscience humaine dans son ensemble fut transformée et évolua, simplement parce que quelques personnes eurent des relations sexuelles d'un autre ordre.*

Il se trouve que pour la première fois, ils faisaient l'amour.

Quand nous arrivons à cet état de conscience altéré qu'est l'orgasme, sommes-nous capables de *penser,* ou bien l'orgasme est-il l'ennemi de la pensée ? Nous pouvons, et nous devrions, nous poser la même question en ce qui concerne l'extase mystique.

Les sociétés secrètes et les groupes subversifs comme les cathares, les Templiers et les troubadours, enseignaient les techniques de l'extase mystique. La pensée humaine, si chèrement acquise, allait-elle survivre à ces pratiques ?

LA DIVINE COMÉDIE DE DANTE FIT GRAVIR À L'IMPULSION érotico-spirituelle des troubadours un échelon supplémentaire, car il y développait son amour pour Béatrice jusqu'à en remplir le cosmos tout entier.

Au début de son récit, Dante raconte : « Dans le milieu du chemin de notre vie, je me retrouvai par une forêt obscure... », forêt où il rencontre Virgile, un des grands initiés de l'Antiquité.

Virgile conduit Dante à un portail sur lequel est inscrit : « Vous qui entrez, perdez tout espoir. » Par ce portail, ils pénètrent dans les Enfers, comme ceux que décrit l'*Énéide* – peuplés de créatures que nous avons déjà rencontrées dans notre histoire secrète. Ils traversent l'Achéron et pénètrent dans le royaume des ténèbres. Ils y rencontrent le juge des morts, Minos, et Cerbère, le chien à trois têtes. Ils entrent dans Dis, la ville aux minarets, où ils rencontrent les trois Furies et le Minotaure. Ils marchent sur les rives du lac de Sang, où les êtres les plus violents, dont Attila, sont immergés. Ils traversent la forêt des Harpies et la plaine de sables brûlants. Ils rencontrent un célèbre mage écossais, Michael Scott, ainsi que Nimrod et, finalement, au plus profond des Enfers, Dante voit ce qu'il croit être, au premier abord, un moulin à vent : ce sont en réalité les ailes de Lucifer.

Ses contemporains auraient tout à fait admis que, dans la première partie de son poème, Dante décrivait un vrai voyage souterrain – c'est-à-dire une initiation. Il aurait pu traverser les mêmes épreuves, les mêmes cérémonies que le chevalier Owen, déjà évoqué au chapitre précédent.

« Virgile » pourrait être un nom de code pour l'initiateur du poète dans la vraie vie, un érudit du nom de Brunetto Latini. Latini voyageait en Espagne en qualité d'ambassadeur, où il rencontrait aussi bien des savants hébreux qu'arabes. Sa grande œuvre, *Li Livres dou Tresor*[4], comprenait des enseignements occultes sur les qualités planétaires des pierres précieuses. Les non-initiés n'apprécient pas à sa juste valeur la description initiatique que Dante fait du cosmos : les cercles de l'Enfer qui descendent en spirale ont des caractéristiques planétaires. L'œuvre de Dante a été écrite pour être comprise à des niveaux différents : astrologique, cosmologique, moral et même, d'après certains, alchimique.

Comme *Al-Futuhat al-Makkiyya*[5] et son prédécesseur, *Le Livre des morts* égyptien, *La Divine Comédie* est, à la fois, un guide pour l'au-delà, un manuel d'initiation et un récit racontant comment

---

[4] *Le Livre du trésor* (ndlt)

[5] Texte d'Ibn Arabî (ndlt)

la vie dans le monde matériel – presque autant que dans l'au-delà – est façonnée par les étoiles et les planètes.

La Divine Comédie nous montre que quand nous nous comportons mal dans cette vie, nous sommes déjà en train de préparer notre Purgatoire, ou notre Enfer, dans une autre dimension qui s'immisce dans notre vie quotidienne. Nous souffrons déjà, torturés par nos démons. Si nous n'aspirons pas à nous élever le long de la spirale des hiérarchies célestes, si nous nous contentons de réussites purement matérielles, nous sommes déjà au Purgatoire.

Le roman d'Oscar Wilde *Le Portrait de Dorian Gray* est entré dans l'inconscient collectif. Nous connaissons tous l'histoire du beau et vaniteux Dorian, qui a dans son grenier un portrait de lui-même : le tableau se décompose et devient monstrueux à mesure que le jeune homme s'adonne à une vie de débauche, alors que ce dernier, lui, ne change pas d'aspect. À la fin du roman, la décomposition du tableau l'atteint d'un seul coup. D'après Dante, nous sommes tous des Dorian Gray : nous créons des êtres monstrueux et nous imaginons de terribles punitions pour nous-mêmes. Ce qui rend la vision de Dante incomparablement plus ambitieuse que celle de Wilde, c'est que, non seulement il nous dit que nous créons tous un enfer et un paradis intérieurs, mais il nous montre également comment notre inconduite affecte la structure et la matière mêmes du monde. Il met le monde sens dessus dessous, pour dévoiler les effets abominables de nos pensées les plus profondes et des méfaits que nous voulons dissimuler. Selon Dante, tout ce que nous faisons ou pensons altère matériellement l'univers. Umberto Eco a qualifié le poème de Dante – « Le Paradis » – d'« apothéose du virtuel ».

EN 1439, UN MYSTÉRIEUX ÉTRANGER APPELÉ Gémiste Pléthon pénétra la cour de Côme de Médicis, qui dirigeait Florence. Pléthon possédait les textes perdus de Platon, ainsi que des textes néoplatoniciens, des hymnes orphiques et, plus étrangement, du matériel ésotérique censé dater du temps des pyramides égyptiennes.

Pléthon venait de Constantinople, où la tradition ésotérique néoplatonicienne prospérait toujours depuis les anciens Pères de l'Église comme Clément et Origène – tradition que Rome avait étouffée. Pléthon réussit à intriguer Côme avec l'idée d'une lignée de tradition universelle et secrète, qui remontait au-delà des premiers chrétiens, à Platon, Orphée, Hermès et aux oracles chaldéens. Il souffla à

Aujourd'hui en Grande-Bretagne il n'existe qu'un seul objet d'art « objectif », ce qui signifie une œuvre qui est capable d'exprimer à la perfection le monde spirituel en évitant l'influence déformante de la personnalité humaine. Beaucoup de ceux qui ont observé *The Lohan* ont rapporté d'étranges expériences.

Dans la tradition islamique, le Vieil Homme de la Montagne dirigeait le monde depuis son abri montagnard. Cette idée a été transposée par Fritz Lang dans le monde moderne, dans son film profondément ésotérique, où le Docteur Mabuse hypnotise le monde depuis la cellule de l'asile de fous où il est enfermé.

Sur ce détail du retable d'Issenheim, le grand chef-d'œuvre d'Europe du Nord, Matthias Grünewald représente Jésus-Christ en dieu Soleil. Il a planté la graine de sa nature solaire sur Terre et, c'est à partir de ce moment-là que le processus historique de spiritualisation de tout l'univers matériel commence.

La *Tentation de Jésus-Christ* de Luca Giordano, élève du Caravage. Bien que cela soit sujet à de fausses interprétations, il est clair que les grandes écoles ésotériques font le récit complet de la dimension diabolique du cosmos, dans le seul but d'aider à la vaincre.

CHRIST TEMPTED.

Les organes de perception spirituelle sont représentés de différente manière dans l'iconographie chrétienne, aussi bien par la *vesica piscis* en forme d'amande, qui entoure de nombreuses représentations de visions, que par les cornes de Moïse, comme l'a fait Michel-Ange, ou par le bâton bourgeonnant d'Aron, et d'autres fioritures.

L'Annonciation de l'église Sainte-Madeleine d'Aix-en-Provence. Sur ce triptyque médiéval, on aperçoit des chauves-souris et des démons perchés dans les arcades, un ange avec des ailes de chouette et un démon à cornes avec une barbe. Selon la tradition locale, ce tableau a été peint par un sataniste.

La Joconde de Léonard de Vinci est une des grandes icônes de l'art, car elle saisit, pour la première fois dans l'histoire, l'instant de joie qu'éprouve une personne, libre d'explorer sa vie intérieure.

La Grande Touffe d'herbes, d'Albrecht Dürer. C'était la première fois que quelqu'un regardait avec attention une touffe d'herbes. Aujourd'hui, cela nous paraît une évidence.

L'Extase de sainte Thérèse d'Avila, du Bernin. La vaste dimension ésotérique de l'Église catholique s'épanouit de manière exceptionnelle en Espagne, au XVIIᵉ siècle.

Dans *Les Sept Péchés capitaux* de Jérôme Bosch, Jésus-Christ est identifié à l'homme supérieur, qui évolue à mesure que nous suivons son ascension dans le monde des esprits.

Illustration du XVIIIe siècle, pour *La Flûte enchantée* de Mozart. Lors des premières représentations, on disait que le personnage du prêtre égyptien, Sarastro, avait été modelé sur Cagliostro. Goethe dit de cet opéra : « Laissez la foule des spectateurs s'amuser du spectacle. Son sens le plus élevé n'échappera pas aux initiés. »

Les Charmeurs de serpents, illustration pour l'œuvre de James Bruce, l'explorateur de la pensée soufie et adepte de la franc-maçonnerie ésotérique qui redécouvrit le *Livre d'Énoch* en Éthiopie à la fin du XVIIIe siècle.

L'Antéchrist dépeint par le confrère initié de Léonard de Vinci, Luca Signorelli, dans la cathédrale d'Orvieto. Si l'on adapte la tradition occidentale à celle d'Amérique du Sud, on peut arriver à la conclusion que 2012 est la date de l'incarnation de Satan.

Les Chemins de la sagesse, de William Blake, où le mystique soufi Ibn Arabî considère l'acte sexuel comme la forme suprême de contemplation, est son œuvre la plus marquante.

La pensée libre et fluide qui circule entre deux amants spirituellement mûrs, la communication qui se passe de mots est appelée parfois « parole vraie ». Elle est possible lorsque les corps végétaux, ou éthérés, des deux individus se sont entremêlés et ont grandi unis. Jakob Böhme appelait ce processus le « tissage de l'habit nuptial » dont les esprits auront besoin au Ciel.

L'Ouverture du cinquième sceau, du Greco. Dans l'Apocalypse de saint Jean, l'ouverture des sceaux est une description de ce que nos nouveaux pouvoirs de perception révéleront lorsque nos organes occultes seront réanimés.

Le Bouddha Maitreya, représenté ici sur une très belle statue du monastère de Ladahk, en Inde, est le même personnage que le chevalier appelé « foi et vérité » qui monte un cheval blanc dans l'Apocalypse de saint Jean.

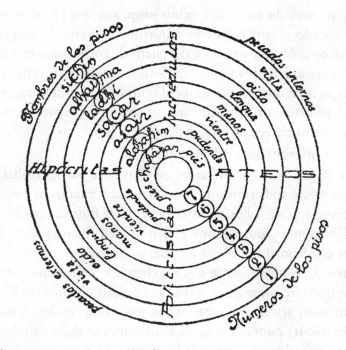

Dans l'Antiquité, on imaginait l'Enfer avec sept niveaux ou sept murs, comme le labyrinthe de Minos qui était dessiné sur la monnaie crétoise. On trouve la même idée dans le récit d'Origène sur les Ophites qui invoquent les sept démons qui montent la garde des sept portails de l'Enfer. Cependant, le modèle qui inspira Dante dans La Divine Comédie *a été reconnu comme étant le récit du grand maître soufi Ibn Arabî relatant le voyage de Mahomet dans l'au-delà, le* Futuhat. *Voici une illustration d'une des premières traductions de cette œuvre.*

Côme l'idée d'une philosophie éternelle de la réincarnation, faite de rencontres personnelles avec les dieux des hiérarchies, que l'on peut atteindre grâce à des cérémonies et les chants rituels des *Hymnes d'Orphée.*

Ce fut cet appel à l'expérience personnelle qui inspira la Renaissance. Côme de Médicis demanda à l'érudit Marsile Ficin de traduire les documents de Pléthon, en commençant par Platon ; mais quand il apprit l'existence des textes égyptiens, il lui demanda de leur accorder tout son temps et son attention.

Pléthon fit souffler en Italie l'esprit de l'hermétisme, qui se répandit rapidement dans l'élite culturelle de l'époque. Le mage italien Giordano Bruno a raconté ce goût pour de nouvelles expériences, ainsi que cette nouvelle relation, vivante, avec le monde des esprits. Dans ses écrits, il parle d'un amour qui fait « transpirer excessivement, crier à en assourdir les étoiles, gémir jusqu'à ce que l'écho parvienne jusque dans les grottes de l'Enfer, se torturer à en avoir l'esprit hébété, soupirer au point que les dieux défaillent de compassion et tout cela pour ces yeux, cette blancheur, ces lèvres, ces cheveux, cette réserve, ce doux sourire, cette ironie, ce soleil éclipsé, ce dégoût, cette blessure et cette distorsion de la nature, une ombre, un fantasme, un rêve, un enchantement circéen au service des générations[6]... »

C'était nouveau dans la littérature.

À la Renaissance, la littérature est illuminée par les étoiles et les planètes. Les grands écrivains de la Renaissance italienne invoquent cette énergie grâce à l'usage intelligent qu'ils font de leur imagination débordante. Tout comme Helen Wadell, Frances Yates n'était pas une ésotériste ou, si elle l'a été, elle n'en a pas laissé de traces dans ses écrits. Cependant, grâce à ses recherches méticuleuses et à une analyse brillante, ainsi qu'au travail des érudits de l'institut Warburg qui ont suivi ses traces, nous avons une compréhension détaillée des découvertes ésotériques de la Renaissance et de la manière dont elles ont pu influencer l'art et la littérature. La traduction des textes hermétiques de Marsile Ficin évoque la création des images en termes ésotériques : « Les Arabes disent que quand nous fabriquons bien et proprement les Images, si par l'imagination et l'effect nostre esprit est fort attentif à l'œuvre, il se conjoint aux Estoilles avecques l'Esprit du Monde, et avecques les rayons des Estoilles, par lesquels agit l'esprit du monde... » Ce que Ficin dit, c'est que si nous imaginons, le plus pleinement et de la manière la plus vivante qui soit, les esprits des planètes et les dieux stellaires, alors, grâce à cet effort de l'imagination, le pouvoir des esprits peut nous traverser.

Dans le chapitre précédent, nous avons vu que le Moyen Âge fut l'âge d'or de la magie. C'est alors que les penseurs ésotériques et les occultistes commencèrent à construire des images dans leurs esprits, que les dieux et les esprits pouvaient habiter et amener à la vie, comme autrefois les constructeurs de temples et des centres du Mystère de l'Antiquité fabriquaient des objets, comme des statues, pour que les êtres désincarnés les prennent pour corps. En Italie, les artistes de la Renaissance qui avaient des croyances ésotériques se mirent à recréer les images magiques de leur esprit par la peinture et la sculpture.

---

[6] La traduction est de nous (ndlt)

Giordano Bruno fut exécuté sur le Campo dei Fiori à Rome. Il semble admis qu'il ait été brûlé sur le bûcher par l'Église pour avoir défendu l'idée scientifique moderne selon laquelle la Terre tourne autour du Soleil. Mais en réalité, c'étaient ses visions ésotériques qui effrayaient l'Église. Les expériences qu'il fit du monde des esprits l'amenèrent à dire qu'il existait une infinité d'univers et de dimensions qui s'emboîtaient. Il invoquait l'autorité du « poète pythagoricien » Virgile, afin d'appuyer sa croyance selon laquelle l'esprit humain pouvait voyager à travers ces univers, mais que « [les âmes] commencent à vouloir se réincarner » conformément aux lois de la réincarnation.

Au Moyen Âge, la diffusion des grimoires s'était faite sous le manteau : c'était une activité marginale. Désormais, la littérature hermétique, largement publiée à la Renaissance, donnait des instructions sur la manière de confectionner des talismans servant à capter les influences du monde des esprits, influences que les artistes de l'époque reprenaient à leur compte. La littérature hermétique expliquait comment il fallait procéder : l'influence occulte était plus efficace si l'on utilisait, pour les talismans, les métaux correspondant aux esprits invoqués – l'or pour le dieu du Soleil, par exemple, et l'argent, pour celui de la Lune. On redécouvrait la compatibilité de certaines couleurs et formes, de certains hiéroglyphes et sceaux, avec certains esprits éthérés.

Un critique d'art a noté que Sandro Botticelli avait une « prédilection pour les tons mineurs » et les couleurs claires, ce qui donne à ses tableaux un aspect éthéré, comme s'il représentait des êtres d'une autre dimension qui ne seraient pas encore complètement matérialisés. L'influence de Ficin est très visible dans *Le Printemps*, tableau qui illustre le processus de création de la matière, en montrant les émanations successives des sphères planétaires depuis l'esprit cosmique. La messagère du printemps elle-même, Flore[7], a une tendance naturelle à continuer à vivre et à hanter l'esprit de ceux qui ont pu voir ce tableau.

Les artistes néoplatoniciens de la Renaissance étaient persuadés qu'ils étaient en train de redécouvrir d'anciens secrets. Comme Platon, ils pensaient que tout processus d'apprentissage n'était qu'une question de mémoire. Nos esprits sont les excroissances du grand Esprit cosmique dans le monde matériel : tout ce qui a été vécu ou pensé au cours de l'histoire se trouve stocké dans la mémoire de cet esprit central – ou, plus précisément, vit dans une sorte de « maintenant » éternel.

Donc, si Platon a raison, ce livre est déjà en vous !

C'EST LORS DE LA HAUTE RENAISSANCE qu'apparaît l'idée du « génie hors du commun » – non seulement à travers Botticelli, mais aussi Léonard de Vinci, Raphaël et Michel-Ange. Un génie est une personne complètement à part, différente de nous par la magnificence et la clarté de ses visions. Que cet épanouissement ait eu lieu en Italie était opportun, car il était une sorte de prolongement des visions extatiques de Joachim et saint François.

Comme les saints, les grands artistes étaient parfois les messagers des grandes entités spirituelles. D'après la tradition ésotérique, Raphaël était directement inspiré par l'archange du même nom. La main qui peignait les chefs-d'œuvre était divinement guidée.

Mais il existait une tradition plus étrange et mystérieuse – qui disait que l'individualité qui s'était incarnée en Raphaël était autrefois saint Jean-Baptiste. D'après Steiner, cela expliquerait pourquoi il n'existe aucune œuvre majeure de Raphaël dépeignant des événements postérieurs à la mort du saint. Ses chefs-d'œuvre qui représentent la Madone et l'enfant ont une qualité unique, étrange et réellement fascinante, car ils semblent avoir été peints de mémoire.

AU TEMPS DE LÉONARD DE VINCI, DE NOMBREUX MAGES VIVAIENT en Italie. Ils travaillaient souvent en lien étroit avec l'atelier d'un peintre,

---

[7] Personnage féminin à droite du tableau dont la tête est ceinte d'une couronne de fleurs (ndlt)

Raphaël,
La Vierge – ou la Madone – à la chaise.

là où progrès artistique et progrès spirituel allaient de pair et pouvaient se guider mutuellement. Par exemple, Luca Pacioli est un mathématicien et hermétiste qui, tout en enseignant la « divine proportion » à Léonard, fut aussi le premier à écrire ouvertement sur les formules magiques qui se cachent derrière le pentagramme vénusien.

Un autre mage dont nous connaissons l'influence sur Léonard de Vinci (car Léonard possédait certains de ses livres et qu'il le mentionnait dans ses propres notes) était un architecte de la génération précédente. Leon Battista Alberti était le concepteur du palais Rucellai à Florence, un des premiers édifices classiques de la Renaissance italienne, ainsi que de la façade de la basilique Santa Maria Novella, également à Florence. Il était aussi l'auteur d'un des livres les plus étranges en langue italienne : *Hypnerotomachia Poliphiliis,* ou *Songe de Poliphile,* l'histoire de Poliphile (dont on peut traduire grossièrement le titre par : « celui qui a de multiples objets d'amour »), dans son combat d'amour en songe [8].

---

[8] Il existe un débat entre les spécialistes, certains doutant que l'auteur soit Alberti, lui préférant Francesco Colonna. Par ailleurs, les éditions françaises du livre ont aussi eu pour titre *Discours du songe de Poliphile,* ou encore *Combat d'amour en songe* (ndlt)

Le héros se réveille un jour où il doit partir à l'aventure, mais il se réveille dans un rêve. Il poursuit sa bien-aimée dans un paysage étrange, habité par des dragons et autres monstres : c'est une véritable course labyrinthique, qui l'emmène dans des édifices merveilleux faits à moitié de pierres et à moitié d'organismes vivants : l'intérieur d'un temple lui apparaît, par exemple, comme ses viscères. Alberti était obsédé par la nature et les formes naturelles et il les incorporait à son œuvre de manière inhabituelle et surréaliste. Quand nous regardons attentivement les deux versions de la *Vierge aux rochers*, cette même obsession apparaît dans la forme du paysage qui exprime un désir de spiritualité, preuve de l'influence d'Alberti sur Léonard de Vinci.

L'histoire se déroule suivant la logique d'un rêve. À un certain niveau, l'*Hypnerotomachia* est un manifeste architectural : Alberti proposait que la nouvelle architecture de la Renaissance, qu'il contribuait à créer, ait la logique d'un rêve. Au lieu de se comporter comme les suiveurs inhibés et serviles des générations précédentes, les architectes devraient opérer dans un esprit de nouveauté et de liberté où rien ne serait interdit, où ils pourraient se laisser inspirer par des combinaisons de formes induites par des états de conscience altérés. Alberti préconisait donc une sorte d'expérience du contrôle de la pensée, qui faciliterait l'apparition d'une nouvelle façon de penser – et non pas seulement en architecture.

À la fin de l'histoire, quand le héros est enfin uni à sa bien-aimée à travers une série de rituels mystiques dans le temple de Vénus, il est clairement question d'apprendre à canaliser les énergies *sexuelles*. La bien-aimée est enjointe par la prêtresse de remuer une citerne avec une torche allumée. Cet acte met Poliphile dans un état de transe. Ensuite, on met le feu à une bassine en forme de coquillage, remplie de sperme de baleine, de musc, d'huile camphrée, d'huile d'amande et d'autres substances ; on sacrifie des colombes et des nymphes dansent autour d'un autel. Quand on demande à la belle jeune femme de frotter le sol autour de la base de l'autel, tout l'édifice est ébranlé, comme lors d'un tremblement de terre, et un arbre jaillit du haut de l'autel. Poliphile et sa bien-aimée goûtent au fruit de cet arbre et ils sont transportés dans un état de conscience supérieur. Le pouvoir volcanique de la libido a été canalisé par la prêtresse initiée, si bien que toutes les règles prohibitives de bienséance, de moralité et de créativité, et même les lois de la nature, s'en trouvent bouleversées.

*IIllustration de l'*Hypnerotomachia. *On aperçoit ici une image qui fait écho au passage de la vie végétale à la vie animale, tel qu'il est enseigné dans l'histoire secrète.*

Le plus mystérieux de tous les chefs-d'œuvre de la Renaissance est sans doute *la Joconde*. Comment expliquer son pouvoir ? Le grand critique d'art et ésotériste du XIXe siècle Walter Pater écrivit à son propos à peu près ceci : « C'est elle, cette tête sur laquelle "toutes les fins du monde se sont rassemblées", aussi ses paupières en sont-elles un peu lasses. Sa beauté charnelle est toute façonnée de l'intérieur ; en elle, se sont déposées, cellule par cellule, pensées étranges, rêveries fantastiques et passions exquises […]. Elle est plus vieille que les rochers parmi lesquels elle est assise ; […] elle est morte bien des fois et elle sait les secrets de la tombe ; elle a plongé dans les mers profondes et elle garde autour d'elle un peu de leur glauque lumière. »

Pater fait peut-être allusion à ce qu'il sait. La Joconde est en effet plus vieille que les dieux.

Nous avons vu précédemment que la Lune s'était séparée de la Terre pour pouvoir refléter la lumière du Soleil sur Terre et rendre possible la réflexion humaine. Nous avons également rencontré Isis qui, en 13000 avant Jésus-Christ, se retira de la Terre vers la Lune pour devenir maîtresse de ce procédé. Au début du XVe siècle, le cosmos a passé un temps infini à créer les conditions nécessaires à l'éclosion de la réflexion telle que nous la comprenons aujourd'hui, et voilà qu'elle prenait enfin corps. Le chef-d'œuvre de Léonard est une icône de l'histoire de l'humanité car l'artiste a capturé sur sa toile cette étape dans l'évolution de la conscience. Nous voyons pour la première fois sur le visage de la Joconde la joie de celle (ou celui) qui explore sa vie intérieure. Elle est libre de prendre du recul par rapport aux sensations qui l'assiègent et de vagabonder en elle-même. Elle possède ce que John R. R. Tolkien qualifia, dans un autre contexte, d'« œil intérieur mobile, détaché et désencombré ».

La *Joconde* crée donc un espace magique que l'esprit d'Isis habite peut-être. Il est bien évidemment impossible aujourd'hui de se trouver seul, au Louvre, face à la *Joconde* ; mais comme *The Lohan*[9] au British Museum, elle a été créée pour vous répondre si vous communiez avec elle.

La Joconde *est sans doute l'image la plus reproduite de l'histoire de la peinture, ici sur une gravure du XIXᵉ siècle. Dans son* Traité de la peinture*, Léonard préconise de se mettre dans un état de réceptivité inventive dans laquelle les taches et les fissures d'un mur évoquent – ou invoquent – des dieux et des monstres.*

---

[9] Céramique chinoise de la dynastie Liao, représentant un moine bouddhiste. Cette pièce fait partie des huit œuvres considérées par Gurdjieff comme de « l'art objectif » (ndlt)

Bien loin des fastes et de la grandeur des cours de la Renaissance italienne, dans la rustre Europe du Nord, un autre esprit faisait sentir sa présence. À l'age de treize ans, une jeune fille, vivant dans une simple ferme de la région forestière de Lorraine, commença à entendre des voix et à avoir des visions. L'archange Michel lui apparut et lui dit qu'elle serait guidée par des esprits. Elle ne désirait pas vraiment obéir à l'ange, arguant qu'elle préférait rester auprès de sa mère. Mais les voix se firent de plus en plus insistantes, et lui expliquèrent sa mission : elles lui dirent d'aller à Chinon trouver le dauphin, de libérer Orléans assiégée par l'armée anglaise et de conduire l'héritier du trône à Reims pour le faire couronner roi.

Jeanne n'était encore qu'une enfant lorsqu'elle arriva à la cour du dauphin. Ce dernier lui tendit un piège, laissant un courtisan s'asseoir sur le trône afin de se faire passer pour lui. Mais Jeanne s'en aperçut et s'adressa directement au dauphin. Convaincu, ce dernier l'équipa d'un cheval blanc et d'une armure blanche. Elle la porta pendant six jours et six nuits, en selle, chevauchant sans répit.

Jeanne eut la vision d'une épée cachée dans une église. L'épée qu'elle décrivit, avec ses trois croix caractéristiques, fut découverte cachée derrière l'autel de l'église Sainte-Catherine de Fierbois.

Il arrive parfois dans l'histoire, que de grands êtres du monde des esprits déposent leurs pouvoirs en une personne en particulier qui dès lors, a une puissance incontestable. Rien ne pouvait arrêter Jeanne, même si, parfois, tout semblait jouer en sa défaveur.

Quand le 28 avril 1429, la Pucelle arriva aux portes d'Orléans, occupée par l'ennemi, les troupes anglaises battirent en retraite devant la jeune femme et ses quelques partisans. Ils n'étaient que cinq cents et battirent une armée anglaise de milliers de soldats. Les capitaines de Jeanne eux-mêmes n'en revenaient pas.

Sur ses conseils, le dauphin fut couronné roi de France à Reims. Elle accomplit sa mission en moins de trois mois.

Il n'y a pas d'exemple plus flagrant de l'influence du monde des esprits sur le cours de l'histoire. George Bernard Shaw, qui s'intéressait profondément à la philosophie ésotérique, écrivit que « des forces actives utilisent ces individus pour servir des fins qui transcendent infiniment l'objectif de préserver la vie, la prospérité et la respectabilité de ces individus, leur sécurité et leur bonheur dans leur petite vie moyenne ».

Trahie par les siens, Jeanne fut vendue aux Anglais. Elle fut longuement interrogée sur les voix qu'elle entendait et elle déclara que ces dernières étaient parfois accompagnées de visions et de lumières vives, qu'elles la conseillaient, la mettaient en garde et lui donnaient également des instructions détaillées, parfois dans la même journée. Jeanne pouvait aussi leur demander conseil et recevait des réponses précises.

Une telle familiarité, une communication si détaillée et profonde avec le monde des esprits était considérée comme de la sorcellerie si elle ne se passait pas sous l'égide de l'Église. Le 30 mai 1430, Jeanne fut donc brûlée sur le bûcher à Rouen, sur la place du marché. Un soldat anglais dit à un autre : « Nous avons brûlé une sainte. »

C'était comme si les grands pouvoirs cosmiques qui l'avaient d'abord rendue inviolable la désertaient désormais et que, tout à coup, les forces d'opposition l'assaillaient et la terrassaient.

Les Anglais la considéraient comme une ennemie mais, d'après l'histoire secrète, ce fut l'Angleterre qui profita le plus des actions de Jeanne d'Arc, d'inspiration divine. La France et l'Angleterre avaient été en conflit depuis des centaines d'années et, même si à l'époque de Jeanne, l'Angleterre dominait militairement, elle était culturellement dominée par la langue et la littérature française. Si Jeanne n'avait pas séparé les deux pays, la contribution particulière que l'Angleterre allait apporter à l'histoire du monde – le réalisme psychologique de Shakespeare et la philosophie tolérante et objective de Francis Bacon – n'aurait jamais vu le jour.

LE PEINTRE ALBRECHT DÜRER RETOURNAIT en Allemagne, après un voyage en Italie, où il avait été initié aux connaissances ésotériques de la guilde des peintres. D'étranges visions de l'Apocalypse commencèrent à inspirer ses gravures. Il peignit également un autoportrait en initié, tenant à la main un chardon en fleur, étincelant de rosée – la sueur des étoiles –, signe que ses organes de vision spirituelle s'ouvraient sur une aube nouvelle.

Sur le chemin du retour, il s'arrêta sur le bas-côté pour peindre une touffe d'herbe. Cette aquarelle fut la première nature morte. Dans l'histoire de l'art, rien ne laissait prévoir cette évolution : avant Dürer, personne n'avait jamais regardé un rocher ou une touffe d'herbe de cette manière, évidente de nos jours.

Le voyage de Dürer doit aussi être compris comme un signe du cheminement de l'évolution de la conscience : cette dernière gagnait le nord de l'Europe. Les gens du Nord allaient se trouver en désaccord avec les pays catholiques du Sud, plus rigides. Les développements politiques virent l'essor d'États du Nord qui venaient d'acquérir une nouvelle puissance et allaient devenir les véhicules de nouvelles formes de conscience.

François Rabelais, né vers la fin du XVe siècle, marchait dans les rues étroites de Chinon, une cinquantaine d'années après que les pas de Jeanne eurent cessé d'y résonner. Sa vie et son œuvre étaient animées de l'esprit des troubadours. Alors que Dante, l'homme du Sud, écrivait en aspirant à s'élever spirituellement, Rabelais semblait se délecter, du moins à première vue, du monde matériel. Ses grands romans, *Gargantua* et *Pantagruel,* racontent des histoires de géants saccageant la terre et faisant des ravages pour satisfaire leur appétit colossal. Le plaisir que les troubadours trouvaient à évoquer les objets usuels prit un nouveau tour, humoristique, sous la plume de Rabelais. Dans *Gargantua,* il dresse une longue liste d'objets pouvant servir à s'essuyer le derrière : un masque en velours de dame, un bonnet de page à plume à la mode suisse, un chat, de la sauge, du fenouil, des feuilles d'épinard, des draps, des rideaux, un poulet, un cormoran et une loutre.

La longue lutte pour s'éveiller au monde matériel qui avait commencé avec Noé était enfin arrivée à son terme et le résultat était délicieux. Amour de la lumière et du rire, de la nourriture et de la boisson, de la bagarre et du sexe : tout cela mène la danse dans cette prose dense et percutante. Dans les pages de Rabelais, le monde n'est pas cet endroit horrible que l'Église a essayé de créer : la philosophie catholique niant la vie y est considérée comme malsaine. « Le rire est le propre de l'homme », dit Rabelais. Le rire, la joie et la bonne humeur étaient des remèdes pour l'esprit comme pour le corps, qui, grâce à cela, pouvaient être transformés.

Rabelais aime le monde et dans son écriture, l'amour des objets et celui des mots vont de pair. Ses pages débordent d'objets et de néologismes, mais, pour ceux qui observent attentivement, un courant initiatique insidieux est perceptible. Rabelais est un mystique, mais pas dans la mouvance transcendante du Moyen Âge.

Les troubadours avaient écrit sur la folie de l'amour et certains d'entre eux s'étaient décrits comme des bouffons ou des fous. Ils signifiaient par là qu'ils avaient trouvé de nouvelles manières d'entrer

LE FOU

Dans The Zelator, *David Ovason cite mon ami Mark Hedsel qui fait une analyse passionnante de l'iconographie du bouffon, ou fou, dont l'image apparaît sur le frontispice de cette première édition de* Pantagruel *en 1532 et également, bien évidemment, dans le Tarot. Le Fou poursuit le « chemin sans nom ». Le bâton sur son épaule représente la dimension végétale de son être qui se situe entre la partie spirituelle et la partie animale qui est en dessous. Quant au chien qui lui mord le mollet, il représente les éléments animaux corrompus et non expiés, comme le baluchon représente les éléments végétaux de même nature. Son chapeau à trois pointes fait allusion aux corps supérieurs qu'il doit encore atteindre – les corps animal, végétal et minéral métamorphosés – et son regard en l'air montre son aspiration à les atteindre. Si sa barbe représente une poussée vers le bas, son chapeau qui se dresse vers le haut montre, lui, le troisième œil sur le point de s'ouvrir.*

dans le monde des esprits et que, quand ils en revenaient, ils voyaient la vie sens dessus dessous, à l'envers.

La réalité quotidienne semblait alors très différente aux troubadours et Rabelais, lui, avait réussi à transformer cette nouvelle vision en récit, créant un style d'humour subversif qui deviendrait caractéristique des auteurs initiatiques tels que Jonathan Swift, Voltaire, Lewis Carroll et André Breton. Non seulement Rabelais s'aperçut qu'il pouvait se déchaîner dans le monde des esprits avec une liberté toute neuve mais, quand il en revenait, il était incapable de prendre au sérieux les croyances des gens à ce sujet, leur conformisme et leur moralité. Dans son histoire, les héros construisent l'abbaye de Thélème, qui porte inscrit sur son portail, « Fais ce que voudras » : Rabelais imaginait des initiés dont la conscience était si avancée, qu'ils seraient au-delà du bien et du mal.

À la fin du roman, après de nombreux voyages d'exploration sur les mers, ayant vu bien des prodiges, après s'être battus avec des hommes chats, des armées de saucisses et des géants dévoreurs de moulins à vent, les héros arrivent enfin sur une île mystérieuse. L'alchimiste du XXᵉ siècle Fulcanelli expliqua que, par cette arrivée, Rabelais voulait dire que ses héros entraient dans la Matrice.

Ils sont menés dans la pièce d'initiation d'un temple souterrain. Comme nous l'avons déjà vu, les histoires de souterrain indiquent toujours qu'il est question de physiologie occulte. Le voyage souterrain est un voyage dans le corps.

Au centre du temple, dans sa partie la plus souterraine, se trouve une fontaine de vie sacrée. Fulcanelli souligne que Rabelais laisse transparaître ses intérêts ésotériques et alchimiques dans la description de cette fontaine, qui a sept colonnes, consacrées aux sept planètes. Chaque dieu planétaire porte la pierre qui lui est attribuée, ainsi que son métal et son symbole alchimique. Une image de Saturne est suspendue au-dessus d'une colonne, une faux et une grue à ses pieds. Le plus significatif est Mercure, qui est décrit comme « figé, ferme et malléable » – ce qui signifie « semi-solidifié » dans le processus de transmutation alchimique.

Ce qui coule de la fontaine et que nos pèlerins – car c'est comme cela que nous devrions désormais les appeler – boivent, c'est du vin. « Et ici maintenons que non rire, ainsi boire est le propre de l'homme », dit Rabelais « je ne dis boire simplement et absolument, car aussi bien boivent les bêtes, je dis boire vin bon et frais. Notez, amis, que de vin divin on devient, et n'y a argument tant sur, ni art de divination moins fallace. Vos académiques l'affirment, rendant l'étymologie de vin, lequel ils disent en grec *oinos*, être comme *vis*, force, puissance, car pouvoir il a d'emplir l'âme de toute vérité, tout savoir et philosophie. » Dans certaines physiologies occultes orientales, le vin est utilisé comme symbole des sécrétions du cerveau qui passent dans la conscience lors des états extatiques. Au XXᵉ siècle, des scientifiques indiens sont allés jusqu'à dire que le terme « vin » dans les textes védiques se réfère à ce que nous appelons aujourd'hui le diméthyltryptamine, l'enzyme qui descend des régions les plus élevées du cervelet. Swami Yogananda parle lui aussi de sécrétions neurophysiologiques, qu'il appelait « *l'amrita* bienheureuse », le nectar d'immortalité qui provoque des moments de conscience illuminée et

FATVO RIDEMVR IN VNO

L'humour initiatique égaie cette image étonnamment sombre du Fou par Jacob Jordaens.
Comme ses compatriotes Rubens et Rembrandt, Jordaens s'intéressait de près à la Kabbale.
Le capuchon du Fou imite la lettre shin qui, insérée dans le Tétragramme, ou nom sacré de
Dieu, produit le nom de Jésus. Il symbolise aussi, à travers ses trois pointes, le développement
spirituel des trois corps de l'homme – animal, végétal et minéral.

qui nous permet de percevoir directement les grandes idées qui tissent
le monde matériel.

« Ô Seigneur » écrivit le maître soufi cheikh Abdullah Ansari,
« enivrez-moi du vin de Votre amour. »

20

L'Homme vert des mondes cachés

Christophe Colomb • Don Quichotte • William Shakespeare,
Francis Bacon et l'Homme vert

QUAND, EN 1492, CHRISTOPHE COLOMB VIT L'EMBOUCHURE de
l'Orénoque, il crut qu'il avait découvert le Gihôn, un des quatre
fleuves de l'Éden. Il écrivit : « Ce sont là de grands indices du Paradis
terrestre, car la situation est conforme à l'opinion qu'en ont lesdits
saints et savants théologiens. Et les signes sont très sûrs eux-mêmes »
(lettre au roi Ferdinand d'Aragon et à Isabelle de Castille).

La profusion des découvertes qui allaient conduire à la révolution
scientifique poussait également les hommes à l'exploration. Jamais
l'émerveillement face au monde matériel n'avait été aussi fort.

L'espoir de trouver un Nouveau Monde se mêlait à l'espoir de voir
surgir un nouvel âge d'or ; mais l'or que l'on découvrit se révéla être
d'un genre bien terrestre.

On a fait grand cas du lien qui unissait Christophe Colomb
aux Templiers. Il était marié à la fille d'un ancien grand maître
des chevaliers du Christ, un ordre portugais qui s'était développé
après la marginalisation des Templiers. On a vu un signe de cette
connivence dans les croix pattées rouges qui ornaient les voiles des
goélettes sur lesquelles Colomb naviguait, signe distinctif des chevaliers du Temple. Mais en réalité, les chevaliers du Christ ne cultivaient pas la même indépendance dans leur relation avec le monde
des esprits, indépendance qui avait poussé la papauté à prendre
des mesures aussi radicales contre les Templiers. Comme Rome le
fit aussi plus tard avec d'autres ordres crypto-Templiers, tels que
les chevaliers de Malte, elle utilisait ici la mystique puissante et
prestigieuse qu'exerçaient encore les Templiers et la détournait à ses
propres fins.

Christophe Colomb écrivit à la reine Isabelle : cette dernière, avec son mari, Ferdinand, avait réussi à ramener l'Espagne dans le giron de l'Église en reprenant Grenade. Colomb voulait faire de même avec la ville de Jérusalem et espérait trouver une tonne d'or afin de financer cette reconquête. Il ignorait cependant que cet or servirait à financer une guerre contre un ennemi bien plus proche, qui voyait son pouvoir grandir rapidement – un ennemi qui pouvait à juste titre revendiquer l'héritage spirituel des chevaliers du Temple.

À cette époque se dessinaient les lignes de combat pour le contrôle du monde, et pas seulement sur le plan géopolitique : ce combat allait également être celui du contrôle des esprits. Cette bataille allait viser à contrôler l'esprit entier de l'humanité.

CERVANTÈS ET SHAKESPEARE ÉTAIENT presque contemporains.

Don Quichotte, le vieux chevalier qui se battait contre des moulins à vent, les prenant pour des géants et qui, voyant une paysanne trapue mâcher de l'ail, la prenait pour une belle jeune fille, une aristocrate sortie d'un roman de chevalerie appelée Dulcinée, peut, au premier abord, passer pour un personnage tout droit sorti d'une grosse farce. Mais à mesure que l'histoire avance, le ton change et le lecteur sent qu'une magie étrange est à l'œuvre.

D'un côté, Don Quichotte essaye de préserver d'anciens idéaux chevaleresques sur le déclin, d'un autre, il « retombe en enfance » en revenant aux temps où l'imaginaire semblait bien plus réel. Le fait est que, dans la philosophie ésotérique, l'imagination *est* plus vraie que la réalité. Certains universitaires espagnols ont affirmé, après une étude approfondie du texte, que *Don Quichotte* est un commentaire allégorique du *Zohar* de la Kabbale (ou *Livre des splendeurs*).

À un moment de l'histoire, Merlin fait croire à Don Quichotte et à Sancho Panza, son pragmatique serviteur, que la belle Dulcinée a été ensorcelée, c'est pourquoi elle a l'apparence de cette paysanne. Il affirme que seul Sancho Panza peut briser l'enchantement en recevant 3 300 coups de fouet – nous reviendrons bientôt sur la signification du chiffre 33.

Au cœur du roman se trouve le récit d'une initiation. C'est à ce moment-là que la comédie légère glisse vers un récit plus ambigu et plus troublant. Il s'agit de l'étrange épisode de la descente de Don Quichotte dans la grotte de Montesinos…

Sancho Panza attache une corde de cent toises au pourpoint de son maître et le fait descendre ensuite par l'ouverture de la grotte. Don Quichotte se fraie un chemin à travers les ronces, les épines et les figuiers, délogeant corbeaux et corneilles à son passage.

Au fond de la grotte, un sommeil profond s'empare de lui. Il se réveille au milieu d'une magnifique prairie et, étrangement, contrairement à ce qui arrive dans les rêves, il est capable de raisonner.

Il s'approche d'un grand palais en cristal où un vieil homme étrange vient à sa rencontre : il porte une capuche verte et se présente sous le nom de Montesinos. Cet homme, qui est de toute évidence le génie du palais de cristal, dit à Don Quichotte qu'il était attendu depuis longtemps. Il l'emmène dans une pièce souterraine et lui montre un chevalier allongé dans un sépulcre en marbre. Ce chevalier a été ensorcelé par Merlin lui dit Montesinos. Il lui dit également que la prophétie de Merlin veut que ce soit lui, Don Quichotte, qui rompe le charme et fasse ainsi renaître la chevalerie errante.

Don Quichotte remonte à la surface et demande à Sancho Panza combien de temps il a passé dans la grotte. Ce dernier lui répond : pas plus d'une heure. Don Quichotte rétorque que c'est impossible, car il vient de passer trois jours sous terre. Il affirme qu'il a vraiment vu ce qu'il a vu et touché ce qu'il a touché.

Vous ne dites que des sottises, lui répond son serviteur.

Le roman tout entier joue sur l'enchantement, l'illusion et la désillusion – mais il possède un attrait autrement plus profond : il se lit comme une série de paraboles dont le sens n'est jamais explicite, ni jamais très clair, néanmoins, la signification profonde du roman a à voir avec le rôle de l'imagination dans la formation du monde. Don Quichotte n'est pas seulement un fou : c'est quelqu'un dont le plus grand désir est de trouver une réponse à ses questions les plus intimes. On lui montre que la réalité matérielle n'est qu'un des nombreux niveaux d'illusion et que c'est notre imaginaire profond qui les forme. Ce qui signifie que, si nous parvenons à localiser la source secrète de notre imagination, nous pouvons contrôler le flux de la nature. À la fin du roman, Don Quichotte est parvenu à transformer légèrement son environnement.

Dans un chapitre précédent, nous avons vu que, quand nous sommes amoureux, nous choisissons de voir les qualités de la personne aimée. Nous avons dit que c'est la bonté qui nous aide à mettre en valeur ces qualités et à les renforcer. L'inverse est également vrai : ceux que nous méprisons deviennent méprisables.

Nous nous trouvons face à un choix similaire lorsque nous envisageons le cosmos dans son ensemble. Cervantès écrivit à un moment de l'histoire, où les gens n'étaient plus très sûrs que le monde fût un endroit spirituel, capable d'avoir un sens et de renfermer de la bonté. Ce que dit l'auteur de *Don Quichotte*, c'est que si, tout comme son héros, nous décidons de croire à la bonté essentielle du monde, malgré les coups du sort, malgré l'ironie de certaines choses qui semblent contredire ces croyances spirituelles en les rendant naïves et absurdes, cette décision aide à transformer le monde – également d'une manière surnaturelle.

Don Quichotte est d'une bonté imprudente : il prend un chemin extrême et douloureux. Il a été appelé le Christ espagnol et les effets de son périple sur l'histoire du monde ont été aussi importants que s'il avait vécu en chair et en os.

CERVANTÈS MOURUT LE 23 AVRIL 1616, tout comme Shakespeare.

Les quelques traces qu'a laissées Shakespeare dans les archives nous apprennent peu sur sa vie. Nous savons qu'il est né dans le village de Stratford-upon-Avon en 1564, qu'il a été scolarisé à l'école du village, qu'il est devenu apprenti boucher et qu'il a été pris en flagrant délit de braconnage. Il a quitté Stratford pour Londres où il est devenu acteur de seconds rôles, dans une troupe sous le patronage de Francis Bacon. Cette troupe avait un répertoire très large, dont certaines pièces à succès, publiées, sont signées de Shakespeare. Il est mort en léguant son lit à sa femme !

L'auteur Ben Jonson, son contemporain, le raillait en disant qu'il connaissait « peu le latin et encore moins le grec ». Mais comment un tel homme a-t-il pu créer une œuvre aussi dense, pénétrée des connaissances de l'époque ?

Les noms de plusieurs contemporains de Shakespeare ont été avancés comme étant les vrais auteurs de ses pièces – y compris celui de son mécène, le dix-septième comte d'Oxford, Christopher Marlowe (cela en se basant sur la théorie que ce dernier n'aurait pas été assassiné en 1593, date où les pièces de Shakespeare commencèrent à apparaître). Dernièrement, il fut aussi question du poète John Donne. Une universitaire américaine du nom de Margaret Demorest a relevé d'étranges liens entre Shakespeare et Donne : la similitude de leurs portraits, la similitude de leurs surnoms, « johannes Factotum » pour le premier, et « Johannes Factus » pour le second, d'étranges particularités dans l'orthographe – les deux utilisent chérubi*m* pour chérubi*n*[1], par exemple – et le fait que les publications de Donne commencèrent quand celles de Shakespeare cessèrent.

Mais le prétendant au titre le plus souvent cité est, bien évidemment, Francis Bacon.

Bacon naquit dans une famille de courtisans en 1561. C'était un enfant prodige. À douze ans, il avait écrit *The Birth of Merlin*[2], pièce qui fut jouée devant la reine Elizabeth Ire, qui l'appelait affectueusement son « petit lord keeper[3] ». C'était un enfant chétif et ses camarades d'école se moquaient de lui en faisant un jeu de mots sur son nom de famille : Hamlet, ou « petit jambon ». Il fit ses études à Oxford et quand, malgré l'affection que la reine lui portait, il fut à plusieurs reprises empêché de poursuivre ses ambitions politiques, il décida de se construire un « empire du savoir », et se mit en quête d'érudition totale, explorant toutes les branches du savoir connues de l'homme. Sa virtuosité intellectuelle était telle qu'on le surnomma « la merveille de l'époque ». Il écrivit des livres qui dominèrent la vie intellectuelle d'alors, comme *Du progrès et de la promotion des savoirs, Novum Organum,* dans lequel il proposait une approche radicalement nouvelle de la science, et *La Nouvelle Atlantide*, vision d'un nouvel ordre mondial. Inspirée en partie par la vision de l'Atlantide qu'avait Platon, cette œuvre se révéla très influente dans les groupes ésotériques du monde moderne. Quand Jacques Ier accéda au trône, Bacon réussit enfin à satisfaire son ambition politique et devint rapidement chancelier d'Angleterre, poste le plus important du pays après le roi. Une des responsabilités de Bacon était l'attribution des terres dans le Nouveau Monde.

La maestria de Bacon semblait embrasser le monde entier : il pourrait être un meilleur prétendant au titre d'auteur des œuvres de Shakespeare que Shakespeare lui-même.

Bacon était membre d'une société secrète appelée l'ordre du Heaume. Dans *Du progrès et de la promotion des savoirs*, il parle

---

[1] En anglais, « cherubi*n* » au lieu de « cherubi*m* » (ndlt)

[2] *La Naissance de Merlin* (ndlt)

[3] Gardien (ndlt)

d'une chaîne de transmission de la connaissance des « secrets de la science » à travers les paraboles. Il admit être fasciné par les codes secrets et les cryptogrammes numérologiques. Dans l'édition de 1623 de *Du progrès et de la promotion des savoirs*, il expose ce qu'il appelle les « cryptogrammes bilatéraux » – sur quoi s'élabora par la suite le code morse.

Il est intéressant de noter que son code préféré était l'ancien crypto-gramme kabbalistique, d'après lequel le nom de Bacon avait la valeur numérologique de 33. On trouve la phrase « Fra Rosi Crosse » sur la couverture, la page de dédicace et d'autres pages significatives de son livre *Du progrès et de la promotion des savoirs*, dissimulée grâce à ce même cryptogramme.

Cette même phrase rosicrucienne est encodée de la même manière dans la dédicace, sur la première page de *La Tempête* et sur le monument dédié à l'auteur à Stratford-upon-Avon. Le parchemin représenté sur le mémorial de Shakespeare à l'abbaye de Westminster porte également cette phrase, ainsi que le nombre 33 qui, comme nous l'avons vu, est le nombre de Bacon.

Si nous voulons trouver la solution à ce mystère, il convient tout d'abord d'observer l'œuvre.

Les pièces de Shakespeare jouent sur les états altérés et la folie de l'amour. Hamlet et Ophélie sont des descendants des troubadours. Ce sont de sages fous, tout comme Feste dans *La Nuit des rois*. Dans *Le Roi Lear*, à travers le personnage du bouffon christique, qui dit la vérité quand personne n'ose le faire, le fou des troubadours atteint son apothéose.

Les personnages de Gargantua, Don Quichotte et Sancho Panza habitent l'imaginaire collectif. Ils nous aident à nous adapter à la vie mais, comme l'a démontré Harold Bloom, professeur en huma-nités à l'université Yale et auteur du livre *Shakespeare : The Invention of the Human*[4], aucun autre auteur n'a peuplé notre imaginaire d'autant d'archétypes que Shakespeare : Falstaff, Hamlet, Ophélie, Lear, Prospero, Caliban, Bottom, Othello, Iago, Malvolio, Macbeth et Lady Macbeth, et Roméo et Juliette. On peut dire que depuis Jésus-Christ, aucun autre individu n'a autant œuvré pour permettre

---

[4] « Shakespeare ou l'invention de l'humain » (ndlt)

le développement et l'expansion du sentiment de vie intérieure chez l'humain. Jésus a planté la graine de la vie intérieure et Shakespeare l'a aidée à s'épanouir, à se peupler et nous a donné ce sentiment, désormais familier, que nous contenons tous un cosmos intérieur aussi étendu que le cosmos lui-même.

Les grands écrivains sont les architectes de notre conscience. Chez Rabelais, Cervantès et Shakespeare, et surtout dans les monologues d'Hamlet, nous trouvons les graines de ce que nous éprouvons aujourd'hui lorsque nous nous retrouvons face à des changements personnels, à des décisions vitales à prendre. Avant la Renaissance, l'amorce de ce genre de sentiment n'était présente que dans les sermons.

Il existe néanmoins une part d'ombre dans cette nouvelle richesse intérieure qui est, de nouveau, clairement présente dans les monologues d'Hamlet. Ce nouveau sentiment de détachement qui permet à tout un chacun de se retirer du monde sensible et de vagabonder dans son monde intérieur est à double tranchant, car il porte en lui le danger de se sentir étranger au monde : Hamlet languit, se sent isolé au point de se demander s'il vaut mieux « être ou n'être pas ». Nous sommes bien loin du cri d'Achille, qui voulait vivre dans la lumière du soleil à tout prix.

En qualité d'initié, Shakespeare était en train de contribuer à la formation d'un nouvel état de conscience. Mais *comment* pouvons-nous être *certains* que Shakespeare était initié ?

Dans les pays anglo-saxons, Shakespeare a contribué, plus qu'aucun autre écrivain, à définir les êtres du monde des esprits et à montrer la manière qu'ils avaient d'intervenir dans le monde matériel. Il nous suffit de penser à Ariel, Caliban, Puck, Obéron et Titania. Bien des comédiens pensent, encore aujourd'hui, que *Macbeth* contient des formules magiques qui, lorsque la pièce est jouée, lui donnent la force d'une cérémonie occulte. Prospero, le personnage de *La Tempête*, est l'archétype du mage, inspiré par l'astrologue de la cour d'Elizabeth, le Dr Dee. Un esprit apparut à cet astrologue le 24 mars 1583 et lui parla du cours futur des choses et de la raison, en disant : « De nouveaux mondes jailliront de ceux-ci. De nouvelles manières ; des hommes étranges ». Comparez cela avec : « Ô merveille ! Que l'humanité est admirable ! Ô splendide nouveau monde qui compte de pareils habitants ! » (*La Tempête*, acte V, scène 1).

L'Histoire du monde, *1614. Le grand aventurier sir Walter Raleigh était membre d'une société secrète appelée l'École de la Nuit. Cette société était si mystérieuse que certaines critiques récentes mettent en doute son existence réelle, mais il ne fait aucun doute que Raleigh partageait des idées ésotériques avec Christopher Marlowe et George Chapman, auteur de* The Shadow of Night. *Un de leurs secrets était l'athéisme. Raleigh craignait la torture, et la mort lente qui avait emporté un de ses amis, Thomas Kyd, qui s'était fait étriper pour avoir professé ses vues athées. Mais aucun d'entre eux n'était athée dans le sens moderne du terme, qui nie l'existence du monde des esprits et le fait que les êtres*

désincarnés interviennent dans le monde matériel de manière urnaturelle. Le Docteur
Faust de Marlowe est une des œuvres les plus savantes de la littérature ésotérique mondiale,
qui traite des dangers qu'implique le commerce avec le monde des esprits.
Dans le magazine Gnosis, qui n'existe malheureusement plus aujourd'hui, David Fideler
offrait une analyse brillante de la couverture du chef-d'œuvre littéraire de Raleigh. D'après
lui, à un certain niveau, cette couverture était destinée à illustrer la vision que Raleigh
avait de l'histoire comme étant l'épanouissement de la Providence divine – d'après la
définition qu'en donne Cicéron : « Enfin, l'histoire elle-même, le témoin des siècles, le
flambeau de la vérité, l'âme du souvenir, l'oracle de la vie, l'interprète des temps passés
[…] », (De l'orateur, II, 36). À un autre niveau, souligne-t-il, ce dessin représente l'arbre
de Vie kabbalistique, avec ses correspondances planétaires à chaque nœud. Le personnage
sur la gauche est la Fama des manifestes rosicruciens.

Quand nous entrons dans le Bois vert du *Songe d'une nuit d'été*
et des autres comédies, nous nous retrouvons dans la forêt que nous
avons parcourue au chapitre 2. Nous retournons à une forme de
conscience archaïque, dans laquelle la nature tout entière est animée
par les esprits. Dans l'art et la littérature, la végétation tortueuse
annonce en général que l'on entre dans le royaume de l'ésotérisme,
dans la dimension éthérée. La plume de Shakespeare abonde en imagerie florale. Les critiques ont souvent dit que la rose de *La Reine
des fées* d'Edmund Spenser, pièce écrite en 1589, était un symbole
rosicrucien occulte. Mais aucun auteur anglais n'a autant utilisé le
symbole de la rose – ni de manière plus occulte – que Shakespeare.
Il y a sept roses sur le mémorial de Shakespeare dans l'église de la
Sainte-Trinité de Stratford-upon-Avon et, comme nous allons bientôt
le voir, les sept roses sont le symbole rosicrucien des chakras.

C'est ici qu'une des distinctions créées par la philosophie positiviste
moderne peut nous servir : d'après la logique positiviste, une affirmation claire n'affirme rien si aucune preuve ne vient la réfuter. C'est cet
argument qui est parfois utilisé pour prouver la non-existence de Dieu.
Si aucun événement concevable ne peut nier l'existence de Dieu, alors,
en affirmant que Dieu existe, nous n'affirmons rien.

De ce point de vue, l'affirmation : « Le personnage historique de
Shakespeare a écrit des pièces qu'il a signées de son nom » affirme
très peu de chose. Nous en savons si peu sur l'homme que nous ne
pouvons établir aucun rapport entre sa vie et ses pièces. Shakespeare
reste une énigme. Comme Jésus-Christ, il a révolutionné la
conscience humaine, mais il n'a laissé presque aucune trace dans les
archives historiques.

On trouve souvent des images initiatiques de personnages méditant, un crâne entre les mains, aux XVIIe, XVIIIe et XIXe siècles – d'Hamlet aux moines de Francesco de Zurbarán, en passant par Byron. Ces personnages ne nous rappellent pas seulement que nous allons tous mourir un jour. Le fait de méditer sur un crâne fait allusion aux techniques occultes permettant d'invoquer l'esprit de nos ancêtres – techniques héritées des sociétés secrètes, comme la Rose-Croix et les Jésuites, puis encouragées par elles.

Dans certains ordres religieux, le novice repose dans un cercueil entouré de quatre cierges : on chante le Miserere, le novice se lève alors pour qu'on lui donne un nouveau nom, signe de sa renaissance. Saint François d'Assise, par Francesco Zurbarán.

Illustration du Songe d'une nuit d'été. *Le mot* fairy *(fée) est entré dans la langue anglaise au* XIIIe *siècle et provient d'un ancien mot qui signifie « émerveiller » et qui faisait originalement référence à un état d'esprit –* feyrie *ou* fairye *signifiant « se trouver dans un état d'enchantement. » John R. R. Tolkien définit la féerie comme « la beauté qui est un enchantement ».*

Pour réussir à enfin éclairer ce mystère et mieux comprendre la littérature de la Renaissance qui envahit l'Angleterre à cette époque, nous devons examiner le contenu soufi des œuvres de Shakespeare, qui est souvent ignoré. Comme nous l'avons dit, la rose était un grand symbole du soufisme.

L'intrigue de *La Mégère apprivoisée* est inspirée des *Mille et Une Nuits*, dont le titre arabe est ALF LAYLA WA LAYLA, phrase codée signifiant « mère des archives ». C'est une allusion à la tradition selon laquelle sous les pattes du Sphinx, ou dans une dimension parallèle, se cache une bibliothèque secrète, ou « salle des archives », entrepôt de la sagesse ancienne d'avant le Déluge. Le titre, *Les Mille et Une Nuits*, signifie donc que les secrets de l'évolution humaine y sont dissimulés.

L'histoire principale de *La Mégère apprivoisée* vient du conte *Le Dormeur éveillé*, dans lequel Haroun al-Rachid fait plonger un jeune homme crédule dans un sommeil profond, l'habille de vêtements royaux et dit à ses serviteurs de le traiter à son réveil comme s'il était réellement le calife.

C'est donc une histoire qui traite des états de conscience altérés – et le conte comme la pièce contiennent tous deux des descriptions de la façon d'atteindre un état de conscience supérieur.

L'intrigue principale de la pièce est centrée sur Christopher Sly[5]. Dans la tradition soufie, un homme rusé est un initié, ou membre, d'une confrérie secrète. Au début, Christopher Sly est décrit comme un mendiant, autre nom de code soufi – un soufi étant « un mendiant à la porte de l'amour ».

Au début de la pièce, Sly dit : « Vous n'êtes qu'une roulure : les Sly ne sont pas des vauriens. Voyez les chroniques : nous sommes arrivés avec Richard le Conquérant ». Ici, il est question de l'influence soufie que les croisés ont ramenée de leurs voyages.

Sly est également un ivrogne. Comme nous l'avons dit précédemment, l'ivresse est un code soufi pour signifier un état de conscience visionnaire.

Puis Sly est réveillé par un seigneur, ce qui veut dire qu'il est instruit par son maître spirituel sur la façon d'atteindre un état de conscience supérieur.

L'histoire qui suit, l'apprivoisement de la mégère Katarina par Petruchio, est également une allégorie de l'initiation. Petruchio a recours à la ruse pour transformer Katarina. Elle représente ce que la terminologie bouddhiste appelle l'« esprit de singe », ce mental agité, bruyant et jacassant, qui nous distrait des réalités spirituelles. Petruchio essaie de lui apprendre à abandonner toute idée préconçue et son ancienne façon de penser. Katarina doit apprendre à penser à l'envers et sens dessus dessous :

> « Faites, s'il vous plaît, je l'attends ici.
> Et dès qu'elle sera là je la courtiserai avec vigueur.
> Imaginons qu'elle m'injurie ; eh bien, je lui dirai
> qu'elle chante aussi merveilleusement qu'un rossignol.
> Imaginons qu'elle se renfrogne, eh bien, je lui dirai qu'elle
> est aussi fraîche que la rose du matin encore couverte de rosée.
> Et si elle ne veut pas parler, eh bien, je louerai sa volubilité
> et sa touchante éloquence. Si elle m'ordonne de plier bagage,
> je la remercierai comme si elle me priait de rester avec elle

---

[5] « Rusé » en anglais (ndlt)

une semaine ; si elle refuse de se marier, je lui demanderai quel jour elle souhaite publier les bans et célébrer notre mariage. »

Comme nous l'avons vu au chapitre 17, les soufis font remonter l'origine de leur confrérie à Mahomet, certains même jusqu'au prophète Élie, ou l'Homme vert. L'esprit mystique et irascible de l'Homme vert imprègne aussi bien *Les Mille et Une Nuits* que *La Mégère apprivoisée*.

UNE HISTOIRE CONCERNANT L'HOMME VERT nous renseigne sur certaines de ses qualités.

Le témoin d'une étrange série d'événements raconte : « J'étais sur la rive de l'Oxus, lorsque j'ai vu un homme tomber à l'eau. Un autre homme, vêtu comme un derviche, s'est précipité à son secours. Il n'a réussi qu'à se faire emporter lui aussi par le courant. Soudain j'ai vu un troisième homme, portant un manteau d'un vert lumineux chatoyant, se jeter dans le fleuve. À l'instant même où il a heurté la surface de l'eau, sa forme a paru changer : ce n'était plus un homme mais un rondin. Les deux autres sont parvenus à s'y agripper et à le diriger au bord. Je n'en pouvais croire mes yeux. J'ai longé le fleuve, à quelque distance, me cachant derrière les buissons qui poussaient là. Les deux hommes se sont hissés, haletants, sur la berge. Le rondin allait à la dérive. Je l'ai observé : il a dérivé hors de la vue des rescapés, jusqu'au bord ; l'homme au manteau vert, trempé, s'est traîné à terre. L'eau ruisselait de son manteau. Avant que je n'arrive auprès de lui, il était presque sec. Je me suis jeté à ses pieds et me suis écrié : "Tu ne peux être que [la présence Khidr] le vert, maître des saints. Donne-moi ta bénédiction, car je veux L'atteindre". Je n'osais pas toucher le manteau vert qui l'enveloppait car il semblait du feu. Il a dit : "Tu en as trop vu. Sache que je viens d'un autre monde et que je protège à leur insu ceux qui ont une tâche à accomplir. [Tu as beau avoir été le disciple de Sayed Imdadullah, tu n'es pas assez mûr pour savoir ce que nous faisons pour l'amour de Dieu]". Quand j'ai levé les yeux, il avait disparu. L'air était remué comme par un vent impétueux ».

ROBERT BURTON, JEUNE CONTEMPORAIN de Shakespeare, écrivit dans *L'Anatomie de la mélancolie* : « Cette omnisciente fraternité, toute de sagesse, de la Rose-Croix, ces grands théologiens, hommes politiques, philosophes, médecins, philologues, artistes, etc., dont la venue nous avait été annoncée dans les prophéties de sainte Brigitte, par l'abbé

Joachim de Flore, par Lichtenberger et par d'autres esprits divins ; ils en ont fait promesse au monde, si toutefois ces gens existent (Heinrich Neuhaus en doute, ainsi que Valentin Andrae et d'autres), ou encore un Elias Artifex, leur maître théophrastien ». Burton décrit Elias (Élie) comme étant le « rénovateur de toutes les sciences et de tous les arts, réformateur du monde et *vivant maintenant* ». (L'italique est de moi.)

Nous avons déjà abordé le fait que dans la tradition ésotérique, Élie s'est réincarné en la personne de saint Jean-Baptiste. Son retour n'était pas seulement prophétisé dans les derniers mots de l'Ancien Testament, mais également par le prophète initié Joachim, dont l'influence contribua largement à la compréhension rosicrucienne de l'histoire. Joachim dit qu'Élie viendrait préparer la voie pour le troisième âge. Peut-on dire que les sociétés secrètes du XVIe et du XVIIe siècles croyaient qu'il s'était réincarné à leur époque et qu'il protégeait et guidait ceux qui avaient une mission à accomplir ?

Au chapitre 13, nous avons abordé la troublante histoire d'Élie et de son successeur, Élisée. Il est temps d'expliquer que, dans l'histoire secrète, ces passages de l'Ancien Testament ne décrivent pas deux personnages, mais un seul. Élie est un être tellement évolué qu'il est non seulement capable de s'incarner, se désincarner et se réincarner à volonté, mais également de fractionner son esprit – ou manteau – et de le distribuer à plusieurs personnes.

De même que les oiseaux d'une volée ne forment qu'un, tous mus par la même pensée, plusieurs personnes peuvent être animées par le même esprit. Tapi dans l'ombre de l'Angleterre élisabéthaine, parlant à travers Marlowe, Shakespeare, Bacon, Donne et Cervantès, apparaît le visage sévère de l'Homme vert, maître spirituel des soufis et architecte de l'âge moderne.

Nous verrons quel est le but de la mission d'Élie au dernier chapitre mais, pour le moment, il est important de rappeler le rôle qu'a joué l'Arabie dans l'inspiration littéraire, mais aussi scientifique, de l'époque. À la cour d'Haroun al-Rachid, et plus tard parmi les peuples arabes, la science a fait de grandes avancées, notamment en mathématiques, en physique et en astronomie. Un profond lien mystique unit les Arabes et les Anglais, car le grand esprit arabe de la recherche scientifique vivait en Francis Bacon, la personne qui fut associée le plus intimement à Shakespeare dans la littérature occulte.

Et, comme nous le dit l'histoire de la philosophie de la science, c'est Bacon qui inspira la grande révolution scientifique qui a tant contribué à la formation du monde moderne.

On avait commencé à ouvrir et à éclairer le cosmos intérieur ; de même, le cosmos du monde « d'en dehors » était en train de s'ouvrir. Shakespeare avait révélé un monde nouveau, non pas des personnages types, comme c'était le cas auparavant, mais une foule d'individus pleinement accomplis, bouillonnants de passion et mus par des idées. Bacon, lui, fit émerger un monde débordant de quiddité, un monde scintillant, habité par des objets infiniment variés et parfaitement définis.

Ces deux mondes parallèles grandirent et devinrent chacun l'image inversée de l'autre. Les mondes intérieur et extérieur, qui avaient précédemment été entremêlés de manière indistincte, se trouvaient maintenant clairement séparés.

Le monde de Shakespeare est le monde des valeurs humaines, où, quoi qu'il arrive, ce qui est en jeu, c'est le bonheur et la condition d'une vie humaine. Le monde de Bacon, lui, est un monde dépouillé de valeurs humaines.

Shakespeare a mis en scène la farce, le paradoxe, le mystère et l'imprévisibilité de l'expérience humaine. Bacon a appris à l'humanité comment regarder les objets physiques qui sont *le contenu de l'expérience* et à faire attention aux lois prévisibles auxquelles ils obéissent.

Afin d'envisager ce contenu de manière différente, il préconisa d'abandonner autant que possible les préjugés, de rassembler toutes les données que l'on pouvait rassembler, en essayant de n'imposer aucun schéma à ces données, mais plutôt d'attendre patiemment que de nouveaux schémas, plus féconds et plus profonds, émergent. C'est pourquoi dans l'histoire de la philosophie de la science, il est connu comme le père de l'induction.

Pour résumer, Bacon s'est rendu compte que si l'on observait les objets aussi objectivement que possible, d'autres schémas émergeaient, très différents de ceux qui donnent à l'expérience subjective sa structure.

Cette prise de conscience allait changer la face du monde.

21

L'ère rosicrucienne

Les confréries allemandes • Christian Rosenkreutz • Jérôme Bosch • La mission secrète du Dr Dee

NOUS SAVONS PEU DE CHOSE SUR MAÎTRE ECKHART, LE MYSTÉRIEUX MYSTIQUE allemand du XIIIᵉ siècle. Cependant, de même que l'on peut considérer que Dante est à l'origine de la Renaissance, on peut dire qu'Eckhart est l'inspirateur de la Réforme, mouvement certes plus lent, mais dont l'influence se fit plus largement sentir. La nouvelle forme de conscience que proposait Eckhart allait conduire le nord de l'Europe à dominer le reste du monde.

Eckhart naquit à Gotha, en Allemagne, en 1260. Il rejoignit une confrérie dominicaine, devint prieur, puis succéda à Thomas d'Aquin comme enseignant de théologie à Paris. Son *Opus tripartitum*, ouvrage considérable, dont la portée était aussi ambitieuse que la *Somme théologique*, resta inachevé. Il mourut mystérieusement à la suite d'un procès en hérésie.

Nous sont parvenus quelques sermons et quelques phrases égarés, retranscrits par des Strasbourgeois, qui n'avaient jamais rien entendu de semblable :

> Je prie Dieu d'être libre de Dieu car mon être essentiel est au-delà de Dieu.
> Si je n'étais pas, Dieu ne serait pas non plus. Que Dieu soit Dieu, je suis la cause ; si je n'étais pas, Dieu ne serait pas.
> Dieu est dedans, nous sommes dehors.
> L'œil par lequel je vois Dieu est le même œil par lequel Dieu me voit.
> Il est Lui parce qu'Il n'est pas Lui. Cela ne peut être compris par l'homme extérieur, seulement par l'homme intérieur.

Trouve le seul désir dissimulé derrière tous les désirs.
Dieu est à la maison, nous sommes des étrangers.
À travers la vacuité, je deviens qui je suis.
Seule la main qui efface peut écrire la vérité.

La modernité de ces pensées surprend, et nous surprendrait encore même si ces dernières étaient prononcées par un prêtre contemporain.

Tout comme un maître zen, Maître Eckhart cherchait à bousculer toute forme de pensée préconçue, avec des idées qui, de prime abord, peuvent sembler absurdes.

Il enseignait également une méditation de type oriental, à travers laquelle il cherchait le détachement du monde matériel et la vacuité de l'esprit. Il disait que quand les formes et les fonctions corporelles n'ont plus d'emprise, quand l'homme a renoncé aux sens, il « tombe dans l'oubli de lui-même et des choses ».

Comme la « vacuité » bouddhiste, cet oubli est un vide contenant des possibilités infinies et inépuisables : c'est donc un espace de renaissance et de créativité. C'est également un endroit difficile et dangereux. Ce qu'Eckhart proposait n'était ni le réconfort à la rudesse d'une vie entravée, ni une récompense différée, mais plutôt une dimension étrange et éprouvante, dans laquelle chacun pénètre à ses risques et périls : « Le désert de la divinité quand personne n'est à la maison ».

De même que Mahomet et Dante, Eckhart avait une expérience personnelle et directe du monde des esprits. Et, encore une fois, les histoires qu'il en rapportait sont inattendues. Voici un extrait plus long de la phrase citée au chapitre 10 :

« Ainsi, si tu as peur de la mort, si tu t'accroches trop, viennent des démons qui t'arrachent à la vie. Mais si tu as fait la paix en toi, les démons deviennent des *anges* qui t'affranchissent du poids de la terre. La seule chose qui nous brûle, ce sont ces choses que nous refusons d'abandonner, nos souvenirs et nos attaches ».

On fait parfois référence à Eckhart comme à l'un des « douze maîtres sublimes de Paris », appellation qui rappelle les confréries occultes avec leur système de maîtres et d'adeptes, comme la Grande Fraternité blanche, les Trente-Six Justes de la tradition kabbalistique, le Cercle intérieur d'Adeptes de Jésus, ou encore les Neuf Inconnus. Les outils pour réussir à pénétrer le monde des esprits sont, d'après l'ancienne tradition, transmis de maître à élève par une chaîne initiatique. En Orient, cela s'appelle le *satsong*. Il ne s'agit pas simplement de transmettre l'information par des mots ; il s'agit plutôt d'une sorte de procédé magique qui passe d'un esprit à un autre. Il se peut que Platon se réfère à quelque chose de semblable lorsqu'il parle de *mimesis*. Dans l'allégorie de la caverne, Platon invite son élève à créer une image mentale qui puisse opérer sur son esprit de manière irrationnelle. D'après Platon, la meilleure écriture – il parle de la poésie d'Hésiode – envoûte et, ainsi, transmet la connaissance.

Un initié de ma connaissance me raconta que, quand il était jeune homme et vivait à New York, son maître avait dessiné un cercle sur une table et lui avait demandé ce qu'il voyait.

« Le dessus d'une table, avait répondu le jeune homme.

– C'est bien, avait rétorqué son maître, les yeux d'un jeune homme doivent être ouverts sur l'extérieur. »

Puis, sans rien ajouter, il s'était penché vers lui et, du bout du doigt, il lui avait touché le front entre les yeux.

Le monde extérieur s'était immédiatement évanoui : il fut ébloui par une vision de ce qui lui semblait être la froide déesse de la Lune, qui portait un crâne et un rosaire. Elle avait six visages, avec trois yeux chacun.

La déesse dansa et mon ami perdit la notion du temps. Puis, après un moment, la vision s'estompa et rétrécit jusqu'à n'être plus qu'un point et disparaître enfin.

Mais mon ami savait qu'elle vivait encore en lui, brûlante, et qu'il en serait toujours ainsi.

Son maître lui demanda : « Tu l'as vue ? »

Cette histoire m'enchanta, car je savais qu'elle se référait à la chaîne de transmission mystique.

L'EXPÉRIENCE SPIRITUELLE DIRECTE DONT Maître Eckhart parlait avec une telle conviction dans ses sermons était le genre d'expérience que la religion officielle semblait ne plus pouvoir proposer. L'église avait l'air de dépendre d'un dogme fossilisé, pour ce qui était de la théologie, comme les rituels.

C'était donc dans ce climat de mécontentement que naquirent, à l'abri des regards, des associations entre personnes qui se ressemblaient : des groupes de laïques en quête d'expériences spirituelles.

Ces « étoiles vagabondes », comme on les appelait parfois, se réunissaient en secret : les frères et sœurs du Libre Esprit, les frères et sœurs de la Vie commune, la Famille d'amour et les amis de Dieu. Dans les sociétés allemande, hollandaise et suisse, même parmi les classes les moins privilégiées ou les plus misérables, circulaient des histoires de personnes abordées par de mystérieux étrangers, qui les conduisaient à des réunions secrètes, ou qui les faisaient voyager dans des dimensions étranges, dans d'autres mondes.

Une des notions les plus troublantes, qui est toujours associée aux sociétés secrètes, est qu'il est impossible de les localiser : elles pratiquent une forme de surveillance occulte, mais bienveillante. Ce n'est que quand le moment est venu, lorsqu'on est prêt, qu'un membre d'une école secrète viendra s'offrir comme guide ou maître spirituel.

L'initié dont j'ai parlé plus haut me raconta comment, lors d'une réunion de grands universitaires qui partageaient tous un intérêt pour l'ésotérisme – lui-même était historien de l'art –, le grand maître en présence s'avéra n'être ni docteur ni professeur, mais la femme de ménage avec sa serpillière et son balai, qui se tenait au fond de la salle de conférence. Ce genre d'histoire peut sembler douteux, cependant il a une résonance universelle : le maître spirituel du plus grand enseignant ésotérique du XXᵉ siècle, Rudolf Steiner, était bûcheron et jardinier.

Karl von Eckarthausen, le premier théosophe, écrivit : « Ces sages, qui ne sont pas nombreux, sont les enfants de la lumière. Leur tâche est de faire autant de bien à l'humanité qu'il est en leur pouvoir et de boire leur sagesse à la fontaine éternelle de la vérité. Certains vivent en Europe, d'autres en Afrique, mais ils sont liés les uns aux autres par l'harmonie de leur âme et ne font donc qu'un. Ils sont ensemble même s'ils se trouvent à des milliers de kilomètres de distance. Ils se comprennent, alors qu'ils parlent des langues différentes, car le langage des sages est la perception spirituelle. Aucune personne malfaisante ne peut vivre avec eux, car elle serait immédiatement reconnue. »[1]

Aujourd'hui, on se sent libre de raconter ouvertement sa rencontre avec un mystique indien, rencontre qui engendre des expériences

---

[1] Ce passagee est citée dans un livre de Franz Hartmann, *Paracelse*. La traduction est de nous (ndlt)

mystiques transformatrices, comme cela a été le cas pour Mère Meera[2]. Mais, lorsqu'il s'agit d'attribuer des pouvoirs surnaturels à de remarquables mystiques chrétiens contemporains, la pudeur reprend le dessus. Cependant, il n'est nul besoin de fouiller longtemps dans la vie de ces personnages pour y trouver les preuves de leurs pouvoirs parapsychologiques. En lisant l'œuvre de von Eckartshausen, on pourrait imaginer qu'il a été influencé par des idées relatives aux saints hindous. C'est peut-être le cas, mais il n'en demeure pas moins vrai que les grands mystiques chrétiens et hindous ont beaucoup en commun.

Jean Tauler était, par exemple, un élève de Maître Eckhart – il ne semble pas que ce dernier ait été son maître spirituel dans le sens que nous avons donné à ce terme dans notre ouvrage. En 1339, Tauler était en train de prêcher quand il fut approché par un mystérieux profane de l'Oberland, qui lui dit que ses enseignements manquaient de vraie spiritualité. Tauler renonça à sa vie et suivit cet homme qui, d'après certaines traditions rosicruciennes, aurait été la réincarnation de Zarathoustra.

Tauler disparut deux ans. Quand il réapparut, il essaya de prêcher à nouveau mais, une fois devant un auditoire, il ne put s'arrêter de pleurer. À la deuxième tentative, il fut si inspiré que l'on dit que l'Esprit-Saint joua de lui comme d'un luth. Quand il parla de son initiation, il dit : « Ma prière a été entendue. Dieu m'a envoyé l'homme que j'ai tant attendu pour m'apprendre la sagesse que les hommes d'école n'ont jamais sue[3]. »

Tauler, c'est le mysticisme pragmatique. Quand un pauvre homme lui demanda s'il devait arrêter de travailler pour aller à l'église, il lui répondit : « L'un sait tournoyer [comme un derviche – ndlt] et l'autre faire des chaussures, tels sont les cadeaux du Saint-Esprit ».

L'on reconnaît en Tauler la grande sincérité et la probité pragmatique des Allemands. Martin Luther dit de lui : « En ce qui me concerne, je n'ai rencontré, ni en latin ni en notre langue [l'allemand], une théologie plus saine et plus consonante avec l'Évangile ».

---

[2] Mère Meera, née Kamala Reddy (née le 26 décembre 1960) est considérée par ses disciples comme une réincarnation vivante de Adiparashakti, avatar de la Mère divine (ndlt)

[3] La traduction de la citation (de l'anglais) est de nous (ndlt)

Bien évidemment, tous les initiés ne sont pas des mystiques, de même que tous ceux qui ont une vraie communication avec le monde des esprits. Certains grands individus, comme Melchisédek, ont été des avatars, des incarnations de grands êtres spirituels, capables de vivre en constante communication avec les esprits. D'autres, comme Isaïe, étaient des initiés dans des incarnations précédentes et portaient le pouvoir de cette initiation dans leur nouvelle incarnation. Le cosmos préparait les gens, mais chacun de façon différente : on dit que Mozart aurait traversé une série de courtes incarnations, qui avaient pour but de n'interrompre que très brièvement son expérience du monde des esprits afin que, lorsqu'il s'incarnerait en Mozart, il puisse encore entendre la musique des sphères. D'autres encore, comme Jeanne d'Arc, habitaient des corps préparés pour être extrêmement sensibles, parfaitement syntonisés, au point que les esprits d'un niveau très supérieur étaient capables d'œuvrer à travers eux, même s'ils n'étaient pas des incarnations de ces esprits. Les médiums modernes sont parfois des gens qui ont souffert d'un traumatisme durant l'enfance qui a provoqué une scission dans la membrane entre le monde matériel et celui des esprits.

Quiconque a passé du temps avec des médiums ou des voyants admettra facilement que souvent, ou même régulièrement, ces derniers reçoivent des informations par des moyens surnaturels – par quiconque, j'entends ceux dont la mentalité ne conduit pas à un scepticisme indépassable. Cependant, il apparaît également que la majorité des médiums ne contrôlent pas les esprits avec lesquels ils communiquent : souvent, ils sont même incapables de les reconnaître. Ces esprits sont parfois malveillants et leur donnent beaucoup d'information sans importance, tout en les abandonnant lorsqu'il s'agit de choses capitales.

À la différence des médiums, les initiés désirent transmettre leurs états de conscience altérée, soit de manière directe, comme cela est arrivé à mon ami à New York, soit en enseignant les techniques pour atteindre ces états.

La vie de Christian Rosenkreutz est souvent considérée comme une allégorie – ou un fantasme. Dans la tradition secrète, le grand être qui s'était incarné brièvement au XIIIe siècle en la personne du garçon à la peau lumineuse, réapparut en 1378. Il naquit dans une famille allemande indigente qui vivait à la frontière entre la région de la Hesse et la Thuringe. Orphelin à cinq ans, il fut envoyé vivre dans un couvent, où il apprit sommairement le grec et le latin.

À seize ans, il partit en pèlerinage. Il désirait visiter le Saint-Sépulcre à Jérusalem. À Chypre, l'ami qui l'accompagnait mourut ; il poursuivit sa route seul jusqu'à Damas et Jérusalem et enfin jusqu'à un endroit mystérieux, appelé Damcar, où il étudia trois ans et fut initié par la confrérie soufie appelée Ikhwan al-Safa, ou frères de Pureté. À cette époque, il traduisit le *Liber M* ou *Livre du monde* qui, dit-on, contient l'histoire passée et future du monde. Il poursuivit ensuite jusqu'en Égypte, en Libye et à Fez, où il apprit la Kabbale et la magie, avant de rentrer en Espagne.

Il revint en Europe déterminé à transmettre ce qu'il avait appris. En Espagne, on se moqua de lui et, après plusieurs humiliations, il retourna en Allemagne pour y vivre reclus. Cinq ans plus tard, il réunit trois de ses anciens amis du couvent.

C'est ainsi que naquit la fraternité des Rose-Croix.

Il enseigna à ses amis les sciences initiatiques qu'il avait apprises en voyage. Ils écrivirent ensemble un livre contenant « tout ce que l'homme peut désirer, demander et espérer » et ils acceptèrent d'obéir à six obligations : soigner les malades gratuitement, adopter les tenues et les coutumes des pays qu'ils visitaient afin de passer inaperçus, revenir chaque année dans la maison de Christian Rosenkreutz, connue désormais sous le nom de maison du Saint-Esprit, ou bien écrire pour expliquer leur absence et, enfin, choisir, avant de mourir, une personne qui deviendrait leur successeur et qu'ils auraient à initier. Enfin, ils tombèrent d'accord pour que la fraternité reste secrète durant cent ans.

Ils furent rejoints par quatre autres frères, puis partirent aux quatre coins de la planète avec la mission de transformer le monde, de le réformer.

Les extraordinaires dons surnaturels attribués aux Rose-Croix firent d'eux une des grandes légendes romantiques de l'histoire de l'Europe. Ils avaient le don de longévité – Rosenkreutz mourut en 1485, à 107 ans. Comme ils connaissaient les « secrets de la nature » et pouvaient commander aux êtres désincarnés, ils arrivaient à exercer leur volonté de manière magique et s'en servaient habituellement pour accomplir des miracles de guérison. Ils savaient lire dans les esprits, comprenaient toutes les langues et pouvaient même projeter des images vivantes d'eux-mêmes et communiquer de manière sonore, à de grandes distances. Ils pouvaient également se rendre invisibles.

D'après la tradition ésotérique, le grand kabbaliste Robert Fludd était un des érudits que Jacques Ier fit travailler sur la Bible de 1611[4]. On a toujours considéré qu'il était rose-croix. Si ce n'était pas le cas, il était du moins très bien informé et c'était un compagnon de voyage compatissant. Fludd publia un article défendant la confrérie, dans lequel il réfutait toute accusation de magie noire à son égard. Il argumenta que les dons surnaturels des Rose-Croix étaient un don du Saint-Esprit, comme saint Paul l'expliquait dans l'épître aux Corinthiens – traitant de la prophétie, des miracles, de la connaissance des langues, des visions, des guérisons et de l'exorcisme. Dès lors qu'un simple prêtre ne pouvait plus faire ce genre de choses, on peut aisément comprendre la fascination qu'exerçaient en Europe ces mystérieux rose-croix.

Tous les récits s'accordent pour dire que les prêtres de l'Antiquité savaient comment convoquer les dieux et les faire apparaître dans le Saint des Saints des temples. Mais après 869, date où l'église abolit la distinction entre l'âme et l'esprit, on ne savait plus comment atteindre le monde des esprits. Au XIe siècle, les prêtres ne savaient même plus convoquer les esprits pendant la messe mais, au XVe siècle, les esprits commencèrent à revenir dans ce monde, en empruntant le portail qu'avaient ouvert les Rose-Croix.

Mais il y a autre chose. Eckhart et Tauler avaient parlé de la *transformation matérielle du corps par la pratique spirituelle*. Eckhart avait fait d'intrigantes allusions à l'alchimie – « Le cuivre, avait-il dit, est agité, jusqu'à ce qu'il devienne de l'or ». Mais les Rose-Croix commencèrent à en rendre compte de manière plus systématique.

AUCUN AUTRE ARTISTE DE PREMIER PLAN N'A EXPOSÉ dans son œuvre ses idées sur l'alchimie, aussi ostensiblement que Jérôme Bosch.

On sait peu de chose sur ce mage hollandais, mis à part le fait qu'il était marié, qu'il avait un cheval et qu'il aurait contribué à la création de l'autel et des desseins des vitraux de la cathédrale de sa ville natale, Aachen. Bosch mourut en 1516 : il a donc dû peindre lorsque Christian Rosenkreutz était encore en vie.

---

[4] Connue également sous le nom de Bible du roi Jacques (ndlt)

Dans les années 1960, le professeur William Fraenger publia une étude monumentale sur Bosch en regard de l'état de la pensée ésotérique au temps de l'artiste. Fraenger donna du sens à ceux de ses tableaux qui avaient, jusque-là, paru simplement étranges et déroutants.

De nombreuses œuvres du maître furent appelées *Paradis*, *Enfer* ou *Apocalypse*, parfois sans raison apparente, simplement parce qu'elles contenaient d'étranges éléments visionnaires qui n'étaient pas l'apanage de l'iconographie et de la théologie chrétiennes. Cependant, il se trouve que les tableaux de Bosch sont profondément ésotériques – et contraires au dogme de l'Église. Bosch ne croyait pas, par exemple, que les malfaiteurs impénitents allaient en Enfer et qu'ils y restaient pour l'éternité. Il pensait qu'après la mort, l'esprit voyageait à travers les sphères de la Lune, puis s'élevait dans les sphères planétaires, au plus haut des cieux – avant de redescendre dans l'incarnation suivante. Dans le détail ci-contre, extrait d'un des panneaux du *Jardin des délices*, œuvre appelée conventionnellement *Enfer*, on voit un esprit en train de descendre d'une sphère à une autre.

D'après Fraenger, les tableaux de Bosch comme, par exemple, *Les Sept Péchés capitaux*, également conservé au Prado, à Madrid, montrent

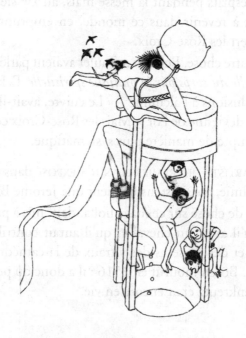

Détail du Jardin des délices.

qu'il connaissait une technique pour atteindre des états alternatifs, qui était pratiquée dans différentes écoles ésotériques de par le monde. D'après les enseignements ésotériques indiens, le seigneur d'or des pouvoirs cosmiques – Purusha – est présent aussi bien dans le Soleil que dans la pupille de l'œil. Dans les *Upanishad*, il est écrit : « Purusha est le miroir, sur lui je médite ». En regardant fixement son propre reflet dans son œil droit, on peut étendre sa conscience, passer d'une contemplation de son ego limité à la contemplation de son être divin, semblable au Soleil et présent dans chaque chose. Le mystique hollandais Jan Van Ruysbroeck, qui utilisait également cette méthode, disait que s'oublier soi-même et oublier le monde mène tout d'abord à des sensations de vacuité et de chaos, puis que le champ de vision se remplit d'énergie cosmique. Les images chaotiques qui apparaissent et qui semblent sorties des rêves finissent par se mettre en place et prendre un sens.

Cette technique de méditation « d'œil à œil » peut également se pratiquer dans un contexte sexuel.

Mathilde de Magdebourg, une mystique d'une époque antérieure, avait des visions d'un temps où la sensualité serait complètement intégrée à l'ordre spirituel des choses. Cet élan, croyait-elle, grandirait et prendrait racine en Europe du Nord, où apparaissait quelque chose de très différent de l'ascétisme de Ramón Lull. Des groupes ésotériques comme les frères et sœurs de l'Esprit libre, qui eurent de l'influence au temps de Bosch, étaient guidés par une vision de communautés rassemblées non pas par la loi, mais par l'amour. L'amour, quand il est contrôlé avec sagesse, est le chemin qui mène à la perfection divine.

Comme le disait Fraenger, le sexe en est la lame.

L'AUTEUR QUI EST HABITUELLEMENT LE PLUS ÉTROITEMENT ASSOCIÉ aux Rose-Croix, notamment parce que certains de ses écrits auraient été enterrés avec le fondateur de la confrérie, est Paracelse.

« Je suis un homme rude, disait Paracelse, né dans un pays rude. »

Plus précisément, il était né dans un village près de Zurich, en 1493. C'était un personnage étrange et agressif, qui semble ne jamais avoir porté la barbe et avoir conservé une apparente jeunesse à un âge très avancé.

Il étudia sous la tutelle de Jean Trithème, abbé de Saint-Jacob à Wurzbourg. Trithème était un des grands initiés de l'époque et fut également le professeur de Cornelius Agrippa. Trithème affirmait savoir projeter ses pensées à plusieurs centaines de kilomètres, sur les ailes des anges. L'empereur Maximilien Ier lui demanda de convoquer le fantôme de sa femme décédée et, quand Trithème s'exécuta, l'empereur put s'assurer qu'il s'agissait bien de sa femme, grâce au grain de beauté qu'elle avait sur la nuque.

Le camarade de Paracelse, Cornelius Agrippa, devint un intellectuel itinérant et vagabond, laissant derrière lui des rumeurs de magie. On disait que son grand chien noir, Monsieur, était démoniaque : il pouvait renseigner son maître sur les événements qui avaient lieu dans un rayon de cent soixante kilomètres. Dans son ouvrage *De occulta philosophia*, Cornelius Agrippa tenta de rédiger un compte rendu encyclopédique de la Kabbale chrétienne telle qu'elle était pratiquée, qui incluait un important grimoire de magie, encore utilisé par les occultistes d'aujourd'hui.

Cependant, Paracelse ne paraît pas avoir été très impressionné par Trithème : il semble qu'il ne voulait pas de ce savoir livresque, lui préférant l'expérience. Il partit vivre parmi les mineurs afin d'apprendre, seul, la vérité sur les minéraux. Il fit de nombreux voyages, de l'Irlande jusqu'aux marais infestés de crocodiles d'Afrique, apprenant les remèdes et les cures des pays qu'il visitait. D'un certain côté, on peut dire qu'il anticipait les frères Grimm en recueillant l'ancienne connaissance ésotérique avant qu'elle ne disparaisse. Il savait que la conscience changeait et qu'à mesure que l'intellect se développait, l'humanité perdait la connaissance *instinctive* des herbes médicinales − connaissance qui, jusque-là, avait été partagée avec les animaux supérieurs. Au moment critique de ce bouleversement, il fit un compte rendu aussi systématique que possible de toutes ces connaissances.

En 1527, Paracelse s'installa comme médecin à Bâle, en Suisse, et devint rapidement célèbre pour ses cures miraculeuses. Cependant, il se fit des ennemis parmi les médecins qui travaillaient dans la région, car il méprisait la médecine conventionnelle de l'époque. Dans son style typiquement emphatique, il écrivit à propos de Galen, auteur des textes de référence de médecine de l'époque : « Si seulement vos artistes savaient que leur prince Galen − qu'ils nomment comme personne − était coincé en Enfer d'où il m'écrit des lettres, ils se signeraient avec une queue de renard. »[5]

---

[5] La traduction est de nous (ndlt)

Son aptitude à guérir, apparemment miraculeuse, attira des rumeurs de nécromancie. Il avait une canne-épée, dans le pommeau de laquelle on murmurait qu'il cachait son remède alchimique le plus efficace. Il réussit à soigner un chanoine fortuné que ses médecins n'avaient pas réussi à soulager. Mais le malade refusa de le payer et les magistrats locaux lui donnèrent raison ; les amis de Paracelse lui conseillèrent alors de s'enfuir.

Il passa des années à vagabonder. La nature, disait-il, était son maître. « Je ne désire ni vivre confortablement, ni devenir riche. Le bonheur est bien mieux que la richesse et heureux celui qui vagabonde, ne possédant rien qui exige qu'il n'y accorde du soin. Celui qui veut étudier le livre de la nature doit promener ses pieds sur ses feuilles. »[6]

Cette philosophie, associée à une méthodologie pratique et pragmatique, est éminemment sensée et annonciatrice d'une pensée qui se rapproche de la science médicale moderne. Mais quelques-uns des écrits de Paracelse sont étrangement inquiétants…

Il écrivit sur l'« homunculus », par exemple, un être invisible qui naissait de la putréfaction du sperme, ainsi que sur la « mangonaria » un pouvoir de suspension magique qui permettait de soulever des objets très lourds. Il disait qu'il connaissait certaines régions où un grand nombre d'« élémentaux » vivaient ensemble et adoptaient les vêtements et les coutumes des humains.

Paracelse avait également des idées étonnantes à propos du sommeil et des rêves. Il disait que, pendant le sommeil, le corps sidéral – l'esprit animal – devenait libre de mouvement : ce dernier pouvait s'élever jusqu'à la sphère de ses ancêtres et converser avec les étoiles. Selon lui, les esprits qui voulaient se servir des hommes agissaient souvent sur ces derniers dans leurs rêves, et une personne endormie peut en visiter une autre dans ses rêves. Il évoqua les incubes et les succubes[7] qui se nourrissaient d'émissions nocturnes.

Paracelse était aussi un prophète et, à la fin de sa vie, il prophétisa le retour d'Élie, qui reviendrait et « rétablirait toute chose ».

---

[6] *Idem* (ndlt)

[7] Démons masculins et féminins, supposés abuser des femmes et des hommes durant leur sommeil (ndlt)

Cependant, au-delà de ces pratiques ésotériques, Paracelse fit également des découvertes et des avancées, dont nous parlerons par la suite, qui lui ont valu d'être surnommé par certains « le père de la médecine expérimentale moderne ».

Paracelse et sa canne-épée. Une des légendes qui circulaient sur Paracelse était qu'il cachait dans le pommeau de sa canne-épée une portion de l'« azoth ». Le détail à côté duquel Philip Ball est passé dans son excellente biographie du mage The Devil's Doctor, *sortie en 2006, est que cette légende est une blague narquoise. Azoth était le nom donné au feu secret des alchimistes, feu qui libérerait l'âme du corps. Il est contenu dans une graine. Nous devons nous rappeler, au passage, que dans l'alchimie indienne, le mercure est aussi appelé « la semence de Shiva ». L'épée de Paracelse a donc été forgée dans la chaleur du désir sexuel : c'est une épée de chair et l'azoth qui en sort, à son extrémité, est le mercure philosophique. Dans la nature, le sperme ressemble à un filet, dans lequel un esprit peut se poser et, par conséquent, s'incarner. Paracelse connaissait aussi certaines pratiques insolites, des techniques sexuelles secrètes à pratiquer avant le sommeil, qui pouvaient détacher le corps végétal du corps matériel et pouvaient aussi aider d'autres esprits à venir sur terre et lui apparaître en rêve.*

C'est dans ce paradoxe que se trouve la clé pour comprendre le secret de notre époque.

ON A DIT QUE LUI AUSSI ÉTAIT ROSE-CROIX, bien qu'il n'ait jamais revendiqué cette appartenance, mais le grand mage anglais Dr Dee était mû par un désir irrésistible de faire directement l'expérience du monde des esprits.

Le Dr Dee est sans doute le plus grand archétype du mage qui ait existé depuis Zarathoustra. L'image de Dee fait désormais partie de la culture populaire : vêtu de sa longue robe noire, portant une calotte et affublé d'une longue barbe blanche, le magicien travaille dans son laboratoire entouré d'instruments d'alchimie. Au milieu des éclairs de lumière, il convoque des êtres désincarnés grâce à des pentacles et autres dispositifs dessinés à la craie sur le sol.

John Dee naquit dans une famille galloise installée à Londres. Étudiant brillant, il enseignait déjà Euclide à Paris à un peu plus de vingt ans et se lia d'amitié avec Tycho Brahe. À la fin des années 1570, il forma un cercle appelé les Dionisii Areopagites, avec sir Philip Sidney et Edmund Spenser, dont le poème *La Reine des fées* regorge d'imagerie rosicrucienne et autres imageries ésotériques. Une biographie de Sidney dit de ce dernier qu'il recherchait les mystères de la chimie initiés par Dee.

Dee avait constitué une bibliothèque magnifique qui, paraît-il, était presque aussi grande que celle du grand historien français Jean-Auguste de Thou. La Kabbale était au centre de ses études. Il croyait dans le fondement mathématique de toute chose, dans un schéma de principes unifiants qu'il disait discerner dans les enseignements des anciens. Il réunit tous ces principes dans un glyphe extrêmement complexe, *La Monade hiéroglyphique*.

La réputation de Dee était telle, que la future Elizabeth Iʳᵉ lui demanda de choisir le jour de son couronnement d'après ses calculs astrologiques. Dee influença également la politique étrangère de la reine, en Europe, comme dans l'Amérique colonisée. Il existe un fait peu connu de sa vie, mais documenté : il se trouve qu'au sommet de sa fortune, Dee possédait une charte qui lui garantissait la propriété de ce grand bloc continental appelé le Canada. Sa vision de l'Empire britannique – expression qu'il créa – inspira et guida les voyages d'exploration de cette nation.

La Monade miéroglyphique.
Mon ami, l'érudit ésotérique Fred Gettings, a déconstruit ce glyphe, et mis au jour un niveau de sens qui a à voir avec l'évolution des deux univers parallèles – appelons-les le baconien et le shakespearien – que nous avons abordés dans le chapitre précédent.

En 1580, cherchant de toute évidence à faire une expérience spirituelle plus directe, il sollicita un médium.

Dee faisait des rêves mouvementés : il y avait de drôles de bruits de coups dans sa maison. Il loua donc les services d'un médium appelé Barnabus Saul, qui prétendait voir des anges dans sa boule de cristal. Dee s'en sépara au bout de six mois. Puis, en 1582, il rencontra Edward Kelley, un homme étrange qui portait une calotte, apparemment pour dissimuler ses oreilles, qu'on lui avait coupées pour le punir d'avoir fabriqué de la fausse monnaie. Kelley affirmait qu'il pouvait voir l'archange Uriel dans la boule de cristal de Dee, et c'est ainsi que commença une série de centaines de séances de spiritisme. Elles permirent à Dee d'apprendre à déchiffrer le langage des anges, qu'il appela la langue « énochienne ».

Le déclin du grand mage date de son association avec Kelley. L'homme dont les rêves d'empire avaient contribué à façonner le monde commençait à explorer les chemins de traverse, peu honorables, de la spéculation et de la pratique ésotériques.

Lors d'un voyage à Prague, Dee apprit à l'empereur Rodolphe II qu'il avait essayé pendant quarante ans de trouver ce qu'il cherchait, mais qu'aucun livre ne lui avait fourni les réponses à ses questions. Il avait donc décidé d'en appeler aux anges pour qu'ils intercèdent auprès de Dieu en sa faveur, et lui permettent de Lui demander les secrets de la création. Il dit à Rodolphe qu'à cette fin, il utilisait une pierre et qu'il s'assurait toujours que les esprits avec lesquels il commerçait étaient bons et non démoniaques.

Kelley était-il toujours aussi scrupuleux ? Lors du même voyage, les deux compères se vantèrent auprès de Rodolphe de pouvoir transformer le métal en or. Ils furent obligés de s'enfuir lorsque, poussés à en faire la démonstration, ils échouèrent. Il semble qu'à ce moment, le vieil homme était maltraité par Kelley, qui le forçait à faire d'humiliants échanges de femmes. De nombreuses personnes ont suspecté Kelley d'être un escroc qui ne faisait que prétendre recevoir des réponses aux invocations « énochiennes ».

Mais en 1590, Kelley semble avoir reçu, dans cette langue étrange, un message si terrifiant qu'il cessa d'opérer et quitta Dee brusquement. Ce message traduit de l'« énochien » donne à peu près ceci :

« Le lion ignore où je marche, les bêtes sauvages ne me comprennent pas non plus. Je suis déflorée, mais vierge ; Je sanctifie, mais je ne suis pas sanctifiée. Heureux celui qui m'embrasse, car la nuit je suis douce… mes lèvres sont plus douces que la santé elle-même, je suis une prostituée pour ceux qui me ravissent et une vierge pour ceux qui ne me connaissent pas. Purgez vos rues, ô fils des hommes, et nettoyez vos maisons… » Kelley a-t-il reconnu Babylone la grande, la prostituée de l'Apocalypse de Jean et a-t-il eu une vision de l'imminence de la fin du monde ?

Abandonné de tous en Angleterre, Dee était dans la misère la plus totale, incapable de nourrir sa famille. Il tempêtait constamment, devenait de plus en plus paranoïaque, voyant le complot partout. Après sa mort, il devint l'objet d'un culte. Beaucoup, comme le diariste John Aubrey et l'éminent maçon Elias Ashmole, pensent qu'il était rose-croix.

Quoi qu'il en soit, l'histoire que vous venez de lire est l'histoire populaire qui circule au sujet de Dee. Le sens profond de tout cela – et la motivation réelle de Dee – se situe dans l'histoire de la relation humaine avec le monde des esprits.

Comme nous l'avons vu, les chrétiens s'étaient depuis longtemps retirés du monde des esprits. L'Église semblait incapable de proposer une expérience directe ou un contact personnel avec les réalités spirituelles. Les gens réclamaient des merveilles et seules les sociétés secrètes pouvaient leur en fournir.

Le Dr Dee dit à Rodolphe II que, si l'on introduisait les techniques occultes de magie cérémonielle qu'il proposait dans le culte chrétien, chaque Église de la chrétienté pourrait être le théâtre d'apparitions quotidiennes : on assisterait au retour de la ferveur spirituelle de l'Église des origines, du temps de Clément et d'Origène, d'où les éléments kabbalistiques et hermétiques n'étaient pas exclus. L'Église du monde redeviendrait une Église de la magie.

C'était la grande vision évangélique de Dee.

De nos jours, cette idée peut choquer, mais il est important de replacer cela dans le contexte religieux de l'époque. Comme nous l'avons dit, la frontière entre la pratique des prêtres et celle des mages était subtile. Cependant, pour le Dr Dee, les pratiques magiques d'invocation des esprits des prêtres n'étaient que superstition folklorique et manquaient de rigueur intellectuelle, de finesse et de méthode.

Le mouvement néoplatonicien qui consistait à penser de manière systématique le monde des esprits et l'expérience spirituelle, s'était propagé depuis le sud de l'Europe et avait influencé des érudits comme Trithème, Agrippa et Dee. L'Allemand Johannes Reuchlin formula une Kabbale christianisée. Il prouva la divinité de Jésus-Christ en se servant d'arguments kabbalistiques, montrant que le nom de Jésus était dissimulé dans le Tétragramme, le nom sacré de Dieu.

Il semble évident que le Dr Dee s'intéressait à toutes ces théories mais, comme nous l'avons vu, il avait avant tout soif d'expérience. Son approche était aussi bien systématique qu'expérimentale. Il proposait une application raisonnée de techniques, sur des bases prévisibles, régulières et contrôlées, afin de produire des phénomènes spirituels. Nous sentons chez Dee, comme chez Bacon, les premiers frémissements de l'esprit scientifique. Le développement des facultés mentales nécessaires à l'invention de la science moderne se fit donc en partie dans un contexte occulte.

Ce que Dee suggérait à l'oreille de l'empereur était que, s'il jeûnait pendant une période déterminée, s'il travaillait sur sa respiration un certain nombre de fois, à des intervalles précis, s'il s'adonnait à la pratique sexuelle et s'il prononçait une formule précise à une heure prédéterminée selon les astres, il pourrait entrer dans un état de conscience altéré au cours duquel il communiquerait de manière libre et raisonnée avec les habitants du monde des esprits. Tout cela avait été établi par des expériences répétées et par les milliers d'années de pratique qui avaient donné des résultats prévisibles.

La mission de Dee était donc d'introduire quelque chose de totalement nouveau dans le courant de l'histoire. Les confréries initiatiques, comme la Rose-Croix, ont toujours pour but d'aider à diffuser de nouvelles formes de conscience en évolution, adaptées aux temps qui changent. Michael Maier, un commentateur de cette époque, qui écrivit avec une connaissance apparemment intime des Rose-Croix, déclara que « les activités des Rose-Croix sont déterminées par la connaissance de l'histoire et par la connaissance des lois de l'évolution de la race humaine ».

Ces « lois de l'évolution » sont à l'œuvre dans la grande histoire comme dans la vie individuelle. Ce sont les lois qui décrivent la nature paradoxale de la vie, que nous avons appelées les « lois profondes ». Elles sont décrites dans l'*Autobiographie d'un yogi* de Paramahansa Yogananda comme des « lois subtiles qui gouvernent les plans spirituels occultes et la conscience intérieure ». La formulation de ces lois se trouve dispersée dans la littérature rosicrucienne :

> Le Paradis n'est jamais là où on croit qu'il se trouve.
> Si on cesse de se limiter, c'est-à-dire si l'on désire mais
> qu'on lâche prise, l'objet désiré viendra.
> Ce qui tue produit la vie. Ce qui cause la mort mène
> à la résurrection.

Ces concepts rosicruciens allaient bientôt faire surface dans l'histoire dominante et transformer la culture occidentale.

Ce qui est peut-être le plus extraordinaire dans la carrière du Dr Dee, c'est le rôle qu'il joua dans l'histoire exotérique. Il était officiellement installé à la cour d'Elizabeth Iʳᵉ, en qualité de Merlin attitré de la reine, et s'employa également à introduire la magie dans l'Église sous l'égide de l'empereur Rodolphe II, mais ce n'est pas tout. Il était tellement célèbre qu'il pouvait inspirer des personnages aux dramaturges, que le public reconnaissait immédiatement – dans *L'Alchimiste* de Ben Johson, et *La Tempête* de Shakespeare notamment.

Comme nous le verrons, Dee fut le premier d'une série de personnages étranges et tragiques qui essayèrent d'introduire les doctrines ésotériques dans la vie publique.

22

Le catholicisme occulte

Jakob Böhme • Les conquistadores et la Contre-Réforme •
Thérèse, Jean de la Croix et Ignace de Loyola • Les manifestes
rosicruciens • La bataille de la montagne Blanche

EN 1517, AFIN DE FINANCER LA CONSTRUCTION DE LA BASILIQUE
Saint-Pierre de Rome, le pape décida de réhabiliter la vente d'indulgences. La basilique devait être le bâtiment le plus somptueux et le plus
splendide du monde. Martin Luther, professeur à Wittenberg, placarda
sur les portes de la chapelle du château de la ville ses « 95 thèses »
contre les indulgences, cela afin d'en informer la communauté.

Quand la bulle papale l'excommuniant lui parvint, il la brûla devant
une foule admirative. « Voilà comme je me rétracte, moi », dit-il en
public. En Europe du Nord, et surtout en Allemagne, soufflait un vent
de mécontentement, d'impatience contre l'obéissance aveugle, on aspirait à la liberté spirituelle. Le héros du moment, Luther, échappa au
bûcher, grâce à l'appui du prince électeur de Saxe, Frédéric III le Sage,
et il se mit à l'abri dans le château fort de Wartburg. C'est ainsi que, à
mesure que d'autres nobles allemands s'unissaient à lui pour protester
contre les excès du pape, naquit le protestantisme.

Certains voyaient en Luther la réincarnation d'Élie, dont Malachie
et Joachim avaient prophétisé le retour, annonciateur d'un âge
nouveau.

Luther était immergé dans la pensée mystique, dans les enseignements d'Eckhart et de Tauler. Son ami le plus proche et collabora-
teur littéraire était l'occultiste Philippe Melanchthon, neveu du grand
kabbaliste Reuchlin. Melanchthon était un passionné d'astrologie qui
écrivit une biographie de Faust. Luther lui-même avait pour habitude
de communiquer avec le monde des esprits : il entendait des voix qui
le guidaient. Un jour, dans un geste resté célèbre, il jeta un encrier à
la figure du Diable qui se moquait de lui.

Mais était-il pour autant un initié des sociétés secrètes ? Il existe des indices troublants qui le prouveraient : il fit une fois allusion au fait qu'il était un « maître accompli », terme qu'un franc-maçon d'un certain degré peut employer pour se définir. Il approuvait également l'alchimie, louant « l'allégorie et signification secrète » de cette discipline et reconnut également qu'elle jouait un rôle dans la résurrection de l'humanité[1].

Ce qui a également piqué la curiosité de certains commentateurs est la rose, que Luther avait adoptée comme symbole.

Cependant, la rose de Luther, blanche, à cinq pétales avec une croix en son centre, n'était pas la rose rouge mystique des Rose-Croix, épinglée à la croix de matière dans le but de la transformer. Il n'y a aucune raison de penser que Luther investissait sa rose du sens qu'on lui donne dans la physiologie occulte.

Paracelse avait été un des premiers admirateurs de Luther, mais il perdit ses illusions quand ce dernier promulgua sa doctrine de la prédestination, qui semblait à Paracelse être une vieille idée élitiste romaine, camouflée sous un nouveau nom. De plus, Paracelse était pacifiste et, même si Luther n'était pas directement responsable des massacres de catholiques qui eurent lieu lorsqu'il accéda au pouvoir politique, il aurait pu les faire cesser. Luther avait été porté au pouvoir par un vent d'enthousiasme et de ferveur mystique, mais lorsqu'il s'y trouva, il commença à craindre que cette même fièvre ne devienne une menace pour son autorité et tout ce qu'il avait accompli. Il était devenu morbide et paranoïaque, peu enclin à faire cesser les persécutions menées en son nom.

Les Rose-Croix apparaîtraient aujourd'hui comme l'extrême gauche radicale de la Réforme et on comprend mieux comment l'église luthérienne se retourna contre eux, à travers l'histoire de Jakob Böhme.

Le *Mysterium magnum* de Böhme, son commentaire de la Genèse, dévoila, du point de vue kabbalistique, un horizon de secrets vertigineux. À l'âge d'or du protestantisme, il embrasa l'imaginaire

---

[1] « La science de l'alchimie me plaît fort [...] mais je l'aime aussi à cause de l'allégorie et signification secrète, qui est d'une extrême beauté, c'est-à-dire, touchant la résurrection des morts au dernier jour » *Les Propos de table* (ndlt)

populaire, et ce également grâce à l'influence qu'il eut sur *Le Paradis perdu* de John Milton. Ses descriptions minutieuses de la physiologie occulte sont les preuves évidentes qu'il existe une tradition occidentale des chakras, indépendante de l'influence des enseignements orientaux qui se propagea en Occident au XVIIIe siècle. On y trouve également un compte rendu presque complet des correspondances qui existent entre les corps célestes, les minéraux et les plantes, qui avaient déjà été abordées dans le passé, de manière plus vague, par Agrippa et Paracelse.

Ce qui est surprenant, c'est que Böhme était presque inculte. Certes, dans son interprétation de la Bible, Fludd avait déjà évoqué l'histoire de la création comme une suite de séparations alchimiques. Mais il n'existe aucune preuve que Böhme ait lu Fludd.

Né en 1575 de parents analphabètes, il devint apprenti chez un cordonnier. Un jour, un étranger vint acheter une paire de bottes. En partant, il appela Jakob par son nom et lui demanda de le suivre dans la rue. Jakob était surpris que cet étranger connaisse son nom, mais sa surprise fut encore plus grande quand ce dernier le fixa d'un regard pénétrant et lui dit : « Jakob, tu es peu de chose, mais tu seras grand, et tu deviendras un autre homme, tellement que tu seras pour le monde un objet d'étonnement. C'est pourquoi sois pieux, crains Dieu, et vénère Sa parole ; surtout lis soigneusement les Écritures Saintes, dans lesquelles tu trouveras des consolations et des instructions, car tu auras beaucoup à souffrir, tu auras à supporter la pauvreté, la misère et des persécutions ; mais sois courageux et persévérant, car Dieu t'aime et t'est propice ». L'étranger disparut et Böhme ne le vit jamais plus, mais cette rencontre l'avait profondément marqué.

Il devint subitement si sérieux qu'il en déconcerta plus d'un. Quand son maître le mit à la porte, il devint artisan itinérant et, à force de travail, finit par monter sa propre échoppe.

Un jour, il était assis dans sa cuisine et le soleil qui brillait sur une assiette en étain l'aveugla. Pendant un moment, tout devint obscur puis, graduellement, la table, ses mains, les murs... tout ce qui l'entourait devint transparent. Il comprit qu'on avait beau considérer l'air transparent, ce dernier est, en vérité, assez brumeux – puisque lui était en train de le voir devenir réellement transparent, comme quand les nuages se dissipent. Soudain, il vit de nouveaux mondes des esprits lui apparaître, partout. Il réalisa que son propre corps était transparent et se vit en train de s'observer : le centre de sa conscience était sorti de son corps et se déplaçait librement dans le monde des esprits.

Ce fut le premier voyage de Jakob Böhme, de son vivant, à travers les hiérarchies spirituelles. Comme saint Paul, Mahomet et Dante avant lui.

D'une manière générale, Böhme avait un physique médiocre : il était petit, avec un front étroit ; mais à partir de ce moment-là, ses extraordinaires yeux bleus se mirent à briller d'une lueur étonnante. Les gens qui le rencontraient étaient impressionnés par sa capacité à voir leur passé et leur futur. Il était parfois capable de parler les langues de différentes parties du monde, datant de différentes époques.

Sa deuxième illumination eut lieu un jour où il marchait dans les champs. Il sentit qu'il pouvait faire l'expérience du mystère de la création. Il écrivit ensuite : « J'ai plus vu et connu en un quart d'heure que si j'étais resté de longues années dans une université ». Ce que Böhme venait de vivre ne contredisait pas ses croyances luthériennes basées sur la Bible, mais cela les clarifiait et les illuminait, lui ouvrant de nouvelles dimensions de sens.

Cependant, ses écrits se distinguaient par les descriptions qu'il faisait de ces enseignements, en insistant sur l'importance des expériences personnelles. Il avait écrit sa première œuvre, *L'Aurore naissante*, comme un aide-mémoire d'une de ses expériences mystiques mais, quand un seigneur de la région l'eut entre les mains et que, séduit par ce qu'il lisait, il en fit plusieurs copies, l'une d'entre elles se retrouva chez le pasteur de Görlitz. Ce dernier fut sans doute jaloux de Böhme, qui, de toute évidence, en savait bien plus sur le monde des esprits que lui-même, car il commença à persécuter le cordonnier. Il l'accusa d'hérésie, menaça de l'emprisonner et finit par lui faire quitter la ville en lui promettant le bûcher.

Peu après son expulsion, Böhme appela son fils Tobias à son chevet et lui demanda de lui permettre d'entendre la belle musique qui se jouait, réclamant qu'il ouvre la fenêtre.

Au bout d'un moment il dit : « Maintenant, je m'en vais au Paradis ! » Il poussa un profond soupir et mourut.

À la question « Où va l'esprit après la mort ? », Böhme avait un jour répondu d'une manière qui rappelait le zen germanique d'Eckhart : « Il n'a besoin d'aller nulle part. L'esprit a les Cieux et l'Enfer en lui. Le Ciel et l'Enfer sont l'un dans l'autre et ne sont rien l'un pour l'autre ».

BÖHME ET LE PASTEUR DE GÖRLITZ ne s'étaient pas compris. Ils représentaient deux formes de conscience très différentes. Le dégoût et l'intolérance qui naissent à l'autre bout du monde de la rencontre de deux consciences très différentes se manifestèrent à une échelle bien plus spectaculaire et bien plus tragique.

Des hommes moins idéalistes avaient succédé à Christophe Colomb. En 1519, Hernán Cortés avait établi une base à Veracruz après avoir navigué dans le golfe du Yucatan. Ses compagnons espagnols et lui-même avaient beau avoir entendu parler de l'incroyable richesse des Aztèques, lorsque l'ambassadeur de leur chef, Moctezuma, leur apporta des cadeaux, ils en restèrent stupéfaits.

Il y avait, entre autres, une représentation du Soleil, en or, de la taille d'une roue de char, ainsi qu'une encore plus grande de la Lune, en argent ; il y avait également un casque recouvert de perles d'or et une immense coiffe faite des plumes du grand oiseau quetzal.

L'ambassadeur aztèque expliqua aux Espagnols que c'étaient les cadeaux que leur seigneur Moctezuma offrait au grand dieu Quetzalcóatl. « Ce dieu avait quitté la terre longtemps auparavant, leur expliqua-t-il pour faire de la Lune son foyer ».

Les conquistadores réalisèrent alors que Cortés, qui portait la barbe, un casque et avait la peau claire, ressemblait aux descriptions prophétiques du dieu. Ils se dirent que, par coïncidence, ils étaient arrivés au moment précis où les astrologues aztèques avaient prophétisé le retour de Quetzalcóatl.

Certains des objets délicats et sophistiqués des Aztèques furent envoyés en Europe, où les vit Albrecht Dürer. Ce dernier déclara qu'ils étaient si fins et ingénieux qu'ils faisaient chanter son cœur. Mais les camarades de Cortés n'avaient pas la même élévation d'esprit. Quand ils arrivèrent à Tenochtitlán, la capitale aztèque (aujourd'hui Mexico), ils découvrirent qu'elle se trouvait au milieu d'un grand lac et qu'on pouvait y accéder simplement par des petits ponts artificiels, pouvant facilement être défendus. Moctezuma sortit les accueillir, s'inclina devant le divin Cortés et les invita à entrer. Le plan de Cortés était de kidnapper Moctezuma et de demander une rançon. Mais quand ses hommes virent tout l'or qu'abritait le palais, ils décidèrent de tuer le roi. À cause de cette manœuvre stupide, ils ne purent s'échapper de la capitale qu'au terme d'une longue bataille. Ce fut le début d'un des épisodes les plus sanglants de l'histoire.

Les conquistadores avaient entendu parler d'une source secrète d'or et d'un roi doré, l'El-Dorado, ou Homme doré, qui se baignait dans de l'or liquide chaque matin. Walter Raleigh, qui se joignit à cette quête de la cité mythique, écrivait : « L'Eldorado impérial, à la toiture d'or. »

Le rival de Cortés, Francisco Pizarro, se rendit au Pérou avec l'intention de piller un pays entier, protégé par des dizaines de milliers de personnes, avec une armée de seulement deux cents soldats.

Aussi traître que Cortés, il kidnappa le roi, après lui avoir offert de le rencontrer sans armes. Il exigeait comme rançon une pièce remplie d'or jusqu'au plafond. Pendant des semaines, les habitants apportèrent des plats, des gobelets et d'autres objets finement travaillés. Mais quand la pièce fut presque pleine, les Espagnols déclarèrent qu'il fallait qu'ils remplissent la pièce de lingots, non d'objets, et ils commencèrent à les fondre pour faire de la place.

Puis, comme ça avait été le cas avec Cortés, les hommes de Pizarro s'impatientèrent et tuèrent le roi – ce qui déclencha les hostilités. Quand la petite armée de Pizarro arriva à la capitale, ils trouvèrent des palais dont les murs étaient recouverts d'or, et dont les meubles, les statues de dieux et d'animaux et les armures étaient en or. Il y avait même un jardin artificiel où les arbres, les fleurs et les animaux étaient en or et un champ de cent mètres sur deux cents, où chaque tige de maïs était en argent et chaque épi, en or.

Le nombre d'Aztèques tués à la bataille de Tenochtitlán a été estimé à cent mille ; de leur côté, les conquistadores n'ont perdu que quelques hommes. La suite de la colonisation allait coûter la vie à plus de deux millions d'indigènes.

Mais les Aztèques ne se laissèrent pas toujours faire si facilement : au bout d'un certain temps, ils adoptèrent le comportement perfide et fourbe des Européens et les conquistadores eurent à déplorer de plus lourdes pertes.

Les Espagnols ne trouvèrent jamais l'Eldorado, pas plus que les mines, ni aucune trace de la source de l'or qui s'étalait dans les capitales, mais ce qu'ils avaient volé jusque-là suffit à financer la Contre-Réforme. Basée en Espagne et mise en application en grande partie par l'Inquisition du pays, la Contre-Réforme rendit la messe obligatoire. Des forces occultes et certaines confréries initiatiques se mirent également à son service.

La plus grande bibliothèque de littérature occulte se trouve au Vatican. L'Église n'a jamais pensé que les sciences occultes ne donnaient pas de résultats. Elle désire uniquement les garder sous contrôle. Les sociologues ont expliqué le pouvoir de la religion sur le peuple par sa capacité à expliquer la dimension sacrée et inconnue de la vie et à mettre la peur à distance. La religion devrait être capable de gérer les pouvoirs ténébreux et volcaniques des esprits, qui jaillissent parfois dans le monde matériel.

En Europe du Nord, de nombreuses personnes menaient leur quête spirituelle en dehors du catholicisme, et l'Espagne, était quant à elle animée, par un mysticisme tout aussi sombre et dangereux, au sein même de l'Église.

Thérèse naquit à Avila, près de Madrid, en 1515, probablement d'une famille de juifs convertis. Elle s'enfuit de chez elle pour entrer au couvent. Elle tomba malade et, perdant la conscience du quotidien, plongea dans un état mystique. Comme ces épisodes étaient fréquents, elle se servit des manuels médiévaux des mystiques et des textes de Ramón Llull pour la guider vers la connaissance de l'expérience mystique.

Au XVIIe siècle, les enseignements ésotériques catholiques étaient presque visibles dans le monde exotérique. Les visions de Marie des Vallées et Marie Alacoque conduisirent les enseignements populaires de l'Église à se tourner vers les mystères du sacré-cœur. Au XXe siècle, à Londres, la ville où je travaille, la librairie la plus spécialisée dans l'occultisme – je veux dire par là, celle qui met l'accent sur les événements surnaturels comme la lévitation, les apparitions et les métamorphoses – n'est pas celle qui se définit comme telle, mais la librairie Padre Pio, qui se trouve dans l'ombre de la cathédrale de Westminster.

L'Extase de sainte Thérèse d'Avila a été sculptée par Bernin, le grand artiste initié de la Contre-Réforme. « Il n'était point grand, mais petit et très beau ; je voyais dans les mains de cet ange un long dard qui était d'or, et dont la pointe en fer avait à l'extrémité un peu de feu. De temps en temps, il le plongeait, me semblait-il, au travers de mon cœur, et l'enfonçait jusqu'aux entrailles ; en le retirant, il paraissait me les emporter avec ce dard, et me laissait tout embrasée d'amour de Dieu. La douleur de cette blessure était si vive, qu'elle m'arrachait ces gémissements dont je parlais tout à l'heure : mais si excessive était la suavité que me causait cette extrême douleur... » Ce passage fait indéniablement allusion à l'extase sexuelle, au point que l'on pourrait en venir à comparer cela avec les pratiques sexuelles magiques des sociétés mystiques de cette même époque.

Les journaux spirituels de Thérèse décrivent également une ascension de l'âme qui concorde avec les récits kabbalistiques de l'arbre des séphirot. Elle décrit des expériences de décorporation et les organes de la vision spirituelle de l'âme – les chakras, qu'elle appelle les « yeux de l'âme ». Mais, bien que ses récits puissent être influencés par une connaissance de la Kabbale, ce qui en ressort en premier, c'est l'immédiateté de son expérience personnelle et la compréhension de la façon dont fonctionne le monde des esprits, que l'on trouve rarement en dehors de l'Inde. Aucun élément ne permet de dire que ses récits ne sont pas authentiques, ni qu'ils ne sont que pur artifice littéraire.

Les états d'extrême spiritualité de Thérèse induisirent souvent des phénomènes surnaturels, comme la lévitation, dont bien des gens furent témoins : les sœurs devaient se démener pour la maintenir au sol !

Ce serait une erreur de croire que l'expérience de la lévitation est obligatoirement une expérience divine. Thérèse parle de se sentir « suspendue entre le ciel et la terre, et [elle] ne sait que devenir ». On sent ici la solitude, l'aridité spirituelle, qui avait été prédite par Eckhart, et qui trouvera sa plus juste expression chez un disciple de Thérèse, saint Jean de la Croix.

Aujourd'hui, nous vivons à une époque où l'expérience du monde des esprits est rare : nous avons donc tendance à lire les récits de Thérèse ou de son élève Jean comme des allégories, des comptes rendus idéalisés de sensations subtiles, ou même comme une description triviale de changements d'humeur, mis en forme de manière

L'Extase de sainte Thérèse d'Avila *dans la chapelle de Cornaro, à Rome.*

prétentieuse ou mélancolique. Mais le récit de saint Jean de la Croix de *La Nuit obscure* de son âme, qu'il écrivit après un séjour en prison et en isolement, n'est pas la narration de ses changements d'humeur, mais bien d'un état de conscience particulier, *une altération des facultés mentales* aussi radicale que celle provoquée par la prise de drogues hallucinogènes.

Les Espagnols se projettent dans la mort. Le travail de leurs mystiques, de leurs écrivains et de leurs artistes montre bien qu'ils gardent à l'esprit l'immanence de la mort, non pas de manière théorique, mais de manière existentielle et pressante. Ils voient la mort les traverser et les entourer : ils sont prêts à se mesurer à elle et ils prennent le risque d'être vaincus par elle, afin de lui arracher ce que la vie a de plus précieux. Cet état d'esprit espagnol trouve son expression la plus vibrante dans *La Nuit obscure*. Nous avons évoqué la mort mystique, étape du processus d'initiation que le candidat doit traverser. Après les premières manifestations réconfortantes et éclairantes de l'esprit, le candidat est jeté dans un état de profond désespoir. Non seulement il n'a aucun doute sur sa mort prochaine, mais il est également persuadé que Dieu l'a abandonné et que le cosmos tout entier le méprise. Il ne désire rien de plus que la demi-vie d'ombre qu'on lui montre.

Si Jean décrit son expérience en des termes qui sont reconnaissables pour nous aujourd'hui, c'est en partie parce qu'il a contribué à formuler le langage même que nous utilisons pour décrire le voyage de l'esprit à travers le Purgatoire, la sphère de la Lune.

Les autres saints « lévitants » sont saint Thomas d'Aquin, Catherine de Sienne, saint François d'Assise, Joseph de Cupertino et, au XXᵉ siècle, Padre Pio et Gemma Galgani.

Le récit de Jean est également traversé par un niveau de signification prophétique. Il anticipait une ère de l'histoire où l'humanité incarnée tout entière allait devoir traverser sa propre nuit obscure.

Mais la forme d'occultisme la plus caractéristique de la Contre-Réforme fut celle des Jésuites.

Ignace de Loyola était soldat professionnel. Quand il perdit sa jambe lors du siège de Pampelune, il devint invalide de guerre et quitta l'armée espagnole. Pendant sa convalescence, il lut un livre sur la vie des saints et prit conscience de sa vocation religieuse. Alors, en 1534, lors de ses études à Paris, il réunit autour de lui sept de ses camarades pour former une confrérie. Ils devaient devenir des soldats de l'Église, à la discipline stricte. En 1540, le pape reconnut cet ordre sous le nom de Compagnie de Jésus. Les Jésuites devaient devenir l'élite intellectuelle de l'Église, son service de renseignements militaires, ses serviteurs jusqu'à la mort, pourchassant l'hérésie et les accès illicites au monde des esprits, c'est-à-dire ceux que l'Église ne contrôlait pas. Les Jésuites devinrent les éducateurs et missionnaires du pape, instituant un système rigoureux qui orientait les jeunes vers Rome et leur inculquait l'obéissance. Ils réussirent leur mission avec brio, notamment en Amérique centrale, en Amérique du Sud, et en Inde.

Ignace de Loyola inventa des épreuves et des techniques destinées à atteindre des états de conscience alternatifs, comme des exercices de respiration, la privation de sommeil, la méditation sur des crânes, l'entraînement au rêve éveillé et à l'imagination active. Lors de cette dernière, il fallait construire une image mentale élaborée que les sens pouvaient percevoir et que les esprits désincarnés pourraient habiter, procédé connu des Rose-Croix sous l'appellation « construire une cabane près du palais de la sagesse ».

Mais les exercices de Loyola comportaient une différence subtile, et non négligeable. Alors que les techniques rosicruciennes étaient conçues pour aider à atteindre un échange libre, aussi bien dans la volonté que dans la pensée, avec des êtres des hiérarchies supérieures, les exercices spirituels d'Ignace de Loyola étaient destinés à faire taire la volonté et à induire un état d'obéissance soumise, identique à celle d'un soldat. « Prends, Seigneur, et reçois toute ma liberté, ma mémoire, mon intelligence et toute ma volonté, tout ce que j'ai et possède. »

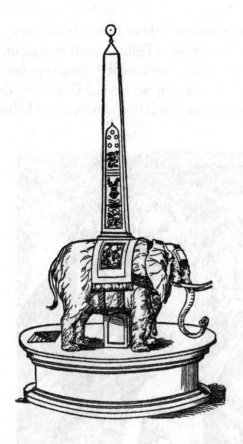

*Le célèbre obélisque du Bernin de Santa Maria sopra Minerva (sur la place de la Minerve, à Rome) est inspiré par l'*Hypnerotomachia, *ou* Songe de Poliphile, *d'Alberti – qui, comme nous l'avons vu, fut également une influence occulte clé de Léonard de Vinci.*

En Occident, les librairies ésotériques sont dominées par la littérature hindouiste, bouddhiste et autres pensées orientales, mais *Les Exercices spirituels* d'Ignace de Loyola demeurent le recueil de techniques ésotériques le plus publié et le plus facile à se procurer de la tradition occidentale.

En 1985 fut publié un livre anonyme qui s'appelait *Méditations sur les vingt-deux arcanes majeurs du Tarot.* Il eut un grand retentissement dans les cercles ésotériques, car il montrait, de manière très érudite, que le symbolisme des cartes du Tarot se réfère à un schéma unifié de croyances, qui sous-tend l'hermétisme, la Kabbale, la philosophie orientale et le *catholicisme.* Ce livre est une véritable mine de la tradition et de la sagesse ésotériques.

Par la suite, il apparut que l'auteur était Valentin Tomberg, qui avait été initié par Rudolf Steiner, mais qui s'était ensuite détourné de l'anthroposophie de son maître pour se convertir au catholicisme.

Quand on sait cela, le but sous-jacent de ce livre – inviter ceux qui s'intéressent à l'ésotérisme à rejoindre l'Église – semble évident. Ce procédé était-il malhonnête intellectuellement ? Tomberg, comme Loyola avant lui, essayait de faire en sorte que l'initiative de la pratique ésotérique ne soit pas complètement soustraite à l'Église.

Les personnages allongés du Greco ont des yeux à demi ouverts, comme s'ils contemplaient un mystère intérieur. Ils se tiennent dans des paysages mouvementés aux ciels de tempête. Non seulement, le Greco peint des personnes dans des états altérés et mystiques, mais il transmet un ressenti de ces états. René Huyghe, le critique d'art français, a analysé la lumière sur la vue panoramique de Tolède peinte par l'artiste. Dans la réalité, la ville est baignée d'une lumière violente et vive, toute méditerranéenne, alors que dans la vision du Greco, cette lumière a pris un aspect fantastique, surnaturel. En tant qu'initié, l'artiste peignait ce que saint Jean de la Croix décrivait quand il écrivit : « Par une nuit obscure, enflammée d'un amour plein d'ardeur, sans autre lueur ni guide que celle qui en mon cœur brûlait ».

NOUS AVONS ABORDÉ LA VIE D'INDIVIDUS qui œuvraient en Europe du Nord, semble-t-il de manière plus ou moins isolée – Eckhart, Paracelse, Dee et Böhme.

Mais avons-nous la preuve qu'il existait un réseau, comme celui de la supposée société secrète de la Rose-Croix ? Pouvons-nous trouver des preuves qui soutiendraient ces rumeurs de confréries secrètes ?

En 1596, un homme du nom de Beaumont fut condamné pour pratique de la magie par le tribunal d'Angoulême. Comme l'a consigné le célèbre historien français Jacques-Auguste de Thou, Beaumont confessa qu'« il conversait avec les esprits célestes, habitants de l'air [...]. Que le monde était rempli de sages qui faisaient profession de cette sublime philosophie, qu'il y en avait en Espagne, à Tolède, à Cordoue, à Grenade et en beaucoup d'autres lieux, qu'autrefois elle était célèbre en Allemagne, qu'en France et en Angleterre, elle s'y conservait dans certaines familles illustres, qu'on n'admettait à la connaissance de ces mystères que des gens choisis de peur que par le commerce des profanes, l'intelligence de ces grands secrets ne passât à la canaille et à des gens indignes ».

Puis, moins de trente ans plus tard, une série de trois pamphlets fit son apparition : ils prétendaient révéler l'histoire vraie.

Le premier, la *Fama fraternitatis*, ou les *Échos de la fraternité*, fut publié anonymement à Kessel, en Allemagne, entre 1614 et 1616, et appelait à une révolution spirituelle.

Le deuxième, la *Confessio fraternitatis,* racontait l'histoire de Christian Rosenkreutz, le fondateur de la confrérie, et faisait un compte rendu des règles qu'il avait instituées, révélant également la découverte de sa tombe en 1604...

On avait découvert une porte dissimulée sous un autel et menant à une crypte, qui portait une inscription : *Post 120 annos patebo*[2]. Dans la crypte, on trouva un mausolée heptagonal, dont chaque côté mesurait deux mètres et demi de haut et, en son centre, au-dessus d'une table circulaire, était suspendu un soleil. Sous cette table, on retrouva le corps intact de Rosenkreutz, entouré de livres, dont la Bible et un texte de Paracelse. Le corps tenait dans sa main un rouleau de parchemin sur lequel on pouvait lire : « Nous sommes nés de Dieu, nous mourrons en Jésus et nous renaîtrons par l'Esprit-saint. »

---

[2] Après 120 ans, je m'ouvrirai (ndlt)

Un détective littéraire minutieux aurait pu remarquer que sur la page titre de ce deuxième pamphlet figurait l'emblème occulte de la conscience évoluée du Dr Dee, avec sa forme caractéristique : *La Monade hiéroglyphique*.

Le troisième pamphlet, *Les Noces chymiques de Christian Rosenkreutz*, était un récit allégorique de l'initiation, un mariage chimique, magique et sexuel, dans la tradition de l'*Hypnerotomachia*.

Ces publications firent sensation dans toute l'Europe.

Qui étaient ces frères rose-croix, et qui était l'auteur de ces écrits ?

Le nom de ce dernier fut dévoilé rapidement : c'était un jeune pasteur luthérien, Johann Valentin Andrae. Son mentor spirituel avait été le grand mystique Jean Arndt, le disciple de Jean Tauler, qui avait lui-même été le disciple de Maître Eckhart.

QUAND ON CONSIDÈRE LES ALLÉGATIONS DE L'HISTOIRE ésotérique, il est normal d'éprouver la frustration de ne pas détenir davantage de preuves : les opérations des sociétés secrètes laissent peu de traces, c'est inhérent à leur nature. Si elles atteignent leur but, elles n'en laissent presque pas. Pourtant, ce qu'on en dit est très impressionnant : que ces sociétés secrètes sont représentatives d'une ancienne philosophie universelle, que cette dernière est cohérente et consistante, qu'elle explique l'univers de manière plus adéquate que toute autre et que beaucoup, si ce n'est la majorité, des grands hommes et des grandes femmes de l'histoire, ont été, ou sont encore, guidés par elle.

À la lumière de cette dichotomie, il est naturel de se demander si ces sociétés sont vraiment une sorte de coalition secrète des plus grands génies – ou si ce n'est pas simplement le fantasme de quelques personnes isolées et marginales, voire un peu sottes.

C'est probablement le moment adéquat de se confronter à cette question, car dans les pages précédentes, nous avons suivi deux traditions parallèles : la tradition largement exotérique des grands mystiques, d'une génération à l'autre, et la très ésotérique, qui ressemble à une vague association de magiciens et d'occultistes : forces mystiques à l'origine de la Réforme, chaîne d'initiés qui relie Eckhart, Tauler et Arndt au réseau de mages tels que Rosenkreutz, Paracelse et Dee.

Nous venons de voir comment, en 1614, ces deux traditions se sont enfin croisées en la personne de Valentin Andrae.

Marie en Isis, déesse de la Lune, par Murillo.

L'INFLUENCE OCCULTE DES SOCIÉTÉS SECRÈTES ne se dévoile pas souvent et, comme nous l'avons vu dans le cas de la disgrâce de Dee, quand elle le fait, elle se met en danger. Elle change de nature et risque de perdre ses pouvoirs dès qu'elle se trouve révélée.

Dans les années qui suivirent la publication de la *Fama*, les adeptes de la Rose-Croix sortirent de l'ombre au son des canons et des mousquetons. Ils s'engagèrent dans une guerre sanglante et désespérée contre les Jésuites pour contrôler l'esprit de l'Europe.

Dans l'histoire conventionnelle, qui ne croit pas aux manifestes rosicruciens et les suspecte de n'être qu'un fantasme, leur publication marque le début du phénomène rosicrucien. Dans notre histoire secrète, en revanche, ces manifestes annoncent la fin des vrais rose-croix – du moins le début de la fin.

La publication de ces manifestes, au début du XVIIᵉ siècle, marque également la fondation d'une autre société secrète, qui allait dominer les affaires du monde, et ce jusqu'à aujourd'hui.

L'institution du Saint Empire romain germanique, fondée par Charlemagne en 800, était basée sur l'idéal d'un dirigeant mondial qui, avec la bénédiction du pape, allait réunir la chrétienté et défendre la foi. Au début du XVIIᵉ siècle, cet idéal avait perdu de sa splendeur. Aucun empereur du Saint Empire n'avait été couronné entre 1530 et 1576, date du couronnement de Rodolphe II, et de nombreux royaumes et principautés allemands étaient devenus protestants – ce qui, naturellement, minait l'idée d'une Europe unie sous un Empereur Romain.

Après la mort de Rodolphe II – l'empereur intellectuellement curieux, tolérant et attiré par l'occultisme que le Dr Dee n'avait pas réussi à impressionner –, le conflit autour de sa succession amena les rose-croix à fomenter un complot. Si Frédéric V, prince rhénan et frère rose-croix, pouvait s'asseoir sur le trône de Bohême, l'Europe deviendrait protestante.

Les rose-croix avaient cultivé une relation avec Jacques Iᵉʳ d'Angleterre. Michael Maier, dont les gravures traitant d'alchimie sont les plus explicites jamais imprimées, lui envoya une carte de vœux. En 1617, Robert Fludd lui dédia son travail sur la cosmologie ésotérique, *Utriusque cosmi historia*, le saluant par une épithète consacrée à Hermès Trismégiste. Enfin, en 1612, la fille de Jacques, Elizabeth Stuart, épousa Frédéric V. On célébra le mariage à la cour, où fut donnée une représentation de *La Tempête*, pièce à laquelle on venait de rajouter la scène du masque. On peut dire, avec une once d'artifice littéraire, que le Dr Dee était présent, en esprit.

Le plan des rose-croix était que, quand Frédéric partirait pour Prague afin d'être couronné empereur, en 1619, Jacques volerait au secours de son beau-fils et de sa fille, pour les défendre des attaques des catholiques.

Mais Jacques n'en fit rien. Les troupes de Frédéric furent défaites lors de la bataille de la montagne Blanche, et Frédéric et Elizabeth durent fuir Prague. À cause de leur règne ridiculement court, on les affubla du sobriquet de roi et reine d'hiver.

La guerre de Trente Ans fut menée par Ferdinand, de la grande dynastie catholique des Habsbourg, dont les guides intellectuels étaient les Jésuites. Le but des Habsbourg était de rétablir la suprématie catholique en Europe. Au cours de cette guerre, cinq villes ou villages allemands sur six furent détruits et, des neuf millions d'habitants que comptait le pays, cinq millions furent exterminés. Le rêve rosicrucien fut détruit dans un carnaval de bigoterie, de torture et de massacres. L'Europe centrale n'était plus qu'un désert.

Mais l'Église remporta une victoire éphémère car, si elle s'imaginait vraiment pouvoir combattre les sociétés secrètes et la magie noire, elle était sûrement en train de faire l'erreur de croire à sa propre propagande.

Le vrai ennemi était le plus ancien de tous, mais affublé d'un nouveau costume.

23

Les origines occultes de la science

Isaac Newton • La mission secrète de la franc-maçonnerie •
Elias Ashmole et la chaîne de transmission • Ce qui se passe
vraiment en alchimie

EN 1543, NICOLAS COPERNIC PUBLIA *Des révolutions des sphères célestes*, ouvrage dans lequel il soutenait que la Terre tourne autour du Soleil.

En 1590, Galilée fit des expériences qui démontraient que la vitesse de chute des objets est proportionnelle à leur densité, et non pas à leur poids.

En 1609, Johannes Kepler, en se servant des cartes des étoiles de Tycho Brahe, calcula les trois lois du mouvement des planètes.

Dans les années 1670, Isaac Newton conçut une théorie unificatrice, reliant toutes ces découvertes, et décrivit le comportement mécanique de l'univers en trois formules simples.

On serait tenté de voir en tout cela le signe d'une poussée triomphante de l'humanité, entrant dans le monde moderne, abandonnant des millénaires de superstitions obscures et d'ignorance, s'épanouissant enfin dans la resplendissante lumière de la raison. Mais il ne faut pas oublier que des milliers d'années plus tôt, les prêtres initiés des temples égyptiens, qui savaient que Sirius était un système à trois étoiles, avaient parfaitement conscience que la Terre tourne autour du Soleil.

De plus, nous avons des preuves que les héros de la science moderne étaient profondément versés en sagesse ancienne – des personnes qu'on serait loin de suspecter d'une telle accointance.

Copernic admit que ses idées lui avaient été inspirées par la lecture des textes de l'Antiquité et, quand Kepler formula ses théories, il avait conscience d'être traversé par la sagesse des anciens. Dans l'introduction du cinquième volume de *L'Harmonie du monde* (1619), il écrivit :

« J'ai bien volé les vases d'or des Égyptiens pour en construire à mon Dieu un tabernacle. »

Kepler était un vieil ami de Richard Beshold, qui travailla étroitement avec Johann Valentin Andrae, auteur présumé des manifestes rosicruciens.

Isaac Newton naquit à Woolsthorpe, dans le Lincolnshire, et sa taille ne dépassa jamais un mètre cinquante. C'était un homme étrange, excentrique, sexuellement désorienté et solitaire. Pendant sa scolarité, il logeait chez un apothicaire qui se révéla être un adepte de l'alchimie : le chemin de Newton était tout tracé. Comme Cornélius Agrippa, Newton essaya de découvrir comment fonctionnait le monde.

Il en vint à penser que les secrets de la vie sont numériquement codés dans la structure de la nature. Il croyait aussi que les indices qui permettaient de déchiffrer ces codes, aussi bien numériques que linguistiques, se trouvaient dans les anciens livres de sagesse et dans d'anciens édifices comme la Grande Pyramide et le temple de Salomon. Comme si Dieu avait défié l'humanité et que celle-ci ne serait capable de reconnaître la présence de ces codes et de les déchiffrer que lorsqu'elle aurait développé l'intelligence nécessaire. Pour Newton, l'heure était venue.

On dit habituellement que la carte des sphères de Ptolémée a été remplacée par les idées de Copernic, de Galilée et d'autres. Mais en fait, elle était, et demeure, une carte très exacte de la dimension spirituelle du cosmos, dimension qui semblait plus réelle aux anciens que le cosmos matériel.

Pour Newton, chaque partie de l'univers est intelligente, même un caillou, et pas simplement parce qu'il a une forme. D'après la pensée ancienne que Newton avait adoptée, les catégories animale, végétale et minérale ne sont pas complètement distinctes. Elles se croisent, se mélangent naturellement et, dans certaines circonstances, l'une peut se fondre en l'autre. Comme le dit lady Conway, kabbaliste contemporaine de Newton : « Il existe des transformations d'une espèce en une autre, comme une roche devient terre, la terre devient herbe, l'herbe, mouton, le mouton, la chair, les espèces inférieures à l'homme, et celles-ci, les esprits les plus nobles[1]. » Pour Newton, tout dans l'univers aspire à l'intelligence. La matière inanimée se transforme en vie végétale, qui elle-même aspire à la vie animale par des moyens de sensibilité rudimentaire. Les animaux supérieurs ont un instinct presque raisonnable, semblable à notre faculté de raison, et nous, nous attendons d'évoluer pour devenir des êtres supérieurement intelligents.

Cette aspiration universelle à l'intelligence suprême regarde les cieux, comme l'avaient annoncé les stoïques. Le kabbaliste du XVIe siècle, Isaac Louria[2], la formule à peu près ainsi : il n'y a rien dans le monde, pas même parmi les choses muettes, comme la poussière et les rochers, qui ne possède pas une certaine vie, une nature spirituelle, une planète précise et une forme parfaite dans les cieux. Louria parlait de l'intelligence qui existe dans une graine, qui répond à l'intention intelligente de la lumière du Soleil. La tradition ésotérique ancienne ne prétendait pas que *toute* l'information nécessaire à la transformation d'une graine en plante se trouvait dans la graine. La croissance est un processus qui résulte de l'intelligence que possède la graine et qui interagit avec l'intelligence du grand cosmos qui l'entoure.

Nous savons, grâce à l'enquête qu'a menée John Maynard Keynes sur la dimension occulte existant dans la vision du monde

---

[1] La traduction est de nous (ndlt)

[2] Rabbi Isaac Ashkenazi de Louria ou Loria (Jérusalem 1534 - Safed 1572), rabbin et kabbaliste, est considéré comme un des penseurs les plus profonds du mysticisme juif, et comme le fondateur de l'école kabbalistique de Safed. Il fut même identifié par certains sages comme étant le Machiah ben Yossef (ndlt)

de Newton, que ces écoles de pensée fascinaient le scientifique. Newton se demandait s'il était possible de discerner différentes intelligences, peut-être même des principes distincts, avec des centres de conscience différents, au-delà de la surface matérielle des choses. Cela ne veut pas dire qu'il imaginait ces principes comme des anges assis sur des nuages, ni qu'il les visualisait d'une manière anthropomorphique et naïve – mais il ne les voyait pas non plus comme des entités totalement impersonnelles, et encore moins comme une pure abstraction. Il les appelait « intelligences » afin de suggérer une volonté.

COMME NOUS L'AVONS VU, les occultistes s'intéressent tout particulièrement à l'interface qui existe entre l'animal et le végétal d'un côté, et entre le végétal et le minéral de l'autre. Dans la vision ésotérique, c'est là que se trouve la clé pour comprendre les secrets de la nature et les manipuler. Le végétal est l'intermédiaire entre la pensée et la matière. On peut l'appeler *le portail entre les mondes*.

Pour nous aider à comprendre pourquoi une personne peut avoir envie de croire à tout cela, nous devrions peut-être nous rappeler le récit de l'esprit précédant la matière dans la création, abordé au début de cet ouvrage. Si l'on croit que le monde est formé par l'intelligence, par l'esprit, il faut expliquer comment l'immatériel forme le matériel. Dans toutes les anciennes cultures du monde, cela a été compris comme une série d'émanations de l'esprit, qui, au commencement, étaient trop éthérées pour avoir une perception sensorielle, et plus fines encore que la lumière. C'est de ces émanations éthérées que fut précipitée la matière.

Cette dimension éthérée se situait alors, et se situe encore, entre l'esprit – ou dimension animale – et la matière. D'où la traditionnelle graduation entre l'animal, le végétal et le minéral.

L'esprit ne pouvait pas – et ne peut toujours pas – créer ou commander la matière directement, mais seulement par le biais de la dimension végétale. La dimension minérale du cosmos, tel qu'il était, s'est développée à partir de cette dimension végétale et, pour les occultistes pratiquants, quelque chose de crucial en a découlé. Ce que Paracelse appelait l'*ens vegetalis* est manipulable par l'esprit et, comme la dimension minérale s'est développée à partir de cette dimension végétale, il est possible d'exercer le pouvoir de l'esprit sur la matière, *à travers* ce canal.

Le nom que Newton donnait à ce médium subtil, qui peut être utilisé par l'esprit pour réorganiser le cosmos, est le salpêtre[3]. Dans les comptes rendus de ses expérimentations, il décrit la façon dont il a mené des expériences afin de comprendre comment utiliser le salpêtre pour donner vie aux métaux. Ces notes sont de vrais comptes rendus d'alchimiste. Newton voyait le salpêtre circuler depuis les étoiles jusqu'au centre de la Terre et l'investir de vie, d'abord à travers les plantes, mais également, lors de circonstances particulières, donner vie aux métaux. Il décrit, avec un enthousiasme grandissant, comment des composés de métaux s'éveillent à la vie dans des solutions de nitrate et commencent à grandir comme des plantes. Cette « végétation de métaux » le conforta dans sa conviction que l'univers est vivant et, dans ses notes privées, il utilisa la notion du salpêtre pour aider à comprendre les effets de la gravité.

QUAND ON SONDE LES VIES CACHÉES des héros de la science, des gens qui ont forgé la vision universelle mécanique et ont permis les grands progrès technologiques qui ont rendu notre vie bien plus sûre, plus facile et plus agréable, nous nous trouvons souvent face à une évidence : tous sont, ou ont été, profondément immergés dans la pensée ésotérique – l'alchimie en particulier.

L'inverse est également vrai et constitue un paradoxe : de nombreux occultistes mondialement connus et des visionnaires excentriques étaient, à leur façon, également des hommes pratiques, auteurs d'inventions certes moins grandioses, mais néanmoins significatives.

Quand on compare ces deux groupes d'individus, il est difficile de faire la distinction entre scientifiques et occultistes, même aux temps modernes. Il s'agit plutôt d'un éventail allant de l'un à l'autre, où l'individu est un peu des deux, bien qu'à des degrés variables.

Paracelse, sans doute l'occultiste le plus révéré, a révolutionné la médecine en y introduisant la méthode expérimentale. Il fut également le premier à isoler et à nommer le zinc, à faire des avancées sur l'importance de l'hygiène en médecine et à formuler les principes qui allaient être à la base de l'homéopathie.

Giordano Bruno est un grand héros de la science, car il périt sur le bûcher en 1600 pour avoir défendu que le système solaire est

---

[3] Ou sel de nitre (ndlt)

héliocentrique et cela parce que, comme nous l'avons vu, il croyait ardemment à l'antique sagesse égyptienne : il pensait que la Terre tourne autour du Soleil, parce que les prêtres initiés de l'Antiquité le croyaient aussi.

Robert Fludd, l'auteur occulte et défenseur des rose-croix, inventa le baromètre.

Jean-Baptiste Van Helmont, l'alchimiste flamand, occupa une place importante dans les sociétés secrètes car il réintroduisit l'idée de réincarnation dans l'ésotérisme occidental – idée que son fils, François-Mercure, a appelée « la révolution des âmes humaines ». Lors d'expériences d'alchimie, il réussit à séparer des gaz, et a d'ailleurs inventé le mot « gaz » ; comme lorsqu'il travaillait sur le pouvoir de guérison des aimants et qu'il nomma « l'électricité ».

Gottfried Wilhem Leibniz, le mathématicien allemand, était un rival de Newton pour ce qui était de la conception du calcul. Les découvertes de Leibniz résultent de sa fascination pour le mysticisme kabbalistique des nombres, fascination qu'il partageait avec un ami proche, un savant jésuite spécialiste de l'occulte, Athanasius Kircher. En 1687, Kircher, qui étudiait alors les propriétés des végétaux, fit renaître une rose, qui était réduite à l'état de cendres, devant la reine de Suède. Leibniz, lui, a laissé le compte rendu le plus détaillé et le plus crédible sur la transformation alchimique des métaux de base en or.

La Royal Society, ou Société royale de Londres, était à cette époque le grand moteur intellectuel de la science moderne et de l'invention technologique. Parmi les contemporains de Newton, sir Robert Moray publia le premier journal scientifique au monde, *Transactions philosophiques* – il conduisait également des recherches passionnées sur les enseignements rosicruciens. L'étrange Robert Boyle, qui ressemblait à un moine et dont les lois sur la thermodynamique ouvrirent la voie au moteur à combustion interne, était un alchimiste pratiquant. Dans sa jeunesse, il écrivit avoir été initié dans un « collège invisible ». Robert Hooke, inventeur du microscope, et William Harvey, qui « découvrit » la circulation du sang, étaient également des alchimistes pratiquants.

Descartes, le père du rationalisme, au milieu du XVIIᵉ siècle, passa un temps considérable à essayer de localiser les rose-croix et à faire des recherches sur leur philosophie. Il redécouvrit l'ancienne idée

Frontispice, dessiné par John Evelyn, de l'histoire officielle de la Royal Society, publiée en 1667. Francis Bacon y est représenté comme le père fondateur. Il est assis sous l'aile d'un ange, d'une manière qui fait écho à la dernière phrase de la Fama fraternitatis *des rose-croix.*

ésotérique de la glande pinéale comme portail de la conscience, l'œil intérieur ; sa grande découverte philosophique lui vint subitement, alors qu'il était dans un état visionnaire. Sa phrase célèbre[4] peut

---

[4] Allusion à son célèbre *cogito* (ndlt)

être considérée comme une réinterprétation de l'enseignement rosi-crucien, destiné à encourager l'évolution d'une faculté intellectuelle indépendante. : *Je dois penser pour être.*

Après la mort de Blaise Pascal, un des grands mathématiciens de son époque et éminent philosophe, on découvrit qu'il avait cousu dans son manteau un morceau de papier sur lequel était écrit : « L'an de grâce 1654, lundi 23 novembre, jour de la Saint-Clément, pape et martyr […]. Depuis environ dix heures et demie du soir jusqu'à environ minuit et demie, FEU. » Pascal avait atteint l'illumination cultivée par les moines du mont Athos.

En 1726, Jonathan Swift prédit, dans *Les Voyages de Gulliver,* l'exis-tence ainsi que les périodes orbitales des deux lunes de Mars, qui ne furent découvertes par les astronomes, à l'aide de télescopes, qu'en 1877. L'astronome, qui constata la précision de Swift, appela les deux lunes Phobos et Deimos – peur et terreur –, tant il fut impressionné par les pouvoirs surnaturels évidents de ce dernier.

Emanuel Swedenborg, le grand visionnaire suédois du XVIIIe siècle, relata en détail ses séjours dans le monde des esprits. Ses comptes rendus de ce que les êtres désincarnés lui racontèrent inspirèrent la franc-maçonnerie de la fin du XVIIIe et du début du XIXe siècle. Il fut également le premier à découvrir le cortex cérébral et les glandes endocrines et, parallèlement, conçut la cale sèche qui est encore aujourd'hui la plus grande du monde.

Comme nous l'avons déjà dit, Charles Darwin participait à des séances de spiritisme. Il a pu apprendre la doctrine ésotérique de l'évolution, du poisson à l'amphibien, à l'animal terrestre, jusqu'à l'humain, grâce à son intimité avec Friedrich Max Müller, un des premiers traducteurs des textes sanscrits sacrés.

Nicolas Tesla, qui a été décrit récemment par un historien des sciences comme « le dernier visionnaire excentrique », était un Serbo-Croate qui se fit naturaliser Américain. Ce fut aux États-Unis qu'il fit breveter plus de sept cents inventions, dont la lumière fluorescente et la bobine Tesla, qui génère un courant alternatif. Comme les découvertes les plus importantes de Newton, cette dernière résulta de sa croyance en une dimension éthérée entre les plans physique et mental.

À la fin du XIXe et au début du XXe siècle, de nombreux scienti-fiques de premier plan voulurent appliquer une approche scien-tifique aux phénomènes occultes. Ils croyaient qu'il serait un jour possible de mesurer et de prédire les forces occultes comme les courants éthérés, qui semblaient à peine plus insaisissables que l'électromagnétisme, les ondes sonores et les rayons X. Thomas Edison, l'inventeur du phonographe, et donc le parrain de tout son enregistré, et Alexander Graham Bell, inventeur du téléphone, croyaient tous deux que les phénomènes parapsychologiques étaient un terrain de recherche scientifique tout à fait respectable, et étaient eux-mêmes impliqués dans la franc-maçonnerie et la théosophie. Edison essaya même de construire une radio qui se syntoniserait avec le monde des esprits. Leurs grandes découvertes scientifiques se développèrent à partir de leurs recherches dans le monde surnaturel. La télévision elle-même fut inventée dans une tentative de capturer les influences surnaturelles sur les gaz qui flottaient devant un tube cathodique.

SI NOUS VOULONS COMPRENDRE AU MIEUX cette étrange réunion de l'occulte et du scientifique, nous devons revenir au grand génie à l'origine de la révolution scientifique, Francis Bacon.

Comme nous l'avons vu, la grande découverte de Francis Bacon était que, si l'on considère les objets de l'expérience sensorielle aussi objectivement que possible, en écartant toute idée préconçue et la notion que *cela devait arriver*, de nouveaux schémas apparaissent derrière ceux tracés par les prêtres et autres maîtres spirituels. On peut alors utiliser ces nouveaux schémas pour prédire et manipuler les événements.

Les historiens de la philosophie des sciences considèrent cette approche comme fondatrice : c'est le moment où le raisonnement inductif devint partie intégrante de la façon dont l'humanité considérait le monde. C'est de là qu'ont découlé la révolution scientifique et la grande transformation industrielle et technologique.

Mais si l'on se penche sur les récits que fit Bacon du procédé de découverte scientifique, ce procédé semble moins direct et, au premier abord, assez mystérieux.

« La nature est un labyrinthe, écrit-il, dans lequel vous vous perdez si vous marchez trop vite. » Bacon écrivait comme si les scientifiques jouaient aux échecs avec la nature : si l'on veut obtenir des réponses, il faut d'abord mettre la nature en échec, comme si elle avait besoin d'être dupée pour livrer ses secrets. Car la nature est elle-même intrinsèquement trompeuse. Comme si elle voulait nous induire en erreur.

Les historiens de la science d'aujourd'hui essayent de présenter Bacon comme un matérialiste radical, mais c'est un peu naïf. Bien qu'il crût que des résultats étonnants pouvaient être obtenus en regardant les données sensorielles *comme si* elles ne contenaient pas de sens, il ne croyait nullement qu'elles en étaient dénuées. Nous savons, par exemple, qu'il croyait à ce qu'il appelait l'*astrologica sana*, ce qui signifie recevoir les influences magiques célestes en esprit, de la manière recommandée par Jean Pic de la Mirandole, le grand mage de la Renaissance. Bacon, comme Newton, croyait à cet intermédiaire éthéré entre l'esprit et la matière, qui existait également chez les humains « qui sont enfermés dans un corps plus épais » – ce qu'il appelait le « corps éthérique ».

Bacon dit que dans le royaume de la connaissance humaine, comme dans le Royaume des cieux, l'homme ne pourra entrer à moins « qu'il ne devienne, au préalable, un petit enfant ». Il semble dire qu'il faut atteindre un état d'esprit semblable à celui d'un enfant afin d'élever sa connaissance. Paracelse avait dit quelque chose de semblable, en écrivant aussi sur le processus d'expérimentation en termes bibliques : « Seul celui qui désire du fond du cœur trouvera, et seul celui qui frappera violemment à la porte la verra s'ouvrir[5]. »

Tout cela implique que la connaissance supérieure du monde provient d'états altérés de la conscience. Jean-Baptiste Van Helmont, qui travaillait dans les mêmes cercles que Bacon et Newton, écrivit : « Il y a un livre en nous, escrit du doigt de Dieu, duquel nous pouvons lire le tout. ». Michael Maier, qui écrivit sur les rose-croix comme s'il en faisait partie et publia les plus belles œuvres de littérature alchimique, dit : « Boire à longs traits la vie intérieure, c'est voir la vie supérieure ; [...]. Celui qui découvre l'élixir découvre ce qui est dans l'espace. » De toutes ces affirmations ressort la même notion : d'une certaine manière, la clé de toute découverte scientifique repose en soi.

Nous avons vu que, de tout temps, des groupes de personnes s'étaient plongés dans des états alternatifs. Bacon et ses disciples suggéraient-ils que le scientifique doit, d'une certaine manière, se syntoniser avec la dimension éthérée et végétale ? Que si, d'une manière ou d'une autre, on arrive à entrer dans la dimension où

---

[5] La traduction est de nous (ndlt)

s'entremêlent les formes, on est sur le chemin qui permet de comprendre les secrets de la nature ?

Nous avons vu que les grands génies scientifiques, les fondateurs de l'âge moderne, avaient tendance à être fascinés par des idées de la sagesse ancienne et par les états altérés. Se peut-il, après tout, que le génie ne soit pas vraiment proche de la folie, mais plutôt qu'il *se développe dans les états altérés produits par un entraînement ésotérique ?*

LES HÉROS DES ROSE-CROIX – DEE ET PARACELSE – étaient des êtres hallucinés et étranges, alors que les mages qui leur succédèrent avaient l'apparence de respectables hommes d'affaires.

La franc-maçonnerie a toujours présenté au monde un visage lisse. Les loges anglo-saxonnes, en particulier, sont toujours restées évasives

La chapelle de Rosslyn, près d'Édimbourg. Les origines écossaises de la franc-maçonnerie furent délibérément cachées au XVIIIᵉ siècle, parce que les francs-maçons avaient noué des liens avec la dynastie des Stuart, et appuyaient leur prétention à la couronne. La chapelle de Rosslyn, construite au XVᵉ siècle par William Sinclair, le premier comte de Caithness, contenait des répliques des colonnes jumelles du temple de Salomon – Jakin et Boaz – bien avant toutes les loges maçonniques du monde. Une sculpture qui se trouve sur le cadre inférieur de la fenêtre située à l'angle au sud-ouest de la chapelle semble représenter un premier degré franc-maçon. Des loges écossaises de cette sorte existaient sans aucun doute au moins cent ans avant les loges anglaises.

sur leurs origines ésotériques. La notion, qu'à des niveaux d'initiation suffisamment élevés les francs-maçons apprennent la doctrine et l'histoire secrètes que nous avons présentées dans ce livre, peut paraître peu plausible même à certains francs-maçons.

Dans la tradition maçonnique, les origines de cette société secrète remontent à la construction du temple de Salomon par Hiram Abiff, à la suppression des Templiers et aux associations secrètes d'artisans comme les Compagnons du devoir, les Enfants du père Soubise et les Enfants du père Jacques.

On néglige souvent l'influence qu'ont eue les confréries sur la formation des sociétés secrètes, et notamment sur la franc-maçonnerie. Fondées au XVe siècle, elles étaient, à l'origine, des confréries laïques affiliées à des monastères. Les frères poursuivaient une vie spirituelle tout en travaillant dans la communauté, organisant les œuvres de bienfaisance, commandant des œuvres aux artistes et menant les processions les jours saints. À l'origine, leur caractère secret était destiné à faire en sorte que les œuvres de charité restent anonymes. Mais ce secret alimenta des rumeurs concernant des rituels secrets et des initiés. Au XVe siècle, en France, ces confréries, qui avaient absorbé les idées de Joachim et des cathares, furent obligées de se cacher.

Mais la franc-maçonnerie moderne, « spéculative », est datée par ses historiens officiels du XVIIe siècle.

On affirme souvent que le premier cas consigné d'initiation franc-maçonnique date de 1646 et que ce fut celui du grand antiquaire et collectionneur, membre fondateur de la Royal Society, Elias Ashmole. Celui-ci fut certainement l'un des premiers francs-maçons anglais, et il eut une grande influence.

Elias Ashmole naquit en 1617, d'un père sellier. Il obtint son diplôme d'avocat et devint soldat et fonctionnaire. C'était un infatigable collectionneur de curiosités. Le musée Ashmole d'Oxford, construit autour de sa collection, fut le premier musée public. Ashmole était un homme d'une curiosité intellectuelle sans limites. En 1651, il rencontra un homme plus âgé que lui, William Backhouse, propriétaire d'un manoir appelé Swallowfield, qui se révéla posséder une immense galerie, remplie d'« inventions et raretés », dont des manuscrits d'alchimie très rares. Backhouse était, de toute évidence, un homme qui ne pouvait que plaire à Ashmole, et le journal de ce dernier révèle que Backhouse lui avait demandé de devenir son fils.

S'piritus, Anima, Corpus.

Illustration du Theatrum chemicum Britannicum, *anthologie regroupée par Elias Ashmole.*

Backhouse voulait l'adopter comme successeur et en faire son héritier. Il promit qu'il révélerait à Ashmole, avant de mourir, le plus grand secret de l'alchimie, la vraie matière de la pierre philosophale, de façon à ce qu'Ashmole puisse perpétuer la tradition secrète qui datait de l'époque Hermès Trismégiste. Pendant les deux années suivantes, l'enseignement que Backhouse prodigua à l'enthousiaste Ashmole fut lent et apparemment hésitant. Mais quand, en mai 1653, le jeune homme consigna dans son journal : « Mon père Backouse étant malade dans Fleet Street, près de l'église de Saint-Dunstan, et se trouvant, sur les onze heures du soir, à l'article de la mort, me révéla le secret de la pierre philosophale, et me le légua un instant avant d'expirer. »

Le récit que fait Ashmole de la transmission d'une connaissance secrète est exceptionnellement clair et non ambigu. Mais il existe également d'autres preuves, indices et allusions concernant une activité occulte parmi l'élite intellectuelle. Le deuxième grand maître

Représentation du roi anglais Charles Ier*, en 1649, attendant d'être exécuté. Cet événement fut prédit avec une précision étonnante par l'astrologue et prophète français Nostradamus, en 1555. Comme l'a démontré David Ovason, le plus grand spécialiste de Nostradamus, la phrase « Chera par lors, Le Roy », est un code kabbalistique signifiant « Charles le Roy » : de fait, la phrase apparemment anodine « Il arrivera que le roi » contient le nom de l'homme qui, comme une partie du quatrain le dit, devait « être emprisonné dans une forteresse près de la Tamise » et serait « vu en chemise ». Charles se fit un point d'honneur de porter deux chemises quand il sortit pour se rendre sur l'estrade de son exécution, afin de ne pas trembler de froid et de ne pas avoir l'air d'être effrayé.*

de la loge de Londres était John Théophile Desaguliers, un disciple d'Isaac Newton qui, lui aussi, passa de nombreuses années à étudier les manuels d'alchimie.

Le symbolisme de la franc-maçonnerie, tel qu'il était formulé à cette période, est changeant, passant de motifs alchimiques provenant de la notion centrale de l'œuvre et de l'omniprésente pierre angulaire, la pierre philosophale – ASHLAR – au compas et à l'équerre.

IL EST TEMPS DE SE DEMANDER : qu'est exactement l'alchimie ?

L'alchimie est très ancienne. Les textes de l'Antiquité égyptienne évoquent les techniques de distillation et de métallurgie comme des

Illustration pour Le Paradis perdu, *de Milton. Milton a souvent évoqué la façon dont sa muse lui dictait sa poésie. Il est tentant, de notre point de vue moderne, de n'entendre là qu'une simple métaphore. Mais les journaux de Milton montrent combien le poète était influencé par les descriptions du Paradis de Böhme et par la cosmologie de Fludd. Les écrits de Milton font aussi apparaître clairement que lui aussi avait l'habitude de rencontrer des êtres désincarnés : « Si je puis obtenir de ma céleste patronne un style approprié, de cette patronne qui daigne, sans être implorée, me visiter la nuit, et qui dicte à mon sommeil, ou inspire facilement mon vers non prémédité. »*

procédés mystiques. Les mythes grecs, comme la quête de la Toison d'or, peuvent être compris du point de vue alchimique et Fludd, Böhme et d'autres ont également interprété la Genèse de cette manière.

Une étude rapide des textes alchimiques, anciens comme modernes, montre que l'alchimie, comme la Kabbale, est une pratique très variée. S'il existe une grande « œuvre » mystérieuse, elle est abordée via toute une variété de codes et de symboles. Parfois l'œuvre implique le soufre, le mercure et le sel, parfois, des roses, des étoiles, la pierre philosophale, des salamandres, des crapauds, des corbeaux, des filets, la couche nuptiale et des symboles astrologiques tels que le poisson et le lion.

Les variations géographiques sont également évidentes. L'alchimie chinoise est moins concernée par la quête de l'or que par celle de l'élixir de la vie, de la longévité et même de l'immortalité. L'alchimie varie aussi en fonction des époques. Au IIIe siècle, l'alchimiste Zosime de Panopolis écrivit que « Le symbole de la chimie [l'or] est tiré de la création, [aux yeux de ses adeptes] qui sauvent et purifient l'âme divine enchaînée dans les éléments. » Dans les premiers textes arabes, l'œuvre implique des manipulations de ces mêmes quatre éléments, mais dans la pratique européenne, puisant ses racines dans le Moyen Âge et fleurissant au XVIIe siècle, émerge un mystérieux cinquième élément : la quintessence.

Si on cherche des principes unifiants, on voit immédiatement qu'il existe des règles pour la durée et le nombre de répétitions de chaque opération – la distillation, l'exposition à une chaleur modérée, et ainsi de suite.

Il existe des parallèles évidents avec la pratique méditative et cela suggère, bien évidemment, que ces termes alchimiques pourraient être des descriptions d'états de conscience subjectifs plutôt qu'un certain genre d'opérations chimiques censées s'effectuer en laboratoire.

Il existe un autre indice qui conforte cette idée : nous avons vu à plusieurs reprises qu'il était suggéré, en particulier chez les rose-croix, que ces opérations visaient souvent à agir pendant le sommeil et à la frontière entre le sommeil et le réveil. Pourraient-elles se référer aux rêves visionnaires ou au rêve lucide ? Ou sont-elles destinées à ramener des éléments depuis le rêve, dans la conscience éveillée ?

Il existe également de nombreuses allusions au sexe, de l'image récurrente des « noces chimiques » aux références taquines de Paracelse à l'azoth. Dans un commentaire du Cantique de Salomon, le *Codex veritatis* conseille : « Mets l'homme rouge avec sa femme blanche dans une chambre rouge, chauffée à une température constante par un feu spirituel. » De même, les textes tantriques comparent le mercure alchimique au sperme.

Une certaine école de pensée interprète les textes alchimiques comme des manuels de techniques permettant au « serpent de feu », la kundalini, de s'élever de la base de la colonne, et de passer par les chakras, afin d'illuminer le troisième œil.

Une autre école encore, inspirée par Jung, voit l'alchimie comme une sorte de précurseur de la psychologie. Jung écrivit une étude sur l'alchimiste Gérard Dorn, soutenant cette thèse. Dorn se prête facilement à cette interprétation, car il est un alchimiste très psychologisant. « D'abord transmue la terre de ton corps en eau, dit-il. Cela implique que ton cœur, qui est aussi dur que la pierre, matériel et paresseux doive devenir subtil et vigilant. » Nous voyons chez Dorn la même pratique du travail sur les facultés humaines individuelles que nous avons vue chez Ramón Llull, et le même mélange d'entraînement ésotérique et de développement moral que nous avons vu à l'œuvre dans le bouddhisme et la Kabbale.

Les pratiques alchimiques sexuelles existent – nous les aborderons au chapitre 25. Certains textes alchimiques traitent de l'élévation de la kundalini mais, d'après moi, ce ne sont pas les points centraux de l'alchimie, dont la pratique atteignit son apogée avec les rose-croix et les francs-maçons.

L'alchimie purement psychologique de Jung est intéressante à sa façon, mais n'a aucun intérêt dans la perspective ésotérique, car elle écarte totalement les notions de voyage dans le monde des esprits et de communication avec les êtres désincarnés.

La clé pour comprendre l'alchimie repose sûrement dans le phénomène surprenant que nous avons suivi dans ce chapitre. Bacon, Newton et d'autres rose-croix et francs-maçons, étaient intéressés aussi bien par l'expérience personnelle directe que par l'expérimentation scientifique. Idéalistes, ils étaient fascinés par ce qui relie la matière à l'esprit et, comme tous les ésotéristes, ils concevaient cette connexion subtile d'après ce que Paracelse appelait l'*ens vegetalis*, ou dimension végétale.

Ont-ils été mis au défi par le fait que la dimension végétale semblait incommensurable, voire même indétectable par les instruments scientifiques ? Peut-être, mais ce qui les encourageait, ce qui les poussait à chercher plus loin, c'était la croyance que, de tout temps, partout dans le monde, on avait fait l'expérience de cette dimension végétale et qu'il existait une authentique tradition ancienne qui consistait à la manipuler, à laquelle nombre des grands génies de l'histoire avaient adhéré.

Roger Bacon, Francis Bacon, Isaac Newton et d'autres avaient développé une procédure scientifique expérimentale. Ils avaient essayé de définir des lois universelles qui donneraient un sens au monde, du point de vue le plus *objectif* possible : désormais, ils appliquaient la même méthodologie à la vie, du point de vue le plus *subjectif* possible. Le résultat était une science de l'expérience spirituelle : l'alchimie. L'or qu'ils trouvaient à la fin de leurs expériences était un or spirituel, une forme de conscience évoluée, ce qui faisait qu'un pauvre métal qui apporterait la richesse au monde ne les intéressait plus.

À la grande époque de l'alchimie, le soufre représentait la dimension animale, le mercure, la dimension végétale et le sel, la dimension matérielle. Ces dimensions sont situées dans différentes parties du corps : l'animale, dans les organes sexuels, la végétale dans le plexus solaire, et le sel dans la tête. La volonté et la sexualité sont perçues comme étant profondément entremêlées dans la philosophie ésotérique. C'est le côté sulfureux. Mercure, la partie végétale, est le règne des sensations, et le sel, le précipité de la pensée.

Dans tous les textes alchimiques, le mercure est le médiateur entre le soufre et le sel.

La première étape de la procédure consiste à travailler sur la partie végétale afin d'atteindre la première étape de l'expérience mystique, l'entrée dans la Matrice, dans cette mer de lumière qu'est le monde entre les mondes.

La deuxième étape, ce qu'on appelle parfois les « noces chimiques », c'est quand le doux mercure féminin fait l'amour au soufre rouge, dur et rigide.

En méditant sur des images qui inspirent un sentiment d'amour, de manière répétée et sur une longue période – il faut vingt et un jour pour qu'un quelconque exercice ait un effet sur la physiologie humaine – le candidat induit un changement qui finit par pénétrer l'obstination de la volonté.

Si nous arrivons à transformer nos désirs sexuels égoïstes en des désirs vivants et spirituels, l'oiseau de la résurrection, le Phénix, se lèvera. Si notre cœur est submergé par ces transformations énergétiques, il devient un centre de pouvoir. Celui qui a rencontré un vrai saint aura sûrement ressenti le grand pouvoir qui irradie d'un cœur réellement transformé.

L'amour fascina les alchimistes de l'âge d'or : ils savaient que le cœur est un organe de perception. Quand nous regardons un être aimé, nous voyons ce que d'autres ne peuvent pas voir : l'initié qui s'est prêté à une transformation alchimique a pris la décision, en toute conscience, de voir le monde entier de cette façon. Un adepte voit comment le monde fonctionne réellement, d'une manière qu'il nous est impossible de voir.

Ce qui veut dire que si nous persévérons dans nos exercices alchimiques spirituels, si nous réussissons à purifier la matière fragmentaire qui se dresse entre le monde des esprits et nous-mêmes,

L'Alchimiste, *de William Hogarth.*

comme le préconise le mystique français Saint-Martin, alors nos facultés de perception s'amélioreront. D'abord, le monde des esprits commencera à briller à travers nos rêves, de manière moins chaotique et plus significative qu'il ne le fait en général. Les inspirations que nous offrent les esprits viendront d'abord sous forme d'intuitions et de pressentiments, puis commenceront à envahir notre vie éveillée. Nous commencerons alors à détecter le flux et la façon dont opèrent les lois profondes sous la surface de la vie de tous les jours.

Dans l'alchimie spécifiquement chrétienne de Ramón Llull et de Saint-Martin, par exemple, l'esprit Soleil qui transforme le corps humain en un corps radieux de lumière est assimilé au personnage historique de Jésus-Christ. Dans d'autres traditions, même si on ne fait pas ce type d'identification, *on décrit le même processus*. Le sage indien Ramalinga Swamigal écrivit : « Ô Dieu ! Tu m'as démontré un amour éternel en m'accordant le corps d'or. En t'unissant à mon cœur, tu as "alchimisé" mon corps. »

Ces phénomènes, relatés dans différentes cultures, montrent que le troisième œil commence à s'ouvrir.

Il serait trop facile d'interpréter tout cela comme une sorte de mysticisme confus. Les histoires de scientifiques comme Pythagore et Newton suggèrent que par le truchement de ces états altérés, ils étaient capables de découvrir de nouvelles choses sur le monde, d'en distinguer les rouages profonds et de comprendre des schémas qui sont peut-être trop complexes ou trop importants pour que l'esprit humain puisse les saisir avec sa conscience quotidienne pétrie de bon sens et de logique. *L'alchimie confère à ses pratiquants une intelligence surnaturelle*.

Le mot qui revient souvent dans les textes alchimiques est VITRIOL ; c'est un acronyme pour *Visita interiora Terrae rectificando invenies occultum lapidem*. Visite l'intérieur de la Terre pour y trouver la pierre secrète.

Quand les textes alchimiques recommandent de visiter l'intérieur de la Terre, c'est une façon de dire : plonger dans son propre corps. L'alchimie s'occupe donc de physiologie occulte. En acquérant une connaissance active de sa propre physiologie humaine, l'alchimiste était capable de la contrôler. De grands alchimistes comme Saint-Germain étaient, disait-on, capables de vivre aussi longtemps qu'ils le désiraient.

Mais, en étant plus terre à terre, les alchimistes étaient également capables de faire avancer la science de manière pratique. Nous avons vu que certains alchimistes ont contribué aux progrès de la médecine moderne. Dans des états de conscience altérée, des hommes comme Paracelse et Van Helmont pouvaient résoudre des problèmes médicaux et concevoir des traitements qui allaient au-delà de la compréhension de la médecine de l'époque. En rentrant *en soi*, ces initiés voyaient le « monde d'en dehors » avec une clarté surnaturelle. Pour le dire dans des termes kabbalistiques, l'homme est la synthèse de tous les noms sacrés. Toute la connaissance est donc en nous : il nous suffit d'apprendre à la lire. Les *Yoga Sutras* de Patañjali font allusion à un voyage dans les cieux où l'on rétrécit pour devenir de la taille de la plus petite particule, et qui constitue une récompense pour ceux qui pratiquent ces techniques obscures. Les maîtres indiens parlent encore de leur capacité à voyager aux limites du cosmos et à concentrer leurs pouvoirs de perception de façon à voir jusqu'au niveau atomique.

Ce sont les grands *siddhis*, ou excellences. C'est indubitablement l'excellence qui permit aux prêtres initiés de l'Antiquité de percevoir la troisième étoile du système de Sirius, de comprendre l'évolution des espèces et de connaître la forme et la fonction de la glande pinéale.

POUVONS-NOUS ENCORE CROIRE À L'EFFICACITÉ de ces états alternatifs ? Ne serions-nous pas enclins, aujourd'hui, à les considérer comme des menaces pour la conscience, capables de diminuer l'intelligence et de nous tromper ?

Je voudrais apporter un contre-exemple à cette vision terre à terre, qui m'a été montré par Graham Hancock pendant qu'il travaillait sur son livre révolutionnaire consacré au chamanisme, *Supernatural*.

Chaque cellule humaine a en elle un double ruban qui est large de seulement dix molécules, mais qui fait presque deux mètres de long et qui contient toute l'information génétique nécessaire à la fabrication d'un être humain. Chaque cellule vivant sur la planète possède une version propre de ce ruban, mais celui des cellules humaines est le plus complexe, et transporte un message codé de trois milliards de caractères. Ces derniers contiennent des instructions héritées, qui permettent aux cellules de s'organiser en des schémas qui créent l'être humain.

Les scientifiques ont remarqué que ces milliards de caractères semblent avoir des schémas de relation très complexes, une structure profonde qui suggère le langage humain. Cette intuition a été confirmée par une analyse statistique. Mais ce fut le brillant biologiste de Cambridge Francis Crick qui déchiffra ce code et découvrit la structure à double hélice qui lui valut, ainsi qu'à son collègue James Watson, le prix Nobel et inaugura la médecine génétique moderne.

Ce qui est pertinent pour notre histoire secrète est que, même si, d'après ce que je sais, Crick n'a pas de lien avec les sociétés secrètes, il atteignit ce moment d'inspiration et révéla la structure de l'ADN pendant qu'il était dans un état altéré, ayant pris du LSD. Comme nous l'avons vu, les hallucinogènes ont été utilisés pour atteindre des états de conscience altérés et saisir des réalités supérieures depuis les écoles du Mystère.

Ce qui est encore plus intrigant, c'est que, plus tard, Crick publia un livre qui s'appelait *Life itself : its Origin and Nature*[6], dans lequel il affirma que la structure complexe de l'ADN ne pouvait pas être le fruit du hasard. Comme un de ses prédécesseurs de Cambridge, Isaac Newton, il croyait que le cosmos avait dissimulé des messages cryptés au fond de lui-même sur notre – et son – origine, et qui avaient été mis là pour qu'on puisse les décoder lorsqu'on atteindrait l'intelligence suffisante.

QUELLE EST LA MORALE DE TOUT CELA ? Comme le demande toujours la duchesse d'*Alice au pays des merveilles*.

Ce qui se trouve en dehors du collectif est le règne du démoniaque, le royaume des dieux et des anges – mais ce royaume est aussi celui de l'innovation, de l'évolution, celui qui s'adresse à notre profonde et insatiable soif d'infini. *L'histoire montre que les personnes qui ont travaillé à la frontière de l'intelligence humaine ont atteint ces endroits dans des états de conscience altérés.*

---

[6] « La vie elle-même : son origine et sa nature » (ndlt)

24

L'ère de la franc-maçonnerie

*Christopher Wren • John Evelyn et l'alphabet du désir •
Le triomphe du matérialisme • George Washington et le plan
secret d'une nouvelle Atlantide*

L'ALCHIMIE ÉTAIT LA PRATIQUE COMMUNE aux rose-croix et aux francs-maçons mais, extérieurement, ces sociétés étaient très différentes.

La confrérie originale des frères de la Rose-croix ne comptait que huit personnes et, pour beaucoup, leur « maison de l'Esprit-Saint » n'existait que sur un autre plan de réalité. Les générations qui succédèrent aux fondateurs étaient tout aussi difficiles à localiser, ce qui suggérait qu'ils n'étaient encore qu'une poignée.

La franc-maçonnerie, elle, se répandit à travers le monde, recrutant rapidement des milliers, puis des centaines de milliers d'adeptes. Aujourd'hui, chaque grande ville possède une grande loge, mais ceux qui n'en font pas partie, tout en sachant qu'elle existe, ne savent pas ce qui s'y passe, car les francs-maçons tiennent à rester discrets.

Suite à la tentative catastrophique des rose-croix de diriger les affaires politiques, qui se solda par la bataille de la montagne Blanche, les francs-maçons décidèrent d'opérer dans l'ombre. Au lieu de chercher à imposer des réformes venant d'en haut, ils reprirent les vieilles habitudes des sociétés secrètes : c'est-à-dire, influencer par le bas.

Pour la franc-maçonnerie, il s'agissait, entre autres, de favoriser les conditions sociales qui permettraient le développement de personnes susceptibles d'être initiées. Les francs-maçons travaillaient à la création d'une société tolérante et prospère qui, avec un certain degré de libertés sociale et économique, laisserait une chance aux gens de mieux explorer les cosmos intérieur et extérieur. L'évolution du libre arbitre apporterait de grands changements qui avaient été prédits par Francis Bacon dans *La Nouvelle Atlantide*, sa vision de l'état rosicrucien parfait.

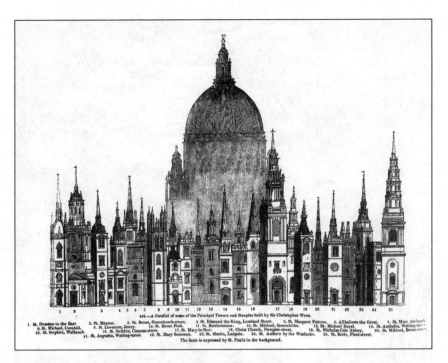

Cathédrale Saint-Paul à Londres. Le célèbre journaliste John Evelyn aida son camarade franc-maçon Christopher Wren à dresser les plans de la cathédrale et de la reconstruction de Londres après le grand incendie de 1666. Evelyn et Wren apportèrent à Charles II un nouveau plan de rues de la ville, qui renouvelait sa géographie et la débarrasserait de ses rues dessinées pêle-mêle. Dans ce nouveau plan, les rues étaient tracées selon le schéma kabbalistique de l'arbre de Vie. Dans ce dessin, Saint-Paul est située dans le tiferet, le cœur de l'arbre, associé à Jésus-Christ dans la Kabbale chrétienne.

Francis Bacon avait encouragé les gens à voir la distinction entre les cosmos intérieur et extérieur. Grâce à cela avait surgi une compréhension du monde matériel et de son fonctionnement, qui n'aurait pas été possible autrement et, en quelques décennies, cette compréhension avait recouvert le monde de métal, avec les chemins de fer et les machines de production de masse qui vinrent transformer le paysage.

Ce qui était pratique avec la science, c'est que ça *marchait*. Elle produisait des résultats fiables et vérifiables et des changements aux bénéfices tangibles, dans la vie de tous les jours.

Le contraste avec la religion ne pouvait être plus flagrant. L'Église n'était plus une source crédible d'expériences spirituelles. Le philosophe écossais David Hume se demanda, avec une pointe de sarcasme, pourquoi les miracles avaient toujours lieu dans des endroits ou des temps reculés.

Les tableaux de Blake représentent parfois des corps nus épousant la forme d'une lettre de l'alphabet hébreu. William Blake était franc-maçon, comme les très respectables John Evelyn et Christopher Wren. Ces francs-maçons éminents, membres de la Royal Society et célèbres pour leurs travaux publics, savaient comment garder secrets leurs intérêts ésotériques. Ce que John Evelyn ne laissa pas transparaître dans les livres susceptibles d'être publiés, c'était qu'il avait une fiancée « séraphique » ou kabbalistique, de trente ans sa cadette, à qui il apprenait des techniques secrètes de méditation. John Evelyn initia Margaret Blagge aux exercices kabbalistiques basés sur les manipulations imaginaires de l'alphabet hébreu. Leur particularité était que ces exercices préconisaient d'imaginer des corps nus, contorsionnés de façon érotique pour prendre la forme des lettres hébraïques. Margaret commença à entrer dans des états de transe extatique. D'une certaine manière, Evelyn anticipait le travail de l'artiste du XXᵉ siècle Austin Osman Spare, dont l'« alphabet du désir » était basé sur la correspondance entre les mouvements intérieurs des élans sexuels et leur forme extérieure, qui se manifestait sur des sceaux ou des fétiches chargés d'érotisme et de magie.

442

Le résultat fut que les objets physiques devinrent le critère de réalité. Le monde intérieur commença à ne plus ressembler qu'à une ombre, à un vague reflet de l'extérieur. Le débat philosophique central se situait entre l'idéalisme et le matérialisme, l'idéalisme ayant dominé la pensée depuis les premiers jours de l'humanité. Comme nous l'avons dit, ce n'était pas parce que les gens avaient mesuré le pour et le contre des arguments de l'une et l'autre philosophie pour préférer l'idéalisme, mais simplement parce qu'ils ressentaient le monde de manière idéaliste.

Désormais s'annonçait un virage décisif en faveur du matérialisme.

Nous pouvons considérer le Dr Johnson, l'auteur du premier dictionnaire anglais, comme une figure transitionnelle. C'était un chrétien pratiquant qui admettait l'existence des fantômes et qui, une fois, entendit sa mère l'appeler à plus de cent cinquante kilomètres. Cependant, il était un des apôtres du sens commun qui règne sur la philosophie d'aujourd'hui. Un jour, alors qu'il marchait dans une rue de Londres, on le mit au défi de réfuter l'idéalisme du philosophe et évêque Berkeley : il donna un coup de pied dans une pierre et s'écria : « Je le réfute ainsi ! »

Cette nouvelle façon de voir les choses était un mauvais présage pour la religion. Si la nature obéissait à des lois universelles qui suivaient un chemin prévisible, cela voulait dire qu'elle était indifférente au destin de l'être humain. Comme le dit Thomas Hobbes, la vie est un « état de guerre de chacun contre chacun ».

APRÈS LA GUERRE DE TRENTE ANS, l'Europe centrale et ses terres désolées devinrent le théâtre de l'assèchement de la vie spirituelle du monde occidental. Si on a un certain état d'esprit, on peut considérer le déclin de la religion avec un œil sardonique et ressentir une forme de jubilation, mais pour la plupart des gens, le retrait du monde des esprits s'accompagnait d'un sentiment d'aliénation grandissant. Sans la présence vivante des êtres des hiérarchies supérieures, des dieux et des anges pour les aider, les gens étaient abandonnés et confrontés, comme on dit, à leurs propres démons – et aux démons tout court.

L'humanité entrait dans un nouvel âge des ténèbres. Des temples néo-salomoniques s'érigèrent partout dans le monde. Le but ésotérique de la franc-maçonnerie serait précisément celui-ci : aider l'humanité pendant cette période matérialiste, tout en préservant la flamme de la spiritualité.

Un mage a une vision kabbalistique dans son atelier. Rembrandt créa quelques tableaux au contenu ésotérique explicite, mais sa plus grande contribution à l'évolution de la conscience fut sa série d'autoportraits. Ces derniers montrent, très clairement, l'esprit de l'être humain conscient d'être enfermé dans un corps de chair vieillissant.

Bien évidemment, la franc-maçonnerie est souvent considérée comme athée, surtout par ses ennemis au sein de l'Église, mais tout franc-maçon a juré « d'étudier les secrets enfouis de la Nature et de la Science afin de mieux connaître son Constructeur ».

Depuis le début, les francs-maçons avaient voulu se débarrasser de la foi aveugle, de la fausse piété, et des siècles de pratique et de dogme de l'Église, et particulièrement de l'idée vulgaire de la figure du Père vindicatif. Cependant, les ordres supérieurs avaient toujours cherché le contact direct avec le monde des esprits. Tels des philosophes, les francs-maçons se sont toujours évertués à tenter de définir la dimension spirituelle de la vie.

Comme nous allons le voir, de nombreux francs-maçons célèbres du XVIIIe siècle, qui sont souvent considérés comme des sceptiques, si ce n'est purement et simplement comme des athées, étaient des alchimistes pratiquants – et certains prenaient même part à des cérémonials magiques. De plus, certains grands francs-maçons de cette époque étaient la réincarnation de grands personnages d'un passé lointain. Ils revenaient afin de mener la plus grande bataille contre les forces du mal depuis la première grande guerre des cieux.

LES FRANCS-MAÇONS ÉCOSSAIS ET ANGLAIS soutenaient une monarchie constitutionnelle travaillant avec un parlement démocratique ; cependant la situation était très différente dans les colonies américaines.

George Washington fut initié en 1752.

Le 16 décembre 1773, un groupe d'hommes déguisés en Indiens joua un rôle important dans ce qui allait devenir la révolution américaine. Après avoir jeté du thé anglais dans le port de Boston, ils s'enfuirent pour se réfugier dans la loge maçonnique de Saint-Andrew[1].

En 1774, Benjamin Franklin rencontra Thomas Paine dans une loge de Londres et l'incita à émigrer en Amérique. Aimant citer les paroles d'Isaïe, Paine devint le grand prophète de la révolution, proposant une fédération d'États et inventant l'expression « les États-Unis d'Amérique ». Il se battit pour l'abolition de l'esclavage et pour l'éducation des pauvres, financée par l'État.

En 1775, les membres du Congrès colonial étaient invités dans une maison de Cambridge, dans le Massachusetts. Ils étaient réunis

---

[1] Dans un acte de révolte contre la Grande-Bretagne, qui avait augmenté les taxes sur le thé, des colons du Massachusetts, déguisés en Indiens, vidèrent le contenu de trois navires de Sa Majesté transportant du thé, dans le port de Boston. Cet événement est connu sous le nom de la Boston Tea Party, premier acte de révolte contre la couronne en Amérique (ndlt)

pour dessiner le drapeau américain. George Washington et Benjamin Franklin étaient présents, tout comme un vieux professeur qui semblait être là par hasard. À la surprise générale, Washington et Franklin en appelèrent au professeur. Ils avaient l'air de le considérer sans réserve comme leur supérieur : toutes ses suggestions concernant le dessin du drapeau furent immédiatement adoptées. À la suite de cela, il disparut, on ne le vit ni ne l'entendit plus jamais. Cet étranger était-il un des maîtres occultes qui dirigent l'histoire du monde ?

Par leur forme individuelle et leur agencement, les étoiles à cinq branches du drapeau rappellent les symboles sur le plafond d'une des pièces de la pyramide égyptienne d'Ounas. En Égypte, elles symbolisaient les pouvoirs spirituels et leur rayonnement soutenait, guidait et influençait l'histoire humaine.

Si nous persistons à vouloir considérer la franc-maçonnerie comme une organisation athée, spirituelle dans le sens moderne du terme, c'est-à-dire vide, nous ne pourrons pas comprendre comment ses maîtres se sentaient influencés par des pouvoirs mystérieux – pouvoirs parfois incarnés, sous la forme du vieux professeur par exemple, et parfois non, étant les esprits désincarnés des étoiles.

L'architecture de la franc-maçonnerie provient d'une tradition occulte et magique d'invocation des esprits désincarnés qui remonte à l'Égypte antique. « Quand tous les matériaux seront prêts, dit-on, l'architecte apparaîtra. »

Sur les portes du Capitole à Washington, on peut voir une représentation d'une cérémonie maçonnique qui eut lieu en 1793, quand George Washington posa la première pierre de l'édifice. En observant les plans que fit Washington de la capitale qui porterait son nom, plaçant en son cœur cet édifice, on devine les projets secrets qu'avait la franc-maçonnerie pour cette période. Cela peut paraître choquant à ceux qui désirent voir en George Washington un modèle de piété chrétienne, mais la clé de l'énigme est l'astrologie.

L'intérêt que portait la franc-maçonnerie à l'astrologie datait de la Royal Society. Quand on s'opposa à Newton sur ce sujet, il répondit : « Monsieur, j'ai étudié ce sujet, pas vous. » Elias Ashmole avait fait un thème astral pour la fondation du Royal Exchange, à Londres, qui devint peu de temps après le centre de la finance mondiale. Il fit aussi celui de la cathédrale Saint-Paul. Quand George Washington fit faire le thème astral pour la fondation du Capitole, il le fit en accord avec une tradition maçonnique solennelle qui dessinait l'histoire de l'humanité d'après le mouvement des étoiles et des planètes.

Pour des francs-maçons ésotériques comme Wren et Washington, le fait de consacrer la première pierre de l'édifice à un moment astrologiquement propice signifiait inviter les hiérarchies des êtres célestes à participer à la cérémonie.

Il est significatif qu'au moment précis où George Washington posa la première pierre du Capitole, Jupiter se levait à l'est. *Annuit coeptis*, phrase écrite au-dessus de la pyramide dessinée sur les billets verts, est une adaptation d'une phrase de Virgile dans l'*Énéide* – « Jupiter seconde notre entreprise ».

La phrase *Novus ordo seclorum*, également inscrite sur les billets de dollars et qui épouvante les théoriciens du complot, provient elle aussi de l'adaptation d'une phrase de Virgile. Dans ses églogues, il désire voir naître un âge nouveau, où les gens et les dieux ne feraient à nouveau plus qu'un et où la religion ne serait donc plus nécessaire. De fait, le billet vert désire la fin de la domination de l'Église catholique sur le monde et espère le début d'une nouvelle ère spirituelle. Couvert de symboles ésotériques, il fut dessiné sous l'égide du président Roosevelt, franc-maçon au 33e degré, conseillé par son vice-président, Henry Wallace, compagnon franc-maçon et disciple du théosophe et artiste Nicolas Roerich.

Après des années de recherche et ayant eu accès aux archives maçonniques, mon vieil ami David Ovason écrivit un livre magistral qui révélait en des termes très clairs les plans ésotériques qui motivèrent les dirigeants américains. Il montre que le grand triangle que forment trois rues, Pennsylvania Avenue en étant l'hypoténuse, devait refléter, d'après les plans de Washington et de Larobe, la constellation de la Vierge. Il montre, en outre, que dans un agencement de lumière spectaculaire, rivalisant avec les plus grands accomplissements égyptiens, Washington est disposée de façon à ce que le 3 août de chaque année, le soleil inonde directement Pennsylvania Avenue et vienne illuminer la tour pyramidale qui surmonte le Old Post Office Pavilion, ou pavillon de l'Ancienne Poste. On aurait envie de citer tout l'ouvrage de David Ovason, mais ce qui nous importe ici et nous aide à mettre le doigt sur le sens caché, c'est que la ville de Washington a été construite pour accueillir Isis, la déesse associée à la Vierge. Washington a érigé sa cité sous le signe de la Vierge, invitant la Déesse Mère à prendre part à la destinée des États-Unis.

Un autre vieil ami, Robert Lomas, a découvert une autre orientation spécifiquement maçonnique. Au début d'un cycle vénusien de huit ans, on voit, depuis la Maison Blanche, l'étoile du matin se lever au-dessus du Capitole. Puis, le soir de ce même jour de février – autour du 6 – le président peut voir le zodiaque, l'Arche royale de la franc-maçonnerie, exactement telle qu'elle apparut lors de la consécration du temple de Salomon.

NOUS AVONS DIT QUE LES TECHNIQUES OCCULTES qui permettent d'atteindre des états alternatifs sont enseignées au sein des sociétés secrètes. Les différents grades d'initiation permettent d'accéder à différents niveaux de conscience altérée. Les grades les plus élevés peuvent offrir le don de prophétie. Les grands initiés ont

L'aiguille de Cléopâtre juste avant son transfert à Londres.

une connaissance tellement globale des esprits supérieurs et de leurs projets pour l'humanité qu'ils sont capables de travailler consciemment à l'accomplissement de ces projets.

Les initiés de différentes traditions ésotériques et de différents pays avaient prédit l'avènement d'un nouvel âge. Joachim, Dee et Paracelse avaient prophétisé le retour du prophète Élie, qui travaillerait dans l'ombre de l'histoire, aidant l'humanité à devenir plus forte face aux épreuves qu'elle aurait à subir. En invitant la Déesse Mère à prendre part à la destinée des États-Unis, Washington désirait également l'avènement d'un nouvel âge, une nouvelle donne. Les États-Unis domineraient le monde – si les grandes prières de Washington, gravées dans la pierre, étaient entendues et que les anciennes prophéties se réalisaient.

L'abbé Trithème, influencé par Joachim et qui influença à son tour Cornélius Agrippa et Paracelse, avait prédit que l'ère de Gabriel, archange de la Lune, serait suivie par l'ère de Michel, archange du Soleil. Il avait prédit que ce grand événement aurait lieu en 1881.

Nous avons vu dans le chapitre 3 de quelle façon saint Michel s'était battu contre les forces du mal, conduisant une armée d'anges bienveillants. Les francs-maçons des XVIII et XIX siècles prédirent que saint Michel, archange du Soleil, reviendrait.

Michel venait se battre contre les forces d'anges corrompus et contre les démons qu'on savait vouloir attaquer la Terre à la fin du XIX et au début du XX siècle.

La victoire de Michel – aidé par l'homme – devait mettre fin au Kâlî Yuga, l'âge des ténèbres des hindouistes, qui avait commencé en 3102 avant Jésus-Christ avec le meurtre de Krishna. Les yugas sont déterminés astrologiquement et sont divisés en huit parties, suivant le cycle équinoxial.

En réalité, les astrologues initiés francs-maçons s'aperçurent que Trithème avait fait une petite erreur dans ses calculs astrologiques/astronomiques et que l'ère « michaélique » devait commencer en 1878. Dans le monde entier, à l'approche de cette date, les francs-maçons prévoyaient d'ériger des monuments, mais surtout, ils voulaient ériger des obélisques.

Les Égyptiens considéraient les obélisques comme des structures sacrées sur lesquelles le Phénix se pose pour marquer la fin d'une ère et le début d'une autre. L'obélisque est donc le symbole de l'ère nouvelle qui, tel un gigantesque paratonnerre, attire l'influence spirituelle du Soleil.

Constantin le Grand avait converti un temple d'Alexandrie en église et avait consacré les obélisques dédiés à Toth qui s'élevaient au-dehors à l'archange Michel. En 1877, les francs-maçons des deux côtés de l'Atlantique transportèrent ces deux obélisques par la mer. L'un d'entre eux fut érigé au bord de la Tamise, sur Victoria Embankment – et est familièrement connu sous le nom de « l'aiguille de Cléopâtre ». Il fut érigé le 13 septembre 1878, quand le Soleil était au zénith. Son jumeau fut érigé à New York, dans Central Park, par un groupe de francs-maçons, guidé par la famille Vanderbilt.

Michel était, comme nous l'avons vu, le guide de l'armée des anges, et la transition d'une ère à une autre est toujours marquée par une guerre. Comme ce qui se passe sur terre est toujours l'écho de ce qui s'est passé plus tôt dans le monde des esprits, une grande guerre eut lieu dans les cieux avant d'éclater sur terre. En érigeant l'obélisque de Central Park, à New York, les francs-maçons invoquaient saint Michel et tous ses anges, ils demandaient leur aide alors qu'ils cherchaient à établir la domination des États-Unis sur les autres nations et qu'une ère de guerres allait éclater.

CERTAINS LECTEURS ONT PEUT-ÊTRE CONSTATÉ que des obélisques ont également été mis en valeur dans le contexte ecclésiastique comme, par exemple, l'obélisque érigé par l'initié Bernin sur la place de Saint-Pierre de Rome.

Les échelons supérieurs de la hiérarchie de l'Église souhaitent que leurs troupeaux de fidèles ne soient pas *conscients* des origines astrales de leur religion.

Mais ces monuments agissent à différents niveaux. Ils attirent les êtres désincarnés des hiérarchies spirituelles. Ils affectent les personnes à un niveau inconscient, niveau où les grands êtres désincarnés entrent et sortent à la dérobée de notre espace mental. Les initiés, qu'ils travaillent ou non au sein de l'Église, créent de grandes œuvres d'art et d'architecture, pour aider l'humanité à se préparer à son évolution future.

Ils sont également porteurs d'indices pour ceux qui ont un esprit capable de les décoder.

Dessin du buste d'Albert Pike, grand maître et initié. L'emblème maçonnique, avec les trente-trois rayons, est souvent en évidence sur les monuments publics au centre des villes du monde entier. Nous avons trouvé ce chiffre dissimulé dans l'œuvre de Bacon, dans celle de Shakespeare et dans les manifestes rosicruciens. Il est également dissimulé sur les tombes de Shakespeare et de Fludd, traducteur de la Bible du roi Jacques. Jésus-Christ a vécu trente-trois ans. La signification de ce nombre est l'un des secrets les plus anciens et les plus jalousement gardés de la philosophie ésotérique. Trente-trois est le rythme du royaume végétatif du cosmos, la dimension qui contrôle les interactions entre le monde des esprits et le monde matériel. L'allusion la plus explicite à ce nombre se trouve sans doute dans les Métamorphoses d'Ovide, quand l'esprit de César assassiné est décrit sortant par ses trente-trois blessures. Le nombre trente-trois se réfère au nombre de portails que l'esprit peut emprunter pour passer du monde matériel au monde des esprits. La connaissance pratique de ces chemins est connue seulement des initiés du niveau supérieur, car elle leur permet d'entrer et de sortir discrètement du monde matériel.

25

La révolution sexuelle mystique

*Le cardinal de Richelieu • Cagliostro • L'identité secrète
du comte de Saint-Germain • Swedenborg, Blake et les origines
sexuelles du romantisme*

… Cependant, au milieu du XVIIIᵉ siècle, la montée en puissance des États-Unis n'était encore qu'une vision mystique. À la fin du XVIIᵉ, et au XVIIIᵉ, la France devint la nation la plus puissante et la plus influente au monde. Des personnalités caustiques et mordantes, naviguant entre les extrêmes du bien et du mal, décidaient du sort du monde dans les couloirs du Louvre, puis de Versailles.

Il est peut-être significatif que Descartes, malgré des années de recherche sur les rose-croix et un séjour en Allemagne pour les rencontrer, ne réussit jamais dans son entreprise. En proie à des visions, il n'était sûrement pas, comme Newton, un adepte des techniques alchimiques qui pouvaient permettre un accès répété, et même contrôlé, au monde des esprits.

En collaboration avec le mathématicien et théologien Marin Mersenne, dont le protecteur était Richelieu, Descartes développa une philosophie rationaliste, un système de raisonnement clos, qui n'avait pas besoin de se référer au monde des sens.

La philosophie de Descartes et Mersenne contribua à l'essor d'un nouveau genre de cynisme. Elle permit à une succession de diplomates et de politiciens français de damer le pion à leurs homologues étrangers. Ils avaient beau porter les mêmes habits, bien que parfois plus à la mode, que leurs contemporains allemands, italiens, hollandais, espagnols ou anglais, la différence entre leurs consciences était aussi radicale que celle qui existait entre les conquistadores et les Aztèques.

La cour de France était la plus splendide de l'histoire de l'humanité, non seulement du point de vue matériel, mais par le raffinement de sa culture. Belle et sans cœur, elle prétendait que la vanité était à l'origine de toutes les actions humaines. Comme le disait La Rochefoucauld : « C'est plutôt par l'estime de nos propres sentiments que nous exagérons les bonnes qualités des autres, que par l'estime de leur mérite ; et nous voulons nous attirer des louanges, lorsqu'il semble que nous leur en donnons. » Une autre de ses critiques narquoises et dévastatrices concernant la nature humaine dit : « Quelque bien qu'on dise de nous, on ne nous apprend rien de nouveau. » La fuite de la sincérité laissa la place à la tyrannie du goût et du style.

De fait, la sexualité fut dissociée de la spiritualité. Des libertins comme Choderlos de Laclos, auteur des *Liaisons dangereuses*, dont on disait qu'il était une araignée au centre d'une grande toile d'intrigues politiques et sexuelles, Crébillon fils, auteur des meilleurs romans libertins, dont *Les Égarement du cœur et de l'esprit*, Casanova et Sade, devinrent des hommes de référence, admirés pour la complexité et l'habilité de leurs jeux de pouvoir.

La sexualité implique toujours une notion d'effort, mais cet effort devenait désormais une fin en soi. Même chez les plus sensibles et les plus intelligents, le sexe pouvait se réduire à un banal exercice de pouvoir.

Poursuivant les machinations éhontées de Richelieu ayant servi à promouvoir les intérêts nationaux sous le règne de Louis XIII, Louis XIV s'octroya le titre de Roi-Soleil – mais évidemment, le Soleil avait sa face cachée. Alors que la *haute cuisine* avait été conçue pour attirer les nobles à la cour et les satisfaire, les paysans étaient taxés au point de mourir de faim ; Richelieu massacrait les religieux insoumis et, plus tard, on fit en sorte que Marie-Antoinette ne voie ni vieux, ni pauvres, ni malades, pendant que Louis XVI relisait de manière obsessionnelle un récit sur la décapitation de Charles Ier, ce qui le conduisit tout droit à ce qu'il craignait le plus.

À la cour circulaient des rumeurs de puissants secrets ésotériques. Le cardinal portait sur lui une baguette en or et en ivoire, dont ses ennemis craignaient les pouvoirs magiques. Son mentor, le père Joseph, l'éminence grise première, lui apprit des exercices spirituels qui développaient des pouvoirs parapsychologiques. Il employa un kabbaliste du nom de Gaffarel pour lui apprendre les secrets occultes. Il y eut aussi un homme appelé Dubois, dont on disait qu'il était un descendant de Nicolas Flamel, qui vint le trouver avec un livre de

Et in Arcadia ego, de Nicolas Poussin. Le lien qui unissait Poussin au mystère de Rennes-le-Château a engendré nombre de spéculations sur les intérêts ésotériques de l'artiste. Mais chercher du côté des rose-croix, comme certains l'ont fait, serait faire fausse route. Le mentor spirituel de Poussin était le jésuite Athanasius Kircher, sans doute le plus grand spécialiste de l'ésotérisme au XVIIᵉ siècle. Égyptologue confirmé, Kircher voulait vérifier la philosophie pérenne et l'histoire secrète dissimulées dans les textes égyptiens, la Bible et la tradition classique, représentée ici par une allusion à un épisode dans Virgile. Ce que désigne le berger accroupi – sur un tombeau qui existait à l'époque de Poussin, mais a été détruit récemment – est une inscription qui confirme notre histoire secrète. Même en Arcadie j'existe *fait allusion au moment déterminant de l'histoire, décrit au chapitre 5, où le désir animal et la mort vinrent envahir la vie végétative, idyllique, de l'humanité. Ce fut la Chute de la Déesse Mère. Dans le christianisme ésotérique, Marie Madeleine était l'incarnation de la déesse, qui connut la rédemption grâce à son bien-aimé. Comme nous l'avons vu, Marie Madeleine passa les dernières années de sa vie dans le sud de la France, toujours selon la tradition chrétienne. Ce que désigne Poussin ici est donc le tombeau de Marie Madeleine.*

magie formulé de manière obscure. Incapable de l'interpréter pour le cardinal et de lui fournir des résultats, il fut pendu. Il semble que Richelieu désespérait d'atteindre l'« autre côté » car, pour y parvenir, il employait des méthodes de plus en plus extrêmes. Un jour, il donna l'ordre de torturer Urbain Grandier, un soi-disant adorateur du Diable. Ce dernier se serait alors exclamé : « Vous êtes un homme compétent, ne vous détruisez pas. »

On dit aussi que la maîtresse de Louis XIV, Mme de Montespan, causa la mort d'une rivale grâce à une messe noire.

Un des docteurs de Louis XIV, un certain Lesebren, rapporta une histoire étrange que vécut un de ses amis qui avait concocté ce qu'il pensait être l'élixir de vie. Il avait commencé à en prendre quelques gouttes chaque matin à l'aube, accompagné d'un verre de vin mais, après quatorze jours, ses ongles et ses cheveux commencèrent à tomber. Il paniqua et cessa ce traitement sur-le-champ. Mais il commença à donner sa potion à une servante plus âgée : elle aussi prit peur et refusa de continuer à la prendre. Il finit alors par l'administrer à une vieille poule, dont il trempait le maïs dans ladite potion. Au bout de six jours, elle n'avait plus de plumes. Deux semaines plus tard, il lui en poussa de nouvelles, plus brillantes et plus colorées que celles de sa jeunesse et elle commença à pondre à nouveau des œufs.

Parmi ces extrêmes de cynisme et de crédulité, où charlatans et autres imposteurs étaient monnaie courante, les vrais initiés développèrent une nouvelle manière de se montrer aux yeux du monde. Les enseignants ésotériques savaient depuis toujours que leur sagesse semblait idiote aux non-initiés, pour la simple raison qu'ils se concentraient sur la nature paradoxale et trompeuse du cosmos. Désormais, les initiés se présentaient sous l'apparence de filous et d'illusionnistes, afin de passer inaperçus.

Un garçon pauvre, originaire des bas-fonds siciliens, se réinventa comte de Cagliostro. Grâce à un mélange de charme hypnotique et l'habitude qu'il avait de se servir de sa jolie jeune femme, Séraphita, comme appât et, par-dessus tout, les rumeurs qui couraient sur sa possession de la pierre philosophale, il réussit à se retrouver au faîte de la société européenne.

Pour les gueux, il était un saint. Il accomplissait des miracles de guérison parmi le peuple de Paris, qui était incapable de se payer un médecin, ce qui lui valut un statut de héros : quand, après un court emprisonnement, il fut relâché de la Bastille, huit mille personnes étaient là pour l'accueillir. Lorsqu'on proposa à Cagliostro un débat intellectuel devant ses pairs, son interlocuteur, Antoine Court de Gébelin, ami de Benjamin Franklin et expert renommé en philosophie ésotérique, admit rapidement qu'il était confronté à un redoutable adversaire, dont l'intelligence surpassait largement la sienne.

Cagliostro semblait avoir également des pouvoirs de prophétie remarquables. Dans une lettre célèbre datée du 20 juin 1786, il annonça que la Bastille serait complètement détruite et il avait, dit-on, même prédit la date exacte de cet événement – le 14 juillet – date qu'il avait inscrite sur le mur de la cellule où il mourut.

Quiconque a des pouvoirs surnaturels est soumis à la tentation. Le plus charismatique et le plus déconcertant des initiés du XXe siècle fut sans doute Georges I. Gurdjieff. Il présentait ses idées de manière délibérément absurde. Il parla d'un organe à la base de la colonne vertébrale qui permettait aux initiés de voir le monde à l'envers et sens dessus dessous, qu'il appela le Kunderbuffer. C'est ainsi qu'il baptisa délibérément d'un nom ridicule le serpent kundalini, la réserve d'énergie indomptable enroulée à la base de la colonne vertébrale, essentielle à la pratique tantrique. De la même manière, il écrivit que les dieux se promenaient dans des navettes spatiales et que la surface du Soleil est froide. Ceux qui réfutaient ces idées se montraient indignes de lui. Ceux qui persistaient et qui étaient capables d'être à l'écoute réalisaient que les disciplines spirituelles de Gurdjieff fonctionnaient.

Depuis sa mort, il est apparu qu'il a quelquefois utilisé ses pouvoirs irréfutables de contrôle de la pensée pour attirer de vulnérables jeunes femmes.

Un de mes amis fit un voyage en Inde afin de rencontrer le grand enseignant, initié et faiseur de miracles, Sai Baba. Il était accompagné de sa jeune et jolie fiancée. Après un dîner délicieux, les domestiques s'éclipsèrent et Sai Baba emmena ses invités dans la bibliothèque. Mon ami parcourait un livre, pendant que Sai Baba parlait avec la jeune femme : il remarqua que le maître se tenait exagérément proche d'elle. Il commença à s'inquiéter lorsque leur hôte dévia la conversation sur la dimension sexuelle dans les mythes hindous. Soudain, Sai Baba tendit la main et fit sonner une cloche en cuivre gravée de sceaux et, simultanément, il sembla attraper quelque chose dans l'air. Il ouvrit sa main, et sa paume révéla une chaîne en or et un crucifix. Il dit à la jeune femme que c'était de la vraie magie et tendit sa main, lui offrant l'objet. Mon ami crut le voir briller d'une aura sombre.

Il remarqua aussi que les sceaux sur la cloche étaient tantriques et comprit que l'intention du sage était probablement d'ensorceler sa fiancée, afin de la séduire. Il demanda d'où venait cette chaîne.

« Elle est apparue à l'instant, devant vous », lui répondit Sai Baba.

Mon ami prit la chaîne, avant que sa fiancée n'ait pu la toucher. Il la tint dans sa main et utilisa l'art de la psychométrie pour déterminer ses origines. Il eut une vision désagréable de pilleurs de tombes et comprit que cette chaîne avait été volée dans la sépulture d'un missionnaire jésuite.

Il fit part à Sai Baba de sa vision, lui opposant ses propres pouvoirs magiques, ce qui dissuada le maître de poursuivre son entreprise de séduction.

En me racontant cette histoire des années plus tard, mon ami me dit que depuis que Prospéro avait brisé sa baguette magique dans *La Tempête*, on avait interdit aux initiés d'utiliser leurs pouvoirs magiques, excepté dans des circonstances exceptionnelles comme celles-ci. Il existe une loi qui dit que si un magicien « blanc » utilise ses pouvoirs occultes, une quantité équivalente de pouvoir est rendue accessible à un magicien « noir ».

Existe-t-il d'autres indices qui permettraient de dire que la magie est encore utilisée de nos jours ? Dans une librairie de livres d'occasion à Tunbridge Wells, j'ai trouvé récemment une petite cachette contenant des lettres dans lesquelles un occultiste donnait des conseils sur la façon d'utiliser les formules magiques afin d'atteindre le but recherché. L'une d'elles parlait de mettre en cachette du sang menstruel dans la nourriture d'un homme, ce qui réveillerait son désir.

Cela peut paraître surprenant mais en 2006, le gouvernement britannique a annoncé son plan de subventions en faveur du développement de l'agriculture biodynamique. Cette méthode, inventée par Rudolf Steiner, repose sur les correspondances entre les plantes et les esprits des étoiles, comme décrites précédemment par Paracelse et Böhme. Steiner recommande de traiter, par exemple, une invasion de mulots, en enterrant dans le champ les cendres d'un mulot lorsque Vénus est dans le signe du Scorpion.

Si Cagliostro demeure une énigme, l'homme qu'il admirait par-dessus tout était encore plus mystérieux.

Il fit lui-même le récit de sa rencontre avec le comte de Saint-Germain, dans un château, en Allemagne, en 1785 : sa femme et lui arrivèrent à deux heures du matin, à l'heure convenue. Une fois le pont-levis baissé, ils le traversèrent pour se retrouver dans une petite pièce obscure. Soudain, comme par magie, de grandes portes s'ouvrirent, révélant un vaste temple scintillant de milliers de bougies. Au centre était assis le comte de Saint-Germain. Il portait plusieurs bagues en diamants et sur sa poitrine, un emblème paré de bijoux qui semblait refléter la lumière des bougies rayonnant sur Cagliostro et Séraphita. De chaque côté du comte étaient assis deux de ses acolytes qui tenaient des bols d'où fumait de l'encens et, comme Cagliostro entrait, une voix désincarnée, qu'il prit pour celle du comte alors que ses lèvres ne bougeaient pas, commença à résonner dans le temple.

« Qui es-tu ? D'où viens-tu ? Que veux-tu ? »

Bien évidemment, d'un certain point de vue, le comte savait parfaitement qui était Cagliostro – la visite avait été arrangée –, mais il était peut-être en train de lui poser des questions sur ses incarnations précédentes, ses démons, ses intentions profondes.

Cagliostro se jeta aux pieds du comte et, après un certain temps, dit : « Je suis venu invoquer le dieu des Fidèles, le fils de la Nature, le père de la Vérité. Je suis venu demander un des quatorze mille sept cents secrets qu'il porte en son sein. Je suis venu me livrer à lui comme esclave, comme apôtre, comme martyr ».

De toute évidence Cagliostro pensait reconnaître Saint-Germain, *mais qui était-il vraiment ?*

Le fait que Saint-Germain ait ensuite initié Cagliostro aux mystères des Templiers, qu'il lui ait permis de faire une expérience de décorporation et de le faire voler sur une mer de bronze fondu pour explorer les hiérarchies célestes constitue-t-il un indice ?

Le comte avait fait son apparition subitement dans la société européenne, en 1710. Il disait être originaire de Hongrie et paraissait avoir la cinquantaine. Petit, à la peau mate, il portait toujours des vêtements noirs et des diamants extraordinaires. Ses traits les plus frappants étaient ses yeux hypnotiques. Tous les récits s'accordent à dire qu'il captiva rapidement l'attention de la société grâce à ses exploits : il parlait plusieurs langues, jouait du violon et peignait. Il semblait avoir également la capacité extraordinaire de lire dans les esprits.

On disait qu'il pratiquait des techniques secrètes de respiration apprises chez les fakirs hindous et, pour mieux méditer, il adoptait des postures de yoga, alors inconnues en Occident. Il se rendait aux banquets, mais on ne le vit jamais manger en public, et ne buvait qu'un étrange thé aux herbes qu'il préparait lui-même.

Mais le plus grand mystère entourant la vie du comte de Saint-Germain est sa longévité. Lorsqu'il était apparu en société en 1710, lors de sa rencontre avec Rameau à Venise, il paraissait, nous l'avons dit, la cinquantaine. Mais il continua à fréquenter la société au moins jusqu'en 1782, *sans jamais sembler vieillir*. La haute société l'aperçut jusqu'en 1822.

Il serait facile de réfuter cette histoire et de dire qu'elle ressemble à un roman d'Alexandre Dumas, si ce n'est que les témoins qui ont laissé des traces de leurs rencontres avec ce personnage, sur d'aussi longues périodes, sont des personnes de haut rang. Non seulement Rameau, mais également Voltaire, Horace Walpole, Clive d'Inde et Casanova prétendent l'avoir rencontré. C'était une figure pro-éminente de la cour de Louis XV, un intime de Mme de Pompadour et du roi lui-même, qui l'envoya en mission diplomatique à Moscou, Constantinople et Londres. C'est là qu'en 1761, il négocia un accord appelé la Family Compact, qui ouvrit la voie au traité de Paris et mit un terme aux guerres coloniales entre la France et l'Angleterre. Il semble que les efforts de Saint-Germain aient toujours été en faveur de la paix et, même s'il est souvent associé à Cagliostro, on ne lui connaît pas d'acte malhonnête. Personne ne savait d'où venait son argent – certains parlaient d'alchimie – pourtant, de toute évidence, il était riche et indépendant ; sûrement pas un aventurier désespéré.

Mais alors, qui était-il ? Une des clés de son identité secrète repose dans l'histoire maçonnique. On dit qu'il aurait conçu la formule maçonnique « Liberté Égalité Fraternité » et, que ce soit vrai ou non, il peut sans doute être considéré comme l'esprit incarné de la franc-maçonnerie.

Saint-Germain pourrait être identifié surtout avec une personnalité controversée, entourée de rumeurs, de contre-rumeurs et d'incertitudes sur la réalité de son existence : *dans l'histoire secrète, Saint-Germain est Christian Rosenkreutz réincarné* à l'époque des Lumières, de l'expansion impériale et de la diplomatie internationale.

Pour paraphraser l'éminent écrivain de science-fiction et éso-tériste Philip K. Dick : il avait appris à reconstituer son corps après la mort.

Mais nous nous retrouvons alors face à un mystère plus profond : dans une incarnation préalable, Rosenkreutz/Saint-Germain avait été Hiram Abiff, le maître d'œuvre du temple de Salomon. Le meurtre d'Hiram Abiff avait conduit à la perte du Verbe. À un certain niveau, le Verbe perdu était un pouvoir de procréation surnaturelle que l'humanité avait exercé avant la Chute dans la matière ; une partie de la mission de Saint-Germain fut donc de réintroduire la connaissance du Verbe dans le courant de l'histoire, à travers la franc-maçonnerie ésotérique.

Cependant, le plus grand mystère de cet individu concerne une incarnation encore antérieure, du temps où les humains étaient sur le point de devenir de chair : Énoch était le premier prophète du dieu Soleil, un homme dont le visage rayonnait tel un soleil.

Quand Saint-Germain emmena Cagliostro faire le tour des Cieux, tous deux firent le même voyage que celui décrit dans le *Livre d'Énoch*. Par sa phrase « Liberté Égalité Fraternité », Saint-Germain désirait voir venir le temps où l'humanité rejoindrait le dieu Soleil, avec la liberté de pensée et le libre arbitre qu'elle n'avait pas réussi à atteindre lors de Sa première incarnation.

Depuis la fin du XVIᵉ siècle jusqu'au XIXᵉ, l'histoire secrète du monde est dominée par le travail dans l'ombre des grands maîtres ascendants de la tradition occidentale, Énoch et Élie, et par la préparation à la venue sur Terre de l'archange du Soleil – et, au-delà, à la venue d'un être encore plus grand.

Ces hommes préparaient le chemin de la Deuxième Venue.

À MESURE QUE LE XVIIIᵉ SIÈCLE PROGRESSAIT, les apparitions du mystérieux comte se firent de plus en plus rares, mais une humeur optimiste, pleine d'espoir, envahit les loges des sociétés secrètes. En France, Saint-Martin, le « philosophe inconnu » enseignait que « chaque homme est un roi ». Le chevalier Ramsay, le laird[1] écossais qui contribua à la réforme de la Grande Loge de France en 1730[2], fit un discours destiné aux nouveaux initiés à Paris, en 1737 : « Le monde entier n'est qu'une grande république, dont chaque nation est une famille, et chaque particulier un enfant [...]. Nous voulons réunir des hommes à l'esprit lumineux et à l'humeur agréable, non seulement par l'amour des beaux-arts, mais encore plus par les grands principes de vertu, où l'intérêt de la

---

[1] Un laird est un titre héréditaire pour les propriétaires de possessions terriennes en Écosse (ndlt)

[2] Qui devint le Grand Orient de Paris (ndlt)

La Très Sainte Trinosophie *est un livret souvent attribué à Saint-Germain et semble provenir du même courant de franc-maçonnerie ésotérique. C'est un récit avoué d'initiation, où le candidat descend dans les entrailles volcaniques de la Terre et y passe la nuit. À l'aube, il sort de sa chambre souterraine, en suivant une étoile. Il est libéré de son corps matériel et vole dans l'espace, où il rencontre « le vieil homme du palais ». Dans le palais, il dort sept jours durant et, quand il s'éveille, sa robe est devenue d'un vert brillant. Dans un étrange passage de l'histoire, il voit un oiseau avec des ailes de papillon et sait qu'il doit l'attraper. Il lui enfonce un clou en acier dans les ailes, pour le capturer, mais les yeux de l'oiseau papillon deviennent plus brillants. Finalement, dans un couloir où se tient une très belle femme nue, il frappe le Soleil de son épée. Ce dernier est réduit en poussière et chacun des atomes de poussière devient un soleil en soi. Le Grand Œuvre est accompli. Ici, une représentation d'un portail par Paolo Véronèse que les théosophes considèrent comme une incarnation d'un des maîtres occultes.*

confraternité devient celui du genre humain entier, [...] où tous les sujets des différents royaumes peuvent conspirer sans jalousie, vivre sans discorde et se chérir mutuellement sans renoncer à leur patrie [...]. »

La franc-maçonnerie fournissait un espace protégé, où l'on pouvait discuter librement d'art et de moralité, mener des recherches scientifiques et enquêter sur le monde des esprits.

Après l'établissement des « loges mères » en Écosse, à Londres et à Paris, le grand événement maçonnique du XVIIIe siècle eut lieu dans les années 1760 : la fondation de l'ordre des Élus Coëns (ou « prêtres élus ») par le mage portugais Joachim Martinès de Pasqually. Les rituels des Élus Coëns, mis au point par Martinès de Pasqually, duraient parfois six heures et comprenaient la fumigation d'un encens à base d'hallucinogènes et de spores du champignon amanite tue-mouches. Dans les rituels plus récents de Stanislas de Guaita, qui était très influencé par Martinès de Pasqually, on ôtait un bandeau des yeux du candidat qui se retrouvait parfois face à des hommes portant des masques et des coiffes égyptiens et qui, silencieusement, pointaient sa poitrine de leur épée.

Le Dr Dee avait voulu ramener un peu de vraie spiritualité dans l'Église par la pratique de cérémonies magiques. Martinès de Pasqually et Cagliostro firent de même dans la franc-maçonnerie. En 1782, Cagliostro fonda le « rituel de la maçonnerie égyptienne » qui allait grandement influencer les loges françaises et américaines.

L'élève et successeur de Martinès de Pasqually, Saint-Martin, mit l'accent sur les pratiques internes de méditation, plutôt que sur les cérémonials. Influencée par ses lectures de Böhme, la philosophie martiniste est restée très influente dans la franc-maçonnerie française jusqu'à nos jours. Saint-Martin vécut à Paris au temps de la Terreur : il permettait donc aux gens de venir chez lui et les initiait par l'imposition mystique des mains. Ils vivaient dans une telle peur qu'ils continuaient à porter des masques pendant leurs réunions, afin de ne pas révéler leur identité, même entre eux.

On prétend que Voltaire, célèbre pour ses attaques fustigeant la religion, tout en restant cordial, haïssait Dieu. Mais, ce qu'il détestait, c'était la religion en tant qu'institution. Quand il fut initié par Benjamin Franklin, on lui fit embrasser un tablier appartenant à Helvétius, un célèbre scientifique suisse, dont les récits de transmutation alchimique ont été authentifiés juste après ceux de Leibniz.

Arthur E. Waite, l'historien de la franc-maçonnerie et de l'expérience mystique, écrivit sur les « rêves francs-maçons de science antique, proclamant que la réalité derrière les rêves doit être cherchée dans l'esprit des rêves ». Il parlait de Voltaire comme de « l'homme qui détenait les clés – qui avait forgé les clés – qui ouvraient les portes de cette réalité et offraient d'incroyables horizons de possibles [...]. Les pratiques condamnées et les arts interdits peuvent conduire, à travers des nuages de mystères, à la lumière de la connaissance ». Nous verrons plus clairement ce que cela veut dire dans le chapitre suivant mais, pour le moment, il est suffisant de dire que les initiés des sociétés secrètes étaient fascinés par ces nouveaux horizons.

Leurs poitrines étaient tellement gonflées de foi et d'optimisme qu'ils auraient sûrement été d'accord avec Wordsworth pour dire que « c'était une bénédiction de vivre à l'aube de cette époque ».

Ce débordement d'enthousiasme et les espérances que faisait naître l'aube de cette ère nouvelle parmi les artistes, écrivains et compositeurs des sociétés secrètes fit naître le romantisme. Chaque fois que survient un grand épanouissement de l'art imaginatif et de la littérature, comme lors de la Renaissance, il faut toujours y voir la présence cachée de l'idéalisme sacré en tant que philosophie de vie, et des sociétés secrètes qui cultivent cette philosophie.

Nous avons raconté l'histoire du monde du point de vue idéaliste, en considérant son aspect philosophique, qui propose que les idées sont plus réelles que les objets. L'idéalisme tel qu'il est entendu de manière courante – c'est-à-dire vivre selon des idéaux élevés – fut, comme l'a montré George Steiner, une invention du XIXe siècle.

Au siècle précédent, les loges anglaises, américaines et françaises, avaient cherché à créer des sociétés moins cruelles, moins superstitieuses et ignorantes, moins répressives et plus tolérantes. Le monde était devenu tout cela, mais également moins hypocrite et moins frivole.

Avant même la Terreur, il régnait un trouble, une anxiété que provoquait l'idée que, même si la société avait été faite pour s'accommoder de lignes droites, cela n'était adéquat ni pour la nature humaine, ni pour les forces, ténébreuses, qui opéraient en dehors des lois de la nature. Le romantisme fut aussi une tentative de maîtriser ce sentiment intense et galvanisant qui surgit du fond de chacun de nous et qu'aujourd'hui nous appellerions l'inconscient. Il donna naissance à une musique et à une poésie d'une intensité rare, ne voulant pas s'encombrer de conventions, et il encourageait la spontanéité et l'abandon de soi.

Au pays d'Eckhart, de nombreux écrivains considéraient la France comme une terre de « petits maîtres à danser sans âme, qui ne comprenaient pas la vie intérieure de l'homme ». Par la prose de Lessing, Schlegel et Schiller, l'idéalisme philosophique redevint une philosophie de vie : il exaltait l'imaginaire plus que tout autre chose, et défendait l'idée mystique et ésotérique que l'imagination est un mode de perception supérieur à celui que nous offrent les sens, car elle peut être entraînée à saisir des réalités supérieures à celles du matérialisme, colporté par les apôtres du bon sens.

Dans l'histoire conventionnelle, le romantisme fut une réaction à l'ordre bienséant du XVIIIᵉ siècle. L'histoire secrète ajoute que ce furent les forces démoniaques, plutôt que de simples forces inconscientes, qui entraînèrent cette réaction.

Et son origine était sexuelle.

UN JOUR DE JUIN 1744, JOHN PAUL BROCKMER, un horloger de Londres, se demanda ce qui pouvait bien clocher chez son locataire : Emanuel Swedenborg, un ingénieur suédois, semblait être un personnage discret et respectable qui fréquentait la chapelle morave du quartier tous les dimanches. Pourtant, les cheveux dressés, il écumait et courait dans la rue après Brockmer, bégayant et prétendant être le Messie. Brockmer essaya de le persuader de voir un médecin ; au lieu de cela, Swedenborg s'en fut à l'ambassade de Suède. Comme ils ne le laissèrent pas entrer, il se déshabilla et se roula dans la boue d'un caniveau en jetant de l'argent aux passants.

Dans un livre récent, le fruit de nombreuses années de recherche méticuleuse, Marsha Keith Suchard révèle que Swedenborg était en train d'expérimenter certaines techniques sexuelles destinées à atteindre des états de conscience altérés extrêmes, enseignées dans la respectable chapelle morave. Marsha Keith Suchard montre que William Blake fréquenta également cette église dès son plus jeune âge et que ces pratiques sexuelles inspirèrent sa poésie.

Nous avons abordé différentes techniques permettant d'altérer les états de conscience, comme la respiration, la danse et la méditation, mais les techniques sexuelles sont d'une autre teneur : ce sont les secrets les mieux gardés des sociétés secrètes. Grâce au travail de Marsha Keith Suchard, on peut suivre les différents stades du développement de la pratique de Swedenborg, comme il l'a consigné dans ses notes ou y a fait allusion dans ses publications.

Dès l'enfance, Swedenborg avait essayé de contrôler sa respiration : il avait remarqué que s'il retenait son souffle longtemps, il se trouvait dans une sorte de transe. Il découvrit également qu'en synchronisant sa respiration avec son pouls, il pouvait entrer dans une transe encore plus profonde : « Je fus réduit à un état d'insensibilité quant aux sens corporels, par conséquent, presque à l'état des mourants ; cependant la vie intérieure me restait entière, ainsi que la pensée, pour que je perçusse et que je retinsse dans ma mémoire ce qui se passe en ceux qui sont morts et sont ressuscités. J'eus d'abord la respiration qui est propre à la vie, puis une respiration tacite. » Persévérer dans ces techniques pouvait apporter de grands résultats. Swedenborg parle d'une certaine lumière réconfortante et d'une clarté encourageante qui dansent dans l'esprit, comme une radiation mystérieuse… Il dit que l'âme est appelée à une communion intérieure, qu'elle est retournée à l'âge d'or de sa perfection intellectuelle. Il dit que l'esprit, la petite flamme de son amour, méprise tout, tout sauf les plaisirs corporels. Il semble décrire les différentes étapes d'un état de conscience altéré, tel que nous l'avons abordé avec le processus d'initiation. Comme l'a souligné Marsha Keith Suchard, la neurologie moderne a confirmé que la méditation accroît le niveau de DHEA et de mélatonine, sécrétions produites par les glandes pinéale et pituitaire qui, selon les occultistes, quand elles fonctionnent ensemble, créent le troisième œil.

À quinze ans, Swedenborg partit habiter avec le beau-frère de son père, qui deviendrait son mentor pendant les sept années suivantes, et ce fut là, dans son nouveau foyer, que les recherches de Swedenborg prirent un tournant kabbalistique.

Nous avons vu que, dans la Kabbale, comme dans toutes les traditions ésotériques, la création est conçue comme une série d'émanations (les séphirot, ou servants) de l'esprit cosmique. Comme dans les mythes grecs et romains, ces émanations sont considérées comme féminines, ou masculines. L'En Sof, l'esprit cosmique inatteignable, exhale des esprits féminins et masculins, et ceux-ci se mêlent sexuellement, à mesure que l'impulsion de la création descend en spirale. De même que les images érotiques qui s'impriment dans l'esprit créent du sperme, les actes imaginaires d'amour de l'En Sof génèrent des effets physiques. *L'imagination – et surtout l'imagination créée par la sexualité – est donc considérée comme le principe de base de la créativité.*

Dans le récit kabbalistique, ce fut un déséquilibre entre les séphirot mâles et femelles qui fut la cause de la Chute. S'il imagine un acte d'amour équilibré et harmonieux entre les séphirot, l'adepte contribue à réparer cette première erreur cosmique.

Dans la tradition de la Kabbale, les chérubins déployant leurs ailes sur l'arche d'Alliance dans le Saint des Saints du temple de Jérusalem étaient l'image de l'acte sexuel harmonieux entre les séphirot mâle et femelle. Quand le deuxième temple fut saccagé par Antioche en 168 avant Jésus-Christ, ces images érotiques furent exposées dans les rues, dans le but de ridiculiser les Juifs. En 70 après Jésus-Christ, le Temple fut détruit, mais on désira le reconstruire. Désormais, l'acte d'amour du mâle et de la femelle séphirot était au centre d'un projet destiné à réparer une *erreur historique*.

Swedenborg écrivit aussi sur des méthodes de respiration rythmées sur les pulsations génitales. De toute évidence, lorsqu'il vivait avec le beau-frère de son père, il commença à pratiquer ce genre d'exercices de contrôle de la respiration en imaginant des femmes nues se contorsionnant érotiquement et prenant la forme des lettres hébraïques dont nous avons déjà parlé. Ces images étaient considérées comme des emblèmes, des sceaux magiques puissants. De nos jours, certains groupes hassidiques se servent des mêmes techniques et utilisent les énergies sexuelles à des fins spirituelles. Bob Dylan, l'héritier, si l'on peut dire, de la tradition poétique de Blake, a exploré certaines de ces pratiques. Le contrôle est un élément essentiel et il a d'ailleurs été souligné dans une autre tradition ésotérique spirituelle, sexuellement chargée. L'Europe, dont les empires coloniaux s'étaient étendus en Orient, finit par avoir vent des pratiques tantriques. Afin de provoquer une excitation durable, les hommes devaient se soumettre à une discipline psychologique ; l'érection redirigeait les énergies sexuelles dans le cerveau et, par là, permettait une entrée dans le monde des esprits, une extase visionnaire, plus ample qu'une simple jouissance. Quant à Swedenborg, il maîtrisait une technique très difficile de contrôle musculaire, connue des maîtres indiens, où, au moment de l'éjaculation, le sperme est redirigé vers la vessie, et n'est donc pas expulsé.

On peut aisément comprendre le danger de ces techniques – c'est une des raisons de leur confidentialité. On court le risque du genre de décompensation dont a été témoin le logeur de Swedenborg, sans parler de la folie ou de la mort.

L'élément nouveau que Swedenborg découvrit en fréquentant les moraves de l'église de New Fetter Lane était la version typiquement chrétienne de l'arcane de l'amour. À cette époque, les moraves de Londres étaient sous l'influence du charismatique comte Zinzendorf. Ce dernier encourageait les membres de la congrégation à visualiser, sentir et toucher, en imagination, la blessure sur le flanc du Christ. Dans la vision de Zinzendorf, cette blessure était un doux vagin, suintant un jus magique : la lance de Longinus devait être répétitivement et extatiquement plongée en elle.

Zinzendorf encourageait le sexe comme un acte sacré et exhortait ses disciples à voir les émanations divines et spirituelles de l'autre, au moment du coït. Une prière mentale conjuguée à ce moment-là avait une puissance magique particulière. Comme le dit Swedenborg : « Le partenaire voit l'autre partenaire dans son esprit… chacun a l'autre en lui » pour qu'« ils cohabitent dans leur intimité profonde ». Lors de transes visionnaires, les partenaires étaient capables de se rencontrer, de communiquer et même de faire l'amour dans leur forme démembrée et spirituelle.

Marsha Keith Suchard a fait remarquer que les parents de Blake étaient membres de cette congrégation et que Blake absorba ces idées en lisant Swedenborg. Elle a démontré comment les pudiques victoriens ont effacé des dessins de Blake, l'imagerie trop explicitement sexuelle – en dessinant même des sous-vêtements sur les parties génitales. Bien qu'on ait compris que Blake a été influencé par la philosophie ésotérique de Swedenborg et d'autres, jusqu'à aujourd'hui, nous avons ignoré ces techniques très particulières de magie sexuelle qui étaient à la base de ses visions.

Ces visions furent très précoces. À quatre ans, Blake vit Dieu regarder par la fenêtre et, à quatre ou cinq ans, alors qu'il marchait dans la campagne, il vit un « arbre rempli d'anges aux longues ailes resplendissantes ». Mais il semble que, par la suite, les techniques de Zinzendorf et de Swedenborg lui firent approcher ces phénomènes de manière plus kabbalistique.

Dans *Los*, il écrivit : « À Beulah, la Femelle laisse tomber son magnifique Tabernacle que le Mâle pénètre majestueusement entre son Chérubin et ne fait plus qu'Un avec elle, mélangé…

Il existe un endroit où les Contraires sont aussi vrais, cet endroit se nomme Beulah [3]. »

Pendant la période romantique, la vie intérieure d'un individu s'est finalement étendue, pour devenir un vaste cosmos d'une variété infinie : l'amour est l'amour d'un cosmos pour un autre. L'intimité appelle l'intimité. Avec le romantisme, l'amour devient symphonique.

La signification symbolique de tout cela est que les méditations secrètes et la pratique des prières d'une poignée d'initiés créèrent un courant populaire hostile au matérialisme. Cette nouvelle façon de faire l'amour, de rejouer la création du cosmos, était une façon de dire que le bien n'est pas seulement affaire de puissance, qu'il existait des idéaux plus élevés que l'opportunisme et l'égoïsme éclairé et que, si on travaillait pour atteindre le bon état d'esprit, on pouvait faire l'expérience d'un monde ayant un sens.

Si les gens font l'amour pour s'illuminer, alors le monde est un monde d'ombres : lorsqu'ils se réveilleront, le sens se sera posé sur le monde, telle la rosée.

Représentation de la fin du XVIIIe siècle de la pratique tantrique européenne.

---

[3] La traduction est de nous (ndlt).

ON PEUT DONC DIRE QUE LES ORIGINES DU ROMANTISME sont aussi bien sexuelles qu'ésotériques. Le poète allemand Novalis parlait d'« idéalisme magique ». Cette magie, cet idéalisme, cet esprit volcanique, évoquaient la musique de Beethoven et de Schubert. Beethoven entendait un nouveau langage musical, ressentant et exprimant des choses qui n'avaient jamais été ressenties ou exprimées. Comme pour Alexandre le Grand, identifier cet influx divin était devenu une obsession, et il cherchait la source de son génie inépuisable en lisant et relisant les textes ésotériques égyptiens et indiens. Pour lui, sa *Sonate en ré mineur* et l'*Appassionata* étaient les équivalents de *La Tempête* de Shakespeare : l'expression la plus explicite de ses idées occultes.

En France, le martiniste Charles Nodier avait relaté la présence de conspirations de sociétés secrètes au sein de l'armée napoléonienne, destinées à faire chuter l'empereur. Plus tard, Nodier initia à la philosophie ésotérique les jeunes romantiques français, dont Victor Hugo, Honoré de Balzac, Dumas fils, Delacroix et Gérard de Nerval.

Owen Barfield a écrit qu'il existe toujours un grand courant platonicien, un courant de sens vivant, que des intellects subtils, comme ceux de Shakespeare et Keats, peuvent discerner de temps à autre. Keats appela cela la « capacité négative » qui, d'après lui, surgissait lorsqu'un être est capable de vivre « dans l'incertitude, le mystère, le doute, sans se sentir frustré et chercher absolument un fait ou une raison ». En d'autres termes, il appliquait à la poésie la même volonté de ne pas imposer de schéma, la même disponibilité permettant le surgissement d'un schéma plus riche que Francis Bacon conseillait déjà dans la sphère scientifique.

« Autour de lui tissez un triple cercle. [...] Car il s'est nourri de rosée de miel. Et a bu le lait du Paradis. » Samuel Taylor Coleridge dégageait une aura surnaturelle. Il était profondément immergé dans la pensée de Böhme et de Swedenborg, mais ce fut son ami William Wordsworth qui décrivit de la manière la plus pure, simple et directe, l'expression du sentiment au cœur de l'idéalisme comme philosophie de vie. Quand il écrivait : « Et j'ai ressenti Une présence qui m'a surpris avec la joie De hautes pensées ; la conscience inouïe De quelque chose mêlée au plus profond de mon être, Qui habite la lumière des soleils couchants, La rondeur de l'océan, l'air plein de vie, Et le ciel bleu ; qui dans l'esprit humain Est cet élan, ce démon qui fait s'animer Les choses pensantes, les sujets de chaque pensée, Et roule à travers toute chose », il écrivait sur ce que cela faisait d'être idéaliste, d'une manière qui semble toujours très moderne aujourd'hui.

Même les gens qui, consciemment, nieraient l'existence des réalités supérieures auxquelles le poète fait allusion ici, reconnaissent quelque chose dans le poème *Vers écrits quelques miles en amont de Tintern Abbey*. Une émotion, cachée au fond d'eux-mêmes, se manifeste : ce poème leur évoque des sentiments car il a un sens pour eux.

Au moment où Wordsworth écrivait, les gens n'avaient pas besoin de se battre pour reconnaître ces sentiments. Goethe, Byron et Beethoven avaient initié un grand courant populaire.

Mais alors, que s'est-il passé ? Comment cet élan de liberté a-t-il pu se solder par un abus de pouvoir ?

Pour comprendre l'origine de cette catastrophe, il faut remonter au moment où les partisans du matérialisme ont commencé à infiltrer les sociétés secrètes. Le chevalier Ramsay avait expressément interdit les discussions politiques dans les loges qu'il avait fondées en 1730, mais la franc-maçonnerie avait de l'emprise sur les dirigeants de l'Europe. De toute évidence, pour tous ceux qui recherchaient le pouvoir politique, la franc-maçonnerie avait quelque chose de très tentant.

26

Les illuminés et le début de la déraison

Les illuminés et la bataille pour l'âme de la franc-maçonnerie
*• Les origines occultes de la Révolution française • L'étoile
de Napoléon • L'occultisme et l'essor du roman*

L'HISTOIRE DES ILLUMINÉS, l'un des épisodes les plus sombres de l'histoire secrète, a terni la réputation des sociétés secrètes.

En 1776, un professeur de droit bavarois, Adam Weishaupt, fonda une organisation appelée les illuminés[1], qui recrutait ses adeptes parmi les étudiants.

De même que les Jésuites, la confrérie des illuminés était gérée de façon militaire. Ses membres devaient abandonner tout jugement individuel et toute volonté. Comme les anciennes sociétés secrètes, les illuminés promettaient de révéler une sagesse ancienne. Weishaupt promettait à ses initiés qu'à mesure qu'ils s'élèveraient dans l'initiation, ils auraient accès aux secrets les plus importants et les plus puissants. Les initiés travaillaient en petites cellules et la connaissance était partagée entre ces cellules sur la base de ce que les services de sécurité modernes appellent le « principe de l'accès sélectif aux informations » – tant cette connaissance redécouverte était dangereuse.

Weishaupt rejoignit les francs-maçons en 1777 et, peu après, de nombreux illuminés le suivirent, en infiltrant les loges. Ils s'élevèrent rapidement aux plus hauts échelons.

Mais un jour de 1785, un homme appelé Jacob Lanz, qui se rendait en Silésie, mourut frappé par la foudre. Lorsqu'on l'étendit sur le sol de la chapelle la plus proche, les autorités bavaroises découvrirent sur

---

[1] Ordre tout d'abord connu sous le nom d'ordre des perfectibilistes, puis sous celui d'ordre des illuminés de Bavière, ou illuminati (ndlt)

lui des papiers qui révélaient les plans secrets des illuminés. D'après ces documents, dont certains écrits de la main même de Weishaupt, ainsi que d'autres saisis lors de perquisitions dans tout le pays, on put dresser un tableau de ce qui était en train de se passer.

Ces papiers révélaient que la sagesse ancienne et les pouvoirs secrets surnaturels promulgués au sein de la confrérie des illuminés avaient toujours été une frauduleuse et cynique invention : l'aspirant progressait grade par grade pour enfin découvrir que les éléments spirituels des enseignements n'étaient qu'un écran de fumée. La spiritualité était tournée en dérision, bafouée ; on y disait que les enseignements de Jésus-Christ avaient surtout un contenu politique, qu'ils appelaient à l'abolition de la propriété, du mariage, de tous les liens familiaux et de toute religion. Le but de Weishaupt et de ses acolytes était de mettre en place une société gérée sur des bases purement matérialistes, une nouvelle société révolutionnaire – et ils avaient décidé que le pays où ils allaient tester leurs théories serait la France.

À la fin de l'initiation, on soufflait dans l'oreille du candidat que *le secret ultime est qu'il n'y a pas de secret.*

C'est ainsi qu'il était introduit à une philosophie nihiliste et anarchiste qui faisait appel à ses pires instincts. Weishaupt prévoyait avec joie la destruction de la civilisation, non pas pour libérer les gens, mais pour le plaisir d'imposer sa volonté aux autres.

Ses écrits montrent l'étendue de son cynisme : « [...] notre force réside en grande partie dans la dissimulation. Pour cela, nous devons nous couvrir sous le nom d'une autre société, les loges franc-maçonniques sont le meilleur manteau pour dissimuler notre objectif supérieur ».

« Cherchez la compagnie des jeunes gens », conseillait-il à un de ses conspirateurs. « Observez-les et, si l'un d'eux vous plaît, mettez-lui la main dessus. »

« Comprenez-vous vraiment ce que veut dire diriger – diriger une société secrète ? Non seulement régner sur le peuple dans son ensemble, mais sur les hommes les meilleurs, des hommes de toutes les races, nations ou religions, de régner sans force visible... le but final de notre société n'est autre que de prendre le pouvoir et les richesses... et d'avoir la maîtrise du monde[2]. »

---

[2] La traduction est de nous (ndlt)

Suite à la découverte de ces écrits, l'ordre fut dissous – mais il était trop tard.

En 1789, il y avait près de trois cents loges en France, dont soixante-cinq à Paris. D'après les francs-maçons français d'aujourd'hui, il y avait plus de soixante-dix mille francs-maçons en France. Le but d'origine avait été d'imprégner les gens de l'espoir et de la volonté de changement, mais l'infiltration massive des loges laisse penser que le programme qui fut mis en place par l'Assemblée en 1789 avait été conçu par des illuminés allemands en 1776. Danton, Desmoulins, Mirabeau, Marat, Robespierre, Guillotin et d'autres « meneurs » avaient été « illuminés ».

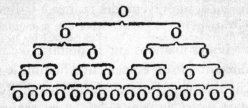

Diagramme de Weishaupt. Il écrivit à ses conspirateurs : « Il faut montrer comme il est facile pour un esprit clair de diriger des centaines de milliers d'hommes. »

473

Le roi tarda à accepter les réformes et Desmoulins appela à la révolte armée. En juin 1789, Louis XVI tenta de dissoudre l'Assemblée et rappela ses troupes à Versailles. S'ensuivit une désertion massive. Le 14 juillet, une foule en colère prit la Bastille et Louis XVI fut guillotiné en janvier 1793. Quand il voulut parler à la foule, un roulement de tambour l'interrompit. On l'entendit dire : « Je meurs innocent des crimes qu'on m'impute. Je pardonne aux auteurs de ma mort, et je prie Dieu que le sang que vous allez verser ne retombera pas sur la France. » Qu'un tel acte puisse arriver au cœur de la nation la plus civilisée du monde ouvrit la porte à l'impensable.

On a dit que dans la mêlée qui s'ensuivit, un homme se jeta sur l'échafaud et s'écria : « Jacques de Molay, tu es vengé[3] ! » Si cela est vrai, ce sentiment contrastait vivement avec la grâce et la charité du roi.

Dans l'anarchie qui succéda à cette exécution, la France se trouva menacée de l'intérieur comme de l'extérieur. Les maîtres des loges franc-maçonniques prirent le pouvoir. Bientôt, nombreux furent accusés d'être des traîtres à la Révolution et ainsi commença la Terreur.

Les estimations sur le nombre d'exécutions diffèrent. La force directrice de cet événement, l'homme le plus austère et le plus incorruptible, était l'avocat Maximilien de Robespierre. En tant que chef du Comité de salut public et en charge de la police, il envoyait à la guillotine des centaines de personnes par jour et le nombre total d'exécutions finit par s'élever à 2 750. De ce nombre, seulement 650 étaient des aristocrates, le restant n'étant que de simples travailleurs. Robespierre finit même par exécuter Danton. Saturne dévorait ses propres enfants.

Comment tout cela fut-il possible ? Comment des hommes si éclairés pouvaient-ils justifier un tel bain de sang ? Dans une philosophie idéaliste, la fin ne justifie jamais les moyens, car, comme nous l'avons vu, les intentions affectent le résultat, aussi dissimulées

---

[3] Chevalier du Temple qui, devant le bûcher où il devait périr, le 13 mars 1314, s'écria : « Pape Clément ! Chevalier Guillaume ! Roi Philippe ! Avant un an, je vous cite à paraître au tribunal de Dieu pour y recevoir votre juste jugement ! Maudits ! Maudits ! Maudits ! Tous maudits jusqu'à la treizième génération de vos races » (ndlt)

soient-elles. Robespierre répandit le sang par devoir sinistre, pour protéger les droits des citoyens et leurs propriétés. D'un point de vue rationnel, il agit de la sorte pour le bien commun.

Cependant, ce désir d'être pleinement raisonnable semble l'avoir rendu fou.

Le 8 juillet 1794, une curieuse cérémonie eut lieu devant le Louvre, aux Tuileries. Les membres de la Convention étaient tous assis dans un grand amphithéâtre improvisé et chacun tenait un épi de blé à la main, symbolisant la déesse Isis. En face d'eux se tenait Robespierre, sur une estrade, enveloppé d'un manteau bleu, les cheveux poudrés. Il dit : « L'univers est ici rassemblé, Ô Nature, que ta puissance est sublime et délicieuse ! Comme les tyrans doivent pâlir à l'idée de cette fête ! » Puis il en appela à l'Être suprême et se lança dans un discours qui dura plusieurs heures et se termina par : « Demain, reprenant nos travaux, nous combattrons encore les vices et les tyrans. »

Les membres de la Convention qui espéraient le début d'une ère d'apaisement durent être extrêmement déçus.

Il s'approcha d'un bûcher auquel il mit le feu, révélant ainsi la statue de la Sagesse, au visage noirci par la fumée, ce qui fit rire la foule. Le décor avait été conçu par le franc-maçon illuminé Jean-Jacques David, qui voulait que la statue de la déesse Sophie semble émerger des flammes, tel un Phénix.

Le poète Gérard de Nerval affirma par la suite que Sophie représentait Isis. Cependant, l'esprit souverain à l'époque n'était pas Isis, qui cache, derrière ses voiles, le monde des esprits ; ni celui de Mère Nature, la douce déesse nourricière de la dimension végétale du cosmos. C'était plutôt celui de la Mère Nature rouge sang, armée de griffes et de dents.

Afin de compromettre le chef sanguinaire, Marc Guillaume Alexis Vadier dénonça la vieille prophétesse Catherine Théot devant l'Assemblée : cette dernière était à la solde de l'aspirant dictateur depuis qu'il avait institué le culte de l'Être suprême. L'écœurement que provoquait ce bain de sang perpétuel était arrivé à son maximum et la foule fit le siège de l'Hôtel de Ville. Robespierre était enfin cerné. Il tenta de se tirer dessus, mais ne réussit qu'à déchiqueter la moitié de sa mâchoire. Quand il se rendit à la guillotine, toujours habillé de son costume bleu, il voulut s'adresser à la foule, mais ne réussit à émettre qu'un cri étranglé.

Il est de notoriété publique que Napoléon suivait sa bonne étoile. On a pris cela pour une licence poétique signifiant qu'il était destiné à accomplir de grandes choses.

Goethe dit de lui : « Nous aurions besoin que le Démon nous mène tous les jours en lisière, nous dise ce qu'il y a à faire et nous y pousse. Mais le bon esprit nous abandonne, et nous sommes sans ressort et tâtonnons dans l'obscurité. Voilà où Napoléon était quelqu'un de formidable ! Toujours illuminé, toujours clair et résolu, et doué à toute heure de l'énergie suffisante pour mettre en œuvre aussitôt ce qu'il avait reconnu avantageux et nécessaire. Sa vie fut la marche d'un demi-dieu, de bataille en bataille et de victoire en victoire. On pouvait bien dire de lui qu'il se trouvait dans une illumination perpétuelle : c'est aussi pourquoi sa destinée fut d'un éclat tel que jamais le monde n'en avait vu de pareil avant lui, et jamais peut-être n'en reverra après lui. »

Comment Napoléon aurait-il pu ne pas se sentir maître de son destin ? Il réussissait tout ce qu'il entreprenait, semblant capable de plier le monde à sa volonté. Pour nombre de ses contemporains comme pour lui-même, il était l'Alexandre le Grand du monde moderne, réunissant l'est et l'ouest par ses conquêtes.

Les troupes françaises envahirent l'Égypte : ce ne fut pas une campagne glorieuse – mais elle fut importante pour Napoléon sur le plan personnel. D'après Fouché, le chef de la police secrète française, Napoléon rencontra dans la Grande Pyramide un homme prétendant être Saint-Germain. Ce qui est certain, c'est qu'il choisit l'occultiste et astrologue Fabre d'Olivier comme conseiller personnel et qu'il se débrouilla pour passer une nuit seul, à l'intérieur de la Grande Pyramide. Napoléon a-t-il rencontré Saint-Germain en chair et en os, ou en esprit ?

Napoléon fit dresser un catalogue d'antiquités égyptiennes, *Description de l'Égypte*. Il était dédié à Napoléon le Grand, allusion à Alexandre le Grand, représenté sur la couverture en Sol invictus, le dieu Soleil.

Son empire s'étendait non seulement à l'Italie et à l'Égypte, mais aussi à l'Allemagne, l'Autriche et l'Espagne. Aucun empereur n'avait été couronné par le pape depuis Charlemagne. En 1804, Napoléon se fit apporter la couronne et le sceptre de l'empereur, força le pape Pie VII à assister à la cérémonie à Notre-Dame et, comme l'écrivit Benjamin Constant, « bien qu'il eût promis de se conformer aux règles du

Napoléon dit à plusieurs reprises que, tant que personne d'autre que lui ne pouvait voir sa bonne étoile, visible ici dans le ciel, il ne permettrait à personne de l'empêcher d'accomplir sa destinée.

cérémonial, Napoléon devança le pape, étonné par son audace, monta à l'autel, s'empara de la couronne et se la posa lui-même sur la tête ».

L'empereur fit appel à une équipe d'érudits qui conclut qu'Isis était l'ancienne déesse de Paris et décréta ensuite que la déesse et son étoile devaient figurer sur les armoiries de la ville. Sur l'Arc de triomphe, Joséphine de Beauharnais est représentée, agenouillée devant l'empereur, portant le laurier d'Isis.

Cela signifie que Napoléon ne s'identifiait pas à Sirius, mais qu'il suivait l'étoile, tout comme Orion la suit dans le ciel. Dans certaines initiations franc-maçonniques, certains candidats renaissent – tout comme Osiris – en regardant une étoile à cinq branches représentant Isis. Osiris/Orion le chasseur est l'élan masculin vers le pouvoir, l'action et la fécondation, pourchassant Isis, la gardienne des mystères de la vie.

C'est ainsi que Napoléon considérait Joséphine, née d'une famille très impliquée dans la franc-maçonnerie et qui était elle-même déjà franc-maçonne lorsqu'il la rencontra. Napoléon conquit l'Europe continentale, mais il ne réussit jamais tout à fait à conquérir la sublime Joséphine. Il la désirait comme Dante désirait Béatrice et ce désir lui faisait aspirer à davantage.

Osiris et Isis sont aussi associés au Soleil et à la Lune et, à un certain niveau, comme nous l'avons vu, cela a à voir avec la façon dont le cosmos s'est arrangé afin de rendre la pensée humaine possible. Dans l'ancienne Égypte, la levée hélicoïdale de Sirius, à la mi-juin, présageait la montée du Nil. Dans certaines traditions ésotériques, Sirius est le soleil central de l'univers, autour duquel tourne notre Soleil.

Ce réseau complexe de pensée ésotérique, mêlé à son amour pour Joséphine, alimentait le sentiment de destinée que cultivait Napoléon.

Mais en 1813, les pouvoirs qui le guidaient et le fortifiaient l'abandonnèrent brusquement, comme cela finit toujours par arriver et, comme l'avait dit Goethe, les forces négatives l'assaillirent de toutes parts, cherchant à le détruire.

Nous voyons le même processus à l'œuvre chez les artistes : ils se battent pour trouver leur voie, atteignent des périodes d'inspiration d'une perfection inouïe qui transforment l'art, puis, quand l'esprit les quitte brusquement, ils sont incapables de le retrouver, malgré tous leurs efforts.

DEPUIS LE DÉBUT DE CETTE HISTOIRE, nous avons régulièrement fait référence aux séries d'expériences que le candidat doit traverser afin d'atteindre des niveaux élevés d'initiation, y compris l'expérience de la *kamaloca*, où l'esprit et l'âme, réunis, sont attaqués par des démons.

Mais il existe un autre aspect de cette conception, enseignée dans les écoles ésotériques, selon laquelle l'humanité tout entière doit traverser une sorte d'initiation.

Les sociétés secrètes se préparaient à cet événement, aidant l'humanité à développer le sentiment de soi et d'autres qualités qui seraient nécessaires durant l'épreuve.

Vers le milieu du XVIIIe siècle, la franc-maçonnerie s'était répandue en Autriche, en Espagne, en Inde, en Italie, en Suède, en Allemagne, en Pologne, en Russie, au Danemark, en Norvège et en Chine. Au XIXe siècle, suivant les traces des frères français et américains, la franc-maçonnerie inspira des révolutions républicaines dans le monde entier.

Mme Blavatsky écrivit que chez les *carbonari* – les précurseurs révolutionnaires de Garibaldi – de nombreux francs-maçons étaient profondément versés en sciences occultes et en rosicrucisme. Garibaldi lui-même était un franc-maçon au 33e degré et grand maître de la franc-maçonnerie italienne.

En Hongrie, Louis Kossuth, et en Amérique du Sud, Simon Bolivar, Francisco de Miranda Venustiano Carranza, Benito Juarez et Fidel Castro se battirent tous pour la liberté.

Aujourd'hui, aux États-Unis, il y a plus de treize mille loges et, en 2001, le nombre de francs-maçons dans le monde était estimé à sept millions.

Nous avons dit que Jésus-Christ planta la graine de la vie intérieure, que cette vie intérieure fut développée et peuplée par Shakespeare et Cervantès. Au XVIIIe et particulièrement au XIXe siècle, les grands romanciers initiés forgèrent ce sentiment que nous avons tous aujourd'hui que notre monde intérieur a sa propre histoire, qu'il compose un récit avec du sens, des hauts et des bas, des revers de fortune et des dilemmes, et des virages qu'il faut négocier quand des décisions cruciales se présentent.

Les grands romanciers de cette époque, comme les sœurs Brontë ou Dickens, avaient aussi la certitude que, comme le comprenait la pensée ésotérique, si la conscience humaine avait évolué au cours de l'histoire, alors, la conscience évolue également pendant la vie des individus.

Comenius grandit dans le Prague de Rodophe II, où il assista au couronnement du roi d'un hiver. Il connut Johann Valentin Andrae à Heidelberg et fut invité par son ami l'occultiste Samuel Hartlib, à le rejoindre à Londres « pour aider à accomplir le Grand Œuvre ».

Par ses réformes éducatives, Comenius introduisit dans la pensée dominante l'idée que l'enfant n'a pas du tout la même conscience que celle que développe un adulte.

Son influence est visible dans *Jane Eyre* et dans *David Copperfield* – et il faut comprendre qu'une telle pensée était révolutionnaire pour l'époque.

Mais le domaine de pensée ésotérique qui allait avoir la plus grande influence sur le roman serait celui des lois profondes de la vie. Le roman était un terrain d'expérimentation pour les écrivains enracinés dans la philosophie ésotérique, qui leur permettait de démontrer l'influence de ces lois sur la vie individuelle.

IL EST TEMPS D'AFFRONTER LE CONCEPT insaisissable se trouvant au cœur de la vision ésotérique du cosmos et de son histoire.

Nous avons vu que, dans l'ombre, Élie avait aidé à créer une rupture entre la conscience objective de Bacon et celle, subjective, de Shakespeare. Nous avons également vu qu'en regardant le monde aussi objectivement que possible, les lois de la physique apparaissaient.

Qu'en est-il des expériences subjectives ? Qu'en est-il de la structure de l'expérience elle-même ?

Illustration d'un livre d'école de Comenius.

480

Avec le temps, la psychologie naîtrait. Mais la psychologie partirait du postulat matérialiste que la matière influence l'esprit, et jamais le contraire. La psychologie tournerait donc le dos à toute une partie de l'expérience humaine universelle – l'expérience du sens.

Nous avons déjà abordé comment les rose-croix avaient commencé à formuler des lois en accord avec la pensée ésotérique orientale sur « la voie sans nom », des lois inextricablement liées à la notion de bien-être humain. En Orient, il existe une tradition solennelle qui consiste à dépister les actions du yang et de son opposé, le yin, mais en Occident, cette notion est restée un élément insaisissable qui a échappé aux sciences émergentes de la psychologie et de la physique.

Si les lois qui gouvernent ces éléments impalpables sont difficiles à concevoir en termes abstraits, il est bien plus facile de les voir en action. Certains grands romanciers du XIXe siècle écrivirent des romans explicitement occultes. Plus hardi que le *Chant de Noël* de Dickens, *Les Hauts de Hurlevent* d'Emily Brontë dépeint un esprit qui poursuit l'objet de son amour depuis la tombe. *Le Voile soulevé* de George Eliot, fruit de son investigation passionnée dans l'occulte, ne fut pas publié par son éditeur. Puis, comme nous le verrons bientôt, il y eut Dostoïevski.

Mais, outre cet occultisme explicite, on retrouve une autre influence, plus large, implicite, dans un grand nombre de fictions. *Dans les plus grands romans se manifeste une vision des lois profondes qui régissent les vies individuelles, des schémas complexes et irrationnels qui ne pourraient exister si la science était la seule capable d'expliquer tout ce qui existe dans l'univers.*

Jane Eyre, Bleak House, Moby Dick, Middlemarch et *Guerre et paix* sont des miroirs de nos vies : ils mettent en évidence les schémas significatifs d'ordre et de sens, qui constituent notre expérience universelle, et cela, même quand la science nous dit de ne pas croire aux preuves qui sont sous nos yeux, dans nos cœurs et nos esprits.

À UN CERTAIN NIVEAU, LES ROMANS TRAITENT tous de l'égotisme, car lire un roman, c'est toujours regarder le monde du point de vue d'un autre : la lecture d'un roman atténue donc notre égotisme. De même, les échecs des personnages de roman sont des miroirs qui, soit nous ramènent à nos intérêts personnels, soit nous montrent que nous n'arrivons pas à éprouver de l'empathie.

La plus grande contribution qu'a apportée le roman au sentiment de soi est la formation du sentiment de narration intérieure, l'idée que la vie d'un individu vue de l'intérieur a une forme, un sens et qu'elle constitue une histoire.

Sous-jacente à ces notions de forme et de sens réside la croyance que la vie des gens est formée par les épreuves qu'ils subissent – le labyrinthe en perpétuel changement.

Ce qui donne forme à la vie, dans un roman, c'est le paradoxe même de la vie, le fait qu'elle n'est pas rectiligne, prévisible, que les apparences sont trompeuses et que la chance peut tourner. Les notions du sens de la vie et des lois profondes se rejoignent ici.

SI CES LOIS PROFONDES EXISTENT RÉELLEMENT, si elles sont universelles, si puissantes et importantes, si l'histoire tourne réellement autour

La Mère l'Oye sur une illustration du XIXe siècle. La Mère l'Oye révèle son identité secrète, Isis, déesse de la Lune et prêtresse de la philosophie secrète, non seulement à cause de son nom – dans l'Antiquité égyptienne, l'oie était un des attributs traditionnels d'Isis– mais aussi par son profil en forme de croissant de lune. Les contes de fées de la tradition populaire sont saturés des attributs sacrés et paradoxaux de l'ancienne philosophie sacrée.

d'elles, comment se fait-il que nous n'en soyons pas plus conscients ? N'est-il pas étrange que nous, les Occidentaux, n'ayons même pas créé un mot pour les nommer ?

C'est surprenant, surtout parce que si ces lois sont responsables du bonheur de l'humanité, elles devraient forcément être utiles, car elles nourrissent l'espoir de vivre une vie heureuse.

Les règles les plus élémentaires pour avoir une vie heureuse sont contenues dans les proverbes et les conseils raisonnables et sensés que nous prodiguons aux enfants. Du moins c'est ce que l'on dit.

Mais il existe une différence : aussi bien les proverbes que les conseils prodigués aux enfants ne concernent que les règles élémentaires de la vie – comment éviter de se faire mal et obtenir le minimum nécessaire à notre survie – alors que les lois plus profondes traitent des grandes notions de destin, de bien et de mal et, comme nous allons le voir, elles nous conseillent de satisfaire notre soif de bonheur, aux niveaux les plus élevés et les plus ineffables, ainsi que nos besoins les plus profonds d'épanouissement et de sens.

Comparez ce conseil rabâché : « réfléchis avant d'agir » avec la recommandation contenue dans cette courte et perverse parabole, écrite dans l'esprit du protosurréaliste Guillaume Apollinaire, par Christopher Logue :

> « Venez au bord du gouffre, leur dit-il.
> – Nous avons peur, dirent-ils.
> – Venez au bord du gouffre », leur dit-il.
> Ils approchèrent, il les poussa...
> Et ils s'envolèrent.

Inspirés par les enseignements des sociétés secrètes, les surréalistes voulaient détruire la pensée établie, anéantir le matérialisme scientifique ; une des manières d'y parvenir fut de promouvoir des actes irrationnels. Ici Logue dit que *si l'on agit irrationnellement, on est récompensé par les forces irrationnelles de l'univers.*

Si ce que dit Logue est vrai, on peut considérer que c'est une des lois profondes de l'univers, une loi de cause à effet qui n'est pas comprise dans des lois de probabilité.

Les surréalistes révélèrent ouvertement les origines de leur philosophie irrationnelle, puisée dans les sociétés secrètes. On retrouve cette même philosophie irrationnelle de façon implicite dans la culture

Comme Paracelse, les frères Grimm recueillirent la sagesse traditionnelle avant qu'elle ne meure. Grincheux, Prof, Dormeur, Simplet, Atchoum, Timide et Joyeux peuvent paraître des noms inventés, destinés à faire rire et à plaire aux enfants, mais ils sont en réalité la traduction littérale des sept démons de la terre de la tradition scandinave : Toki, Skavaerr, Varr, Dun, Orinn, Grerr et Radsvid. Même dans le monde douillet de Walt Disney, l'ésotérisme affleure plus qu'on ne le croit.

dominante. Prenez *La vie est belle*[4], un vieux film qui, en apparence, est simple et réconfortant, comme son aïeul littéraire, *Un chant de Noël*, que Charles Dickens a écrit, imprégné de la philosophie de la société secrète dont il était un initié.

Scrooge[5] est confronté à des fantômes : ils lui présentent des visions lui démontrant que son comportement a provoqué de grands malheurs, et lui donnent à voir ce qui se passera s'il continue sur cette voie. De son côté, George Bailey, le personnage que joue James Stewart dans *La vie est belle*, pense que sa vie est un échec absolu et il est sur le point de se suicider quand un ange lui montre que sa famille, ses amis et la ville tout entière auraient été bien plus malheureux sans lui et les sacrifices qu'il a faits pour eux.

Scrooge et George Bailey sont invités à se demander en quoi le monde aurait été différent s'ils avaient décidé de se comporter autrement. À la fin de ce processus de questionnement, les deux personnages reprennent leur vie là où ils l'avaient laissée au début de l'histoire – mais, cette fois-ci, ils doivent faire le bon choix. George Bailey décide de ne pas se suicider et d'affronter ses créanciers. Scrooge se rachète en venant en aide à la famille de Bob Cratchit.

D'une certaine façon, *La vie est belle* et *Un conte de Noël* racontent tous les deux que la vie est cyclique et qu'elle nous teste, qu'elle nous dirige vers des décisions cruciales et que, si nous nous trompons, nous repasserons par des épreuves équivalentes, afin d'être confrontés à nouveau à ces décisions importantes.

J'imagine que nombre d'entre nous pensent que *La vie est belle* et *Un conte de Noël* disent *vrai*. Il est difficile de discerner quoi que ce soit dans la science ou la nature qui prouverait que la vie suit un schéma qui insisterait à vouloir nous tester, mais la plupart d'entre nous ont probablement le sentiment que ces deux œuvres sont bien plus que de simples distractions, qu'elles disent quelque chose de profond sur la vie.

Lorsqu'on considère les choses sous cet angle, on voit bien qu'un même type de schémas mystérieux et irrationnels se trouve au cœur

---

[4] Film américain de Frank Capra, avec James Stewart, sorti en 1947 (ndlt)

[5] Le héros de Dickens (ndlt)

de la structure des plus grandes œuvres de littérature : *Œdipe roi,*
Hamlet, Don Quichotte, Docteur Faust et *Guerre et paix.*

D'une certaine façon, Œdipe attire ce qu'il redoute le plus et finit
par tuer son père et épouser sa mère.

Hamlet se dérobe sans cesse face au défi que lui réserve la vie
– venger la mort de son père – mais ce défi se représente à lui de
manière de plus en plus épouvantable.

Don Quichotte a une vision bienveillante et noble du monde ; sa
vision est si forte que, mystérieusement, elle réussit à transformer son
environnement matériel à la fin du roman.

Au fond de lui, Faust sait ce qu'il doit faire mais, puisqu'il ne le fait
pas, un ordre providentiel et universel le punit.

Le héros de *Guerre et paix*, Pierre, est torturé par son amour pour
Natasha, et ce n'est que lorsqu'il renonce à ses sentiments pour elle
qu'il gagne son amour.

Imaginons que nous remplissions un ordinateur géant de toutes
les données de ces œuvres – ou plutôt de celles de toute la littérature –
et que nous lui demandions ensuite : quelles sont les lois qui déter-
minent si une vie est heureuse et épanouie ? Je suggère que le résultat
serait un ensemble de lois de ce genre :

> Si on cherche à les fuir, les défis que nous réserve la vie se
> manifesteront à nouveau sous une autre forme.
> Nous attirons toujours ce que nous redoutons le plus.
> Si l'on choisit une voie sans morale, on finit par payer.
> Une croyance sincère finira par transformer ce en quoi
> on croit en réalité.
> Si l'on tient à ce que l'on aime, on doit le laisser libre.

C'est ce type de lois qui donne leur structure au grand récit
littéraire et si, quand on lit *Œdipe roi, Le Roi Lear, Docteur Faust* ou
Middlemarch, on ressent profondément que ces histoires sont *vraies,*
c'est sûrement parce que le fonctionnement des lois qui les sous-
tendent fait écho à notre expérience : elles dépeignent avec exactitude
la structure de nos vies.

Maintenant, imaginons ce qui arriverait si nous remplissions
un autre ordinateur géant de toutes les données *scientifiques* du
monde et si nous lui posions la même question. Le résultat serait
très différent :

La meilleure façon de garder quelque chose est de faire tout ce qui est en son pouvoir pour y arriver et ne jamais abandonner.

On ne transforme pas le monde en prenant ses désirs pour des réalités – il faut agir.

Si vous arrivez à ne pas vous faire prendre et punir par les hommes, il n'y a pas de raison pour qu'un ordre supérieur vous punisse.

Et ainsi de suite. Il me semble que l'implication est claire et confirme ce que nous avons déjà suggéré. Nous avons des réponses très distinctes et des lois de types différents, selon que l'on essaye de déterminer la structure du monde ou la *structure de l'expérience*.

C'est une distinction dont Tolstoï a parlé dans *Quelle est ma vie ?* Bien que les mêmes lois opèrent dans le monde extérieur, constitué de phénomènes, et dans nos vies intérieures, avec ses besoins de sens et d'épanouissement, elles ont l'air très différentes quand nous les considérons séparément. Comme le dit Abraham Isaac Kook, un des grands kabbalistes du XXᵉ siècle et le premier grand rabbin de Palestine[6] : « Dieu se révèle dans les sentiments intimes des êtres sensibles. »

Les lois plus profondes ne sont discernables que si nous regardons les événements du monde extérieur avec la plus grande subjectivité, comme un artiste ou un mystique le ferait. Serait-ce la subjectivité de ces lois, le fait qu'elles fonctionnent si près du centre de conscience qui nous les rend si difficiles à garder à l'esprit ?

Rainer Maria Rilke, le poète d'Europe centrale, semble être sur le point d'écrire de manière explicite sur ces lois dans une lettre adressée à un jeune poète : « Mais l'homme de solitude est lui-même une chose soumise aux lois profondes de la vie, et quand cet homme s'en va dans le jour qui se lève, ou qu'il dresse son regard à la nuit tombante, cette heure pleine d'accomplissements, s'il sent ce qui s'y accomplit, alors il dépouille toute condition, comme un homme qui meurt, bien qu'il

---

[6] Abraham Isaac Kook, né à Grïva, aujourd'hui en Lettonie, le 8 septembre 1865, et mort à Jérusalem le 1er septembre 1935, est un rabbin connu pour ses compétences talmudiques.
Immigré en Palestine en 1904, il devient en 1921 le premier grand rabbin ashkénaze du Foyer national juif en Palestine mandataire, poste nouvellement créé (ndlt)

entre alors, lui, dans la vie véritable. » Rilke utilise un langage poétique et grandiloquent, mais il semble confirmer que ces lois profondes ne peuvent être perçues que si l'on se coupe du reste du monde et que l'on se concentre sur elles longuement et intensément, et ce, avec toutes nos capacités de discernement.

PENDANT QUE J'ÉCRIVAIS CE LIVRE, j'ai rencontré la jeune mystique irlandaise Lorna Byrne. Elle n'a lu aucun des livres qui ont inspiré cet ouvrage et ne connaît personne qui pourrait lui avoir communiqué ces idées. Sa connaissance extraordinaire du monde des esprits lui est venue de l'expérience directe qu'elle en a faite. Elle rencontre régulièrement Michel, l'archange du Soleil, et a rencontré l'archange Gabriel, sous la forme de la Lune, divisé en deux parties, mais unies, et bougeant, dit-elle, comme les pages d'un livre qu'on tourne. Elle m'a décrit avoir vu, dans un champ près de chez elle, le groupe d'esprits du renard, sous la forme d'un renard, mais avec des attributs humains. Elle a rencontré Élie, qui était autrefois un humain avec l'esprit d'un ange, et elle l'a vu marcher sur l'eau comme l'Homme vert de la tradition soufie. Sa méthode est une méthode de perception alternative, une façon d'appréhender une dimension parallèle, qui déplace les choses dans la nôtre.

À LA FIN DU XIXe SIÈCLE, D'ANCIENNES CRÉATURES commencèrent à remuer dans le ventre de la Terre, traînant leur masse vers un endroit convenu.

Emprisonnés depuis la première guerre du Paradis, les dévoreurs de conscience se réveillaient.

27

La mort mystique de l'humanité

*Swedenborg et Dostoïevski • Wagner • Freud, Jung
et la matérialisation de la pensée ésotérique • Les origines
occultes du modernisme • Le bolchevisme occulte • Gandhi*

LA JOIE PREMIÈRE DU ROMANTISME, née du plaisir de s'exprimer et du plaisir animal de se sentir vivant au sein de la nature, finit par laisser place à l'inquiétude. Hegel, le plus grand philosophe idéaliste allemand, voit cette force à l'œuvre dans l'histoire : « L'esprit nous trompe, l'esprit complote, l'esprit nous ment et l'esprit triomphe. »

Considérée comme le récit de la vie intérieure de l'humanité, la littérature de la seconde moitié du XIXᵉ siècle s'assombrit et laisse apparaître une grande crise spirituelle. Dans l'histoire matérialiste, cette crise s'explique par l'« aliénation » ; l'histoire ésotérique, elle, y voit une crise spirituelle, une crise provoquée par les esprits – ou plus exactement par les démons.

Le grand défenseur de cette vision n'était pas un homme respecté par les universitaires comme Hegel, ni même un occultiste notoire comme Schopenhauer, mais un homme qui se roulait dans la boue : Swedenborg voyait les forces démoniaques surgir des entrailles de la Terre. Il affirmait que l'humanité devrait assumer le démoniaque qui habitait le monde et qui l'habitait elle-même.

Aujourd'hui, l'Église Swedenborg est le seul mouvement ésotérique admis au Conseil national des Églises suédois et les enseignements de Swedenborg influencent encore les promoteurs de la vie en communauté, particulièrement des groupes américains comme les shakers. Mais, à son époque, il était considéré comme quelqu'un de bien plus dangereux. Ses dons de clairvoyance, d'une précision exceptionnelle, le firent connaître dans le monde entier. Les spiritualistes tentèrent de se l'approprier, mais Swedenborg les rejeta en affirmant que ses dons surnaturels lui étaient propres. Il annonçait l'aube d'un âge nouveau.

Ce fut après la lecture de *Du ciel et ses merveilles et de l'enfer*, de Swedenborg, que Goethe développa l'idée de l'intrusion du mal, les forces surnaturelles qui affligent Faust. C'est chez Swedenborg que Baudelaire puisa sa notion de « correspondances », et de lui que Balzac s'inspira pour développer le surnaturel de *Séraphîta*. Mais l'influence la plus forte fut celle qu'il eut sur Dostoïevski, influence qui allait assombrir l'humeur de toute une époque.

LES HÉROS DE DOSTOÏEVSKI SONT SUSPENDUS au-dessus d'un abysse. Chez eux, il existe toujours la conscience que les choix ont une importance cruciale – et que ces choix nous sont présentés sous des aspects multiples.

Chez Dostoïevski, on trouve la notion paradoxale que ceux qui se mesurent à cette dimension diabolique et surnaturelle, quand bien même ils seraient des voleurs, des prostituées ou des assassins, sont plus proches des cieux que ceux dont la vision confortable du monde refuse délibérément le mal et nie son existence.

Le christianisme orthodoxe oriental a été moins dogmatique que son équivalent occidental et a valorisé davantage l'expérience spiri-tuelle individuelle. Dostoïevski fut élevé dans cette religion et se sentit libre d'explorer les frontières de l'expérience spirituelle, de décrire les batailles entre les forces de l'ombre et de la lumière, qui avaient lieu dans d'autres dimensions, dont la plupart des gens n'avaient presque pas conscience. Le voyage en Enfer de Dostoïevski est en partie, comme celui de Dante, un voyage spirituel, mais aussi une traversée de l'Enfer que l'homme a créé sur terre. Dostoïevski possédait un élan nouveau qui allait influencer les arts de la fin du XIXe siècle et du début du XXe : le désir de savoir que le pire peut arriver.

À sa mort, on a découvert que sa bibliothèque était remplie de livres de Swedenborg, dont des récits des différents enfers que les personnes douées pour le mal arrivaient à se créer pour elles-mêmes. Les enfers que Swedenborg a décrits ne sont pas fictifs : ils échappent à notre ontologie conventionnelle, à ce que nous supposons vrai ou non. Au premier abord, l'Enfer peut sembler ne pas être différent du monde dans lequel nous vivons, puis, petit à petit, des anomalies apparaissent. On peut rencontrer un groupe d'hommes cordiaux et amusants, des libertins qui aiment déflorer les vierges. Puis, quand ils se retournent pour nous saluer, on découvre qu'ils sont comme « des singes au visage féroce… à l'expression horrible ». Les écoles non ésotériques de critique littéraire sont passées à côté du fait que certains passages, comme celui de *Crime et châtiment* ci-dessous, ont été directement inspirés par Swedenborg :

> « Je ne crois pas à la vie future », dit Raskolnikov.
> Svidrigaïlov semblait plongé dans une méditation.
> « Et s'il n'y avait là que des araignées ou autres bêtes semblables ? » dit-il tout à coup.
> « Il est fou », pensa Raskolnikov.
> « Nous nous représentons toujours l'éternité comme une idée impossible à comprendre, quelque chose d'immense. Mais pourquoi en serait-il nécessairement ainsi ? Et si, au lieu de tout cela, il n'y a, figurez-vous, qu'une petite chambre, comme qui dirait une de ces cabines de bain villageoises tout enfumées, avec des toiles d'araignées dans tous les coins : la voilà, l'éternité. Moi, vous savez, c'est ainsi que je l'imagine parfois.
> – Eh quoi ! Se peut-il que vous puissiez vous en faire une idée plus juste, plus consolante ? cria Raskolnikov, avec un sentiment de malaise.
> – Plus juste ? Eh ! qui sait ? Ce point de vue est peut-être le plus vrai ; je m'arrangerais pour qu'il en fût ainsi si cela dépendait de moi », fit Svidrigaïlov avec un sourire vague.
> Cette réponse abrupte fit frissonner Raskolnikov.

De même, dans *Les Frères Karamazov*, lorsque le Diable rend visite à Ivan dans son cauchemar, ni le lecteur, ni le héros ne pensent qu'il s'agit d'une illusion. Dostoïevski dit à son lecteur que les diables peuvent s'inviter dans le monde matériel. Aucun autre écrivain ne décrit avec autant de puissance les courants diaboliques sous-jacents qui sont apparus dans la seconde moitié du XIXe siècle. Son œuvre est imprégnée de ce contact vital avec les mondes mystérieux, dont certains sont infernaux. Elle exprime également ce sens de l'extrême, de l'inexistence d'une voie du milieu : ou bien on embrasse totalement la spiritualité, ou alors le démon viendra remplir le vide. Ceux qui hésitent, qui sont entre deux, ne sont nulle part.

Comme Swedenborg, il désirait ardemment l'avènement d'une nouvelle ère, mais dans le cas de Dostoïevski, ce désir venait d'un sens de l'histoire typiquement russe.

« CHAQUE JOUR JE ME RENDS DANS LE BOSQUET », écrivit le poète Nicolaï Klyer dans une lettre à un ami, « et je m'assois là, près d'une petite chapelle et du pin séculaire. Je pense à toi. Je baise tes yeux et ton cœur… Ô mère nature, paradis de l'esprit… Comme le soi-disant monde civilisé semble noir et plein de haine et que ne donnerais-je, quel Golgotha ne supporterais-je pour que l'Amérique n'empiète pas sur l'aube azurée, sur la cabane de contes de fées… Le christianisme occidental, dont les présents insouciants au monde incluent le rationalisme, le matérialisme, une technologie asservissante, une absence d'esprit et, à sa place, un humanisme vain et sentimental. » Voici le point de vue russe.

Le christianisme orthodoxe avait pris un chemin différent du christianisme romain. L'orthodoxie avait préservé et développé les doctrines ésotériques – certaines datant de l'ère préchrétienne – que Rome avait écartées ou déclarées hérétiques. La vision mystique de Denys l'Aréopagite et l'importance qu'il accordait à l'expérience personnelle, directe, du monde des esprits, continuait à illuminer le christianisme orthodoxe. Au VIIᵉ siècle, le théologien byzantin Maxime le Confesseur encourageait, dans ses écrits, une discipline introspective ainsi qu'une vie monastique errante : « L'illumination doit être recherchée, écrivait-il, et, dans des cas extrêmes, le corps tout entier sera également illuminé. » Le même phénomène fut rapporté par les moines du mont Athos : plongés dans la prière, certains moines illuminaient soudain toute une grotte ou leur cellule. C'était la vision de Dieu, l'hésychasme, atteinte grâce à des exercices de respiration, des prières répétitives et la méditation sur des icônes.

En Russie, l'Église insistait sur les pouvoirs surnaturels qu'il était possible d'acquérir après une discipline spirituelle sévère. Mais au XVIIᵉ siècle, le patriarche Nikon, un Russe orthodoxe, reforma et centralisa l'Église et ce furent les *raskolniki*, les vieux-croyants, qui eurent la tâche de préserver l'ancienne croyance et la discipline spirituelle des premiers chrétiens. Leurs groupes hors-la-loi furent marginalisés, mais ils réussirent à préserver l'ancienne tradition. Dostoïevski resta en contact avec eux tout au long de sa vie.

Les vieux-croyants donnèrent naissance aux *stranniki*, ou vaga-bonds, des individus solitaires qui renonçaient à l'argent, au mariage, aux passeports et à tout document officiel, se promenant dans le pays et promettant des visions extatiques, la guérison et des prophéties. Quand ils étaient arrêtés, on les torturait et, parfois, on les décapitait.

Un autre mouvement qui émergea des vieux-croyants fut celui des *khlysty*, les croyants du Christ, une société marginale persécutée, célèbre pour son ascétisme extrême et son rejet du monde. Les *khlysty* étaient réputés pour leurs réunions nocturnes, parfois dans une clairière en forêt qu'ils illuminaient de rangées de bougies. Nus sous des robes fluides, ils dansaient en deux cercles, les hommes dans le cercle intérieur, tournant dans le sens du Soleil, et les femmes à l'extérieur, tournant dans le sens opposé. Ils s'effondraient, possédés, parlaient en langues, guérissaient les malades et exorcisaient les démons : le but de ces cérémonies était de se libérer du monde matériel et de s'élever dans le monde des esprits.

Il circulait des rumeurs d'orgies, qui auraient eu lieu lors de ces réunions nocturnes, mais il est plus probable que, comme les cathares, ils aient été des ascètes sexuels, pratiquant la sublimation des énergies sexuelles à des fins mystiques et spirituelles.

Le jeune Raspoutine séjourna au monastère orthodoxe de Verkhotourié, où il rencontra les membres des *khlysty*. Lui-même semble avoir eu une doctrine radicale : il proposait qu'on atteigne l'extase spirituelle à travers l'épuisement sexuel. Lorsque la chair était crucifiée, la petite mort de l'orgasme devenait la mort mystique de l'initiation.

Après avoir eu une vision de Marie qui lui dit de devenir vaga-bond, Raspoutine parcourut les 3 000 kilomètres qui le séparaient du mont Athos. Il revint chez lui deux ans plus tard, investi d'un pouvoir magnétique puissant et de pouvoirs de guérison miraculeux.

En 1903, il arriva à Saint-Pétersbourg. Là, il devint le protégé du confesseur de la famille royale qui disait de lui : « C'est la voix de la terre russe qui parle à travers lui. » Il présenta Raspoutine à une cour déjà fascinée par les idées ésotériques et avide d'expérience.

Le martinisme était déjà un sujet de conversation dans les loges maçonniques. Maître Philippe et Papus avaient fréquenté la cour russe en 1901. Papus avait déjà fait de Nicolas II le chef de la loge martiniste et occupait le poste de guérisseur et de conseiller psycho-logique du tsar. On disait qu'il avait conjuré l'esprit du père du tsar,

Alexandre III, qui avait prophétisé la mort de son fils par les révolutionnaires. Il mit également le tsar en garde contre l'influence maligne de Raspoutine.

Ce dernier serait par la suite calomnié et assassiné par les francs-maçons mais, en 1916, son contemporain, le grand initié Rudolf Steiner dit de lui : « L'esprit russe ne peut exister qu'à travers lui et personne d'autre. »

Illustration du Lohengrin *de Wagner. Aucun autre artiste ne communique avec autant de talent ce sentiment de destin irrésistible et imminent, central à toute entreprise ésotérique. Wagner écrivit sur son ambition de faire vivre un monde non-existant, et Baudelaire raconta comment, en assistant à une représentation de* Lohengrin, *il entra dans un état de conscience altéré où le monde ordinaire des sens s'évanouissait. L'occultiste Théodore Reuss affirma qu'il avait connu Wagner et que cela lui avait donné une vision profonde et particulière de la doctrine secrète dissimulée dans* Parsifal. *Reuss vit dans les derniers mots de* Parsifal, *à la fin du troisième acte, où le héros se tient debout, la lance érigée, une déification majestueuse du désir sexuel.*

Si, EN NOUS APPROCHANT DE LA FIN DU SIÈCLE, nous observons non pas la très grande littérature ou le grand art de l'époque, mais la catégorie juste en dessous, nous trouvons une prose dont les thèmes sont explicitement occultes et qui allaient dominer la culture populaire du XXᵉ siècle. Oscar Wilde était imprégné de la tradition de l'« ordre hermétique de l'aube dorée ». Son *Portrait de Dorian Gray*, comme le *Dr Jeckyll et Mr Hide* de Robert Louis Stevenson firent entrer la notion occulte de *doppelgänger*[1] dans la conscience populaire. Montague R. James, professeur à Cambridge, qui affirme être le père des histoires de fantômes, traduisit un grand nombre d'Évangiles apocryphes en anglais et donna une conférence sur les sciences occultes à la Eton Library Society. Il écrivit une histoire appelée le *Comte Magnus*, dans laquelle un comte alchimiste se rend en pèlerinage sur le lieu de naissance de l'Antéchrist, une ville appelée Chorazin. Chorozon est le nom d'un des démons qui avait eu de longues conversations avec Dee et Kelly et cela suggère que James savait de quoi il parlait.

Auparavant, Frankenstein avait été créé : c'était le récit de l'*homunculus* de Paracelse. Présent à la même soirée que Mary Shelley lorsqu'elle eut l'idée du monstre, Polidori, ami de Byron, écrivit une première histoire de vampire. Mais la version la plus célèbre est, bien évidemment, celle de Bram Stoker, *Dracula*, dans laquelle le corps préservé dans la tombe est une sorte de clone démoniaque de Christian Rosenkreutz. Stoker était lui-même membre de l'OTO – l'*Ordo Templi Orientis*, ou ordre des Templiers orientaux – une société secrète qui pratiquait la magie cérémonielle. Le théosophe tchèque Gustav Meyrink explora des thèmes similaires dans son roman *Le Golem*, qui, à son tour, influença le cinéma expressionniste allemand. On disait que dans son roman, *Là-bas*, Huysmans parlait de ce qui s'était vraiment passé lors de rituels de magie noire auxquels il avait assisté personnellement et qu'il avait donc rompu le serment de garder le secret. Aleister Crowley fit remarquer avec

---

[1] *Doppelgänger* est un mot d'origine allemande signifiant « sosie », employé dans le domaine du paranormal pour désigner le double fantomatique d'une personne vivante, le plus souvent un jumeau maléfique, ou le phénomène d'ubiquité, ou bien encore le fait d'apercevoir fugitivement sa propre image du coin de l'œil (ndlt)

une approbation évidente que la conséquence de cette indiscrétion fut qu'il mourut d'un cancer de la langue.

Dans l'art, les thèmes occultes explicites sont visibles dans le symbolisme de Gustave Moreau, Arnold Böcklin et Franz von Stuck, dans les rêves éveillés de Max Klinger, dans l'étrange art érotico-occulte de Félicien Rops, qu'un critique de cette époque surnomma le « Satan sarcastique ». Odilon Redon écrivit quant à lui qu'« il s'abandonnait aux lois secrètes ».

Salomé
de Gustave
Moreau.

PENDANT CETTE PÉRIODE, L'ESPRIT DU MATÉRIALISME travaillait à sa victoire, élaborant des versions matérialistes de la philosophie ésotérique. Nous avons déjà abordé la façon dont les idées ésotériques de l'évolution des espèces ont pris une tournure matérialiste dans les théories de Darwin. Nous avons également vu que les manipulateurs cruels et sans scrupules des francs-maçons, les illuminés, fournirent une méthodologie aux révolutionnaires de la fin du XVIIIe et du début du XIXe siècle. Désormais, le matérialisme dialectique de Marx transposait les idéaux spirituels de Saint-Germain sur un plan purement économique.

L'occultisme joua également un rôle dans le développement des idées de Freud. Charcot, son mentor, avait eu comme maître l'éminent maître occulte et inventeur du mesmérisme, Anton Mesmer. Le jeune Freud étudia la Kabbale et écrivit sur la télépathie, spéculant sur le fait que cela pouvait avoir été une forme archaïque de communication, utilisée avant l'invention du langage.

Il introduit dans la pensée dominante l'idée, essentiellement kabbalistique, de la structure de la conscience. Le modèle de l'esprit que popularisa Freud – celui du moi, du surmoi et du ça – peut-être considéré comme une version matérialisée du modèle tripartite kabbalistique.

En effet, à un niveau encore plus élémentaire, la notion même qu'il existe des impulsions indépendantes de notre conscience, mais qui peuvent l'affecter de l'extérieur, est une version sécularisée et matérialiste du récit ésotérique de la conscience. Dans le schéma que Freud trace de la vie, ces forces occultes sont interprétées comme étant sexuelles plutôt que spirituelles. Plus tard, Freud s'éloigna des origines ésotériques de ses idées et stigmatisa comme folle l'ancienne forme de conscience où il les avait puisées.

Les influences ésotériques sur Jung, élève de Freud, sont encore plus claires. Nous avons déjà dit que Jung interprétait le processus alchimique comme des descriptions de guérisons psychologiques et qu'il identifiait ce qu'il concevait comme les sept grands archétypes de l'inconscient collectif, au symbolisme des sept dieux planétaires.

En proposant une interprétation purement psychologique du processus alchimique, il niait un niveau de compréhension voulu par les écrivains alchimistes : c'est-à-dire que ces exercices peuvent influencer la matière de manière surnaturelle. Et même si Jung considérait que les sept archétypes agissaient indépendamment de l'esprit conscient, il était loin de prétendre qu'ils étaient des centres de conscience désincarnés, agissant de manière complètement indépendante de l'esprit humain.

Mais à la fin de sa vie, le travail qu'il fit avec Wolfgang Pauli, le physicien expérimental, l'encouragea à prendre quelques positions osées. Jung et Pauli en vinrent à penser qu'en plus du mécanisme purement physique d'un atome entrant en collision avec un autre atome, il existe un autre réseau de connexions, qui réunissent des événements qui ne sont pas connectés physiquement – des connexions causales et non physiques, induites par l'esprit. L'anthropologue français Henri Corbin contemporain de Jung, faisait à cette époque des recherches sur les pratiques spirituelles des maîtres soufis. Corbin en conclut que ces derniers travaillaient de concert et savaient communiquer entre eux dans le royaume de « l'imagination objective ». Terme que Jung créa au même moment.

Les explications matérialistes que Freud avait voulu imposer aux expériences spirituelles lui revinrent un jour à l'esprit et il fut envahi par un sentiment qu'il appelait « l'étrange ». Freud écrivit son essai *L'Inquiétante Étrangeté* à soixante-deux ans. En pensant à ce qu'il craignait le plus, il tentait de l'empêcher d'arriver, car quelques années plus tôt, le chiffre 62 lui était apparu sans cesse : sur une facture de chapeau, un numéro de chambre d'hôtel, ou un numéro de fauteuil de train. Il lui semblait que le cosmos tentait de lui dire quelque chose, qu'il allait peut-être mourir à soixante-deux ans.

Dans le même essai, il décrivit une expérience qui lui était arrivée : il marchait dans un dédale de rues, dans une vieille ville italienne, et se retrouva dans le quartier de la prostitution. Il prit ce qui lui semblait être le chemin le plus rapide pour en sortir, mais il se retrouva vite au point de départ. Il lui semblait que, quoi qu'il fasse, quelque direction qu'il prenne, il se retrouvait toujours au même endroit. Cette expérience rappelle Francis Bacon : c'était comme si le labyrinthe changeait de forme pour emprisonner le vagabond. Tout cela lui fit soupçonner qu'il existait un lien complice entre sa psyché et le cosmos ; ou alors le cosmos était-il en train de fabriquer du sens, indépendamment de toute entremise humaine, et de le lui montrer ?

Si Freud avait admis qu'une de ces conclusions était vraie, même un court instant, cela aurait détruit sa vision matérialiste du monde : il coupa court à ces impressions inconfortables.

LA COLONISATION EUROPÉENNE D'AUTRES PARTIES du monde apporta une vague d'idées ésotériques – l'Europe était à son tour colonisée par des idées. La présence, en Inde, de l'Empire britannique, conduisit à la publication, en anglais, de textes ésotériques indiens. C'est pour cette raison qu'aujourd'hui, l'ésotérisme oriental est mieux représenté en Occident que son équivalent occidental. De la même manière, les colonies françaises en Afrique du Nord ont imprégné l'ésotérisme des territoires francophones d'une coloration fortement soufie.

La partition de la Pologne au XIXᵉ siècle provoqua la dispersion des traditions alchimiques du pays à travers toute l'Europe. Un élan purement rosicrucien survécut en Europe centrale sous la forme de l'anthroposophie de Rudolf Steiner. La révolution russe fit s'enfuir tous les occultistes qui s'étaient rassemblés à la cour des tsars, ce qui provoqua un courant d'ésotérisme orthodoxe à l'Ouest. La philosophie de Gurdjieff et d'Ouspensky, également inspirée des soufis, eut elle aussi une grande influence, autant en Europe qu'en Amérique. Dans les années 1950, l'invasion chinoise du Tibet contribua à la dispersion de l'ésotérisme tibétain dans le monde entier.

De nos jours, en Occident, nombreux sont ceux qui pensent que la religion officielle risque d'être réduite à un simple formalisme : elle semble stérile et épuisée. Il ne serait sans doute pas surprenant que *toute* personne intelligente, à un moment de sa vie, soit prête à considérer la grande question de la vie et de la mort, veuille comprendre si la vie et l'univers ont ou non un sens, et se mette en quête de réponses. La philosophie ésotérique dans son ensemble représente le corpus de pensée le plus riche, le plus profond et le plus fascinant sur ces sujets.

LES TRÈS GRANDS ARTISTES ET ÉCRIVAINS trouvent des manières d'exprimer ce que *signifie le fait* d'être vivant à un moment donné de l'histoire.

Dans le grand art de la fin du XIXᵉ siècle et du début du XXᵉ, on entend le cri d'une humanité blessée, déconcertée. Certains des plus grands artistes et écrivains décidèrent que l'existence n'avait pas de sens, que la vie sur terre, la vie humaine, était un accident dû à des assemblages chimiques et que, comme dit Jean-Paul Sartre à la fin de *La Nausée,* la seule manière de donner un sens à la vie est de définir nos propres buts.

Il est également vrai que de nombreux artistes ont tiré profit de cette époque matérialiste et de son goût du luxe : le modernisme était, sans aucun doute, iconoclaste. Cependant, à la fin du XIXe siècle, la tyrannie des rois, les superstitions du clergé et la moralité bornée des bourgeois étaient des cibles faciles.

Pour la majorité des grands artistes de l'ère moderne, le modèle mécanique de l'univers a été l'icône qu'ils ont réellement voulu détruire.

Il nous plaît de nous représenter le modernisme comme un mouvement chic, branché, en harmonie avec le siècle des machines, impatient d'en finir avec l'autorité et le dogme du passé. Il est tout cela, mais il n'est pas, comme nous le pensons parfois, athée, du moins pas dans le sens moderne, radical, du terme. Si l'ésotérisme est le refuge d'anciennes superstitions, le modernisme l'est aussi. Le grand esprit unifiant du modernisme – qui relie Picasso, Joyce, Malévitch, Gaud', Beuys, Borges et Calvino – est le désir d'ébranler et de renverser le matérialisme scientifique dominant. Il suffit de sonder un peu la vie de ces artistes et écrivains pour s'apercevoir qu'ils étaient tous profondément engagés dans l'occultisme, et que l'ésotérisme leur offrait une philosophie de vie qui guidait leur esthétique.

Si l'on admet que Baudelaire et Rimbaud sont le point de départ du modernisme, il serait néanmoins trop simple d'interpréter le dérèglement des sens qu'ils recommandaient comme une fin en soi. La vérité est qu'ils croyaient vraiment que, quand le monde matériel se dissout, les contours du monde des esprits se présentent. « Le poète se fait voyant par un long, immense et raisonné dérèglement de tous les sens. »

Gauguin, Munch, Klee et Mondrian étaient des théosophes. La théosophie de Mondrian lui apprenait qu'il était possible de discerner la réalité spirituelle qui structure les apparences du monde matériel. Quant à Gauguin, il se voyait sculptant des œuvres qui – comme des *golem* – pourraient être animées par des esprits désincarnés. Kandinsky, comme Franz Marc, était un disciple de Rudolf Steiner, mais les grandes influences qui furent formatrices et le conduisirent à l'abstraction étaient les « formes pensées », perçues lors de transes et décrites par les théosophes Annie Besant et Charles W. Leadbeater. Klee se représentait en train de méditer sur le troisième œil. Malévitch était fasciné par Ouspensky.

Les origines ésotériques de l'art de Matisse sont moins évidentes, mais il déclara qu'il lui arrivait d'observer ce qu'il désirait peindre, une plante par exemple, pendant des semaines, ou même des mois, avant que l'esprit de ce dernier ne l'exhorte à lui donner une expression.

L'architecture inspirée du soufisme de Gaud' et ses arabesques exubérantes et flamboyantes où formes animales et végétales s'unissent et se transforment, se mêlant les unes aux autres, invitent le visiteur à entrer dans un état de conscience altérée.

L'Espagne est sans doute le pays d'Europe où le surnaturel frôle le plus le quotidien. Picasso, le grand artiste et mage du modernisme, a toujours été très attiré par les esprits qui s'immisçaient dans la réalité. Quand il était enfant, ses amis disaient qu'il avait des pouvoirs surnaturels de télépathie et de prophétie. Quand il arriva en France, Max Jacob, Erik Satie, Apollinaire, Georges Bataille, Jean Cocteau et d'autres l'initièrent à une tradition occulte élaborée.

Picasso utilisait souvent des thèmes ésotériques dans son travail : il lui arrivait de se peindre sous les traits d'Arlequin, dont l'image est souvent associée à Hermès et aux Enfers, surtout à Barcelone, sa ville natale, où la victoire d'Arlequin sur la mort est rejouée chaque année pendant le carnaval. Son ami Apollinaire l'appelait parfois l'« Arlequin Trismégiste ». À d'autres occasions, Picasso se représentait comme une figure du Tarot, suspendu entre le monde matériel et le monde des esprits.

Mark Harris, dans une analyse d'un dessin de corrida de 1934, texte longtemps négligé, met en lumière le thème de Parsifal dans l'œuvre de Picasso. Son essai est un exemple inspirant de la manière dont la pensée ésotérique peut illuminer des dimensions impénétrables pour la critique conventionnelle. Dans sa jeunesse, Picasso avait fait partie d'un groupe appelé Valhalla, qui étudiait les aspects mystiques de Wagner. Le dessin montre une scène de l'opéra de Wagner, quand le sorcier attaque Parsifal avec la lance de Longinus. Mais Parsifal est désormais un initié et la lance ne fait que planer au-dessus de sa tête.

Georges Bataille fit des recherches sur le mithraïsme et, en 1901, Picasso fit une série de tableaux représentant des femmes portant une mitre, symbole traditionnel de l'initiation. Comme le démontre Harris de façon tout à fait convaincante, le dessin de 1934 est une description d'une initiation souterraine. De même que Dante et Dostoïevski avant lui, Picasso montre que l'Enfer que le candidat traverse commence avec l'enfer de son propre désir. L'Enfer est au-delà de la mort, mais cette vie-ci est infernale aussi.

Ce dessin est une représentation d'un des thèmes de prédilection de Picasso. Notre monde est en train d'être brisé, fragmenté, par une éruption de forces souterraines malfaisantes. L'artiste initiatique, Picasso, peut remodeler le monde : il peut être l'incarnation d'un dieu de la fertilité, mais il le fait hors des canons de beauté traditionnels. Il réassemble les détritus, les ruines, la laideur, en leur donnant une nouvelle beauté.

Le peintre abstrait et conceptuel Yves Klein découvrit la pensée ésotérique quand il tomba par hasard sur un livre du défenseur moderne de la philosophie rosicrucienne, Max Heindel, qui avait été initié par Rudolf Steiner mais s'en était éloigné pour fonder son propre mouvement rosicrucien. Désirant voir la matière se transfigurer, Klein voulait que son art inaugure une nouvelle « ère de l'espace », représentée sur des toiles d'un bleu immuable qu'aucune ligne ni forme ne venait briser. En cette nouvelle ère, l'esprit humain, libéré des restrictions de la matière et de la forme, pourrait léviter et flotter.

LES GRANDS ÉCRIVAINS DU XXe SIÈCLE étaient aussi profondément immergés dans la pensée ésotérique. Inspirés par William Blake et sa religion sexuelle, William Butler Yeats et sa jeune femme George, explorèrent d'abord le lien direct entre l'union sexuelle et spirituelle qu'on trouve dans le *Zohar*, puis le yoga tantrique. Yeats se fit même faire une vasectomie dans l'espoir qu'en enrayant le flux de sperme, il pourrait accumuler l'énergie nécessaire à atteindre l'état visionnaire. Non seulement leurs expériences inspirèrent plus de quatre mille pages d'écriture automatique, mais Yeats resta sexuellement actif, semblant rajeunir, jusqu'à un âge avancé, âge auquel il écrivit certaines de ses plus belles poésies. Il louait l'« amour qui meut le Soleil ». Yeats était également un membre de l'« ordre hermétique de l'aube dorée » et de la Société théosophique ; il étudia l'hermétique, écrivit ouvertement sur la magie et rédigea l'introduction d'une édition grand public des *Yoga Sûtras de Patañjali*. *Ulysse* et *Finnegans Wake* de Joyce soulignent la familiarité de l'auteur avec l'hindouisme et l'hermétisme et comprennent des citations directes de Swedenborg, Mme Blavatsky et Eliphas Levi. La poésie de Thomas S. Eliot utilise également des références occultes de manière éclectique. Eliot assistait à des réunions de théosophie et de la Quest Society, auxquelles assistaient également Ezra Pound, Wyndham Lewis et Gershom Scholem, le grand spécialiste du mysticisme juif. Mais la grande influence formatrice de sa sensibilité poétique fut certainement la philosophie empreinte de soufisme d'Ouspensky, dont il allait également écouter les conférences. En fait, les trois premiers vers du poème en langue anglaise qui eut probablement le plus d'influence au XXᵉ siècle, *Quatre quatuors* – sur le passé et le futur, qui sont contenus dans le présent –, sont une paraphrase de la philosophie d'Ouspensky.

L'écrivain le plus occulte du XXᵉ siècle, et celui qui réussit à ressembler le plus à ce que disait Rimbaud sur le fait de devenir voyant, est sans doute Fernando Pessoa. Il écrivit qu'il portait en lui tous les rêves du monde et qu'il voulait faire l'expérience de l'univers tout entier – sa réalité – à l'intérieur de lui-même. Il attendait le retour de l'Être caché, qui lui-même attendait depuis le commencement des temps. Pendant ce temps, Pessoa se vidait comme un médium et permettait qu'une série de *personae* l'envahissent, écrivant sous leurs noms des poèmes aux voix très diverses. « Je suis l'habileté des dés », dit Gita. « Je suis celui qui agit dans les faits », dit l'hymne gnostique de la perle. Pessoa comprenait ces sensations. Pour mouvoir les choses dans l'espace et le temps, pour rendre le monde meilleur, il ne suffit pas de faire le plus grand des efforts. Nous avons besoin que les esprits travaillent à travers nous : nous avons besoin de l'esprit de l'habileté.

Dans la littérature de la fin du XXᵉ siècle, Borges, Calvino, Salinger et Singer traitent également, ouvertement, de thèmes ésotériques. C'est comme s'ils fonctionnaient de pair avec l'affirmation de Karlheinz Stockhausen qui dit que toute création authentique amène à la conscience un aspect du monde ésotérique, qui n'a encore jamais été vu. L'anthroposophie de Rudolf Steiner a beaucoup influencé non seulement Wassily Kandinsky, Franz Marc et Joseph Beuys, mais aussi William Golding et Doris Lessing, qui vivaient tous deux dans des communautés anthroposophiques.

La preuve que les influences ésotériques sont diffusées de manière étrange est que deux écrivains aussi différents que Clive S. Lewis et Saul Bellow aient été initiés à la philosophie ésotérique par le même maître spirituel, l'anthroposophe Owen Barfield.

Pouvons-nous dire qu'à chaque époque, les plus grands écrivains du moment s'intéressent aux idées ésotériques ? L'influence de l'ésotérisme est certainement visible aussi bien chez Saul Bellow que chez John Updike, les deux grands romanciers de langue anglaise nés au début du siècle. Une partie de la correspondance qu'entretenait Bellow avec Barfield a été publiée. Updike a écrit un roman ouvertement occulte, *Les Sorcières d'Eastwick*, mais ce passage de son roman *Villages* est sans doute le plus parlant : « Le sexe est un délire programmé qui ramène la mort à sa propre substance ; c'est l'espace noir entre les étoiles auquel on donne une douce substance dans nos veines et fissures. Les parties de nous-mêmes que la décence conventionnelle considère comme honteuses sont exaltées. On nous dit que nous brillons [...]. »

Ce passage touche le cœur du problème qui sépare la vision ésotérique du monde de son opposé. D'après les penseurs ésotériques, la vie dans un environnement mécanisé, industrialisé et digitalisé a un effet mortifère sur nos processus mentaux. Le béton, le plastique, le métal et les ondes électriques qui jaillissent de l'écran s'internalisent, ce qui produit une terre stérile, qui ne se régénère pas, comme abandonnée.

Afin de nous ouvrir à nouveau à l'influence vivifiante, circulant librement, du monde des esprits, nous devons volontairement opérer un changement dans notre conscience.

Comme Auguste et Jacques Ier, Hitler persécuta les adeptes de l'occultisme, parce qu'il les prenait au sérieux, et non pas le contraire. Un des occultistes les plus en vogue à l'époque, Franz Bardon, fut arrêté avec un de ses disciples par les SS. L'histoire raconte que, tandis qu'on les battait, le disciple perdit contrôle et cria une formule kabbalistique qui paralysa ses bourreaux. Quand l'enchantement fut rompu, le disciple fut exécuté. Bardon travailla comme magicien professionnel, se produisant sur scène. L'idée d'un magicien qui se révèle être en réalité un occultiste fut illustrée par Thomas Mann dans sa nouvelle Mario et le magicien *et ici, dans le film,* Le Cabinet du Dr Cagliari.

EN 1789, LES ARMÉES D'ANGES MENÉES par saint Michel gagnèrent la bataille dans les cieux. Mais, pour que cette bataille soit décisive, il fallait qu'elle ait à nouveau lieu sur terre.

Le 28 juin 1914, Raspoutine fut rattrapé par ceux qui complotaient sa mort. Le même jour, l'archiduc Ferdinand d'Autriche fut assassiné.

Et l'Enfer se déchaîna.

On a beaucoup écrit sur les influences occultes malfaisantes qui touchèrent l'Allemagne au début du XXe siècle. Ce qui est moins commenté en revanche, ce sont les influences occultes qui se répandirent en Russie au moment de sa révolution. Nous avons déjà évoqué Saint-Martin, Papus et Raspoutine, mais on connaît moins l'influence maléfique qui nourrissait leurs ennemis : les révolutionnaires communistes.

Comme je l'ai déjà dit, le marxisme peut être compris comme une reformulation matérialiste des idéaux de la franc-maçonnerie. La cellule révolutionnaire instiguée par Lénine et Trotski était inspirée des méthodes de travail de Weishaupt. Marx, Engels et Trotski étaient francs-maçons. Lénine était franc-maçon au 31e degré, membre de plusieurs loges, dont la loge des Neuf Sœurs, loge la plus importante à avoir été infiltrée par la philosophie nihiliste des illuminés. Lénine et Trotski menèrent une guerre contre Dieu.

Mais un mystère plus profond demeure. Comment un homme comme Lénine réussit-il à soumettre des millions de personnes à sa volonté ? Il semble que cela aille plus loin que les simples et sinistres stratégies de Weishaupt.

L'armée américaine a effectué des recherches très bien documentées sur les moyens occultes de prendre l'avantage sur l'Union soviétique. De nombreux témoignages sont dignes de foi, bien que les résultats n'aient pas été très probants.

Ce qui commence à émerger seulement aujourd'hui, c'est l'utilisation bien plus réussie et extrême que firent les agences gouvernementales de l'ex-Union soviétique de l'occultisme. Certains initiés peu enthousiastes ont survécu et ont accepté de parler de « l'initiation rouge », l'entraînement d'agents secrets qui avait lieu dans d'anciens monastères. Il semble que des techniques occultes y étaient utilisées pour renforcer la volonté à un degré surnaturel en exploitant les énergies psychiques des victimes torturées ou sacrifiées. Seul celui qui avait tué au nom de la cause pouvait devenir un initié rouge.

Nous avons déjà vu ce genre de magie noire – dans la culture des pyramides amérindiennes. Dans l'histoire secrète, Lénine est la réincarnation d'un grand prêtre, qui renaît pour s'opposer à la deuxième venue du dieu Soleil et, quand Trotski fuit ses vieux camarades pour se cacher à Mexico, il retourne chez lui.

L'image de Lénine en tant que réincarnation momifiée d'un initié des pyramides est, paradoxalement, à la fois cohérente et absurde pour la sensibilité moderne. Sans doute un peu ironiquement, cette image semble renfermer l'esprit même du modernisme, un mélange d'icône et d'excentricité, cet esprit *cheap*, banal et même clinquant, mêlé à l'ancienne et occulte sagesse.

DANS LES CERCLES OCCULTES, ON A BEAUCOUP DÉBATTU sur l'idée que la sagesse ésotérique devait être rendue publique. Peut-elle servir la guerre contre le matérialisme et est-elle dangereuse ?

Retournons en Inde, où commença l'histoire post-Atlantide.

À l'approche de la fin de cette histoire, nous sommes en mesure de considérer l'humanité et de juger de son évolution, depuis la créature à l'esprit collectif qui avait une petite conscience du monde qui l'entourait et une vie intérieure limitée, à Gandhi.

Gandhi était un individu à l'esprit libre, au libre arbitre développé et à l'amour librement consenti. Voilà quelqu'un qui avait tellement développé son sens de soi qu'il fut capable de prendre des virages déterminants dans sa propre histoire, dans son propre récit intérieur, et de les transformer en points charnières de l'histoire du monde.

Gandhi est la parfaite incarnation de la nouvelle forme de conscience que les sociétés secrètes ont aidé à faire évoluer au cours de l'histoire.

Il peut être paradoxal – tout en étant la preuve de la portée des sociétés secrètes – que, venant de la terre des rishis, Gandhi ait acquis ses premières idées ésotériques de la théosophie hybride de Mme Blavatsky, inspirée des Russes, des Anglais, des Égyptiens et des Américains.

Jeune homme, Gandhi se décrit comme « amoureux » de l'Empire britannique. De nature généreuse, il voyait le meilleur chez ces hommes et femmes droits et fair-play, qui administraient son pays comme une colonie.

Mais en mûrissant, il commença à voir plus loin : sous le fair-play qu'il vantait tant, il vit, par exemple, l'injustice du fardeau des taxes imposées par l'étranger et, surtout, le manque d'autodétermination de l'Inde.

Influencé par la philosophie de la désobéissance civile du transcendantaliste Henry Thoreau mais aussi par l'art et la critique sociale de John Ruskin, il décida de mettre le monde sens dessus dessous.

En 1906, à trente-six ans, il renonça à toute vie sexuelle avec sa femme. Dans sa discipline spirituelle quotidienne, il avait résolu de travailler sur un rouet, en partie pour encourager le tissage qui redonnerait du travail aux pauvres de son pays, mais aussi parce qu'il pensait qu'en tissant, il travaillait sur son propre corps végétal. S'il arrivait à maîtriser les différentes dimensions de son corps, il pourrait développer ce qu'il appelait *la force de l'âme*.

Il pensait que le cosmos est gouverné par la vérité et par les lois de la vérité et que, en agissant en accord avec ces lois, l'individu pouvait atteindre le *satyagraha*, la force de vérité et d'amour.

Si, par exemple, on a une confiance totale dans son adversaire, on arrive à l'influencer pour qu'il agisse de manière digne de confiance – grâce à l'influence psychologique, mais surtout par les forces surnaturelles. De la même manière, lorsqu'on nous attaque, il faudrait se défaire de tout sentiment de rage ou de haine contre son attaquant. Suivez cette philosophie, disait Gandhi, et « vous serez libérés de la peur des rois, des gens, des voleurs, des tigres et même de la mort ».

Le coton indien était exporté en Grande-Bretagne, vers les usines à textile du Lancashire, et revendu en Inde, ce qui profitait à la Grande-Bretagne et appauvrissait l'Inde. Assis à son rouet, Gandhi a dit : « J'ai la profonde conviction qu'à chaque fil que je tire, je tisse la destinée de l'Inde. » Dans la manière de penser sens dessus dessous, typique des sociétés secrètes, Gandhi rendait les Indiens responsables de l'occupation de l'Inde, et non les Britanniques. Il soulignait que si cent mille Britanniques avaient réussi à contrôler trois cents millions d'Indiens, c'est que ces derniers le voulaient bien.

Le 26 janvier 1929, il demanda que l'on fête le jour de l'indépendance dans les villages et les villes de tout le pays. Il appela au boycott des tribunaux, des élections et des écoles. Il choisit également de défier le monopole britannique de traitement du sel, car les Indiens devaient payer aux Britanniques le sel qui s'étalait en abondance sur leurs côtes. En mars 1930, Gandhi, sexagénaire, appuyé sur son bâton, se mit en route pour une marche qui devait lui prendre vingt-quatre jours et l'amener jusqu'à la mer. Il fut escorté par des milliers de personnes. Arrivé sur la côte, il entra dans l'eau pour une purification rituelle et, quand il se baissa pour ramasser une poignée de sel, la foule l'acclama, le désignant comme « le sauveur » !

La force d'âme de Gandhi était telle que, lorsqu'il rencontrait des soldats armés, ces derniers baissaient leurs armes. Hindouistes et musulmans se demandaient pardon en sa présence.

L'emprisonnement de Gandhi et ses grèves de la faim sapèrent le moral du gouvernement britannique et conduisirent à l'indépendance du pays en 1947. Le plus grand empire du monde disparaissait.

Notre histoire a évoqué la vie des grands chefs comme Alexandre le Grand et Napoléon, mais, dans un certain sens, Gandhi fut bien plus grand que n'importe lequel d'entre eux. Il croyait que la force de l'âme pouvait défaire le pouvoir militaire le plus puissant, car l'intention qui motive une action peut avoir des effets plus importants et plus étendus que l'action elle-même.

Gandhi était un hindouiste dévot, mais il vivait en accord avec des lois profondes, ces mêmes lois qui avaient été prononcées lors du Sermon sur la montagne. Lorsqu'il parla avec des factions rivales hindouistes et musulmanes, il leur dit que toute personne dont l'esprit de sacrifice n'est tourné que vers sa propre communauté devient égoïste et rend sa communauté égoïste. L'esprit de sacrifice, disait-il, doit embrasser le monde entier.

Et, comme saint François, Gandhi aimait le monde entier.

28

Mercredi, jeudi, vendredi

L'Antéchrist • Retourner dans l'ancienne forêt • Le bouddha Maitreya • L'ouverture des sept sceaux • La Nouvelle Jérusalem

CE N'EST QUE DANS CETTE BANLIEUE OBSCURE DE L'HISTOIRE, où rien de miraculeux n'a jamais l'air d'arriver et d'où aucun grand génie ne semble émerger, à cette époque où le niveau culturel des gens instruits ne fait que décliner – ce n'est que maintenant, dans ce monde-ci, que l'on croit à la matière précédant l'esprit. Partout ailleurs, et jusqu'à un temps très récent, les gens ont cru le contraire. Il leur aurait été impossible d'adhérer à ce que nous défendons de nos jours.

D'après l'histoire secrète, ce bouleversement a été provoqué par un changement de conscience. Dans le récit ésotérique, la conscience change plus rapidement et de manière bien plus radicale que dans l'histoire conventionnelle. J'espère que ce livre a réussi à démontrer que si, il y a encore quelques générations, les gens croyaient en un monde où l'esprit précédait la matière, ce n'était pas parce qu'ils avaient comparé deux doctrines, pesé les différents points de vue et choisi l'idéalisme, mais bien *parce qu'ils ressentaient le monde de manière idéaliste.*

Essayons de nous représenter les différences entre la conscience de nos parents et la nôtre : nous sommes probablement plus larges d'esprit, plus compréhensifs, capables d'apprécier le point de vue de gens très différents de nous, par leur origine, leur milieu, leur genre, leurs goûts sexuels et ainsi de suite. Par certains aspects, nous sommes sûrement plus conscients de nous-mêmes et, comme nous avons très bien digéré les idées de Freud, nous sommes plus à même de nous apercevoir des motivations sexuelles de nos pulsions – ou de comprendre nos motivations économiques, grâce à Marx. Probablement moins inhibés et moins effrayés par l'autorité, nous sommes plus sceptiques et nous sentons moins obligés envers notre famille. Nous mentons avec plus d'assurance, notre capacité de concentration est réduite et nous manquons de la détermination nécessaire aux travaux fastidieux qui ne payent que sur le long terme. Et, malgré la culture dominante qui parle beaucoup d'amour romantique, nous n'y croyons plus vraiment. Peu d'entre nous souhaitent, ou envisagent, de rester avec le même partenaire sexuel toute leur vie. En fait, comme le suggérait Rilke dans *Les Carnets de Malte Laurids Brigge*, une partie de notre être veut fuir la responsabilité qui nous incombe lorsque nous sommes aimés.

Notre conscience est donc différente de celle de nos parents et sûrement *très* différente de celle de nos grands-parents. Si nous projetons ces changements à un niveau historique, il devient facile d'imaginer comment était la conscience des gens d'il y a seulement quelques générations : leur conscience éveillée quotidienne pouvait ressembler à celle de nos rêves. Cela pose également la question suivante : comment sera notre conscience dans un futur proche ?

Dans la vision de l'esprit précédant la matière, l'esprit a créé l'univers physique, précisément pour faire éclore la conscience humaine et l'aider à évoluer.

Alors, qu'est-ce que cela nous dit ?

Comment notre conscience va-t-elle évoluer ?

D'APRÈS LE CHRISTIANISME ÉSOTÉRIQUE, l'époque où Jésus-Christ vécut sur terre correspond au milieu de l'histoire du cosmos : sa vie représente la charnière de l'histoire. Tout ce qui vient après est le reflet de ce qui est arrivé avant. Ce qui veut dire que nous sommes en train de traverser les grands événements de l'ère préchrétienne, mais dans l'ordre inverse. Notre développement futur nous amènera donc à traverser les stades antérieurs, en remontant toujours plus loin dans le passé.

Voyons par exemple notre vie en 2000 après Jésus-Christ : elle correspond à la vie d'Abraham qui, en 2000 avant Jésus-Christ, se promenait parmi les gratte-ciel d'Uruk.

Les gratte-ciel d'aujourd'hui peuvent représenter le fondamentalisme. Nous avons d'un côté des chrétiens d'extrême droite comparables aux musulmans les plus extrémistes : ces deux groupes veulent limiter le libre arbitre et l'intelligence pour nous entraîner dans une extase obscure. C'est ici qu'on voit l'influence de Lucifer.

D'un autre côté, nous avons le matérialisme scientifique militant, qui veut faire disparaître l'esprit humain. Les machines sont en train de nous faire devenir des machines. C'est là qu'apparaît l'influence de Satan qui veut détruire l'esprit et nous transformer en pure matière.

Et, comme Lucifer, Satan s'incarnera à son tour : il sera écrivain. Son but sera de détruire la spiritualité en « l'expliquant ». Il saura créer des événements surnaturels, mais il pourra également leur donner une explication scientifique, forcément réductrice.

Au début, il apparaîtra comme le grand bienfaiteur de l'humanité, comme un génie. Il ne se rendra tout d'abord pas compte qu'il est l'Antéchrist, car il sera convaincu qu'il agit pour le bien de l'humanité. Il nous débarrassera des superstitions les plus dangereuses et travaillera à unifier les religions du monde. Cependant, viendra un moment où il se gonflera d'orgueil, où il s'apercevra qu'il est en train de réussir des choses que même Jésus-Christ était apparemment incapable de faire. Dès lors, il se rendra compte de son identité et de sa mission.

Comment reconnaître Satan ? Ou tout autre faux prophète ? Ou tout maître spirituel fallacieux ? Il se trouve que les faux enseignements n'ont, en général, pas ou peu de dimension morale : quand on recommande l'ouverture des chakras par exemple, ce n'est qu'en termes de « développement personnel ». Un enseignement spirituel réel met l'amour des autres et l'amour de l'humanité au centre de son message – l'amour intelligent, celui qui est accordé librement.

Méfions-nous également des enseignements qui n'invitent pas au questionnement et ne tolèrent pas la moquerie, car cela voudrait dire que Dieu veut que nous soyons bêtes.

CE LIVRE A TENTÉ D'APPORTER LES PREUVES qu'au cours de l'histoire, des gens profondément intelligents se sont immergés dans la philosophie ésotérique.

Ils ont utilisé des techniques secrètes pour entrer dans des états alternatifs, qui leur permettent d'avoir accès à un niveau d'intelligence anormalement élevé.

Ces preuves montrent que les groupes impliqués dans ces sociétés avaient pour but d'aider à la création de nouvelles formes de conscience, *plus évoluées*.

La pensée ésotérique a eu une influence déterminante sur le développement de l'humanité, mais aujourd'hui on tend à la négliger.

L'Antéchrist, par Luca Signorelli, un détail de la chapelle San Brizio dans la cathédrale d'Orvieto. Signorelli participa avec Botticelli à la décoration de la chapelle Sixtine et était aussi, comme Léonard de Vinci, un membre de l'atelier de Verrocchio, dont le travail regorge de références ésotériques. Les prêtres et astronomes mayas ont daté l'incarnation de Lucifer au 13 août 3114 av. J.-C., ce qui concorde avec la tradition hindoue de l'aube de l'âge des ténèbres. Ces mêmes prêtres ont prédit un même virage dans l'histoire, la fin d'un cycle et le début d'un autre, le 22 décembre 2012 apr. J.-C.

D'APRÈS CETTE FORME DE PENSÉE, les humains avaient autrefois un accès illimité au monde des esprits. Cet accès se fit plus difficile, à mesure que la matière durcissait. Désormais, la barrière qui se dresse entre le monde des esprits et nous est en train de devenir plus fine : le monde matériel s'effiloche, commence à s'élimer.

Nous allons peut-être devenir plus conscients des schémas suggérés par les « coïncidences » et les synchronicités[1] que nous vivons : nous pourrions même commencer à y voir dessinées des lois plus profondes.

---

[1] Notion développée par Carl Gustav Jung, la synchronicité est l'occurrence simultanée d'au moins deux événements qui ne présentent pas de rapport de causalité, mais dont l'association prend un sens pour la personne qui les perçoit (ndlt)

Nous pourrions commencer à nous dire que nos intuitions et nos idées brillantes ne sont pas « à nous » et nous montrer plus ouverts à l'idée qu'elles nous sont peut-être suggérées depuis un autre monde.

Et si nous avions conscience que nous sommes reliés à des intelligences désincarnées, nous pourrions nous apercevoir aussi que nous sommes reliés les uns aux autres, directement, par la pensée, bien plus que par la parole et le regard. Nous pourrions même sentir de manière plus aiguë que notre interaction avec les autres est bien plus mystérieuse que nous ne le pensons habituellement.

Dans le futur, nous pourrions aussi apprendre à comprendre les relations entre les gens par le biais de la réincarnation, et nous rendre compte que lorsque notre inconscient aime ou n'aime pas quelqu'un que nous rencontrons, cela peut avoir un rapport avec une vie antérieure.

NATURELLEMENT, D'UN POINT DE VUE RAISONNABLE, tout cela a l'air fou : dans un univers scientifique matérialiste, il n'y a pas de place pour ce genre de rêveries.

Mais, comme nous avons essayé de le suggérer, la vision scientifique matérialiste a ses limites.

Quand il s'agit d'observer des événements aussi considérables que le commencement de l'univers, il est inévitable de se trouver devant une grande quantité de spéculations bâties sur les plus petites miettes de preuves. Les spéculations de nos plus grands physiciens, astrophysiciens et philosophes sur l'imbrication de dimensions infinies, sur les univers parallèles et les univers « bulles de savon » nécessitent autant d'imagination que les spéculations de Thomas d'Aquin sur les anges qui accompagnent les simples d'esprit.

Encore une fois, le fait est que, quand il s'agit des grandes questions, les gens ne font pas nécessairement leur choix en fonction du pour et du contre des différentes probabilités, qui seraient trop difficiles à mesurer. Le monde est comme cette image qui, selon la façon dont on la regarde, peut aussi bien représenter une sorcière qu'une jolie jeune fille. Les gens choisissent souvent une vision plutôt qu'une autre parce que quelque part, au fond d'eux, c'est ce qu'ils *veulent* croire.

Si nous arrivons à nous rendre compte de cette prédisposition, nous pouvons prendre une décision qui, dès lors, se révèlera libre, car elle sera basée sur la connaissance. La partie tapie au fond de nous qui veut croire à un univers mécanique et matérialiste n'est pas nécessairement, si on y réfléchit, celle qu'on laissera décider de notre destin.

Connais-toi toi-même, recommanda le dieu Soleil. Les techniques enseignées dans l'Antiquité dans les écoles du Mystère et, aux temps modernes, par des groupes comme les rose-croix, sont censées nous aider à prendre conscience du rythme de nos souffles, de nos cœurs, de notre sexualité, du rythme de notre réveil, de nos rêves et de notre sommeil sans rêves. Si nous réussissons à harmoniser consciemment notre propre rythme avec celui du cosmos, que mesurent Jakin et Boaz, nous pourrons peut-être arriver à relier notre évolution personnelle à la sienne. Cela révélerait le sens de la vie, dans son aspect le plus élevé.

La philosophie ésotérique appelle à la redécouverte des hiérarchies spirituelles alignées *au-dessus* de nous et, en restant intimement connectée à cela, à découvrir les capacités divines placées *en* nous. C'était le secret préservé et nourri par des génies comme Platon, saint Paul, Léonard de Vinci, Shakespeare et Newton :

> Si vous arrivez à penser profondément au point
> de redécouvrir les origines de la pensée, si vous arrivez
> à reconnaître la pensée comme étant des êtres spirituels
> vivants...
> Si vous arrivez à développer un fort sentiment
> d'individualité qui vous permette de vous rendre compte de
> vos interactions avec les Êtres de pensée qui entrent et sortent
> de vous, et ne pas vous laisser submerger par cette réalité...
> Si vous pouvez recréer cet émerveillement ancien et
> l'utiliser pour vous aider à réveiller la volonté qui dort dans un
> coin sombre de votre être...
> Si le feu de l'amour pour vos confrères, les humains, vient
> de votre cœur et vous fait verser des larmes de compassion...

... alors vous avez travaillé sur les quatre éléments : vous avez commencé le processus de leur transformation.

Voici le mystérieux « travail » quadruple, auquel saint Paul fait allusion dans la première épître aux Corinthiens 13 :

« À présent, nous voyons dans un miroir et de façon confuse, mais alors, ce sera face à face. À présent, ma connaissance est limitée, alors, je connaîtrai comme je suis connu.

Maintenant donc ces trois-là demeurent, la foi, l'espérance et l'amour, mais l'amour est le plus grand. »

L'intuition, c'est l'intellect transformé, qui perçoit les êtres spirituels comme vrais. Paul appelle cela la foi.

L'émerveillement, c'est le sentiment transformé, conscient du travail spirituel à l'œuvre dans le cosmos, sans en être accablé. Paul appelle cela l'espérance.

La conscience, c'est la volonté transformée quand, par la pensée et l'imagination, la foi et l'espérance, nous avons commencé à transformer cette partie brute de nous-mêmes, y compris la volonté qui est sous le seuil de notre conscience. Paul appelle cela la charité, ou l'amour.

En appliquant la foi à l'espérance, et la foi et l'espérance à l'amour, un être humain peut se transformer en ange.

C'est ainsi que le scorpion se transforme en aigle. Puis l'aigle travaille avec le taureau, et ce dernier se voit pousser des ailes ; et le taureau ailé travaille avec le lion, pour qu'il lui pousse des ailes à son tour.

La fin de ce processus quadruple est que le lion ailé travaille sur l'homme, pour le transformer en ange. C'est le grand mystère qui était enseigné dans les centres du Mystère de l'Antiquité et qui devint le grand mystère du christianisme ésotérique.

Les quatre éléments jouent un rôle majeur dans la formation de l'univers physique et, si nous travaillons dessus alors qu'ils nous traversent, nous ne transformons pas seulement notre être, mais l'univers tout entier, jusqu'à ses confins. Si un individu verse des larmes de compassion, sa nature animale est transformée jusqu'à un certain point, mais sont transformés aussi les chérubins qui s'entrelacent dans tout le cosmos. Les changements de la physiologie humaine deviennent les graines de la transfiguration de l'univers matériel tout entier.

Le kabbaliste Isaac Louria écrivit qu'un jour, il ne resterait plus un seul atome qui n'aurait été modifié par l'homme.

DANS LES PREMIERS CHAPITRES DE CETTE HISTOIRE, nous avons vu comment le monde et l'humanité furent créés, dans l'ordre suivant : d'abord la partie minérale, ensuite la végétale, puis l'animale et, pour finir, le sommet de la création, l'élément humain caractéristique.

Allégorie *de Léonard de Vinci. Initié de la philosophie secrète, Léonard comprenait les exercices spirituels sur les quatre éléments dont parle saint Paul. La créature sur la gauche n'est pas un loup, comme le dit le catalogue de la collection de Sa Majesté, mais un taureau.*

Les parties constitutives de notre être furent développées l'une après l'autre, chacune d'entre elles fournissant les conditions nécessaires au développement de la suivante. Aux derniers stades de l'histoire, ces éléments se transformeront dans le sens inverse : l'humain, l'animal, le végétal et, pour finir, le minéral. À la fin des temps, les moindres atomes de notre être matériel seront transformés, comme le corps de Jésus-Christ dans la Transfiguration.

Nous avons vu que, d'après l'histoire secrète, l'humanité ne trempe dans la matière que brièvement, et que le durcissement de la Terre et de nos crânes nous a aidés à développer le sens de notre propre identité et, ainsi, la capacité de penser, de vouloir et d'aimer librement. Mais avant ce bref séjour parmi les objets physiques, notre expérience était celle des *idées*. Les objets de notre imagination, que nous envisagions comme provenant des esprits, des anges et des dieux, étaient tout à fait réels à nos yeux. Pendant la majeure partie de l'histoire de l'humanité, bien après que la matière s'est formée, ce que nous voyions par l'esprit était toujours bien plus réel pour nous que les objets matériels. La leçon que nous offre l'histoire moderne est que la matière se transforme, se disperse, si bien que, dans un futur relativement proche, nous entrerons à nouveau dans le royaume de l'imagination.

Quand cela aura-t-il lieu ? Que se passera-t-il après l'incarnation de Satan ? Au chapitre 4, nous avons vu que dans un monde où l'esprit précède la matière, l'histoire est divisée en sept « jours ». Samedi fut le règne de Saturne ; dimanche fut l'époque où la Terre ne faisait qu'un avec le Soleil ; lundi fut la période précédant le départ de la Lune. Mardi correspondit au moment où commença à se mettre en place le monde matériel, en 11145 avant Jésus-Christ. La mort de Jésus-Christ marque le milieu de mardi et de la Grande Semaine. Que se passera-t-il le reste de la semaine ?

En 3574 après Jésus-Christ, nous entrerons dans l'ère que saint Jean, dans l'Apocalypse, appelle « philadelphie ». Les grandes impulsions de l'évolution des ères précédentes sont nées en Inde, en Perse, en Égypte, en Grèce, à Rome et dans le nord de l'Europe, mais la prochaine viendra de l'Europe de l'Est et de Russie. C'est pour cette raison que les gouvernements influencés par la franc-maçonnerie d'Amérique du Nord et de Grande-Bretagne ont tenu à s'investir dans cette partie du monde. Il est déjà possible de voir les extrêmes se développer dans cette région, aussi bien dans la spiritualité que dans la malfaisance, comme l'atteste par exemple la mafia russe.

Dans le futur, les personnages de cette histoire, les grands personnages qui ont aidé à sortir l'humanité du monde des esprits, renaîtront afin de nous y conduire à nouveau. Il y aura un nouveau Shakespeare, un nouveau Moïse, un nouveau Zarathoustra et un nouvel Hercule. Vers la fin de l'ère de philadelphie, Jésus ben Pandira, le maître des esséniens, se réincarnera en « cinquième cavalier, sur son cheval blanc, qui se nomme Fidèle et Véritable[2] », comme il est dit dans l'Apocalypse. Dans la tradition orientale, cette figure est appelée le bouddha Maitreya. Il apportera de grands dons spirituels et ouvrira ce que sainte Thérèse d'Avila appelle « les yeux de l'âme », les chakras.

C'est alors que nous retournerons dans l'ancienne forêt du chapitre 2. Nous aurons conscience de la présence des esprits, puis de celle des anges et des dieux vivant dans chaque chose qui nous entoure, mais ils ne nous contrôleront plus et nous percevrons à

---

[2] Allusion aux quatre cavaliers de l'Apocalypse de Jean, ainsi qu'au verset 19, 11 : « Puis je vis le ciel ouvert, et voici, parut un cheval blanc. Celui qui le montait s'appelle Fidèle et Véritable » (ndlt)

L'Ouverture
du cinquième sceau,
par le Greco.
« L'ouverture
des sceaux »
de l'Apocalypse
se réfère en réalité
à la réouverture
des chakras.

nouveau les êtres spirituels qui nous accompagnent lorsque nous devons *prendre une décision.*

Et, comme les bons et les mauvais esprits se feront sentir, puisque chacun communiquera librement avec leur monde, la religion en tant qu'institution ne sera plus utile.

Imaginez un monde sans religion…

Nous retrouverons les capacités à contrôler les plantes et les animaux par le pouvoir de l'esprit dont jouissait Adam. Nous pourrons nous souvenir de nos vies passées et voir le futur.

Notre conscience éveillée se développera au point de percevoir notre conscience actuelle de la même manière que notre conscience actuelle perçoit la conscience de nos rêves aujourd'hui : nous nous rendrons compte qu'alors que nous nous croyions éveillés, nous étions endormis.

518

Ces avancées seront remportées de haute lutte : à la fin de l'ère « philadelphienne », il y aura une guerre mondiale catastrophique, au terme de laquelle la surface de la terre sera devenue un vaste désert spirituel, sauf en Amérique, où la flamme de la spiritualité sera préservée. Ce sera l'image inversée de la période à laquelle vécut le premier Zarathoustra.

La période qui court de 5734 à 7894 est appelée « laodicée » dans l'Apocalypse. La matière se diluant, notre corps répondra de plus en plus aux stimuli spirituels. Les gens bons irradieront la bonté, alors que les gens mauvais auront le visage et le corps façonnés par les passions animales qui les gouvernent.

Les gens bons trouveront de plus en plus difficile d'être heureux s'ils sont entourés de personnes malheureuses. Ce qui veut dire, en somme, que personne ne sera heureux tant que *tout le monde* ne le sera pas.

Si le monde matériel est bref, la mort l'est aussi. Avec le temps, nous ne mourrons plus, mais nous tomberons dans un profond sommeil qui se fera de moins en moins profond : la mort, comme le dit saint Paul, sera engloutie. En entrant dans un nouvel âge de la métamorphose, notre enveloppe charnelle finira par devenir inutile. Nous découvrirons « le Verbe perdu » des francs-maçons, c'est-à-dire que nous serons capables de créer par le pouvoir de la voix.

Selon la Grande Semaine, nous serons arrivés à jeudi, même si, évidemment, le temps, tel que nous le comprenons aujourd'hui, n'existera plus. Nos pensées auront une vie propre : elles travailleront pour nous, mais indépendamment de nous.

À mesure que l'histoire approchera de sa fin, les forces du mal s'exprimeront à nouveau : Sorath, la troisième entité de la trinité du mal, le démon Soleil, s'opposera aux intentions de Dieu. C'est la bête à deux cornes, comme celles d'un agneau, décrite dans l'Apocalypse. Il mènera les forces du mal à la Dernière Bataille.

Pour finir, le Soleil se lèvera non seulement différemment, comme l'avait prédit saint Jean Chrysostome, mais un soleil naîtra en chacun de nous.

TOUT CELA S'ACCOMPLIRA grâce au pouvoir de la pensée.

Globalement, les personnes qui ont le plus modifié l'histoire ne sont ni les grands généraux, ni les politiciens, mais les artistes et les penseurs. Un individu seul dans sa chambre donnant naissance à une idée contribue bien plus à changer le cours de l'histoire que le général qui commande des milliers de soldats sur le champ de bataille ou le politicien qui appelle à la loyauté de millions de personnes.

C'est ce qui est beau et stimulant dans la philosophie. Dans un univers de l'esprit précédant la matière, la pensée n'est pas simplement belle et stimulante – elle est aussi magique : ce n'est pas seulement ce que je fais, ou dis, qui affecte mes confrères et consœurs et le cours de l'histoire, mais ce que *je pense*.

PLATON A DIT QUE TOUTE PHILOSOPHIE COMMENCE avec l'émerveillement.

La science moderne veut tuer l'émerveillement, en prétendant que nous savons tout. La science moderne tue la philosophie en nous encourageant à ne pas poser les grandes questions en *pourquoi*. Ces questions n'ont pas de sens, disent-ils. Allez, contentez-vous d'avancer !

Les scientifiques d'aujourd'hui insistent sur le fait que leur manière d'interpréter les conditions de base de l'existence humaine est la seule qui existe. Ils aiment s'étendre sur ce qu'ils savent : de leur point de vue, ce qui est connu est un vaste continent qui occupe presque tout ce qui existe.

Les hommes et les femmes que nous avons décrits dans ce livre comme ayant fait l'histoire, préfèrent, eux, s'étendre sur *ce qu'ils ne savent pas*. De leur point de vue, ce qui est connu est une minuscule île flottant sur une mer immense et très étrange.

Semons les graines du doute ; suivons les conseils de Francis Bacon et empêchons-nous d'imposer précipitamment des schémas au monde. Patientons avec Keats et laissons les vérités profondes émerger.

La science *n'est pas* une certitude : elle est un mythe comme un autre, représentant ce qu'au plus profond d'eux-mêmes les gens veulent bien croire.

Rudolf Steiner a dit un jour que les personnes qui n'ont pas le courage d'être cruelles développent souvent des croyances cruelles. *Dire que nous vivons dans un univers sans réciprocité est inutilement cruel.*

Si nous acceptons ces visions cruelles, nous autorisons les dires des experts de chaque domaine à prendre le pouvoir sur notre expérience personnelle. Et nous nions la véracité de ce que nous disent Shakespeare, Cervantès et Dostoïevski.

Le but de ce livre est donc de suggérer que, si nous jetions un regard neuf sur les conditions de base de notre existence, nous pourrions peut-être les appréhender de manière radicalement différente. Elles pourraient être considérées d'*une manière qui est presque complètement l'opposée de celle qui nous a été apprise.* C'est à cela que sert la philosophie, si elle est pratiquée correctement.

Les vestiges de la sagesse ancienne nous entourent, dans les noms des jours de la semaine et des mois de l'année, dans l'agencement des pépins d'une pomme et l'étrangeté du gui, dans la musique, les histoires que nous racontons à nos enfants, dans l'architecture de nombreux édifices publics et la forme de statues, dans nos plus grandes œuvres d'art et notre littérature.

Si nous n'arrivons pas à *voir* cette sagesse ancienne, c'est parce que nous avons été conditionnés pour qu'elle nous échappe : nous avons été ensorcelés par le matérialisme.

La science dit que l'idéalisme a dominé l'histoire jusqu'au XVIIᵉ siècle, date à laquelle il a commencé à être discrédité et elle s'imagine que le matérialisme restera la philosophie dominante jusqu'à la fin des temps. Pour les sociétés secrètes, le matérialisme finira par être considéré comme un simple accident de l'histoire.

DANS CE LIVRE, LES ENSEIGNEMENTS SECRETS ONT ÉTÉ MIS en lumière pour la première fois. Certains lecteurs pourront les trouver ridicules – mais au moins sauront-ils ce que ces enseignements sont en réalité. D'autres y trouveront peut-être quelque chose de vrai, même si ces secrets semblent incompatibles avec les grandes certitudes scientifiques de notre époque.

C'est une histoire visionnaire, l'histoire telle qu'elle a été retenue par la psyché humaine. Une histoire secrète, préservée par des adeptes capables de se glisser hors de la dimension matérielle. Elle peut sembler incompatible avec l'histoire que vous avez apprise, mais peut-être est-elle vraie dans d'autres dimensions ?

Nous devrions peut-être nous quitter en considérant les méditations d'un grand scientifique. Le physicien Niels Bohr[3] a dit : « Une vérité superficielle est un énoncé dont l'opposé est faux ; une vérité profonde est un énoncé dont l'opposé est aussi une vérité profonde. »

---

[3] Niels Bohr a reçu, en 1922, le prix Nobel de physique pour son développement des mécaniques quantiques (ndlt)

Nous avons constaté que si nous essayons de regarder le passé, avant 11451 avant Jésus-Christ, il existe très peu de preuves que la science pourrait considérer comme fiables. On a bâti des interprétations farfelues, précaires, d'après des données succinctes. Évidemment, c'est également vrai si nous tentons de voir le futur, au-delà de 11451 après Jésus-Christ. En réalité, nous devons nous servir de notre *imagination*. Quand nous essayons de voyager à cette distance, dans une direction comme dans l'autre, quand nous quittons ce petit îlot de matière, nous ne pouvons que pénétrer dans le royaume de l'imaginaire.

Cependant, les matérialistes ont tendance à se méfier de l'imagination, et l'associent au fantasme et à l'illusion.

Les sociétés secrètes ont une vision particulièrement exaltée de l'imagination : le grand esprit cosmique fait irruption dans le monde matériel à travers l'esprit de chaque individu et, grâce à l'imagination, chacun de nous peut l'atteindre et communiquer avec lui.

C'est en utilisant l'imagination de cette manière que Léonard de Vinci, Shakespeare et Mozart étaient presque divins.

L'imagination est la clé.

Remerciements pour l'iconographie

L'éditeur voudrait remercier les personnes et institutions suivantes, pour avoir permis la reproduction des images :

Collection privée pages 16, 25, 26, 41, 43, 45, 46, 52, 59, 61, 62, 65, 68, 69, 70, 71, 72, 73, 76, 78, 79, 80, 81, 84, 85, 86, 87, 89, 94, 98, 101, 102, 108, 109, 114, 116, 118, 120, 124, 125, 133, 137, 140, 144, 151, 152, 154, 160, 164, 165, 167, 169, 172, 173, 177, 180, 182, 190, 191, 195, 199, 201, 204, 205, 211, 213, 214, 222, 224, 229, 232, 233, 241, 244, 245, 246, 247, 248, 250, 257, 259, 268, 274, 276, 279, 280, 281, 282, 284, 294, 296, 308, 313, 316, 319, 323, 329, 334, 338, 349, 353, 355, 357, 359, 364, 366, 376, 377, 390, 394, 396, 406, 408, 409, 411, 412, 415, 419, 428, 430, 431, 432, 436, 441, 442, 444, 448, 451, 454, 461, 468, 473, 477, 480, 482, 484, 494, 496, 504, 512, 518, 522.

Bibliothèque d'art Bridgeman/collection privée/bibliothèque photographique Boltin © succession Marcel Duchamp/ADAGP, Paris et DACS Londres 2007, page 25

Bibliothèque d'art Bridgeman/collection privée, page 65

Bibliothèque d'art Bridgeman/Giraudon/Louvre, Paris, page 358

Tofoto/Fotomas, pages 2, 30, 372

Tofoto/Charles Walker, page 64

Tofoto/Picturepoint, page 422

Le Petit Prince, d'Antoine de Saint-Exupéry, page 172

National Gallery, Londres, page 264

Corbis/musée d'art de Philadelphie © Succession Marcel Duchamp

ADAGP, Paris et DACS, Londres 2007, page 290

Corbis/Archives Alinari, page 516

Martin J. Powell © Martin J. Powell, page 158

Section couleur

Page 1 : en haut : collection Kobal/Warner Bros ; gauche : bibliothèque d'art Bridgeman/Prado, Madrid ; droite : bibliothèque d'art Bridgeman/université Washington, Saint Louis, États-Unis/Lauros/Giraudon © ADAGP, Paris et DACS, Londres.

Page 2 : en haut : AKG Images ; en bas : Corbis/Sygma.

Page 3 : en haut : bibliothèque d'art Bridgeman/Peter Willi/Goethe Museum, Francfort ; en bas : AKG Images.

Page 4 : en haut : National Gallery d'Irlande ; en bas : Corbis/musée d'art de Philadelphie © Succession Marcel Duchamp/ADAGP, Paris et DACS, Londres 2007.

Page 5 : en haut : collection privée ; en bas : Achive/musée du Louvre Paris/Gianni Dagli Orti.

Page 6 : en haut : bibliothèque d'art Bridgeman/Prado, Madrid ; en bas : collection privée.

Page 7 : en haut : bibliothèque d'art Bridgeman/musée d'Unterlinden, Colmar, France/Giraudon ; en bas : collection privée ; droite : collection privée.

Page 8 : collection privée.

Page 9 : en haut : British Museum, Londres ; en bas : collection Kobal/NERO.

Page 10 : en haut : bibliothèque d'art Bridgeman/musée d'Unterlinden, Colmar, France/Giraudon ; en bas : collection privée.

Page 11 : en haut : collection privée ; en bas : bibliothèque d'art Bridgeman/Giraudon/Lauros/Sainte-Marie-Madeleine, Aix-en-Provence, France.

Page 12 : en haut : bibliothèque d'art Bridgeman/Giraudon/Louvre, Paris ; en bas : bibliothèque d'art Bridgeman/Graphische Sammlung Albertina, Vienne, Autriche.

Page 13 : en haut : bibliothèque d'art Bridgeman/Alinari/Santa Maria della Vittoria, Rome, Italie ; en bas : bibliothèque d'art Bridgeman/Giraudon/Prado, Madrid.

Page 14 : en haut : Art Archive/Museum der Stadt Wien/Alfredo Dagli Orti ; en bas : collection privée.

Page 15 : en haut : bibliothèque d'art Bridgeman/Duomo, Orvieto, Italie ; en bas : bibliothèque d'art Bridgeman/Yale Center for British Art, collection Paul Mellon, États-Unis.

Page 16 : en haut : Corbis/Francis G. Mayer ; en bas : Corbis/Christine Kolisch.

Tous les efforts ont été faits pour contacter les ayants droit. Cependant, les éditeurs sont prêts à rectifier toute erreur ou omission qui leur serait signalée dans une future réédition.

Note sur les sources et bibliographie sélective

Tout a commencé le jour où, dans la librairie d'occasion Hall, à Turnbridge Wells, j'ai trouvé un exemplaire du *Mysterium Magnum* de Jakob Böhme, traduit en deux volumes, par John Sparrow. Ce livre, écrit en 1623, avant le grand influx d'ésotérisme venant de l'Est provoqué par les conquêtes de l'Empire européen, me démontra qu'il existait une vraie tradition ésotérique occidentale qui reliait les Écoles du mystère d'Égypte, de Grèce et de Rome, et les assertions de visionnaires modernes comme Rudolf Steiner.

Simultanément, je suis tombé sur *De l'empreinte des choses* du même Böhme, *Les Neuf Livres de l'Archidoxe* de Paracelse et sur un recueil de ses écrits ainsi qu'une biographie de ce dernier par Franz Hartmann, et aussi *The Works of Thomas Vaughan*, le rose-croix anglais, édité par A. E. Waite – relié sous une couverture dorée magnifique. Ces livres s'avérèrent de très bons choix qui me confirmèrent l'existence de cette tradition. Dans un livre moderne de Joscelyn Godwin *Robert Fludd: Hermetic Philosopher and Surveyor of Two Worlds*, je trouvai même une image de la Terre se séparant du Soleil. Je savais qu'il existait une tradition ésotérique qui considérait cet événement historique, mais je n'avais lu cela que dans les écrits de Steiner.

Certains auteurs comme Valentine Tomberg et Max Heindel, ont été accusés de ne pas être suffisamment reconnaissant envers l'apport de Steiner. Je ne souhaite pas subir le même sort. Steiner est une figure immense dans les cercles arcanes, dominant la fin du XIXe et le début du XXe siècle comme Swedenborg a dominé la fin du XVIIIe et le début du XIXe siècle. Son enseignement a contribué plus que tout autre à éclairer le monde paradoxal et difficile de la philosophie ésotérique. Il existerait environ six cents volumes recueillant le travail de Steiner, dont la plupart sont des conférences. J'en ai lu une trentaine.

Cependant ses livres ne sont pas faciles. Le but de Steiner n'est pas d'être aussi clair que possible, comme dans la tradition académique anglo-américaine. Il s'employait plutôt à travailler sur ses auditeurs en tissant ensemble des thèmes – l'historique et le métaphysique, avec le moral et le philosophique. Il n'existe aucune structure conventionnelle et aucun récit dans sa prose. Les idées vont et viennent, rythmiquement, certaines accomplissant de larges cercles, d'autres des plus petits. Nombre de lecteurs perdent rapidement patience, mais en s'accrochant, on y trouve toujours des perles d'informations.

Toute philosophie idéaliste (ce qui veut dire, qui prône l'esprit précédant la matière qui est elle-même un précipité de l'esprit cosmique) raconte cette précipitation en termes d'une série d'émanations de l'esprit cosmique. L'idéalisme le plus élevé – la philosophie ésotérique de toutes les traditions – relatent l'existence de ces émanations des corps célestes de manière quasi systématique. Il existe des variations entre les différentes traditions et, lorsque c'est le cas, j'ai simplifié, non seulement pour être plus clair, mais pour suivre l'exemple de Steiner. Mes textes clés sont : *Théosophie, La Science de l'occulte, Les Guides spirituels de l'homme et de l'humanité, La Vie de l'homme et de la terre, Univers*.

(Je ne me suis pas mêlé des différentes polémiques entre les écoles de pensées telles que les anthroposophes, les théosophes et les disciples de Keyserling, sur la chronologie de ces événements, car elles sont absconses et parce que, comme je le dis dans mon texte, le temps, tel que nous le concevons aujourd'hui, n'existait pas alors. J'estime que ces discussions virent souvent à l'absurde mais, pour partager des propos intelligents sur le sujet, je préconise de se rendre sur la page web de Vermont Sophia et celui de la Sophia Foundation de Robert Powell. De nombreuses œuvres de Keyserling sont également disponibles en ligne. (Exceptionnellement, j'ai préféré me référer à Keyserling plutôt que Steiner, pour ce qui est de l'histoire des deux Krishnas qu'il fallait différencier.)

Steiner est un visionnaire et donnait rarement les sources de ses enseignements. Certains de ses dires sont, en principe, invérifiables de manière académique ou scientifique, mais la plus grande partie de ce qu'il avance l'est et l'a toujours été.

Je crois que le problème avec Steiner est qu'il est un personnage tel que les personnes qui lui ont emboîté le pas ont eu des difficultés à penser librement et indépendamment. L'ombre de Steiner peut inhiber l'originalité. C'est sûrement parce que j'ai longtemps travaillé dans l'édition, où la certitude est nécessaire au succès et aussi parce que mes recherches ont été tellement vastes, que j'ai pu apprécier Steiner dans un contexte ; ce qui est certain c'est que je ne l'ai jamais ressenti comme un poids, mais plutôt comme une source d'inspiration.

Entre autres enseignants modernes, G.I. Gurdjieff aime taquiner et surprendre. Mais son colossal *Du tout et de tout* renferme également des perles étonnantes qui confirment les enseignements ésotériques anciens. Son protégé, Ouspensky, avait le don de reformuler la sagesse ancienne dans un langage moderne, notamment dans *Fragments d'un enseignement inconnu* et *Un nouveau modèle de l'univers*. Également plongé dans la tradition soufie, René Guénon est l'image de la rigueur intellectuelle gauloise et je me suis servi de son *L'Homme et son devenir selon le Vêdânta*, ainsi que de *Le Roi du monde* et de l'*Introduction générale à l'étude des doctrines hindoues,* non seulement comme sources d'information, mais également comme des modèles de discipline.

La Sagesse secrète de la Kabbale est un guide très concis et pourtant éclairant. Sur la tradition ésotérique spécifiquement chrétienne, il existe un ouvrage écrit en 1881 par Anna Bonus et Edward Maitland, *The Perfect Way,* difficile à trouver, mais dont j'ai pu obtenir une photocopie. Écrit par un anglican de la haute Église, C.G. Harrison, *L'Univers transcendental* fut publié en 1893, et provoqua l'ire dans les cercles ésotériques, aussi bien au sein de l'Église qu'en dehors, car il révélait des choses que les sociétés secrètes ne voulaient pas divulguer. Dans la perspective orthodoxe, la petite bibliothèque de livres d'Omraam Mikhal Aïvanhov représente une tradition nourrissant les anciens mystères du Soleil et les enseignements ésotériques chrétiens sur l'amour et la sexualité. *Méditations sur les 22 arcanes majeurs du Tarot*, mentionné dans le texte, fut publié anonymement à Paris en 1980 et écrit par un ancien disciple de Steiner, Valentin Tomberg, qui devint catholique par la suite. (Pour en savoir plus sur ce renversement fascinant, je conseille de lire *Le Cas Tomberg - Anthroposophie ou jésuitisme* de Serge O. Prokofieff et Christian Lazaridès). *Méditations sur les 22 arcanes majeurs du Tarot* est un trésor de la tradition ésotérique chrétienne. *The Zelator: The Secret Diary of a Modern Initiate* de David Ovason est un classique négligé d'écriture ésotérique moderne. Il puise dans la sagesse de plusieurs courants, mais possède un message chrétien en son cœur. Les livres de Rudolf Steiner sur Jésus-Christ ont été d'une inspiration incomparable, surtout ceux sur les Mystères du Soleil qui sont au centre de l'ésotérisme chrétien : *Le Christianisme et les mystères antiques, Les entités spirituelles dans les corps célestes et dans les règnes de la nature, Les Préfigurations du mystère du Golgotha, Lucifer et Ahriman : leur influence dans l'âme et dans la vie*, ainsi que sa synthèse du bouddhisme et du christianisme et ses nombreux commentaires des Évangiles, comprenant également un supposé cinquième Évangile et *La Philosophie de Thomas d'Aquin*. J'ai également fait des recherches sur les travaux qui avaient été exclus par ses éditeurs, comme ses premières études sur *Atlantis and Lemuria* [non traduit en français, ndlt] et, le plus important pour ce qui est de mon propre texte, *Inner Impulses of Evolution : The Mexican Mysteries and the Knight Templar*. Je me suis beaucoup servi des commentaires sur la Bible, de l'ami de Steiner, Emil Bock.

Les grands chefs-d'œuvre sur l'alchimie du XXe siècle sont, bien sûr, *Les Mystères des cathédrales* et *Les Demeures philosophales*. Non seulement ils offrent des indices qui permettent la compréhension, mais ils sont également des guides formidables qui permettent de trouver les sites ésotériques en France. Je recommande également l'*Histoire des Rose-Croix* de Paul Sédir, qui contient des récits éclairant la naissance de l'hermétique chrétienne. *The Zelator: The Secret Diary of a Modern Initiate* de David Ovason est aussi très intéressant sur ce sujet, de même que *Un mystère rosicrucien* de Steiner. Pour ceux qui désirent poursuivre les recherches sur l'alchimie, je recommande le site d'Adam Maclean (en anglais), qui contient des archives extraordinaires de documents historiques.

Mme Blavatsky est un peu problématique, surtout parce que son aversion pour le christianisme semble, rétrospectivement, infantile et perverse. Je préfère la considérer comme un splendide exemple de la tradition victorienne – l'écriture de livres monstrueusement longs, remplis d'idées étranges et obscures, recelant parfois une érudition étonnante. À l'exception du *Rameau d'or* de sir James Frazer – qui est encore édité –, ces livres ne sont presque plus lus de nos jours. Parfois je me suis même demandé si je n'étais pas le premier à lire certaines de ces pages depuis au moins cent ans. Leur sagesse a été mise au rebut, même si elle recèle encore des perles et j'avoue m'être beaucoup amusé à fouiller dans les titres suivants : *La Doctrine secrète* et *Isis dévoilée* de Mme Blavatsky, *Theosophy and Psycological Religion* de F. Max Muller. *Fragments of a Faith Forgotten* et *Orpheus* de G.R.S. Meade, *Le Livre des morts égyptien* et *Christianisme gnostique et histoire* écrit par l'ami de George Eliot, Gerald Massey, *Ancient Theories of Revelation and Inspiration* d'Edwyn Bevan, *Œdipus Judaicus* de William Drummond, *The Lost Language of Symbolism*, et *Archaic England* de Harold Bayley, *The Canon* de William Stirling, *Architecture: mysticisme et mythe* de William Lethaby, *Les Fois païennes et chrétiennes* d'Edward Carpenter, *Introduction to Tantra Sastra* et *The Serpent Power* de sir John Woodroffe, *L'Histoire de la magie* d'Eliphas Levi, *The Kabbalah Unveiled* de S.L. MacGregor Mathers, *Mysticisme* de Evelyn Underhill, *Studies in Mysticism and Certain Aspects of the Secret Tradition* de A.E. Waite, *La Conscience cosmique* de Richard Bucke, *Les Grands Initiés* de Eduard Schure, *The Eleusian and Bacchic Mysteries* de Thomas Taylor et *Le Voile d'Isis ou le mystère des druides* de W. Winwood Reade.

La physiologie occulte est le thème central de ce livre. Pour m'inspirer, j'ai consulté *The Occult Causes of Disease* de E. Wolfram, *The Encyclopedia of Esoteric Man* de Benjamin Walker, *Santé et guérison : principes occultes* de Max Heindel, *Occult Anatomy and the Bible* de Corinne Heline et *La Physiologie occulte, L'Initiation ou comment acquérir des connaissances sur des mondes supérieurs, La Science de l'occulte* de Steiner. *The Parable of the Beast* de John Bleibtreu, même s'il ne peut être catalogué dans la littérature ésotérique, est une mine d'informations, surtout sur le troisième œil.

L'art occulte est également capital. Je me suis servi de *Le Symbolisme* de Robert Delevoy, de *Legendary and Mythological Art* de Clara Erskine Clement, *Le Royaume millénaire de Jérôme Bosch* de William Fraenger, *Symbolism in Christian Art* de Edward Hulme, *Trois conférences sur l'art* de René Huyghe – particulièrement bon sur le Greco – *The Occult in Art* de Fred Gettings, *The Two Children* de David Ovason, *Marcel Duchamp* par Octavio Paz, la biographie en trois volumes de John Richardson, *Vie de Picasso* et l'essai instructif de Mark Harris sur *Picasso's Lost Masterpiece*, ainsi que *The Foundation of Modern Art* de Ozenfant, *Sacred and Legendary Art* de Mrs Jameson, *Le Surréalisme et la peinture,* d'André Breton, *Surrealism and the Occult,* de Nadia Choucha.

Les livres d'Albert Pike et Arthur Edward Waite sur la franc-maçonnerie font partie de l'époque victorienne. Tout comme Manly Hall, ces hommes sont considérés comme les grands écrivains des mystères franc-maçonniques et j'ai puisé dans leur *Moral and Dogma, History of Freemasonry* et *Secret Teachings of All Ages,* comme dans *La Légende du Temple* de Rudolf Steiner. Je voudrais aussi mentionner *The Secret Zodiacs of Washington DC* de David Ovason et *Cagliostro ou le dernier alchimiste* par Ian McCalman. Je voudrais également citer les recherches de Robert Lomas, homme à l'esprit très indépendant qui, avec Christopher Knight a écrit plusieurs livres à succès sur les origines de la franc-maçonnerie – comme *Tourner la clé d'Hiram, Le Second Messie* et *Uriel's Machine.* De même que Robert Bauval, autre auteur à succès dans le domaine de l'histoire alternative, Lomas est ingénieur, ce qui lui permet de voir des choses que des écrivains plus théoriques auraient ratées. Ce que j'ai essayé de souligner dans mon livre, c'est le fait que les enseignements ésotériques ont une application pratique, ce qui les rend beaucoup plus vraisemblables.

Le meilleur récit des différentes sources de la légende du Graal est le livre d'Arthur Edward Waite *The Hidden Church of the Holy Grail.*

La grande figure de l'égyptologie ésotérique s'appelle Schwaller de Lubicz. Plus que tout autre, il a cherché à comprendre la conscience de l'Antiquité. Je me suis servi de ses intuitions visionnaires dans *Le Temple dans l'homme* et *Le Miracle égyptien.* J'ai également eu le plaisir de remonter le Nil et de visiter les plus grands sites égyptiens en compagnie d'éminents auteurs et spécialistes de la question, comme Robert Bauval, Graham Hancock, Robert Temple et Colin Wilson. C'est à cette occasion que j'ai pu explorer un passage secret situé derrière l'autel d'un des grands temples d'Égypte, en compagnie de Michael Baigent. Un livre qui compte beaucoup dans mes recherches est le dernier ouvrage de Robert Bauval, *Le Code mystérieux des pyramides,* qui est référencé dans mon texte. C'est dans cette étude que, selon moi, il arrive à percer le code caché dans l'architecture égyptienne. Robert Temple est une personne qui peut, sans difficulté, atteindre des niveaux d'intelligence surnaturels. *The Sirius Mystery, The Crystal Sun* et *Netheworld* sont des ouvrages de référence sur le symbolisme astrologique, les mythes et la tradition initiatiques. Voyez aussi *Les Mystères* de Ita Wegman et *La Connaissance mystérieuse et les centres du mystère* de Rudolf Steiner, ainsi que *Dans les antres de la sagesse* de Peter Kingsley. J'ai lu *L'Homme en dehors* de Colin Wilson au bon âge, j'avais 17 ans, époque à laquelle je fus également initié à Rilke et Sartre. Plus tard mon tuteur en philosophie – dont on disait qu'il était le plus brillant d'Oxford – rejeta le travail de Sartre, prétextant que ce n'était pas de la vraie philosophie et, je suis sûr qu'il aurait fait de même avec Wilson. Mais, pour ma part, je vois Wilson comme un grand intellectuel dans le sens le plus noble, car il se bat pour comprendre les grandes questions de la vie, de la mort et ce que signifie être en vie aujourd'hui, avec une grande honnêteté intellectuelle ainsi qu'une remarquable énergie. Ses héritiers se nomment Michael Baigent et Graham Hancock. Baigent a coécrit avec Henry Lincoln et Richard Leigh *L'Énigme sacrée.* Comme Baigent et Leigh, Hancock aime se servir du suspense dans sa fiction, afin de rendre plus digestes les idées difficiles à saisir. Ses livres, en particulier *L'Empreinte des dieux – Enquête sur la nuit des temps et la fin du monde*, ont commencé à ébranler le paradigme contemporain, à convaincre les lecteurs qu'il fallait interroger les versions officielles de l'histoire transmises par nos aînés. Son dernier livre *Surnaturel. Rencontre avec les premiers enseignants de l'humanité,* prend de grands risques intellectuels, mais il est écrit avec toute la rigueur qu'on attend d'un homme qui était autrefois un des plus grands journalistes financiers de Grande-Bretagne.

L'archéologue David Rohl prendrait certainement quelques distances avec certains des auteurs que je viens de citer, puisqu'il est un universitaire, bien que l'auteur à succès de *Test of Time, Legend : the Genesis of Civilisation* et *The Lost Testament.* Je pense que ses arguments sur la datation, surtout lorsque l'archéologie égyptienne correspond aux textes bibliques, seront bientôt acceptés par ses aînés dans les universités.

Ce qui m'a frappé en écrivant ce livre, c'est le nombre d'universitaires qui, travaillant chacun dans leur domaine, arrivent à des conclusions qui ne collent pas avec le paradigme dominant, aussi bien en ce qui concerne l'hégémonie matérialiste que la vision conventionnelle de l'histoire. Ce que j'ai essayé de faire ici, entre autres, c'est de réunir ces différentes anomalies afin de créer un monde de visions étranges. Je connais certains des universitaires importants que j'ai cités dans ce livre, mais pas tous et je n'ai aucun moyen de savoir si, de près ou de loin, l'ésotérisme les intéresse. Cependant, ce qui importe c'est que dans leurs textes, il n'apparaît aucune trace d'une quelconque allégeance à cette discipline, bien que leurs livres soutiennent, sans le savoir, la vision ésotérique du monde. Les voici : *La Naissance de la conscience dans l'effondrement de l'esprit,* de Julian Jaynes, *The Wandering Scholars* de Helen Waddell, *Les Troubadours et le sentiment romanesque* de Robert Briffault, *L'art de la mémoire, Giordano Bruno et la tradition hermétique* et *La Philosophie occulte à l'âge élisabéthain,* de Frances Yates, *Shakespeare and the Invention of the Human* et *Where shall be Wisdom found ?* de Harold Bloom, *Why Mrs Blake Cried* de Marsha Keith Suchard, *Newton, l'homme* de John Meynard Keynes, *Name in the Window* de Margaret Demorest (sur John Donne), *The School of Night* de M.C. Cranbook, *Le Moulin d'Hamlet* de Giorgio De Santillana et Hertha von Dechend, *Les Racines du romantisme* de Isaiah Berlin, *Religion and the Decline of Magic* de Keith Thomas, *Church and Gnosis* de F.C. Burkitt, *Empereur de la Terre* de Czeslaw Milosz, *La Flamme double, amour et érotisme* d'Octavio Paz, *John Amos Comenius* de S.S. Laurie et *Méditations sur la chasse* de José Ortega y Gasset.

Autres sources clés :
The Book of the Master, de W. Marsham Adams
The Golde Asse of Lucius Apuleius, traduit en anglais par William Adlington
L'Amour et la Sexualité, d'Omraam Mikhael Aïvanhov
Francis of Assisi : Canticle of the creatures, de Paul M. Allen et Joan de Ris Allen
À travers les yeux du maître, méditations et portraits, de David Anrias
The Apocryphal New Testament édité par Wake et Lardner
SSOTBME an Essay of Magic, d'Anon
Myth, Nature and Individual, de Franck Baker
Les Diaboliques, de Jules Barbey d'Aurevilly
History in English Words, d'Owen Barfield
Dark Knights of the Solar Cross, de Geoffrey Basil Smith
L'Ésotérisme, de Luc Benoist
La Rumeur de Dieu : signes actuels du surnaturel, de Peter L. Berger*
Histoire en mille images de la magie, de Maurice Besi
The Undergrowth of History, de Robert Birley
Radiant Matter Decay and Consecration, de Georg Blattmann
The Inner Group Teachings, de H.P. Blavatsky
Studies in Occultism, de H.P. Blavatsky
Histoire universelle de l'infamie, de Jorge Luis Borges
Giordano Bruno and the Embassy Affair, de John Bossy
Letters from an Occultist, de Marcus Bottomley
The Occult History of the World volume I, de J.H. Brennan
Nadja, d'André Breton
Egypt Under the Pharaohs, de Heinrich Brugsch-Bey
Un ermite dans l'Himalaya, de Paul Brunton
L'Inde secrète, de Paul Brunton
Egyptian Magic et Osiris and the Egyptian Ressurection, de E.A. Wallis Budge
Legends of Charlemagne, de Thomas Bulfinch
Studies in Comparative Religion, de Titus Burckhardt
Si par une nuit d'hiver un voyageur, d'Italo Calvino*
Le Héros aux mille et un visages, de Joseph Campbell
Rediscovering Gandhi, de Yogesh Chadha
Life before Birth, Life on Earth, Life after Death, de Paul E. Chu
The True Story of the Rosicrucians, de Tobias Churton
Le Songe de Scipion, de Cicéron
De la nature des dieux, de Cicéron
The New Gods, de E.M. Cioran
Démonolâtrie et sorcellerie au Moyen Âge : fantasmes et réalités, de Norman Cohn
The Theory of the Celestial Influence, de Rodney Collin
Ka, de Roberto Colasso
The Marriage of Cadmus and Harmony, de Roberto Colasso*
Un chemin vers l'esprit : la science spirituelle anthroposophique, de Paul Coroze
Les Mystères de Mithra, de Franz Cumont
The Afterlife in Roman Paganism, de Franz Cumont
Siva, de Philip K. Dick
The Revelation of Evolutionay Events, d'Evelynn B. Debusschere
La Théologie mystique et la hiérarchie céleste, du Pseudo-Denys l'Aréopagite
Atlantide : monde antédiluvien, d'Ignatius Donnelly
The Erotic World of Faery, de Maureen Duffy
Les Magiciens de Dieu, de François Ribadeau Dumas
Chroniques, volume I, de Bob Dylan*
Le Pendule de Foucault, d'Umberto Eco
Le Nom de la rose, d'Umberto Eco

Le Livre d'Enoch
The Sacred Magician, de Georges Chevalier
Life's Hidden Secrets, d'Edward G. Collinge
Conversations de Goethe avec Eckermann, présenté par Claude Roëls et traduit par Jean Chuzeville*
A New Chronology of the Gospels, d'Ormond Edwards
Zodiacs Old and New, de Cyril Fagan
On Life after Death, de Gustav Theodor Fechner
Ecstasies, de Carlo Ginzburg
Once Upon a Fairy Tale, de Norbert Glas
Snow-White Put Right, de Norbert Glas
Magic and Divination, de Rupert Gleadow
Maximes et réflexions, de Johann Wolfgang von Goethe
Hara, centre vital de l'homme, de Karlfried Graf Dürkheim
Les Mythes grecs, de Robert Graves
M.R James' Book of the Supernatural, de Peter Haining
Cabalistic Keys to the Lord's Prayer, de Manly P. Hall
Sages and Seers, de Manly P. Hall
The Secret Teachings of All Ages, de Manly P. Hall
The Roots of Witchcraft, de Michael Harrison
The Communion Service and the Ancient Mysteries, d'Alfred Heidenreich
Cosmogonie des Rose-Croix, de Max Heindel
Hermetica, d'Hermès Trismégiste
The Kingdom of Faery, de Geoffrey Hodson
The Kingdom of the Gods, de Geoffrey Hodson
Myth and Ritual, de Samuel H. Hooke
The Way of the Sacred, de Frances Huxley
Là-bas, de J.K. Huymans
Vernal Blooms, de W.Q. Judge
Esthètes et magiciens : l'art fin de siècle, de Philippe Jullian
The Teachings of Zoroaster, de S.A. Kapadia
The Rebirth of Magic, de Francis King et Isabel Sutherland
Mystères égyptiens : à la recherche d'une connaissance cachée, de Lucy Lamy
Dogme et rituel de la haute magie, Eliphas Lévi
L'Invisible Collège, de Robert Lomas
Turning the Solomon Key, de Robert Lomas
Le Livre de l'ami et de l'aimé, de Ramon Lull
David Lynch : entretiens avec Chris Rodley
An Astrological Key to Biblical Symbolis, de Ellen Conroy McCaffrey
Reincarnation in Christianity, de Geddes MacGregor
Le Grand Secret, de Maurice Maeterlinck
Experiment in Depth, de P.W. Martin
The Western Way, de Caitlin et John Matthews
Simon Magus, de G.R.S Mead
Atlantide-Europe : le mystère de l'Occident, de Dimitri Merezhkovsky
The Ascent of Man, de Eleanor Merry
Studies in Symbolism, de Marguerite Mertens-Stienon
Ancient Christian Magic, de Meyer et Smith
Outline of Metaphysics, de L. Furze Morrish
Rudolf Steiner's Vision of Love, de Bernard Nesfield-Cookson
The Mark, de Maurice Nicoll
L'Homme nouveau, de Maurice Nicoll
Simple Explanation of Work Ideas, de Maurice Nicoll
Le Sacré, de Rudolf Otto

The Secrets of Nostradamus, de David Ovason*

Les Métamorphoses, d'Ovide

Monsieur Gurdjieff : documents, témoignages, textes et commentaires sur une société initiatique contemporaine, de Louis Pauwels

Les Sociétés secrètes, de Louis Pauwels et Jacques Bergier

Les Ennéades, de Plotin

La Flamme double, amour et érotisme, d'Octavio Paz

The Cycle of the Seasons and Seven Liberal Arts, de Sergueï O. Prokofiev

Prophecy of the Russian Epic, de Sergueï O. Prokofiev

Les Vers d'or de Pythagore

Le Tarot des Bohémiens, de Papus

King Arthur : The True Story, de Graham Philips et Martin Keatman

Freemasonry, de Alexander Piatigorsky

Gargantua et Pantagruel, de Rabelais

Le Zen en chair et en os, de Paul Reps

Lettre à un jeune poète, de Rainer Maria Rilke*

Les Carnets de Malte Laurids Brigge, de Rainer Maria Rilke

The Followers of Horus, de David Rohl

Dionysius the Areopagite, de C.E. Rolt

Pan et le cauchemar, de Heinrich Roscher et James Hillman*

Lost Civilizations of the Stone Age, de Richard Rudgley

Des sciences occultes, d'Eusèbe Salverte

Studies in Comparative Religion, de Frithjof Schuon

L'Histoire de l'Atlantide et La Lémurie perdue, de W. Scott-Elliot

Les Anneaux de Saturne, de W.G. Sebald

Annotations of the Sacred Writings of the Hindus, de Edward Sellon

Les Soufis et l'Ésotérisme, d'Idries Shah

Lights Out for the Territory, de Iain Sinclair

Le Bouddhisme ésotérique, de A.P. Sinnett

Man, Creator of Forms, de V.Wallace Slater

Jesus the Magician, de Morton Smith

The Occult Causes of the Present War, de Lewis Spence

Le Grand Livre illustré de la mythologie égyptienne, de Lewis Spence

Epiphany, de Owen St Victor

The Present Age, de W.J. Stein

Tolstoï ou Dostoïevski, de George Steiner

Atlantis and Lemuria , de Rudolf Steiner

The Book with Fourteen Seals, édité par Rudolf Steiner

Le Péché originel et la grâce, de Rudolf Steiner

La Mort, métamorphose de la vie, de Rudolf Steiner

Digressions sur l'Évangile de Matthieu, de Rudolf Steiner

Mythes et mystères égyptiens, de Rudolf Steiner

La Connaissance initiatique et *Souvenir des druides*, de Rudolf Steiner

Les Symptômes dans l'histoire, de Rudolf Steiner

Le Plan de l'évolution et les puissances opposantes, de Rudolf Steiner

The Karma of Untruthfulness, volumes I et II, de Rudolf Steiner

Le Karma, Considérations ésotériques, volumes I et II, de Rudolf Steiner

La Vie entre la mort et une nouvelle naissance, de Rudolf Steiner

Manifestations du karma, de Rudolf Steiner

Histoire occulte, de Rudolf Steiner

Les Dangers d'un occultisme matérialiste, de Rudolf Steiner*

Le sang est un suc tout particulier, de Rudolf Steiner

L'Apparition des sciences naturelles, de Rudolf Steiner

Réincarnation et karma, de Rudolf Steiner

Les Contes à la lumière de l'investigation spirituelle, de Rudolf Steiner
La Légende du Temple et l'essence de la franc-maçonnerie, de Rudolf Steiner
Three Streams in Human Evolution, de Rudolf Steiner
Verses and Meditation, de Rudolf Steiner
Merveilles du monde, épreuves de l'âme et manifestations de l'esprit, de Rudolf Steiner
The World of the Desert Fathers, de Columba Stewart
Witchcraft and Black Magic, de Montague Summers
L'Amour vraiment conjugal..., de Emanuel Swedenborg
Du ciel et ses merveilles et de l'enfer, de Emanuel Swedenborg
Conversations with Eternity, de Robert Temple*
He Who Saw Everything, une traduction de l'épopée de Gilgamesh par Robert Temple
Mysteries and Secrets of Magic, de C.J.S. Thompson
The Elizabethan World Picture, de E.M.W. Tillyard
Tracks in the Snow, Studies in English Science and Art, de Ruthven Todd
Le Sentiment tragique de la vie, de Miguel de Unamuno
Histoire du spiritualisme expérimental, volume I, de César de Vesme
La Réincarnation, de Guenther Wachsmuth
Raymund Lully, Illuminated Doctor, Alchemist and Christian Mystic, de A.E. Waite
Gnosticism, de Benjamin Walker
La Saga théosophique : de Blavatsky à Krishnamurti, de Peter Washington
Tao, the Watercourse Way, de Alan Watts
Secret Societies and Subversive Movements, de Nesta Webster
The Serpent in the Sky, de John Anthony West
The Secret of the Golden Flower, de Richard Wilhelm
Witchcraft, de Charles Williams
The Laughing Philosopher: A Life of Rabelais, de M.P. Willocks
Are These the Words of Jesus? de Ian Wilson
Autobiographie d'un yogi, de Paramahansa Yogananda*
Mystique sacré, mystique profane, de R.C. Zaehner

Ce livre est le résultat de plus de vingt ans de lectures. Souvent, un livre, n'a donné qu'une seule phrase dans mon propre ouvrage, ce qui veut dire que les ouvrages cités ci-dessus ne sont qu'une biographie sélective. Pour certains de ces livres, je ne les ai pas seulement lus, mais également commandés et publiés. Au début, je pensais que les notes seraient aussi longues que le texte. Puis le texte s'est considérablement allongé, doublant de longueur. C'est sûrement mieux ainsi. Il n'aurait fallu qu'un tout petit bout d'information supplémentaire pour que ce livre explose, comme Mr Creosote, dans *Le Sens de la vie* des Monthy Python.

J'ai mis un astérisque à côté des livres – non pas les plus évidents, tels que *Les Frères Karamazov* par exemple – que je recommande au lecteur car ils permettent de plonger de manière vertigineuse dans une manière de penser que nous n'avons pas coutume d'explorer. J'ai choisi des livres qui sont faciles à lire et, je l'espère, faciles à trouver.

Discographie

De occulta philosophia, de J.-S. Bach est jouée par Emma Kirkby et Carlos Mema.

Beethoven disait que son morceau le plus ésotérique était l'*Appassionata*, mais pour ma part, je trouve que c'est sa dernière *Sonate pour piano n° 31 en la bémol majeur, opus 110*, durant laquelle il fait un saut temporel de cent ans et anticipe l'arrivée du jazz.

La musique pop la plus ésotérique a peut-être été composée par le pataphysicien Robert Wyatt, dont je recommande vivement son *Greatest Misses*.

***

Cette biographie sélective est celle dont s'est inspiré l'auteur, en langue anglaise. En ce qui nous concerne, nous avons utilisé les traductions françaises disponibles, les versions originales en français et, lorsque cela s'avérait nécessaire, c'est-à-dire quand l'ouvrage n'était pas disponible en français, nous avons traduit nous-mêmes de l'anglais, les passages cités dans le livre (ndlt).

Index

Cet ouvrage a été achevé d'imprimer en septembre 2009
dans les ateliers de Normandie Roto impression s.a.s.
61250 Lonrai
pour le compte des éditions Florent Massot

Imprimé en France

Première édition, dépôt légal : août 2009
Nouveau tirage, dépôt légal : octobre 2009
N° d'impression : 09-3448